ACCESO GRATIS *a la Lectura en la Nube*

Para visualizar el libro electrónico en la nube de lectura envíe junto a su nombre y apellidos una fotografía del código de barras situado en la contraportada del libro y otra del ticket de compra a la dirección:

ebooktirant@tirant.com

En un máximo de 72 horas laborales le enviaremos el código de acceso con sus instrucciones.

EL ACCESO A LA INFORMACIÓN PÚBLICA EN EL DERECHO EUROPEO

EL ACCESO A LA INFORMACIÓN PÚBLICA EN EL DERECHO EUROPEO

EMILIO GUICHOT

tirant lo blanch

Valencia, 2023

© Emilio Guichot

© TIRANT LO BLANCH
EDITA: TIRANT LO BLANCH
C/ Artes Gráficas, 14 - 46010 - Valencia
TELFS.: 96/361 00 48 - 50
FAX: 96/369 41 51
Email:tlb@tirant.com
www.tirant.com
Librería virtual: www.tirant.es
DEPÓSITO LEGAL: V-158-2023
ISBN: 978-84-1147-629-4
MAQUETA: Disset Ediciones

Si tiene alguna queja o sugerencia, envíenos un mail a: *atencioncliente@tirant.com*. En caso de no
ser atendida su sugerencia, por favor, lea en *www.tirant.net/index.php/empresa/politicas-de-empresa*
nuestro procedimiento de quejas.

Responsabilidad Social Corporativa: http://www.tirant.net/Docs/RSCTirant.pdf

Índice

SEGUNDA PARTE
DERECHO DE LA UNIÓN EUROPEA

ABREVIATURAS

BCE	Banco Central Europeo
CEDH	Convenio Europeo de Derechos Humanos
Convenio 205	Convenio núm. 205 del Consejo de Europa, de 18 de junio de 2009, sobre acceso a los documentos públicos
DOCE	Diario Oficial de las Comunidades Europeas
DOUE	Diario Oficial de la Unión Europea
Reglamento 1049/2001	Reglamento (CE) núm. 1049/2001, de 30 de mayo de 2001, relativo al acceso del público a los documentos del Parlamento Europeo, del Consejo y de la Comisión
TCE	Tratado de la Comunidad Europea
TEDH	Tribunal Europeo de Derechos Humanos
TFP	Tribunal de la Función Pública de la Unión Europea
TFUE	Tratado de Funcionamiento de la Unión Europea
TG	Tribunal General de la Unión Europea
TJUE	Tribunal de Justicia de la Unión Europea
TUE	Tratado de la Unión Europea

PRESENTACIÓN

Abordamos –el lector y yo– en este trabajo el estudio de un tema que me parece apasionante y con el que me siento comprometido, como ciudadano y como jurista: el del acceso a la información pública.

He centrado el objeto de esta obra en el Derecho europeo. El trabajo sigue la siguiente estructura.

-En la primera parte se estudia el Derecho del Consejo de Europa[1]. En el sistema del Consejo de Europa, como veremos, ha habido una progresiva evolución en el fortalecimiento del derecho de acceso a la información pública, que ha tenido un punto de inflexión a finales de la primera década de este siglo. En esos años, se ha producido, por una parte, la admisión por el TEDH de que, cuando los llamados perros guardianes (*watch dogs*) –periodistas, organizaciones no gubernamentales, investigadores y asimilados– solicitan a las autoridades públicas información de interés público de la que estas disponen en exclusiva, con intención de divulgarla a la sociedad, está en juego el derecho fundamental a la libertad de expresión e información consagrado en el artículo 10 CEDH, y por tanto, cualquier limitación es una injerencia en ese derecho que debe cumplir los requisitos de previsión legal, necesidad y proporcionalidad en el seno de una sociedad democrática. Esta doctrina jurisprudencial y su aplicación práctica está llamada a resultar decisiva en la interpretación del alcance del derecho de acceso a la información pública por parte de las autoridades nacionales. Por otra parte, con el precedente de la Recomendación del Comité de Ministros de 21 de febrero de 2002 sobre acceso a la información oficial, carente de efecto vinculante, se ha aprobado el

---

[1] Para el lector no europeo o no familiarizado con la estructura política, organizativa y jurídica europea, no está de más aclarar que el Consejo de Europa es una organización internacional de ámbito regional europeo constituida en 1948 y destinada a promover la configuración de un espacio político y jurídico común en el continente, sustentado en los valores de la democracia, los derechos humanos y el Estado de Derecho. Lo conforman actualmente cuarenta y seis países miembros (Rusia fue expulsada tras la invasión de Ucrania de 2022), que son todos los de la Europa entendida en su extensión geográfica más amplia, inclusiva de Turquía, y con la excepción de Bielorrusia, Kasajistán y el Vaticano. Se puede considerar el equivalente europeo de la Organización de Estados Americanos.

Convenio 205, este sí vinculante, abierto a la firma de los Estados el 18 de junio de 2009, y que entró en vigor el 1 de diciembre de 2020. Si bien aún son más los Estados parte que no lo han firmado que los que sí lo han hecho –entre ellos, los más poblados, Alemania, Italia, Francia, Reino Unido o Turquía– su importancia como estándar europeo no precisa ser subrayada.

-En la segunda parte se aborda el Derecho de la Unión Europea[2]. En las tres últimas décadas se ha ido construyendo todo un trenzado normativo, al máximo nivel "constitucional" –con reconocimiento en los Tratados y en la Carta Europea de Derechos Fundamentales– y con desarrollo "legal" y "reglamentario", todo ello utilizando las categorías clásicas nacionales aún no reconocidas formalmente en la Unión, tras el fracaso en la ratificación del Tratado por el que se aprueba una Constitución Europea. A ese trenzado normativo se ha unido otro organizativo; en general, las Instituciones han sido conscientes de que no basta el reconocimiento del derecho de acceso, sino que es necesario aportar, además, medios personales y materiales y hacer una labor de difusión activa de la existencia del derecho, adaptar el lenguaje jurídico-normativo a la capacidad de comprensión del ciudadano medio –mediante guías del ciudadano, síntesis, etc.– auxiliar a los ciudadanos en su ejercicio –poniendo todas las facilidades y admitiendo todos los medios de solicitud–, dando la mayor facilidad para el acceso –con principios como la gratuidad para las solicitudes simples o la libre elección de modalidad de acceso– y dotando al sistema de mecanismos rápidos y gratuitos de recurso. A ello se le unen los medios tecnológicos, con la creación de registros electrónicos de documentos, al servicio de la efectividad del derecho de acceso a la información y la utilización masiva de la publicidad a través de la *web*, que es, con una diferencia abismal, como veremos, el mecanismo hoy más utilizado de acceso a los documentos. En este trabajo se lleva a cabo un detallado análisis de la normativa sobre acceso a los documentos públicos, tanto la anterior, el llamado Código de

---

[2] Con la misma intención expresada en la nota anterior, puede sintéticamente recordarse que la Unión Europea es una organización internacional de ámbito europeo que se basa en la cooperación y en la integración política, jurídica y económica, surgida en los años cincuenta y que cuenta actualmente con veintisiete Estados miembros, tras la salida del Reino Unido.

Conducta, de 1993, como la actual, el Reglamento 1049/2001[3]. En las ya casi tres décadas de aplicación se ha ido construyendo una apasionante jurisprudencia, que va creciendo de forma geométrica, que he analizado de forma exhaustiva, expuesto sintéticamente y valorado de forma crítica[4]. El Reglamento 1049/2001 se encuentra en un proceso

---

[3] Por supuesto, la regulación del acceso a la información no es la única medida de transparencia. A la postre y como veremos, el acceso a la información es un instrumento "de lujo" o selectivo, utilizado fundamentalmente por actores cualificados, y no por "el común de los mortales". La transparencia trasciende al acceso a la información para incluir la publicidad de las sesiones del Parlamento, Consejo o Comisión o la publicidad oficial. Más en global, debe hablarse de una auténtica "política de comunicación" (que incluye también los comunicados de prensa, las entrevistas con medios de comunicación, las campañas informativas, la edición de folletos, organización de conferencias, ruedas de prensa, establecimiento y gestión de oficinas de información, etc.), como instrumento de una forma de gobierno o "gobernanza" basada en la interacción comunicativa. En este trabajo renunciamos a analizar esta perspectiva más amplia, que trasciende con mucho el ámbito de lo jurídico. Junto a ello, también se habla en el lenguaje comunitario de "transparencia" para englobar las cuestiones de la calidad normativa, tema que igualmente dejamos al margen de este estudio. Tampoco analizamos la regulación de los registros de grupos de interés o *lobbies*.

[4] Con la misma finalidad expresada en notas anteriores, puede aclararse que la jurisdicción comunitaria está integrada por el Tribunal de Justicia, el Tribunal General –hasta la entrada en vigor del Tratado de Lisboa denominado Tribunal de Primera Instancia– y el Tribunal de la Función Pública. El Tribunal de Justicia de la Unión Europea conoce de las cuestiones prejudiciales que le plantean los tribunales nacionales en relación con la validez o interpretación del Derecho Comunitario; de los recursos por incumplimientos estatales del Derecho Comunitario que plantea la Comisión u otros Estados miembros; de los recursos de anulación de actos comunitarios interpuestos por un Estado miembro contra el Parlamento Europeo y/o contra el Consejo (salvo los interpuestos contra el Consejo en relación con las ayudas de Estado, el dumping o las competencias de ejecución) y por una institución de la Unión contra otra institución; de los recursos por omisión dirigidos contra dichas Instituciones, en los mismos términos; de los recursos de casación limitados a las cuestiones de Derecho contra las sentencias y autos del Tribunal General; y, excepcionalmente, del reexamen de las resoluciones dictadas por el Tribunal General en los recursos interpuestos contra las resoluciones del Tribunal de la Función Pública. El Tribunal General es competente para conocer de los recursos directos interpuestos por personas físicas o jurídicas y dirigidos contra los actos de las instituciones y de los órganos y organismos de la Unión Europea (de los que sean destinatarias o que les afecten directa e individualmente), contra los actos reglamentarios (que les afecten directamente y que no incluyan medidas de ejecución) o contra la in-

de reforma que se halla en un bloqueo aparentemente sin salida desde
hace ya más de una década, debido a la existencia de discrepancias
de entidad en torno al alcance de la transparencia (en un bando, el
Parlamento europeo y los Estados nórdicos, de mayor tradición de
transparencia; en otro, la Comisión y los países centrales, por supuesto con muchos matices y con una evolución en el tiempo al hilo de
los cambios de mayorías en el Parlamento y de signo político en los
Gobiernos nacionales). El bloqueo es tal que, tras la toma de posición
del Parlamento en primera lectura en el ya lejano 2011, el Consejo no
ha llegado siquiera a pronunciarse sobre su propuesta. A principios
de 2020 la Comisión propuso la retirada de su propuesta de reforma,
ante la falta de acuerdo previsible y lo que considera el desfase actual
de las posiciones iniciales del Parlamento y de la suya propia. Ante la
oposición del Parlamento, acordó finalmente no retirar su propuesta
y apoyar continuar con la discusión política, si bien manifestó que
considera que el actual Reglamento en su interpretación por el TJUE
continúa aportando un marco legal apropiado y eficiente para asegurar el acceso público a los documentos. Pues bien, en este trabajo
se da cuenta también de las posiciones enfrentadas en muchos de los
aspectos analizados, de forma crítica y valorativa. Y, como se dijo,
se analiza al detalle la muy abundante jurisprudencia que, en efecto,
en el largo período transcurrido entre el impulso de la reforma y la
actualidad ha lidiado con gran cantidad de cuestiones en torno a la
interpretación de la normativa sobre acceso y alumbrado soluciones

---

acción de dichas instituciones, órganos y organismos, de los recursos formulados
por los Estados miembros contra la Comisión; de los recursos formulados por
los Estados miembros contra el Consejo en relación con los actos adoptados por
éste en el ámbito de las ayudas de Estado, las medidas de dumping y los actos por
los que ejerce competencias de ejecución; de los recursos dirigidos a obtener la
reparación de los daños causados por las instituciones de la Unión Europea o sus
agentes; de los recursos basados en contratos celebrados por la Unión Europea
que prevean expresamente la competencia del TG; de los recursos en materia
de marca comunitaria; de los recursos de casación, limitados a las cuestiones de
Derecho, que se interpongan contra las resoluciones dictadas por el Tribunal de
la Función Pública de la Unión Europea; y de los recursos formulados contra las
decisiones de la Oficina Comunitaria de Variedades Vegetales y contra las decisiones de la Agencia Europea de Sustancias y Preparados Químicos. El Tribunal
de la Función Pública es competente para conocer de los recursos en materia de
personal.

a las más controvertidas (no exentas, como se verá, de posibilidad de crítica, como toda argumentación jurídica).

Tanto el análisis del Reglamento 1049/2001 y de su interpretación judicial como el de las propuestas para su reforma, acometidos en la segunda parte del trabajo, se llevan a cabo a la luz de las conclusiones que arroja el análisis comparado de los Derechos de los Estados miembros, que se sintetizan al hilo de cada cuestión[5]. Puede afirmarse que, en línea de tendencia, los países nórdicos han profundizado más en la transparencia de la actividad pública que los grandes Estados centrales, existiendo, si no dos modelos, si una mayor o menor apuesta por la transparencia, diferencia ésta que se dejó ver en las posiciones adoptadas en la elaboración del Reglamento 1049/2001, que se sigue manifestando en las frecuentes intervenciones como coadyuvantes en apoyo de las posiciones de los solicitantes o por el contrario de las instituciones en los litigios ante el Tribunal de Justicia, o en las propias posiciones adoptadas cara al actual proceso de reforma. Lo mismo sucedió en la elaboración de la Recomendación del Comité de Ministros de 21 de febrero de 2002 sobre acceso a la información oficial, y, años más tarde, en la del Convenio 205 y en su ratificación, de la que están ausentes los grandes Estados centrales y del sur.

De esta suerte, he pretendido con este trabajo, de compleja elaboración por todas las razones antes indicadas, componer el puzle de la transparencia en Europa para, obtenida la foto, poder reflexionar de forma conclusiva si estamos ante la construcción de un Derecho común del acceso a la información pública y, en caso afirmativo, en qué momento y con qué contradicciones, si es que las hay. Solo al acabar su lectura, estaremos –el lector y yo– en disposición de poder hacer algunas reflexiones al respecto.

---

[5] Al respecto, utilizo como textos de referencia, junto al propio acceso directo a las diferentes normas estatales, el análisis comparado elaborado por la Comisión Europea *Comparative analysis of the Member States' and candidate countries' legislation concerning access to documents*, 1 de julio de 2003, SG/616/03, Directorate B, y la obra KRANENBORG, H. y VOERMANS, W., *Access to information in the European Union. A comparative análisis of EC and Member State Legislation*, Europa Law Publishing, Gröningen, 2005, comprobando y actualizando convenientemente sus datos.

Para terminar, solo unas palabras sobre la "intrahistoria" de este trabajo. Hace algo más de diez años, publiqué una primera aproximación al tema (*Transparencia y acceso a la información en el Derecho Europeo*, Editorial Derecho Global/Global Law Press, Sevilla, 2011). Una década más tarde, han pasado tantas cosas que la obra estaba desactualizada. En el ámbito del Consejo de Europa, el TEDH ha formulado la doctrina general sobre las circunstancias en las que el acceso a la información pública puede considerarse integrado en la libertad de información y expresión del artículo 10 CEDH y se ha incrementado de forma geométrica su jurisprudencia sobre la materia. Además, hace menos de dos años ha entrado por fin en vigor el Convenio 205. En el Derecho de la Unión Europea, estos diez años han conocido también un incremento más que proporcional de la jurisprudencia, que alcanza ya los dos centenares de pronunciamientos y que ha debido abordar, puede decirse, todas las complejas cuestiones en liza en la aplicación de la normativa sobre acceso a la información pública, muchas de ellas no resueltas una década antes. Pese al tiempo transcurrido, sin embargo, no se ha desbloqueado la reforma del Reglamento 1049/2001. En mayo de 2022 realicé una breve estancia de investigación en Bruselas para entrevistarme con los protagonistas en el Parlamento y en la Comisión, que me confirmó lo lejano de las posiciones, que no hacen vislumbrar un pronto desbloqueo. Pero ¿quién sabe? La política siempre puede sorprender, y la Unión Europea es todo un laboratorio de composición de desacuerdos. Mientras, como juristas, nos compete aportar análisis y propuestas. Eso es lo que pretende este libro. El lector juzgará con qué grado de acierto.

Sevilla (España), a 27 de agosto de 2022

PRIMERA PARTE
DERECHO DEL CONSEJO DE EUROPA

I. LA NATURALEZA DEL DERECHO DE ACCESO A LA INFORMACIÓN PÚBLICA: EL CONVENIO EUROPEO DE DERECHOS HUMANOS, LA LIBERTAD DE INFORMACIÓN Y EL DERECHO DE ACCESO A LA INFORMACIÓN PÚBLICA

1. LA NO INCLUSIÓN DEL DERECHO DE ACCESO EN EL CATÁLOGO DEL CEDH Y LA RETICENCIA INICIAL DEL TEDH A ENTENDERLO COMPRENDIDO EN EL CONTENIDO DE LA LIBERTAD DE INFORMACIÓN

El CEDH no reconoció expresamente el derecho de acceso a la información pública.

Se ha planteado ante el TEDH si este derecho debe considerarse incluido en el artículo 10 CEDH, referido a la libertad de expresión, que comprende la libertad de recibir o de comunicar informaciones o ideas sin que pueda haber interferencias de la autoridad pública[6].

Durante décadas, el TEDH recondujo las demandas basadas en una omisión por parte de los poderes públicos de facilitar información a los

---

[6] "1. Toda persona tiene derecho a la libertad de expresión. Este derecho comprende la libertad de opinión y la libertad de recibir o de comunicar informaciones o ideas sin que pueda haber injerencia de autoridades públicas y sin consideración de fronteras. El presente artículo no impide que los Estados sometan a las empresas de radiodifusión, de cinematografía o de televisión a un régimen de autorización previa. 2. El ejercicio de estas libertades, que entrañan deberes y responsabilidades, podrá ser sometido a ciertas formalidades, condiciones, restricciones o sanciones, previstas por la ley, que constituyan medidas necesarias, en una sociedad democrática, para la seguridad nacional, la integridad territorial o la seguridad pública, la defensa del orden y la prevención del delito, la protección de la salud o de la moral, la protección de la reputación o de los derechos de terceros, para impedir la divulgación de informaciones confidenciales o para garantizar la autoridad y la imparcialidad del poder judicial."

reclamantes a la posible vulneración del artículo 8, que garantiza el respeto a la vida privada y familiar, al domicilio y a la correspondencia[7]. Esta solución pudo explicarse porque en los asuntos planteados se pretendía información concerniente a la vida personal de los propios solicitantes. Siendo así, el TEDH prefirió optar por encajar –a veces, forzadamente– la obligación de facilitar la información solicitada dentro del contenido activo del derecho al respeto a la vida privada, en línea con la facultad positiva de acceder a la información que un tercero posee sobre una persona que forma parte del contenido del derecho a la protección de datos[8].

---

[7]   "1. Toda persona tiene derecho al respeto de su vida privada y familiar, de su domicilio y de su correspondencia. 2. No podrá haber injerencia de la autoridad pública en el ejercicio de este derecho salvo cuando esta injerencia esté prevista por la ley y constituya una medida que, en una sociedad democrática, sea necesaria para la seguridad nacional, la seguridad pública, el bienestar económico del país, la defensa del orden y la prevención de las infracciones penales, la protección de la salud o de la moral, o la protección de los derechos y las libertades de terceros."

[8]   Abordan directamente el tema las SSTEDH de 26 de marzo de 1987, *Leander* contra Suecia (acceso por una persona a su expediente policial); de 7 de julio de 1989, *Gaskin* contra Reino Unido (acceso por una persona a su expediente en poder de los servicios de asistencia social); de 19 de febrero de 1998, *Guerra* y otros contra Italia (acceso por los vecinos de una industria contaminante a la difusión por la Administración de información en materia medioambiental). Junto a estas Sentencias, las Decisiones de la Comisión Europea de Derechos Humanos de 31 de mayo de 1974 (acceso por concejales a información); de 3 de octubre de 1979 (acceso por el interesado a documentos que le afectan); de 14 de diciembre de 1979 (acceso a información sobre comisión de régimen penitenciario); o de 14 de octubre de 1991 (acceso por las esposas de presos políticos de ciudadanos europeos en un país africano a información sobre el paradero y estado de sus esposos). No obstante, en algún caso este enfoque resultó un tanto forzado, a nuestro juicio. Así, en el asunto *Guerra* y otros la información solicitada no era información personal (en el sentido de la legislación de protección de datos personales, esto es, referida a sujetos identificados o identificables), sino información a los vecinos sobre los riesgos para la población derivados del funcionamiento de una industria, que detentaba con exclusividad la Administración. Tampoco en este caso el Tribunal apoyó la condena en el artículo 10 (libertad de información), sino en el 8 (respeto a la vida familiar y personal), con apoyo una interpretación amplia del ámbito de protección de este derecho con precedentes en su jurisprudencia anterior (STEDH de 9 de diciembre de 1994, *López Ostra* contra España, posteriormente reafirmada en la STEDH de 2 de octubre de 2001, *Hatton* y otros contra Reino Unido). Esta opción fue, cuanto menos, polémica, como prueban los votos particulares y el dato de que la propia Comisión había declarado la vulneración del

En todo caso, el TEDH siempre se limitó a afirmar que la libertad de recibir información se caracteriza, "al menos de forma principal", como un derecho a obtenerla de los sujetos privados sin injerencia del poder público, cuidándose de no descartar que pudiera hacerse valer frente a la Administración en función de las circunstancias del caso[9].

Todavía en 2004 señaló la dificultad de derivar del artículo 10 CEDH un derecho general de acceso a la información[10].

---

derecho a la libertad de información, *ex* artículo 10, único artículo invocado inicialmente por los demandantes. El Tribunal, por el contrario, recurrió de nuevo al principio sentado en la Sentencia *Leander* contra Suecia, y juzgó que la libertad de información no puede interpretarse como una imposición al Estado, *en circunstancias como las del presente asunto*, de obligaciones positivas de recoger y difundir informaciones por su propio impulso. Influyó probablemente que el asunto ponía en cuestión si del artículo 10 CEDH se deriva no solo la obligación de la Administración de facilitar información a solicitud de los ciudadanos, sino incluso si debía haberlo hecho *ex officio* (siendo así que a ambas estaba obligada la autoridad pública por la legislación aplicable). El TEDH se centró, para rechazar la reconducción al artículo 10, en la obligación activa, y estimó que no puede derivarse del artículo 10. Esto es, no juzgó pertinente abrir en este caso la espita del artículo 10 hasta el punto de que imponga una obligación de informar *motu proprio*, lo cual en todo caso tampoco llegó a descartar como cuestión de principios.

[9]   El principio general, luego reiterado, fue elaborado en la Sentencia *Leander* contra Suecia: «[...] el derecho a la libertad de recibir información prohíbe básicamente que un Gobierno impida a una persona recibir información que otras quieren o pueden estar dispuestas a ofrecerle. El artículo 10 no confiere al individuo, *en circunstancias como las del caso de autos*, un derecho de acceso a un registro que contenga información sobre su situación personal, ni conlleva la obligación del Gobierno de facilitar una información tal al individuo» (apartado 74) (la traducción y la cursiva son nuestras). En los mismos términos, Sentencia *Gaskin*, apartado 52.

[10]   En la STEDH de 28 de septiembre de 2004, *Loiseau* contra Francia.

2. PRIMEROS PRONUNCIAMIENTOS QUE CONSIDERAN QUE EN DETERMINADAS CIRCUNSTANCIAS UNA NEGATIVA A CONCEDER ACCESO A LA INFORMACIÓN PÚBLICA SUPONE UNA INJERENCIA EN LA LIBERTAD DE INFORMACIÓN Y SU CRÍTICA INTERNA

Dos años más tarde, en 2006, y pese a reiterar esa dificultad, el TE-DH admitió que una vulneración del derecho de acceso a la información pública puede constituir una injerencia en el artículo 10 CEDH, que solo cabe si está prevista por ley, es necesaria y está justificada en una sociedad democrática, y, a partir de esta premisa, entrar a resolver si había habido una vulneración del derecho de acceso a la información a la luz del artículo 10 CEDH en el caso en cuestión[11].

Posteriormente, el TEDH continuó admitiendo que, en determinadas circunstancias, el derecho de acceso a la información pública forma parte de la libertad de expresión del artículo 10 CEDH, lo que acompañó de un reconocimiento expreso de que su jurisprudencia había evolucionado en este punto. Afirmó, en efecto, que la libertad de recibir información básicamente prohíbe al Gobierno impedir que una persona reciba información que otros quieren o pueden estar dispuestos a facilitarle, y no consiste en un derecho general de acceso a la información pública, pero que cuando se trata de información de interés público efectivamente existente y en poder monopolístico de las autoridades públicas, recopilar información es el paso previo a la difusión y la denegación de acceso a sujetos cualificados que tienen por objetivo la divulgación constituye una

---

[11] Así, en la STEDH de 10 de julio de 2006, *Sdruzeni Jihoceské Matky* contra República Checa se solicitaba información sobre el funcionamiento de una central nuclear checa. El TEDH admitió que en el caso concreto la denegación de la información constituía una injerencia en el derecho del demandante a recibir información. No obstante, estimó que se trataba de una injerencia no arbitraria sino proporcionada, ya que la solicitud de información versaba sobre aspectos técnicos carente de interés general y cuyo conocimiento público podía afectar al secreto industrial, a la seguridad nacional y a la salud pública. El TEDH dejó apuntado que otra solución cabría en el caso de tratarse de información de interés general sobre el impacto ambiental de la central.

injerencia en la libertad de información. Entre esos sujetos cualificados incluyó a periodistas[12], organizaciones no gubernamentales[13] e

---

[12] En la STEDH de 31 de julio de 2012, *Shapovalov* contra Ucrania, el demandante es un periodista y activista pro-derechos humanos que solicita actas y acuerdos relacionados con las elecciones presidenciales, desarrolladas bajo acusaciones de fraude, y que de hecho debieron repetirse. Se considera, en este caso, que no se ha probado que no se hubiera accedido a la información y, con ello, la injerencia. En la STEDH de 24 de junio de 2014, *Roșiianu* contra Rumanía, el demandante es un periodista que denuncia casos de corrupción en una televisión local y solicita a través de la Ley de acceso a la información pública nacional información sobre gastos públicos durante el período pre y postelectoral. Obtuvo una respuesta evasiva de las autoridades y acude a los tribunales nacionales. Le respondieron evasivamente. Los tribunales nacionales condenaron al ayuntamiento, si bien pusieron de relieve la complejidad y volumen de la información, y las autoridades locales pusieron a disposición del demandante miles de páginas, pese a lo cual planteó demanda al entender que pretendía acceder a información concreta y no a esa serie de documentos. El TEDH tuvo en cuenta que no se habían aportado a la causa copia de los documentos ni se había alegado que la información no estuviera disponible ni que no pudiera facilitarse, sino solo que no podía hacerse en un plazo breve, y condenó a Rumanía.

[13] En la STEDH de 14 de abril de 2009, *Társaság a Szabadságjogokért* contra Hungría, la demandante es una organización no gubernamental que solicitaba acceso al texto de un recurso de inconstitucionalidad, que le fue denegado en las instancias nacionales por estar el asunto pendiente y por considerarse que las opiniones del recurrente eran datos personales. Hungría no cuestionaba la aplicabilidad del artículo 10 CEDH. El TEDH considera que las organizaciones no gubernamentales son *watch dogs* que cumplen una función crucial para la transmisión de información y la formación de opinión pública en una democracia, análoga a los periodistas. Considera que en este caso la injerencia no satisface el requisito de la necesidad. Toma en consideración que el recurrente se mostró dispuesto a recibir la información previa eliminación de los datos personales de su autor, pero a la vez considera que un recurso de inconstitucionalidad no incorpora datos sobre la vida privada y considera que sería "fatídico" para la libertad de expresión en la esfera de la política si las personas públicas pudieran censurar la prensa y el debate público en nombre de sus derechos de la personalidad, alegando que sus opiniones sobre asuntos públicos están relacionadas con su persona y por ello constituyen datos personales que no pueden divulgarse sin su consentimiento. En la STEDH de 25 de junio de 2013, *Youth Initiative for Human Rights* contra Serbia, la demandante es una organización no gubernamental que pide información sobre el número de personas que habían sido sometidas a vigilancia electrónica por parte de la agencia de inteligencia serbia. El Comisionado de Transparencia había ordenado la entrega de la información. El TEDH constata la violación a la luz del interés público de la información, la naturaleza de la solicitante y su pretensión de divulgar la información para contribuir al debate público y la existencia de una decisión firme del Comisionado

investigadores[14], ya que todos ellos desempeñan un papel clave de "perros guardianes" y de difusión de la información entre la ciudadanía. En todos los casos, y resulta importante destacarlo, los demandantes habían solicitado la información conforme a su ley nacional de acceso a la información pública, y en la mayoría de ellos, de hecho, los tribunales nacionales habían ordenado la entrega de información en su aplicación.

Esta reelaboración de su doctrina anterior, para incluir en la libertad del artículo 10 CEDH obligaciones positivas, tuvo su contestación

---

de Transparencia. En la STEDH de 28 de noviembre de 2013, *Österreichische Vereinigung zur Erhaltung, Stärkung und Schaffung* contra Austria, la demandante es una asociación dedicada a investigar y estudiar las transferencias pasadas y presentes de propiedad inmobiliaria agrícola y forestal y su impacto en la sociedad e interlocutora en las iniciativas legislativas sobre la materia, que recibía información anonimizada de las aprobaciones de las transacciones en toda Austria salvo en una región. Solicitó esa información a la comisión regional encargada de las autorizaciones a través de la Ley de acceso a la información regional, pero le fue denegada argumentando que la anonimización requería un esfuerzo desproporcionado. El TEDH estimó que ese esfuerzo era debido, precisamente, a la falta de publicación de oficio de la información y además no había impedido facilitar información semejante a las demás autoridades regionales, por lo que no se podía calificar como una injerencia necesaria. La opinión parcialmente discrepante del Juez Mose parte de la aplicabilidad del artículo 10 CEDH, pero pone de relieve que se trataba de anonimizar varios centenares de decisiones, lo que permitía aceptar el argumento de que habría impedido a la comisión desarrollar sus competencias, a lo que se suma que parte de la información se publicaba en el informe anual de la comisión, que también publicaba *on line* sus decisiones más recientes. Por ello, la injerencia no era a su juicio desproporcionada.

[14] En la STEDH de 16 de agosto de 2009, *Kennedy* contra Hungría, el demandante es un historiador, especializado en la investigación sobre el funcionamiento de los servicios secretos en los antiguos países comunistas, alega que las autoridades húngaras no le habían facilitado acceso pleno a ciertos documentos, clasificados como secretos pero a los que no se había renovado dicha clasificación, solicitados conforme a la Ley de acceso a la información y pese a existir un pronunciamiento judicial que le reconocía el derecho, lo que le había impedido escribir un estudio objetivo sobre el funcionamiento del servicio de seguridad del Estado en los años sesenta. Las autoridades húngaras le ofrecieron el acceso con firma de un compromiso de confidencialidad, que no aceptó. Con posterioridad, todos los documentos, excepto uno, fueron transferidos al Archivo Nacional y se convirtieron de este modo en públicos. El TEDH consideró que había habido violación del artículo 6

dentro del propio TEDH con ocasión de una sentencia de 2015[15]. Un voto particular cuestionó que se pudieran extraer del artículo 10 CEDH obligaciones tales, cuando la jurisprudencia tradicional de la Gran Sala lo había negado[16], y otro, de profundo calado, también contrario a la mencionada extensión, puso además de relieve las debilidades de la jurisprudencia reciente, que había diferenciado dos categorías de sujetos, los "perros guardianes", por un lado, con la mayor protección de su derecho de acceso a la información, y los demás, que no la disfrutarían, desconociendo que en la sociedad actual, internet ha permitido a cualquier ciudadano actuar como "perro guardián" y difundir información, y que, por ende, el derecho de acceso debe reconocerse a todos los ciudadanos y con independencia de la finalidad para la que soliciten la información[17].

CEDH, por dilaciones indebidas, pero también enfocó *motu proprio* el asunto a la luz del artículo 10. El Tribunal enfatizó que el acceso a las fuentes documentales originales para la investigación histórica legítima es un elemento esencial del ejercicio del derecho a la libertad de expresión y consideró que la reticencia a facilitar el acceso pese a los reiterados mandatos judiciales constituía una injerencia no acorde con el derecho nacional y arbitraria, con carácter esencialmente obstructivo. En la STEDH de 3 de abril de 2012, *Gillberg* contra Suecia, el demandante es un profesor de psiquiatría de una Universidad pública que se niega a facilitar a otros investigadores datos de salud de un estudio realizado a niños bajo compromiso de confidencialidad, pese a que los tribunales nacionales le ordenan hacerlo conforme a la Ley nacional de acceso a la información. El TEDH no excluye que pueda reconocerse un derecho negativo a no entregar información, pero constata que el poseedor jurídico de la información era una Universidad pública sometida a la Ley nacional de acceso a la información, cuyas determinaciones se imponen a cualquier compromiso privado de confidencialidad, y que, aplicándola, una sentencia nacional ha ordenado la entrega de información. Al ser la Universidad la propietaria del informe, descarta que se pueda equiparar al derecho de los periodistas a no revelar sus fuentes o el de los abogados al respeto a la confidencialidad de sus relaciones con sus clientes.

[15] Se trata de la STEDH de 17 de febrero de 2015, *Guseva* contra Bulgaria, en que la demandante es una sociedad protectora de animales que pide a través de la Ley nacional de acceso a la información datos sobre el sistema municipal de recogida de animales, que se le deniegan, y obtiene una decisión favorable en los tribunales nacionales, a la que las autoridades locales no dan cumplimiento. Bulgaria no cuestionaba la aplicabilidad del artículo 10 CEDH. El TEDH condena a Bulgaria.

[16] Así, el voto discrepante del Juez Mahoney, que se refiere a la STEDH *Guerra y otros* contra Italia.

[17] Voto particular discrepante del Juez Wojtyczek. El magistrado ponía de relieve que la distinción operada por el TEDH llevaba a un reconocimiento implícito

3. LA FORMULACIÓN DE LA DOCTRINA GENERAL SOBRE LA RELACIÓN ENTRE DERECHO DE ACCESO Y LIBERTAD DE INFORMACIÓN

Tras estas sentencias "iniciales", de reelaboración de su doctrina, y ante estas discrepancias en su propio seno, el TEDH llevó a cabo su acercamiento más teórico y completo al año siguiente, en 2016, en una sentencia de la Gran Sala, a cuya elaboración dogmática se remiten sentencias posteriores[18].

---

de dos círculos de sujetos legales: una élite privilegiada con derechos especiales de acceso a la información, y los "comunes", sujetos a un régimen generales que permitiría restricciones de mayor alcance. Ahora bien, el sentido de la jurisprudencia del TEDH sobre los derechos de los periodistas desarrollada en los años setenta y ochenta tuvo su origen en un contexto social específico en el que el derecho de acceso a la información no tenía un reconocimiento amplio y la prensa tenía un cuasi-monopolio de la recogida y difusión de la información. Sin embargo, el desarrollo de la tecnología y en especial de internet ha llevado a una situación completamente diferente en la actualidad. La cantidad de información disponible y la forma en la que circula en la sociedad han cambiado sustancialmente. La prensa ha perdido su cuasi-monopolio en la difusión y el acceso al debate público se ha democratizado. El papel de la prensa ha evolucionado y su influencia ha declinado considerablemente. Afirma que no es exagerado decir que hoy, nosotros, los ciudadanos de los Estados europeos, somos todos periodistas. Nosotros (al menos muchos de nosotros) accedemos directamente a las fuentes de información, recopilamos o solicitamos información a otras personas y comentamos públicamente asuntos de interés general. Participamos directamente en el debate público a través de varios canales, principalmente a través de internet. Somos todos "perros de vigilancia social" que escrutamos la acción de las autoridades públicas. La sociedad democrática es –*inter alia* – una comunidad de "perros de vigilancia social". La antigua distinción entre periodistas y otros ciudadanos está ya obsoleta. En este contexto, la jurisprudencia desplegada hasta la actualidad acerca de las funciones de la prensa parece desfasada en 2015 y debería ser adaptada a los últimos desarrollos sociales. En su opinión, ello no quiere decir que la prensa o las organizaciones no gubernamentales no continúen teniendo un importante papel que cumplir y requiera normas especiales, pero no pueden afectar al derecho de acceso a la información, ante el cual todos los ciudadanos deber ser iguales. Tampoco comparte el criterio, relacionado con el anterior, que atiende a si la finalidad de la solicitud de información es su posterior divulgación, dado que, a su juicio, es irrelevante a los efectos del reconocimiento del derecho y lleva a una preferencia del acceso indirecto a la información frente al acceso directo, con el consiguiente riesgo de filtración y distorsión.

[18]   STEDH de 8 de noviembre de 2016, *Magyar Helsinki Bizottság* contra Hungría.

En la mencionada sentencia, el TEDH comienza haciendo una defensa de la coherencia de su jurisprudencia[19] y se lanza a profundizar en la construcción teórica. Acude a los diferentes medios de interpretación reconocidos por el Derecho internacional de los tratados y acogidos en su jurisprudencia. De este modo, considera que nada puede concluirse del estudio de los trabajos preparatorios –argüido por el Gobierno británico como excluyente de obligaciones positivas de dar acceso a información, dado que se eliminó en el texto final la referencia del anteproyecto a la "búsqueda" de información–[20]. A continuación, constata que tras la adopción del CEDH, los instrumentos internacionales, los propios trabajos del Consejo de Europa

---

[19] Considera que, a partir de la sentencia STEDH de 10 de julio de 2006, *Sdruzeni Jihoceské Matky* contra República checa atiende en unos casos para declarar la violación a la existencia de decisiones de autoridades nacionales, y en especial, judiciales, que ordenan entregar información, y que son incumplidas, y a que las solicitudes de información estén encaminadas a su posterior difusión. En otros casos, reconoce el derecho de acceso habida cuenta el rol de "perro de vigilancia" o "perro guardián" que piden información para luego difundirla y que, al estar en posesión monopolística de las autoridades públicas, conducen en caso contrario a "una forma de censura", al afectar al derecho a comunicar información. Concluye que no hay incoherencia ni salto entre su jurisprudencia anterior, según la cual la libertad de recibir información prohíbe en esencia que un gobierno impida a alguien recibir informaciones que otros aspirar a o pueden consentir en facilitarles, y la que representan estos asuntos. La primera sería el resultado de una lectura "literal" del artículo 10, y el TEDH se cuidó de afirmar que el artículo 19 no confería a los individuos un derecho de acceso a la información en cuestión ni imponía al gobierno la obligación de comunicarla "en las circunstancias del caso", de modo que no excluyó ni un derecho tal ni la obligación correspondiente del gobierno en otro tipo de circunstancias. Pues bien, a ese otro tipo pertenecen las sentencias dictadas a partir de 2006.

[20] La argumentación del TEDH gira en torno a la falta de debate sobre el tema, al no haber impedimento en la literalidad del texto finalmente aprobado y al mostrar los trabajos preparatorios del Protocolo núm. 6 el entendimiento de la inclusión en el artículo 10 CEDH de la libertad de búsqueda de información, si bien no inclusiva de la obligación de la autoridad de facilitarla, salvo en circunstancias cualificadas. El voto particular del Juez Sicilianos, al que se adhiere el Juez Raimondi, recalca que la interpretación del TEDH sobre las conclusiones derivadas de los trabajos preparatorios del CEDH y de su Protocolo adicional Sexto y el recurso al método evolutivo son conformes a la Convención de Viena sobre el Derecho de los tratados.

–que analizaremos en el siguiente epígrafe–[21], la práctica totalidad de los Estados parte del CEDH, la Unión Europea y otras organizaciones regionales no europeas han evolucionado de tal manera que se deriva un amplio consenso en cuanto a la necesidad de reconocer un derecho individual de acceso a las informaciones en poder del Estado para ayudar al público a forjarse una opinión sobre cuestiones de interés general [22]. La conclusión es que nada se opone a que el derecho de acceso a la información pueda considerarse parte integrante de la libertad de expresión si se reúnen una serie de condiciones, lo que se argumenta como forma de lograr la efectividad de las disposiciones del Convenio, puesto que sostener que el derecho de acceso a la información no puede en ninguna circunstancia derivar del artículo 10 CEDH llevaría a situaciones en las que la libertad "de recibir y de comunicar" informaciones se vería obstaculizada de una manera y hasta un grado en que la sustancia misma de la libertad de expresión quedaría afectada.

En definitiva, y considerando que "ha llegado el momento de clarificar los principios clásicos", el TEDH afirma que sigue considerando que "el derecho a la libertad de recibir informaciones prohíbe en esencia a un gobierno que impida a alguien recibir informaciones que

---

[21] Así, la Recomendación (2002) 2 sobre acceso a los documentos públicos y el Convenio núm. 205 del Consejo de Europa, de 18 de junio de 2009, sobre acceso a los documentos públicos.

[22] Del Derecho comparado se deduce que la práctica totalidad de los Estados analizados reconoce el derecho de acceso a la información como derecho autónomo como forma de reforzar la transparencia en la gestión de los asuntos públicos, lo que revela un amplio consenso en la necesidad de reconocer el derecho. A nivel internacional, el derecho a la búsqueda de información está reconocido en el artículo 19 del Pacto internacional de 1966 de derechos civiles y políticos, ratificado por todos los Estados parte del CEDH, y en el artículo 10 de la Declaración Universal de los Derechos Humanos. Esta misma concepción la apoyan los documentos emanados del Comité de Derechos Humanos de Naciones Unidas y del Relator especial de Naciones Unidad para la protección del derecho al a libertad de opinión y de expresión. También se ha consagrado como derecho fundamental en la Carta de los Derechos Fundamentales de la Unión Europea y se ha desarrollado por el propio Consejo de Europa en la Recomendación (2002) 2 sobre acceso a los documentos públicos. Fuera del ámbito europeo, ha sido reconocido como parte de la libertad de expresión por la Corte interamericana de Derechos Humanos o en la Declaración de principios sobre la libertad de expresión en África de 2002.

otros aspiran a o pueden consentir en suministrarle". Además, "no puede entenderse que el derecho de recibir informaciones imponga a un Estado obligaciones positivas de recogida y de difusión, *motu proprio*, de informaciones." Estima que "el artículo 10 no confiere al individuo un derecho de acceso a las informaciones en poder de una autoridad pública, ni obliga al Estado a comunicárselas. Sin embargo, un derecho o una obligación tales pueden nacer, en primer lugar, cuando la divulgación de informaciones se haya ordenado por una decisión judicial ejecutiva y, en segundo lugar, cuando el acceso a la información sea determinante para el ejercicio por el individuo de su libertad de expresión, en particular la libertad de recibir y de comunicar informaciones, y denegar este acceso constituya una injerencia en el ejercicio de este derecho."

Para determinar esto último, ha de estar a un análisis caso por caso, pero el pronunciamiento aporta una serie de criterios clave que han sido ya manejados de forma sistemática en su jurisprudencia posterior, a saber:

a) El *objetivo de la solicitud de información*, esto es, si se encamina a recibir y comunicar información e ideas, como es el caso de las actividades periodísticas u otras encaminadas a abrir un debate público o que sean un elemento esencial de la participación en ese debate.

b) La *naturaleza de las informaciones solicitadas*, esto es, que se trate de informaciones de interés público, en especial, porque contribuyan a la transparencia sobre la actuación en los asuntos públicos o sobre cuestiones de interés social general, y permitan así la participación del conjunto de la colectividad en la gobernanza pública.

c) La *condición de solicitante*, que es una consecuencia de los dos criterios anterior, es decir, si se trata de periodistas, de organizaciones no gubernamentales o, en general, de sujetos que tienen como objetivo informar al público en calidad de "perros guardianes", lo que no quiere decir que se les aplique a ellos exclusivamente. Así, por ejemplo, investigadores universitarios y autores de obras sobre temas de interés público tienen también un alto nivel de protección, y blogueros y utilizadores populares de las redes sociales también les pueden ser asimilados.

d) La *disponibilidad de la información*, que constituye un criterio importante en la apreciación global de si ha habido injerencia.

Si concurren estos criterios, ha de concluirse que ha habido una injerencia en la libertad de información y proceder al análisis posterior de si se trata de una injerencia legalmente prevista y necesaria en una sociedad democrática[23].

Hay que constatar que este importante pronunciamiento no fue tampoco unánime. No lo fue en los principios que sienta, dado que cuenta con un voto discrepante suscrito por dos Jueces, que consideran que –como veremos– no existe una *communis opinio* acerca de la integración del derecho de acceso en la libertad de información y, de hecho, en la Carta de Derechos Fundamentales de la Unión Europea, invocada por el propio TEDH, se trata de derechos autónomos. Además, ponen de relieve que con esta aproximación todas las excepciones o limitaciones contempladas en las normativas nacionales reguladoras del derecho de acceso se convierten en relativas, esto es, sometidas a la aplicación del criterio de la ponderación, siendo así que en muchos Derechos algunas son imperativas, esto, es, sometidas solo al criterio del perjuicio –como también veremos–[24]. Tampoco lo fue en su aproximación a la ponderación entre el interés público de la divulgación y la protección de datos[25].

---

[23] En el caso enjuiciado la demandada era Hungría y el demandante una ONG que realizaba un estudio sobre el turno de oficio-beneficio de justicia gratuita, al hilo del cual solicitó información sobre los letrados designados por los servicios de policía y el número de veces que lo habían sido, que le fue denegada en algún caso al afectar al derecho a la protección de datos, solución que fue revocada por el tribunal de instancia, pero confirmada en apelación y en casación. El TEDH considera que concurren los cuatro criterios, y que, pese a que la protección de datos fuera un límite contemplado en la propia normativa húngara, no era proporcionada, dado que se trataba de conocer datos de actuaciones profesionales en procesos públicos, que no versa, pues, sobre la vida privada y sobre los que no se podía tener, por ello, una expectativa de reserva, mientras que en el otro lado de la balanza estaba el interés de la divulgación de la información ante alegadas sospechas de falta de garantía del derecho de defensa por la disfuncionalidad que suponía el nombramiento de los abogados de oficio por la propia policía.

[24] Voto discrepante del Juez Spano, al que se adhiere el Juez Kjølbro.

[25] Así, para el voto particular concurrente de los Jueces Nussberger y Keller, el TEDH descartó de forma simplista la protección de datos, al entender que no formaban parte de la vida privada, frente a su propia jurisprudencia en torno al artículo 8 CEDH y a la legislación y jurisprudencia de la Unión europea – como veremos–, lo que, auguran, traerá problemas en el futuro. El voto discrepante del Juez Spano, al que se adhiere el Juez Kjølbro, también apunta en este sentido.

4. LA APLICACIÓN POSTERIOR DE LA DOCTRINA GENERAL

A partir de esta sentencia, la doctrina en ella sentada, y, en especial, los criterios antes enumerados, han sido el referente de las sentencias posteriores, cuyo número se ha ido incrementando de forma exponencial, con una gran aceleración en los últimos años. Han seguido la misma lógica: los demandantes son periodistas, investigadores –en sentido amplio– u organizaciones no gubernamentales que invocaron ante las autoridades nacionales la respectiva ley de acceso a la información pública.

En unos casos, el TEDH ha estimado que no se ha producido injerencia en la libertad de información. Así, cuando el demandante no ha motivado el interés público que persiguen con la solicitud y en su caso posterior difusión de información, esto es, la conexión con la libertad de información –y ello pese a tratarse de información sobre corrupción relacionada con personajes públicos por razón de su cargo–, y ha conseguido de hecho pese a la negativa realizar su tarea[26]; o cuando la información, tal y como la solicita el demandante, no está preparada disponible, sino que hay que confeccionarla a medida, y se le ha ofrecido "en bruto", por considerar que el artículo 10 no impone obligación alguna de recopilar información a petición del demandante, especialmente cuanto esto supondría una cantidad de trabajo considerable[27].

---

[26] En la STEDH de 30 de enero de 2020, *Studio Monitori* y otros contra Georgia, los demandantes son una organización no gubernamental para la investigación periodística de asuntos de interés público y su fundador, un periodista, que piden acceder a registros de antecedentes penales de terceros, sin motivar su solicitud. Las autoridades nacionales les solicitaron que concretaran la información a la que querían acceder y las razones, advirtiendo que había información clasificada y datos personales, pero se negaron a hacerlo, alegando que la Ley nacional no lo exigía. En este caso, el Gobierno ruso no objetaba a la aplicación del artículo 10 CEDH, pero el TEDH la abordó de oficio.

[27] En la STEDH de 7 de febrero de 2017, *Bubon* contra Rusia, el demandante es un investigador científico y abogado que escribía artículos para varias publicaciones rusas sobre Derecho y para bases de datos y redes sobre información jurídica en internet, y que estaba realizando por encargo un estudio sobre prostitución y pidió datos estadísticos al jefe del departamento de policía. Se le denegó por falta

Cuando sí ha considerado que hay una injerencia en la libertad de información, ha comprobado si está prevista en la ley nacional y ha llevado a cabo su propia ponderación entre el interés público en la divulgación, por su contribución al debate público en una sociedad democrática, y el derecho o bien protegido y reconocido como límite en la propia ley nacional de acceso a la información, tomando en cuenta al respecto si los demandantes expusieron las razones por la cual la divulgación de la información pretendida servía un interés público prevalente sobre el mencionado derecho. Así, ha tenido ocasión de ponderar con el derecho a la vida privada –poniendo el énfasis en la mayor o menor relación de la información personal con la vida privada–; con la seguridad pública y su relación con el régimen de los secretos oficiales y la información clasificada –afirmando que incluso en este caso es necesario un juicio de ponderación sin que baste la clasificación para excluir *per se* el acceso, por mucho que se reconozca un amplio margen de apreciación al Estado–[28]; o con la garantía de imparcialidad e igualdad de trato ante la justicia[29]. Cualquiera que

---

de interés legítimo, dado que la Ley rusa de acceso a la información exige que la información afecte directamente a los derechos y libertades del solicitante.

[28]   En la STEDH de 18 de marzo de 2021, *Yuriy Chumak* contra Ucrania, el demandante es un periodista, miembro de una ONG y subdirector de una publicación que solicita conforme a la ley nacional de acceso a la información pública acceso a actos normativos que han sido clasificados, sin cobertura legal, como "not for publication ", "not for printing" o "for official use" y se le deniegan al tratarse de secretos oficiales. El TEDH considera que se cumplen las condiciones para apreciar una injerencia y que al no llevar a cabo ni las autoridades administrativas ni los tribunales nacionales un juicio de ponderación entre el interés público en la divulgación y los bienes que protegen los secretos oficiales se produjo una vulneración de la libertad de información. En sentido contrario en la STEDH de 3 de febrero de 2022, *Šeks* contra Croacia, el demandante es un antiguo político que solicita conforme a la Ley nacional de acceso a la información pública acceder a documentos clasificados de cara a la elaboración de un libro sobre el nacimiento de la República de Croacia, y se le deniega por motivos de seguridad nacional. Considera que ha habido una injerencia, pero que al tratarse de una parte sensible de la reciente historia de Croacia que todavía forma parte del debate público, ha de reconocerse al Estado un amplio margen de apreciación sobre la afectación a su seguridad nacional. Entiende que en este caso los motivos fueron pertinentes y suficientes, basados en los objetivos legítimos de proteger la independencia, integridad y seguridad del país.

[29]   En la STEDH de 21 de enero de 2021, *Leshchenko* contra Ucrania, el demandante es un periodista dedicado a la investigación sobre política y corrupción

sea el motivo de denegación invocado, en fin, ha exigido una ponderación motivada. En otros casos, se ha enfrentado a denegaciones que no se amparan siquiera en un límite legal, en cuyo caso declara la violación[30].

Es más, pese a que como vimos el TEDH ha establecido que el artículo 10 CEDH no impone a los Estados obligaciones positivas de recogida y difusión, ha considerado que, en los casos en que la ley nacional sí lo hace, un incumplimiento o un cumplimiento *pro forma* basado en información falsa, inexacta o insuficiente constituiría una injerencia en la libertad de información[31].

---

en las altas instancias del poder, incluido el entonces presidente de la República. Investiga la venta de terrenos públicos donde estaba la residencia presidencial, parte de ellos al propio presidente, y pide copia del contrato de venta, así como las circunstancias de la aprobación en 2011 de la Ley que autorizó el uso del ruso en la vida pública, y pide copia del recurso de inconstitucionalidad planteado. Se le deniegan ambos, apelando en el segundo caso al objetivo de mantener la autoridad e imparcialidad del poder judicial. El TEDH estima que no se motivó suficientemente la denegación y declara la violación.

[30]   En la STEDH de 9 de diciembre de 2021, *Rovshan Hajiyev* contra Azerbayán, el demandante es un periodista al que le deniegan una solicitud de acceso a información formulada conforme a la Ley nacional de acceso a la información pública sobre el impacto ambiental y sanitario de una antigua estación militar de radar, pedida para realizar un análisis y someterlo a discusión pública. Las autoridades administrativas le indican que no obra en poder de la autoridad a la que lo solicitó y la vuelve a solicitar al Consejo de Ministros, sin obtener satisfacción, ni tampoco de los tribunales nacionales. El TEDH constata que se dan todas las condiciones para afirmar la existencia de una injerencia y que la ley nacional se ha aplicado de forma manifiestamente irrazonable y declara la violación.

[31]   En la STEDH de 1 de julio de 2021, *Association Burestop* y otros contra Francia, la demandante es una ONG que solicita poder activar un procedimiento contradictorio para constatar el cumplimiento de la obligación legal de una empresa de poner a disposición del público las informaciones acerca de la gestión de residuos radioactivos y sobre el contenido y calidad de la información difundida. En este caso, el TEDH constata que los tribunales nacionales apreciaron la exactitud de la información, luego no hay violación.

II. EL DESARROLLO NORMATIVO DEL DERECHO DE ACCESO: LA APROBACIÓN DEL CONVENIO 205 COMO CULMINACIÓN DE LA GENERALIZACIÓN DE LAS LEYES DE ACCESO EN LOS DERECHOS ESTATALES

1. LA APROBACIÓN DEL CONVENIO 205 Y SUS PRECEDENTES

Como es sabido, los materiales emanados del Consejo de Europa, en forma de Declaraciones y Recomendaciones –sin carácter vinculante– o Convenios –Tratados internacionales que como tales obligan una vez suscritos, ratificados y producida su entrada en vigor según las reglas nacionales–, constituyen la expresión más aproximada de un *ius publicum* europeo en permanente y acelerada formación y, además, fuente directa de inspiración del Derecho Comunitario, que analizamos en la segunda parte de este trabajo.

En el seno del Consejo de Europa se han venido adoptando desde hace décadas diversas iniciativas encaminadas al establecimiento de un estándar mínimo en relación con el derecho de acceso a la información en poder de la Administración, entendido como información "pasiva", esto es, a la que se accede previa solicitud. Junto a ello, los últimos años contemplan, tanto a nivel general como sectorial, la adición de la perspectiva de la "información activa", esto es, del deber de la Administración de difundir *motu proprio* ciertas informaciones relevantes. La serie de disposiciones que han ido marcando la evolución de la política del Consejo de Europa sobre la materia no dejan resquicio a la duda sobre cuáles son los fundamentos o las premisas que la guían. El acceso y la difusión de la información administrativa son condiciones para una profundización en la democracia efectiva, esto es, presupuestos necesarios para garantizar la participación de los ciudadanos en los asuntos públicos y la transparencia en el ejercicio del poder público[32].

Hasta 2009, el documento más importante lo constituía la Recomendación del Comité de Ministros de 21 de febrero de 2002 sobre acceso a la información oficial, carente de efecto vinculante[33]. Sin embargo, el 18 de junio de 2009 se abrió a la firma el Convenio núm. 205 del Consejo de Europa, de 18 de junio de 2009, sobre acceso a los documentos públicos, que entró en vigor el 1 de diciembre de 2020[34]. Aunque aún son más los Estados parte que no lo han firmado

---

[32] Como texto pionero puede reseñarse la Recomendación de la Asamblea General 854 (1979), relativa al acceso del público a los documentos oficiales y a la libertad de información, que, inspirada en la *Freedom of Information Act* estadounidense, sugiere a los Estados un sistema de libre acceso a los documentos oficiales, sometido a una serie de excepciones. Dos años más tarde, el Comité de Ministros tomó el testigo, aprobando un texto de referencia, la Recomendación 19 (1981), de 25 de noviembre, sobre el acceso a la información en poder de las autoridades públicas, que apuntaba un mínimo estándar común que se propone a los Estados miembros del Consejo de Europa. A esta regulación general hay que añadir todo un conjunto de normas sectoriales referidas al acceso a la información, activa y pasiva, en diferentes sectores, como el medio ambiente o la sanidad, en cuyo detalle no podemos ahora entrar.

[33] Su Preámbulo parte de la importancia de la transparencia de la Administración pública y de la disponibilidad de información sobre asuntos de interés público en una sociedad plural y democrática. Considera que un amplio acceso a los documentos oficiales, sobre la base de la igualdad y de acuerdo con reglas claras, permite al público tener una perspectiva adecuada y formar una opinión crítica sobre la situación de la sociedad en la que vive y sobre las autoridades que le gobiernan, a la vez que anima a la participación informada del público en asuntos de interés común; fomenta la eficiencia y la eficacia de las Administraciones y ayuda a mantener su integridad, evitando el riesgo de corrupción; y contribuye, finalmente, a afirmar la legitimidad de las Administraciones como servicios públicos y a reforzar la confianza del público en las autoridades públicas. Por todo ello, los Estados deben esforzarse en facilitar el mayor acceso posible, dentro del respeto a otros derechos e intereses legítimos. Los principios sentados por la Recomendación constituyen un *minimum standard*, sin perjuicio de las leyes y reglamentos nacionales que ya reconozcan un derecho de acceso a los documentos oficiales más amplio.

[34] Tres meses más tarde de su ratificación por diez de sus firmantes, tal y como se prevé en el propio Convenio. A 31 de julio de 2022 había sido firmado por veinte Estados, y ratificado por trece de ellos. Ha de notarse, en todo caso, que son más numerosos los Estados que no lo han firmado aún Estados. España lo firmó el 23 de noviembre de 2021, pero aún no lo ha ratificado.

que los que sí lo han hecho –entre ellos, los más poblados, Alemania, Italia, Francia, Reino Unido o Turquía– su importancia como estándar europeo no precisa ser subrayada y, por ello, haremos referencia comparativa al mismo a lo largo de la segunda parte de esta obra.

En su Preámbulo, hace referencia a los fundamentos del derecho de acceso a la información, aludiendo a la importancia de la transparencia de la actividad de las autoridades públicas en una sociedad democrática y pluralista y pone de relieve que el ejercicio del derecho de acceso a los documentos públicos proporciona una fuente de información para el público, ayuda al público a formarse una opinión sobre el estado de la sociedad y sobre las autoridades públicas y fomenta la integridad, la eficacia, la eficiencia y la responsabilidad de autoridades públicas, ayudando así a que se afirme su legitimidad. Por ello, todos los documentos en poder de las autoridades son en principio públicos y solamente pueden ser retenidos para proteger otros derechos e intereses legítimos. A partir de ahí, diseña un mínimo estándar que, dejando un margen amplio a los Estados, constituye el mayor y más reciente esfuerzo de síntesis de los Derechos estatales europeos, que, en la fecha de aprobación del Convenio 205, en su práctica totalidad, y al igual que la propia Unión Europea, contaban ya en esa fecha con su propia normativa de acceso a la información pública, como notó y tomó en consideración el propio TEDH a la hora de formular su aproximación general a la integración de este derecho en la libertad de información[35].

En su articulado, el Convenio regula las cuestiones de ámbito objetivo y subjetivo, límites, procedimiento, garantías y medidas complementarias, que se plantean a toda norma sobre acceso a la información pública que pasamos a reseñar, por su interés en sí y para poder llevar a cabo una posterior comparación con su regulación en el Derecho de la Unión Europea.

---

[35]   STEDH de 8 de noviembre de 2016, *Magyar Helsinki Bizottság* contra Hungría, analizada en el epígrafe anterior.

2. ÁMBITO OBJETIVO Y SUBJETIVO

El Convenio 205 considera "documento público" todas las informaciones registradas en cualquier soporte, elaborada o recibidas y en poder de las autoridades públicas, estén o no integradas en el sistema archivístico. Su Memoria aclara que incluye por tanto cualquier tipo de información: textos escritos, informaciones registradas en soporte sonoro o audiovisual, fotografías, correos, e información en soporte electrónico, como bases de datos, debiendo tener los Estados un margen de apreciación a la hora de definir qué es un documento cuando la información está almacenada electrónicamente en bases de datos. Además, subraya la necesidad de distinguir entre los documentos recibidos por las autoridades públicas en el marco de sus funciones de los que reciben como personas privadas y no tienen relación con sus funciones, y que no entran en la definición de documento público.

Reconoce el derecho a toda persona, sin discriminación alguna, tanto a las personas físicas como jurídicas, sin discriminación alguna, incluido por el origen nacional o el lugar de residencia[36], sin necesidad de acreditar interés alguno[37].

Desde el ángulo contrario, obliga a las autoridades administrativas, incluidos los gobiernos, a los órganos legislativos y judiciales en la medida en que llevan a cabo funciones administrativas, y a las personas físicas o jurídicas privadas en la medida en que ejercen autoridad administrativa[38]. Añade que, para mejorar la transparencia, los Estados parte pueden ampliar el campo de aplicación por medio de una declaración en el momento de la firma del Convenio, para incluir plenamente a los poderes legislativo y judicial o a las personas privadas físicas y jurídicas en la medida en que ejerzan funciones públicas o funcionen gracias a fondos públicos[39].

---

[36]   Artículo 2.1.
[37]   Artículo 4.1.
[38]   Artículo 2.a.i.
[39]   Artículo 2.a.ii.

3. LÍMITES

El Convenio 205 solo admite límites al derecho de acceso establecidos por ley, necesarios y proporcionados por motivos enunciados de manera exhaustiva en sistema de lista cerrada, a saber: la protección de la seguridad nacional[40]; la defensa y las relaciones exteriores; la seguridad pública[41]; la prevención, investigación y seguimiento de investigaciones criminales[42]; la instrucción de procedimientos disciplinarios; las tareas de vigilancia, inspección y control administrativo[43]; la vida privada y otros intereses privados legítimos[44]; los intereses comerciales y otros intereses económicos, privados o públicos[45]; la política económica, monetaria y de tipos de cambio del Estado[46]; la igualdad de las partes ante los tribunales y el buen

---

[40] Conforme a su Memoria explicativa, la noción debe ser interpretada de forma estricta, de tal modo que no pueda utilizarse para proteger informaciones que pueden revelar violaciones de los derechos humanos, corrupción pública, errores administrativos o informaciones simplemente embarazosas para funcionarios o autoridades públicas.

[41] La Memoria ejemplifica en divulgación de documentos relativos a sistemas de seguridad de inmuebles y comunicaciones.

[42] La Memoria aclara que se trata de impedir la obstaculización de investigaciones, que los delincuentes se sustraigan a la justicia o destruyan pruebas.

[43] La Memoria pone como ejemplos las investigaciones o auditorías internas o de otras organizaciones; controles fiscales, exámenes escolares y universitarios, inspecciones de la inspección de trabajo o de los servicios sociales o sanitarios o ambientales.

[44] P. ej., los antecedentes penales o los historiales clínicos. La Memoria aclara que se parte del principio de que los documentos que contienen datos personales también entran en el campo de aplicación de la normativa y su comunicación no se ve impedida por la normativa sobre protección de datos si bien una vez se acuerda la comunicación el uso posterior queda sometido a dicha normativa.

[45] Según la Memoria, el objetivo principal de esta excepción radica en impedir atentados contra la competencia o las posiciones en las negociaciones. Así, por ejemplo, el llamado "secreto de comercialización", referido a la competencia o a los procedimientos de producción, las estrategias comerciales, las listas de clientes, etc. O bien la información que utilizan las autoridades públicas para preparar las negociaciones colectivas de las que forman parte o datos fiscales obtenidos de personas físicas o jurídicas.

[46] Como, de acuerdo con la Memoria, la información referida a variaciones de tipos de cambio o financieras de carácter sensible para el mercado.

funcionamiento de la justicia[47]; el medioambiente[48]; las deliberaciones en el seno o entre autoridades públicas relativas al examen de un expediente[49] y, finalmente, pueden excluirse también las comunicaciones con la Familia Real y la Casa Real[50].

En todo caso, se atemperan estas exclusiones dado que no son automáticas, tan solo permiten excluir el acceso cuando haya un riesgo de afección a estos intereses. Conforme dispone su Memoria explicativa, la evaluación de riesgos puede llevarse a cabo caso por caso o bien de forma abstracta por el legislador distinguiendo supuestos en los que el acceso se excluye incondicionalmente –que deben reducirse al mínimo– y otros en que hay que ponderar con el interés público en la transparencia.

Si se limita el acceso a una parte de las informaciones, la autoridad pública debe comunicar el resto. Toda ocultación debe estar claramente precisada. No obstante, puede denegarse el acceso si la versión expurgada del documento solicitado es engañosa o carece de sentido, o si poner a disposición lo que queda del documento es una carga manifiestamente irrazonable para la autoridad[51].

Además, los Estados pueden limitar temporalmente la aplicación de dichas excepciones[52].

---

[47] La Memoria se refiere a los documentos relativos a la propia defensa jurídica del Estado. No entran en esta excepción los documentos que no hayan sido elaborados en previsión de su uso ante una instancia judicial.

[48] Como, por ejemplo, como apunta la Memoria, la información sobre localización de especies animales y vegetales amenazadas; ya se encuentra en la normativa internacional, europea y estatal sobre acceso a la información ambiental.

[49] La Memoria explica que el término "expediente" –dossier– es lo suficientemente amplio para abarcar tanto los individuales como los relativos a procedimientos de toma de decisión política; se trata de compatibilizar la participación ciudadana en la toma de decisiones con la calidad del proceso de toma de decisiones, permitiendo un "espacio libre para pensar".

[50] Los Estados pueden reducir esta exclusión o acotar los supuestos.

[51] Artículo 6.2.

[52] Artículo 3.

4. PROCEDIMIENTO, MODALIDADES DE ACCESO Y GARANTÍAS

El Convenio 205 lleva los requerimientos de agilidad del procedimiento a todas las fases de la tramitación de las solicitudes.

Así, no es necesario que el solicitante aporte justificación alguna e incluso puede dársele la posibilidad de mantenerse en el anonimato salvo que la divulgación de su identidad sea esencial para tramitar la solicitud. Las formalidades exigibles a la solicitud han de limitarse a las mínimas indispensables para tramitarla[53]. La autoridad debe ayudar al solicitante a identificar el documento público solicitado, en los límites que sean razonables. Por tanto, no hay obligación de identificación previa exacta del documento, sino de hacerlo con la suficiente precisión para que un funcionario formado lo localice. Los Estados tienen un margen de apreciación para establecer la medida de la ayuda a prestar al solicitante, que es particularmente importante cuando se trata de discapacitados, analfabetos o extranjeros que no dominan la lengua.

El órgano competente para la tramitación y resolución es la autoridad en cuya posesión se encuentra. Si lo tienen varios, es posible solicitarlo a cualquiera de ellas. Si no lo tiene o no está autorizado a tramitar la solicitud, debe orientar en la medida de lo posible la solicitud o al solicitante hacia la autoridad competente.

Las solicitudes se instruyen sobre la base de la igualdad, esto es, en orden de llegada, sin distinción por la naturaleza de la solicitud o el estatus del demandante.

Se proclama la importancia de garantizar una respuesta rápida a las solicitudes[54].

---

[53]   Artículo 4.
[54]   La Memoria aclara que en muchos países se prevé un plazo máximo. En unos pocos con gran tradición de transparencia, la única regla es que deben tratarse inmediatamente. En muchos, una buena práctica consiste en informar al solicitante de todo retraso. En todo caso, debe quedar claro que un plazo máximo no debe fomentar la espera a su expiración.

La solicitud puede denegarse si a pesar de la ayuda de la autoridad pública la solicitud sigue siendo demasiado vaga para permitir la identificación del documento o si es manifiestamente irrazonable[55].

Las denegaciones totales o parciales han de ser motivadas por escrito. Cabe la ausencia de revelación sobre la existencia o no de información en los casos en que por ese solo dato se afectaría uno de los bienes, intereses o derechos protegidos con las restricciones al derecho[56].

Concedido, en su caso, el acceso, el solicitante tiene derecho a elegir entre consultar el original o una copia, o a recibir una copia en la forma o formato disponibles a su elección, salvo que se trate de una preferencia irrazonable[57]. La autoridad puede dar acceso orientando al solicitante sobre fuentes alternativas fácilmente accesibles[58]. El acceso en las dependencias públicas debe ser gratuito, si bien los Estados pueden fijar cantidades en el caso de los archivos y museos. La facilitación de copia puede someterse al pago de una cantidad a un precio razonable que no excede de los costes reales de reproducción y distribución. Las tarifas deben ser objeto de publicación. No se excluye que se puedan hacer publicaciones con fines comerciales y ponerlas en el mercado a precios competitivos[59].

---

[55]   Por ejemplo, como aclara la Memoria, si exige un esfuerzo de búsqueda o un examen desproporcionado, o si es manifiestamente abusiva, como las sistemáticas y en un número tal que puede impedir el trabajo de la Administración, o las repetidas del mismo documento en lapsos cortos por el mismo solicitante.

[56]   Artículo 5.

[57]   Como especifica la Memoria, no es realizable o posible en casos como la copia cuando los equipos técnicos no están disponibles (para audio, video o electrónicos) o supone un incremento irrazonable de los costes o si puede atentar contra la propiedad intelectual según el derecho nacional; o la consulta del original si es frágil o se encuentra en mal estado. Para la consulta, deben proponer, en la medida de lo posible, horas de apertura razonables y locales adecuados. En muchos países, la buena práctica lleva a que cuando el solicitante recibe el documento y no puede comprender su contenido de forma elemental, las autoridades le ayudan en la medida de lo posible y de lo razonable. No implica una obligación de traducir los documentos o de dar informaciones técnicas o jurídicas en profundidad.

[58]   Artículo 6. Por ejemplo, si está publicado en Internet, pero en todo caso por caso hay que analizarlo caso por caso, habida cuenta de la disparidad de medios y conocimientos de los posibles solicitantes, o incluso de capacidad financiera, en los casos de publicaciones costosas, como apunta la Memoria.,

[59]   Artículo 7.

En cuanto a las garantías, el Convenio 205 exige la puesta a disposición de los solicitantes de un recurso ante un tribunal o ante otra instancia independiente o imparcial prevista por la ley, de cuya existencia debe informarse en la resolución, en caso de denegación total o parcial, expresa o tácita, de la solicitud. La instancia debe poder modificar por sí misma la decisión o solicitar que se reconsidere. El procedimiento debe ser rápido y poco costoso. Además, pueden seguirse acciones judiciales y disciplinarias contra las autoridades y empleados públicos que hayan incumplido gravemente las obligaciones que les impone la ley. Deja, pues, un margen importante de conformación a los Estados.

5. MEDIDAS COMPLEMENTARIAS

El Convenio 205 impone la previsión de medidas complementarias para informar al público de su derecho de acceso y de las modalidades de su ejercicio[60]. También han de adoptar los Estados las medidas apropiadas para asegurar que los agentes públicos tienen la formación necesaria en relación con sus deberes y obligaciones para dar cumplimiento al derecho; proporcionar información sobre las materias o las actividades de su competencia[61]; gestionar eficazmente sus documentos de forma que los haga fácilmente accesibles[62], y seguir procedimientos claros y preestablecidos para la conservación y la destrucción de sus documentos[63]. Todas estas tareas, como aclara la Memoria, pueden confiarse, asimismo, a la Administración independiente. El Convenio se limita, en este punto, a diseñar principios muy generales en este

---

[60]   Por ejemplo, como aclara la Memoria, publicando sus documentos en formato electrónico o poniendo en funcionamiento centros de documentación; creando puntos de contacto que, en el seno de los distintos servicios de la Administración, informen al público y le faciliten el acceso a los documentos de su competencia.

[61]   Por ejemplo, elaborando listas o registros de documentos en su poder.

[62]   Como aclara la Memoria, la Administración tiene la obligación de conservar sus documentos clasificados e indexados de forma que permita identificarlos. A tal fin, los registros públicos de documentos suponen una gran ayuda, tanto para el ciudadano como para la propia Administración.

[63]   Como puntualiza la Memoria, sin que, en todo caso, sean destruidos mientras haya un interés público en su conservación ni cuando esté en curso una solicitud de información que les afecte

punto, que debe quedar en gran medida a la autonomía y libertad y posibilidades de organización estatales[64].

Además, el Convenio 205 prevé medidas de publicidad activa, esto es, la puesta a disposición de todas las personas, por su propia iniciativa y cuando lo estimen conveniente, de todos los documentos públicos en su poder con el objeto de promover la transparencia y la eficacia de la Administración y para fomentar la participación informada del público en materias del interés general. Se limita, en este punto, a este principio general, dejando un amplio margen a los Estados a la hora de arbitrar las materias y los medios para hacerlo efectivo[65].

---

[64]   Cabe añadir que el Convenio crea una estructura institucional, integrada por el Grupo de especialistas sobre acceso a los documentos oficiales, que se reúne al menos una vez al año para monitorizar la ejecución del Convenio y un Grupo consultivo integrado por un representante de cada Estado parte del Convenio, ejerciendo las tareas de Secretariado de ambos el del propio Consejo de Europa, y previéndose la obligatoriedad de las Partes de emitir un informe sobre las medidas de ejecución al año de la entrada en vigor del Convenio en su territorio y antes de cada reunión del Grupo consultivo, así como de transmitir al Grupo de especialistas cualquier información que requiera para el ejercicio de sus funciones. Todo este conjunto de informaciones se hará público.

[65]   Como señala la memoria explicativa del Convenio, en algunos países, las autoridades públicas tienen el deber legal de publicar por su propia iniciativa, informaciones sobre estructuras, personal, presupuesto, actividades, reglas, políticas, decisiones, delegaciones de poder, informaciones sobre el derecho de acceso y el procedimiento para solicitar documentos públicos, así como cualquier otra información de interés público. Se hace a intervalos regulares y en formatos que incluyen la utilización de nuevas tecnologías de la información (por ejemplo, en páginas web accesibles al público) y en salas de lecturas o bibliotecas públicas, para garantizar un acceso fácil y generalizado. Un criterio que puede utilizarse para decidir qué informaciones se hacen públicas de forma proactiva puede ser el número de solicitudes referidas a ese documento o a ese tipo de documento.

SEGUNDA PARTE
DERECHO DE LA UNIÓN EUROPEA

I. LA CONSTRUCCIÓN POLÍTICA Y NORMATIVA DEL DERECHO DE ACCESO A LA INFORMACIÓN PÚBLICA

Abordamos en este capítulo cuál es la naturaleza del derecho de acceso a la información en el Derecho de la Unión Europea, al hilo de su reconocimiento y regulación "constitucional y legal", en qué punto se encuentra el proceso de reforma del Reglamento 1049/2001 y cuáles son los principales puntos de fricción que explican su prolongadísimo estancamiento.

1. PRIMEROS IMPULSOS POLÍTICOS Y APROBACIÓN DEL CÓDIGO DE CONDUCTA DE 1993

En el Derecho de la Unión Europea, el derecho de acceso a la información en poder de las instituciones, órganos y organismos europeos ha seguido toda una evolución que, partiendo de su negación, ha llegado a su reconocimiento en los textos de alcance constitucional.

Originariamente, no se contemplaba un derecho general de acceso a la información en poder de la Administración comunitaria[66]. La decisión de facilitar una información solicitada por un ciudadano quedaba a la discrecionalidad de cada institución.

Los primeros pasos hacia el reconocimiento de un verdadero derecho a la información fueron dados por el Parlamento Europeo a partir de mediados de los años ochenta, inspirándose en algunas legislaciones nacionales pioneras en Europa y en los trabajos del Consejo de Europa. Fue así como en dos Resoluciones de 1984 y 1988 se instaba a

---

[66] Nos referimos, claro está, a un derecho de cualquier ciudadano a acceder a cualquier tipo de información. No incluimos, por tanto, la publicación de los reglamentos y directivas generales o del informe anual sobre actividades de la Comunidad; el derecho de los interesados a acceder al expediente en el curso de un procedimiento administrativo o judicial, o el de los funcionarios respecto de su expediente personal.

las instituciones a consagrar el derecho a la información como derecho fundamental de los ciudadanos europeos[67].

En 1992, el Tratado de la Unión Europea[68] trató de salvar las críticas al mercantilismo y opacidad de la construcción –hasta entonces llamada– comunitaria. Junto a otras medidas íntimamente vinculadas al objetivo de fortalecer el carácter democrático de la recién bautizada Unión Europea (como la creación de la ciudadanía europea y la institución del Defensor del Pueblo), se incluyó una Declaración, la número 17, sobre el derecho de acceso a la información, de acuerdo con la cual "la transparencia del proceso de decisión refuerza el carácter democrático de las instituciones, así como la confianza del público en la Administración"[69]. En pro de esta finalidad de reforzar la democracia y transparencia, instaba a la Comisión a presentar al Consejo antes de fin de 1993 un informe sobre medidas destinadas a mejorar el acceso del público a la información de que disponen las instituciones.

Durante los años 1992 y 1993, tras la firma del TUE y hasta su entrada en vigor, se entró en una dinámica de impulsos políticos en pro del reconocimiento del derecho de acceso a la información, de la mano de los sucesivos Consejos Europeos[70] y de trabajos preparatorios

---

[67]   Resoluciones del Parlamento Europeo de 24 de mayo de 1984 y de 23 de enero de 1988 sobre la publicidad de los procedimientos comunitarios.

[68]   Firmado el 7 de febrero de 1992, en vigor desde el 1 de noviembre de 1993.

[69]   Idea que conectaba con el artículo 1.3 del propio Tratado, que lo calificaba como "una nueva etapa en el proceso creador de una unión cada vez más estrecha entre los pueblos de Europa, en la cual las decisiones serían tomadas de la forma más abierta y próxima a los ciudadanos que fuera posible.".

[70]   El Consejo Europeo de Birmingham de 16 de octubre de 1992, en su Declaración *Una Comunidad próxima a sus ciudadanos*, instó a la Comisión a que completase, a más tardar a principios de 1993, sus trabajos sobre la mejora del acceso a la información de que disponen las instituciones comunitarias. En el Consejo Europeo de Edimburgo de 12 de diciembre de 1992 se reiteró este requerimiento. El Consejo Europeo de Copenhague de 22 de junio de 1993 requirió al Consejo y a la Comisión que continuaran sus trabajos sobre la base del principio de que debía garantizarse a los ciudadanos el acceso más completo posible a la información, adoptando todas las medidas necesarias a más tardar a finales de 1993.

de la Comisión[71]. El 25 de octubre de 1993 se firmó una Declaración interinstitucional sobre *La democracia, la transparencia y la subsidiariedad*, en que se anunciaba, entre otras medidas, la mejora del acceso público a los documentos en poder de la Comisión, a partir del 1 de enero de 1994.

Como culminación, y ya en vigor el TUE, el día 6 de diciembre de 1993 el Consejo y la Comisión aprobaron el llamado Código de Conducta relativo al acceso del público a los documentos del Consejo y de la Comisión. Carecía de efectos jurídicos, siendo solo una expresión de coordinación voluntaria interinstitucional[72], pero constituía la base para su posterior positivación y desarrollo por cada institución, lo que tuvo lugar de forma inmediata en el caso del Consejo[73] y de la

---

[71]   Un primer documento fue la Comunicación de marzo de 1993 (DOCE de 5 de marzo de 1993, serie C, núm. 63, pp. 8 y ss.), *Una mayor transparencia en el trabajo de la Comisión*. Se pronunciaba a favor de la confidencialidad respecto del trabajo en comitología, aunque no en otros comités consultivos y grupos de expertos, en que se planteaba valorar las necesidades de acceso, por una parte, y de efectividad y confidencialidad, por otra. El 5 de mayo de 1993 aprobó la Comunicación *Acceso de los ciudadanos a los documentos de las instituciones* (DOCE de 8 de junio de 1993, serie C, núm. 156, pp. 5 y ss.). Partía de un análisis de las medidas de transparencia adoptadas hasta la fecha y de las prácticas nacionales en materia de información activa y pasiva. Invitaba a las demás instituciones y a los Estados a asumir el «principio del máximo acceso posible a la información disponible» y, a partir del análisis comparado, dibujaba los principios generales del régimen jurídico del acceso a la información, que proponía consensuar con las restantes instituciones a través de un acuerdo Interinstitucional. Todo ello se establecía como medio para acercar las instituciones a los ciudadanos y suscitar un debate más activo y un conocimiento más cabal sobre los asuntos comunitarios que, a su vez, incrementaran la confianza de los ciudadanos en la Comunidad. El 2 de junio de 1993 aprobó otra Comunicación sobre *Transparencia en la Comunidad*, que, en ese marco más amplio, desarrollaba dichos principios.

[72]   Como se encargó de subrayar la STJUE de 30 de abril de 1996, C-58/94, Reino de los Países Bajos contra Consejo.

[73]   Su Reglamento interno no abordó directamente la cuestión del derecho de acceso, pero previó en su artículo 22 que el Consejo aprobaría las modalidades de acceso a documentos cuya divulgación no tuviera consecuencias graves o perjudiciales. El mismo día se aprobó la Decisión 93/731/CE, de 20 de diciembre, que lo regula (DOUE de 31 de diciembre de 1993, serie L, núm. 340, pp. 43 y ss.), modificada por la Decisión 96/705/EURATOM/CECA/CE del Consejo (DOUE de 14 de diciembre de 1996, serie L, núm. 325, pp. 19 y ss.). Fue complementada por el Código de conducta relativo a la publicación de las actas y de las declaraciones incluidas

Comisión[74] y, con posterioridad, en el del Parlamento[75] y el resto de
órganos, organismos y agencias comunitarias[76]. Todas estas normas

---

en actas del Consejo cuando actúa en calidad de legislador (Doc. 10204/95, pp.
15-18) y por la Decisión del Secretario General del Consejo de 27 de febrero de
1996 relativa a las tasas que se percibirán en el marco del acceso del público a
los documentos del Consejo (DOUE de 14 de marzo de 1996, serie C, núm. 74,
pp. 3 y ss.). El 6 de diciembre de 1999 se aprobó la Decisión 2000/23/CE del
Consejo sobre la mejora de la información relativa a las actividades legislativas
del Consejo y el registro público de documentos del Consejo (DOUE L 9 de 13
de enero de 2000, pp. 22 y ss. En 2000, se aprobaron la Decisión de 27 de julio
de 2000, del Secretario General del Consejo/Alto Representante para la Política
Exterior y de Seguridad Común, sobre medidas de protección de la información
clasificada aplicables en la Secretaría General del Consejo, relativa a cuestiones
de seguridad y defensa de la Unión o de uno o varios de sus Estados miembros
o a la gestión militar y no militar de crisis, y la Decisión del Consejo de 14 de
agosto de 2000 sobre información confidencial. El 9 de abril de 2001 se aprobó
la Decisión 2001/320/CE del Consejo por la que se hacen accesibles al público
determinadas categorías de documentos del Consejo (DOUE de 20 de abril de
2001, serie L, núm. 111, pp. 29 y ss.).

[74] Decisión 94/90/CECA, CE, Euratom, de 8 de febrero (DOUE de 18 de febrero de
1994, serie L, núm. 46, pp. 58 y ss.), precisada por la de 4 de marzo de 1994, sobre
la mejora del acceso a los documentos y modificada por la Decisión 96/567/CE,
CECA, Euratom, de 19 de septiembre de 1996 (DOUE L 247 de 28 de septiembre
de 1996, pp. 45 y ss.) y por la Comunicación de la Comisión sobre la mejora del
acceso a los documentos (DO C 67 de 4 de marzo de 1994, pp. 5 y ss.).

[75] Decisión del Parlamento Europeo 97/632/CE, CECA, Euratom, de 10 de julio de
1997, relativa al acceso del público a los documentos del Parlamento Europeo
(DOUE de 25 de septiembre de 1997, serie L, núm. 263, pp. 27 y ss.), completada
por la Decisión de la Mesa de 17 de abril de 1998 sobre el canon aplicable al
envío de documentos voluminosos.

[76] Decisión del Banco Central Europeo BCE/1998/12, de 3 de noviembre de 1998,
relativa al acceso público a los documentos y archivos del Banco Central Europeo (DOUE de 28 de abril de 1999, serie L, núm. 110, pp. 30 y ss., que vino pre-
cedida de la Decisión núm. 9/97 relativa al acceso público a los documentos administrativos del Instituto Monetario Europeo de 3 de junio de 1997 (DOUE de
25 de marzo de 1998, serie L, núm. 90, pp. 43 y ss.), a la que sustituye; Decisión
núm. 18/97 por la que se establecen normas internas relativas al tratamiento de
las solicitudes de acceso a los documentos de que dispone el Tribunal de Cuentas
(DOUE de 23 de septiembre de 1998, serie C, núm. 295, pp. 1 y ss.); Decisión
de 25 de mayo de 1997 del Comité Económico y Social relativa al acceso del
público a los documentos del CES (DOUE de 10 de diciembre de 1997, serie L,
núm. 339, pp. 18 y ss.); Decisión del Comité de las Regiones de 17 de septiembre
de 1997 relativa al acceso público a los documentos del Comité de las Regiones
(DOUE del 23 de diciembre de 1997, serie L, núm. 35 pp. 70 y ss.); Normas so-

reproducían las disposiciones del Código de Conducta, con las oportunas precisiones derivadas de la diferente naturaleza de las actividades de cada institución.

2. EL RECONOCIMIENTO CONSTITUCIONAL DEL DERECHO DE ACCESO EN EL TRATADO DE ÁMSTERDAM Y EN LA CARTA DE LOS DERECHOS FUNDAMENTALES DE LA UNIÓN EUROPEA

El Consejo siguió reflexionando sobre el principio de transparencia[77] y fruto de estos avances, el siguiente paso de la evolución consistió en el reconocimiento constitucional del derecho de acceso a la información.

A falta de consagración de este derecho en el articulado del Tratado de Maastricht, los textos aprobados por las instituciones, órganos y organismos europeos habían recurrido como base jurídica a su competencia para establecer su organización interna. Ahora bien, resultaba evidente que el contenido de dichas normas trascendía con mucho lo meramente organizativo, consagrando un auténtico derecho subjetivo de los ciudadanos.

Esta contradicción dio origen a una polémica sobre cuál había de ser el papel del Parlamento en la delimitación de un derecho tal, y en qué tipo de norma debía estar contenido. El TJUE reconoció que la normativa confería a los ciudadanos un derecho de

---

bre acceso del público a la documentación adoptada por el Comité de Dirección del Banco Europeo de Inversiones (DOUE de 9 de agosto de 1997, serie C, núm. 243, pp. 13 y ss.); Decisión de la Agencia Europea de Medio ambiente relativa al acceso del público a los documentos, de 21 de marzo de 1997 (DOUE de 18 de septiembre de 1997, serie C, núm. 282); Decisión del Consejo de dirección relativa al acceso del público a los documentos de la Fundación Europea para la Formación (DOUE de 6 de diciembre de 1997, serie C, núm. 369, pp. 10 y ss.); Decisión de la Fundación Europea para la Mejora de las Condiciones de Vida y de Trabajo 1999/738/CE de 21 de noviembre de 1998, sobre un código de conducta relativo al acceso del público a los documentos (DOUE de 17 de noviembre de 1999, serie L, núm. 296, pp. 25 y ss.).

[77] Conclusiones del Consejo sobre la transparencia de 29 de mayo de 1995 (Doc. 7481/95, pp. 4-5).

particular importancia conectado con los principios de democracia y transparencia, de reconocimiento constitucional y/o legal en los Derechos estatales, pero que, "en el Estado actual del Derecho Comunitario» y "mientras que el legislador comunitario no haya adoptado una normativa general que regule dicho derecho", había de entenderse que la facultad de autoorganización podía considerarse base jurídica suficiente[78]. A nuestro juicio, prevaleció ante todo la voluntad de no frustrar los primeros pasos emprendidos para responder a la exigencia, política y social, de transparencia. De este modo, el TJUE hubo de moverse entre dos aguas: reconocer el carácter "constitucional" del derecho de acceso, derivado del principio democrático, de una parte; y admitir que pudiera ser objeto de regulación de índole "administrativa", como único modo de hacerlo efectivo a falta de normativa de mayor rango, de otra.

Esta polémica no fue estéril, sino que, por el contrario, mostró su influencia en la revisión del TUE. Esta vez, en lugar de contemplar el derecho de acceso solo como una línea de actuación futura en una Declaración anexa al Tratado, vencieron las posturas favorables a su inclusión en el articulado. De este modo, en 1997, el Tratado de Ámsterdam[79] introdujo el artículo 255 en el TCE, que consagró el derecho de todo ciudadano o residente en la Unión a acceder a los documentos del Parlamento, del Consejo y de la Comisión, de acuerdo con los principios y límites que había de fijar el Consejo en el plazo de dos años desde su entrada en vigor (que tuvo lugar el 1 de mayo de 1999; por tanto, antes del 1 de mayo de 2001), a lo que había de

---

[78] STJUE de 30 de abril de 1996, C-58/94, Reino de los Países Bajos contra Consejo. El Gobierno de los Países Bajos venía a argumentar que el principio de transparencia y el derecho a la información que lleva aparejado en cuanto derecho fundamental constituyen condiciones esenciales de la democracia y, por consiguiente, no pueden tratarse como cuestiones de organización meramente interna de las instituciones, sino que han de implementarse siguiendo el procedimiento legislativo ordinario, con intervención parlamentaria. El TJUE siguió las elaboradas Conclusiones de su prestigioso Abogado General Tesauro, que ponían de relieve la conexión entre control democrático y derecho de acceso y el reconocimiento generalizado de este en el Derecho del Consejo de Europa y en el Derecho comparado.

[79] Firmado el 2 de octubre de 1997 y en vigor desde el 1 de mayo de 1999.

seguir una modificación de los respectivos reglamentos internos de cada institución[80]. En efecto, de acuerdo con dicho artículo:

"1. Todo ciudadano de la Unión, así como toda persona física o jurídica que resida o tenga su domicilio social en un Estado miembro, tendrá derecho a acceder a los documentos del Parlamento Europeo, del Consejo y de la Comisión, con arreglo a los principios y las condiciones que se establecerán de conformidad con los apartados 2 y 3.

2. El Consejo, con arreglo al procedimiento previsto en el artículo 251, determinará los principios generales y los límites, por motivos de interés público o privado, que regulan el ejercicio de este derecho de acceso a los documentos, en el plazo de dos años a partir de la entrada en vigor del Tratado de Ámsterdam.

3. Cada una de las instituciones mencionadas elaborará en su reglamento interno disposiciones específicas sobre el acceso a sus documentos".

La Conclusiones de los Consejos Europeos continuaron ahondando en su evaluación sobre el principio de transparencia, su alcance y los ámbitos en que debía regir, con especial intensidad en los años 1998 y 1999[81].

---

[80] Asimismo, se modificó el artículo 207 (*ex* artículo 151), que quedó del siguiente tenor: "A efectos de la aplicación del apartado 3 del artículo 255, el Consejo fijará en dicho reglamento las condiciones en las que el público tendrá acceso a los documentos del Consejo. A efectos del presente apartado, el Consejo definirá los casos en los que deba considerarse que actúa en su capacidad legislativa a fin de permitir un mayor acceso a los documentos en esos casos, sin menoscabo de la eficacia de su proceso de toma de decisiones. En cualquier caso, cuando el Consejo actúe en su capacidad legislativa, se harán públicos los resultados de las votaciones y las explicaciones de voto, así como las declaraciones en el acta".
2. El Consejo, con arreglo al procedimiento previsto en el artículo 251, determinará los principios generales y los límites, por motivos de interés público o privado, que regulan el ejercicio de este derecho de acceso a los documentos, en el plazo de dos años a partir de la entrada en vigor del Tratado de Ámsterdam.
3. Cada una de las instituciones mencionadas elaborará en su reglamento interno disposiciones específicas sobre el acceso a sus documentos.»

[81] *Conclusiones de la Presidencia de 19 de marzo de 1998 sobre la transparencia de las actividades del Consejo en el ámbito del Título VI del Tratado UE* (Doc. 6067/98); *Conclusiones del Consejo Europeo de Cardiff de 16 de junio de 1998 sobre la transparencia* (Doc. SN 150/1/98 REV 1); *Conclusiones del Consejo sobre la transparencia de 29 de junio de 1998* (Doc. 9191/98-Anexo II); *Conclusiones del Consejo de 6 de diciembre de 1998 sobre apertura y cooperación en el ámbito de las actividades de información acerca de la Unión Europea* (Doc.

La Carta de los Derechos Fundamentales de la Unión Europea, proclamada el 7 de diciembre de 2000, consagró asimismo el derecho de acceso como derecho fundamental relacionado con la ciudadanía en su artículo 42, conforme al cual:

> "Todo ciudadano de la Unión o toda persona física o jurídica que resida o tenga su domicilio social en un Estado miembro tiene derecho a acceder a los documentos del Parlamento Europeo, del Consejo y de la Comisión"[82].

3. LA APROBACIÓN DEL REGLAMENTO 1049/2001 Y LA ADAPTACIÓN DE LOS REGLAMENTOS INTERNOS

En ejecución de las previsiones "constitucionales" antes analizadas, el Parlamento Europeo y el Consejo aprobaron por codecisión el Reglamento (CE) núm. 1049/2001, de 30 de mayo de 2001, relativo al acceso del público a los documentos del Parlamento Europeo, del Consejo y de la Comisión[83], acompañado de una Declaración conjunta de la misma fecha[84]. Se fundamenta, como expresa su Exposición de Motivos, en los principios de transparencia, apertura y proximidad, participación, democracia y respeto a los derechos fundamenta-

---

13314/1/98 REV 1); *Conclusiones del Consejo de 8 de junio de 1999 sobre transparencia y actividades informativas de la Unión europea* (Doc. 9064/99).

[82] El vínculo entre el artículo 42 CDFUE y el artículo 255 TCE queda de manifiesto en la nota explicativa que acompaña la presentación de dicho artículo, que precisa que "el derecho garantizado en este artículo es el que garantiza el artículo 255 del Tratado CE". Ciertamente, nada añade la Carta al contenido de este derecho, teniendo en cuenta que, de conformidad con lo dispuesto en el artículo 52.2 de la Carta, los derechos que, como el de acceso, tienen su fundamento en los Tratados comunitarios se ejercerán en las condiciones y dentro de los límites determinados por estos. Ahora bien, su calificación como derecho fundamental y su inclusión, por ello mismo, en un texto constitucional, resultan expresivas de la naturaleza de este derecho. Hasta entonces, se había discutido doctrinalmente si se trataba o no de un derecho fundamental: D. M. CURTIN, "Citizens' fundamental right of access to EU information: an evolving digital passepartout?", *Common Market Law Review*, 2000, pp. 7-41; R. W. DAVIS, "Public access to Community Documents: a fundamental human right?", *European Integration on Line Papers*, 1999, http://eiop.or.at/eiop/pdf/1999-008.pdf.

[83] DO L 145 de 31 de mayo de 2001, pp. 43 y ss.

[84] DO L 173 de 27 de junio de 2001, pp. 5 y ss.

les, y viene a sustituir la anterior normativa de acceso, tanto el Código como la de desarrollo de las tres instituciones, cuyo contenido retoma, perfecciona y amplía[85]. Parte del principio de facilitar al máximo el acceso y asume una perspectiva más amplia: no se trata solo de diseñar un sistema amplio de acceso, sino de "establecer normas que garanticen el ejercicio más fácil posible de este derecho, y promover buenas prácticas administrativas para el acceso a los documentos"[86]. Es decir, se manifiesta la voluntad de reforzar el sistema facilitando su uso al ciudadano y mejorando su organización, para evitar que el desconocimiento o la excesiva burocracia puedan frustrar parcialmente los objetivos de transparencia, apertura y participación. Además, se hace eco, en especial, del impacto de las nuevas tecnologías.

En aplicación de lo dispuesto en el artículo 255.3 TCE, se hizo necesario proceder a una adaptación de los Reglamentos internos de cada institución, lo que se llevó a cabo en los meses de noviembre y diciembre de 2001[87], y, posteriormente del resto de órganos, organismos

---

[85]   Así, modifica las normas de confidencialidad de los documentos de Schengen y deroga la Decisión 93/731/CE del Consejo, de 20 de diciembre de 1993; la Decisión 94/90/CECA, CE, Euratom de la Comisión, de 8 de febrero de 1994; la Decisión 97/632/CE, CECA, Euratom del Parlamento Europeo, de 10 de julio de 1997. Asimismo, conmina a la Comisión a examinar la conformidad con el mismo del Reglamento (CEE, Euratom) núm. 354/83 del Consejo, de 1 de febrero de 1983, relativo a la apertura al público de los archivos históricos de la CEE y de la CEEA.

[86]   Artículo 1.

[87]   El Parlamento, por Decisión de 13 de noviembre de 2001 (DOUE de 13 de junio de 2002, serie C, núm. 140 E, pp. 120 y ss.), complementada por Decisión de la Mesa de 28 de noviembre de 2001 (DOUE de 29 de diciembre de 2001, serie C, núm. 374, pp. 1 y ss.); posteriormente, adoptó la Resolución de 25 de septiembre de 2003 (Doc. A5-0298/2003). El Consejo, por Decisión 2001/840/CE de 29 de noviembre de 2001, que, a su vez, integra la normativa dictada en los años precedentes y posteriormente en su Decisión 2002/682/CE, Euratom, de 22 de julio de 2002, por la que adopta su nuevo Reglamento interno (DOUE de 28 de agosto de 2002, serie L, núm. 230, pp. 7 y ss.) y por su Decisión 2004/338/CE, Euratom, de 22 de marzo de 2004, por el que se adopta su nuevo Reglamento interno (DOUE de 15 de abril de 2004, serie L, núm. 106, p. 22 y ss.) y por su Decisión 2006/683/CE, Euratom, de 15 de septiembre de 2006, por el que se aprueba su nuevo Reglamento interno (DOUE de 16 de octubre de 2006, serie L, núm. 285, pp. 63 y 64) y por su Decisión 2009/882/UE, de 1 de diciembre de 2009, relativa a la adopción de su Reglamento interno (DOUE de 2 de diciembre

y agencias[88]. A la vez, se fue ampliando normativamente el ámbito subjetivo de aplicación del Reglamento 1049/2001[89].

4. LA CONSAGRACIÓN EN EL TRATADO DE LISBOA

Finalmente, el derecho de acceso a los documentos en poder de las instituciones comunitarias figura hoy, con una mayor densidad normativa, en el artículo 15 del Tratado de Funcionamiento de la Unión Europea (conocido también como Tratado de Lisboa, en vigor desde el 1 de diciembre de 2009, reemplazando al TCE), conforme al cual:

"1. A fin de fomentar una buena gobernanza y de garantizar la participación de la sociedad civil, las instituciones, órganos y organismos de la Unión actuarán con el mayor respeto posible al principio de apertura.

2. Las sesiones del Parlamento Europeo serán públicas, así como las del Consejo en las que este delibere y vote sobre un proyecto de acto legislativo.

---

de 2009, serie L, núm. 315, pp. 51 y ss.) y 2009/937/UE, del mismo día, por la que se aprueba su Reglamento interno (DOUE de 11 de diciembre de 2009, serie L, núm. 325, pp. 35 y ss.). Finalmente, la Comisión llevó a cabo la adaptación de su Reglamento interno mediante Decisión 2001/937/CE, CECA, Euratom de 5 de diciembre de 2001 (DOUE de 29 de diciembre de 2001, serie L, núm. 345, pp. 94 y ss.).

[88]   Normas de 27 de noviembre de 2002 adoptadas por el Comité de Dirección del Banco Europeo de Inversiones (DOUE de 27 de noviembre de 2002, serie C, núm. 292 pp. 10 y ss.); Decisión de 11 de febrero de 2003, núm. 64/2003 del Comité de las Regiones. Decisión de 1 de julio de 2003 del Comité Económico y Social 2003/603/CE (DOUE de 14 de agosto de 2003, serie L, núm. 205, pp. 19 y ss.); Decisión del Banco Central Europeo, de 4 de marzo de 2004 (DOUE de 18 de marzo de 2004, serie L, núm. 80 pp. 42 y ss.); Decisión el Tribunal de Cuentas Europeo, de 10 de marzo de 2005 (DOUE de 20 de marzo de 2009,, serie C, núm. 67 pp. 1 y ss.); Decisión núm. 1/2006, de 26 de junio de 2006, de la Autoridad común de control de Europol, por la que se modifica su Reglamento interno; Decisión núm. 25, de 21 de septiembre de 2016 del Consejo de Administración de Frontex (reg. Núm. 18507).

[89]   Reglamentos 1645/2003 a 1655/2003 del Consejo, de 18 de junio, por los que se amplía la aplicación del Reglamento núm. 1049/2001 a once agencias y órganos comunitarios (DOUE de 29 de septiembre de 2003, serie L, núm. 245 pp. 13 y ss.) y Reglamentos 1641/2003 a 1644/2003 del Parlamento Europeo y del Consejo por los que se amplía la aplicación del Reglamento núm. 1049/2001 a cuatro agencias y órganos comunitarios (DOUE de 29 de septiembre de 2003, serie L, núm. 245 pp. 1 y ss.).

3. Todo ciudadano de la Unión, así como toda persona física o jurídica que resida o tenga su domicilio social en un Estado miembro, tendrá derecho a acceder a los documentos de las instituciones, órganos y organismos de la Unión, cualquiera que sea su soporte, con arreglo a los principios y las condiciones que se establecerán de conformidad con el presente apartado.

El Parlamento Europeo y Consejo, con arreglo al procedimiento legislativo ordinario, determinarán mediante reglamentos los principios generales y los límites, por motivos de interés público o privado, que regulan el ejercicio de este derecho de acceso a los documentos.

Cada una de las instituciones, órganos u organismos garantizará la transparencia de sus trabajos y elaborará en su reglamento interno disposiciones específicas sobre el acceso a sus documentos, de conformidad con los reglamentos contemplados en el párrafo segundo.

El Tribunal de Justicia de la Unión Europea, el Banco Central Europeo y el Banco Europeo de Inversiones solo estarán sujetos al presente apartado cuando ejerzan funciones administrativas.

El Parlamento Europeo y el Consejo garantizarán la publicidad de los documentos relativos a los procedimientos legislativos en las condiciones establecidas por los reglamentos contemplados en el párrafo segundo."

Además, como es sabido, el Tratado de Lisboa dio rango constitucional a la Carta Europea de Derechos Fundamental aprobada en 2000[90].

---

[90] Artículo 6 TUE: "1. La Unión reconoce los derechos, libertades y principios enunciados en la Carta de los Derechos Fundamentales de la Unión Europea de 7 de diciembre de 2000, tal como fue adaptada el 12 de diciembre de 2007 en Estrasburgo, la cual tendrá el mismo valor jurídico que los Tratados. Las disposiciones de la Carta no ampliarán en modo alguno las competencias de la Unión tal como se definen en los Tratados. Los derechos, libertades y principios enunciados en la Carta se interpretarán con arreglo a las disposiciones generales del título VII de la Carta por las que se rige su interpretación y aplicación y teniendo debidamente en cuenta las explicaciones a que se hace referencia en la Carta, que indican las fuentes de dichas disposiciones. 2. La Unión se adherirá al Convenio Europeo para la Protección de los Derechos Humanos y de las Libertades Fundamentales. Esta adhesión no modificará las competencias de la Unión que se definen en los Tratados. 3. Los derechos fundamentales que garantiza el Convenio Europeo para la Protección de los Derechos Humanos y de las Libertades Fundamentales y los que son fruto de las tradiciones constitucionales comunes a los Estados miembros formarán parte del Derecho de la Unión como principios generales."

Resulta destacable que la consagración de este derecho ha venido de la mano de exhaustivos estudios de Derecho comparado, tanto a nivel legislativo[91] como judicial[92], que han puesto de manifiesto que se trata de un derecho reconocido en los Estados miembros, a menudo con carácter constitucional y en los demás casos con reconocimiento legal. Es esta pertenencia al acervo jurídico de los Estados miembros

---

[91]   Con ocasión de la aprobación del Código de Conducta, en 1993, y del nuevo Reglamento, en 2001, se hicieron públicos sendos estudios. El primero, *El acceso del público a la información*, se publicó como anexo a la Comunicación de 5 de mayo de 1993, COM (93) 191 final («DO» C 156, pág. 5). Al segundo, de 9 de octubre de 2000, puede accederse a través de la página europa.eu.int/comm/se-cretariat_general/sgc/acc_doc/index_fr.htm#. Con posterioridad, aún se publicó un tercero (*Comparative analysis of the Member States' and candidate countries' legislation concerning access to documents*, 1 de julio de 2003, SG/616/03, Directorate B).

[92]   Constituyen una buena síntesis expresiva de los análisis jurídicos llevados a cabo en el seno del Tribunal las Conclusiones a los Abogados generales, mucho más propicias a la divagación conceptual y al estudio comparado. En las elaboradas por Léger, previas a la STJUE de 6 de diciembre de 2001, C-353/99 P, Consejo contra *Heidi Hautala*, se hace un exhaustivo estudio comparado y se concluye que el derecho de acceso es un derecho reconocido, con las naturales diferencias en los grados de protección y formas de ejercicio, en el Derecho convencional, internacional y europeo, y en el Derecho interno de los Estados miembros. Tales normas nacionales, pertenecientes a regímenes jurídicos que no tienen necesariamente un contenido homogéneo, traducen, no obstante, una concepción común de la mayor parte de los Estados miembros descrita por el Abogado General Tesauro con la siguiente fórmula: "no es cierto que todo es confidencial salvo lo que de modo expreso se declara accesible, sino exactamente lo contrario". Por ello mismo, debe considerarse un principio general del Derecho Comunitario, que trasciende la regulación organizativa y se relaciona con los propios fundamentos democráticos de la Comunidad. Tal principio se situaría en la cúspide de las normas comunitarias, de forma expresa a raíz de la entrada en vigor del Tratado de Ámsterdam y de la adopción de la Carta de Derechos Fundamentales, que además han precisado su contenido y su estatuto. De este modo, la calificación, en la Carta, del derecho de acceso a los documentos como derecho fundamental constituiría una nueva etapa en la labor de reconocimiento y jerarquización de dicho principio dentro del ordenamiento jurídico comunitario, ya que, dejando al margen cualquier consideración sobre su alcance normativo, al tener como fuente, de acuerdo con su Preámbulo, las tradiciones constitucionales y las obligaciones internacionales comunes de los Estados miembros, constituye un instrumento privilegiado para identificar los derechos fundamentales que vinculan a los poderes públicos comunitarios, uno de los cuales sería el derecho de acceso, que, como tal, debe ser interpretado con la amplitud que exige su verdadera naturaleza."

la que ha llevado a su consagración como derecho fundamental europeo. En efecto, en el Derecho de los Estados europeos se ha alcanzado también el reconocimiento constitucional del derecho de acceso a la información, bien como integrante del contenido de la libertad de información, en los sistemas constitucionales más tradicionales, bien como derecho autónomo, en los más modernos, siendo ésta la solución actualmente mayoritaria[93]. En cuanto a su desarrollo legislativo, el movimiento hacia la aprobación de normas que garantizan el derecho de acceso a la información pública fue liderado en Europa por los países escandinavos[94]. No por casualidad, los países nórdicos pertenecientes a la Unión Europea (Dinamarca, Finlandia, Países Bajos y Suecia) han sido los grandes promotores de la transparencia en la Unión Europea, defendiendo las posiciones más aperturistas en la redacción del Código de Conducta de 1993 y del Reglamento de 2001 y en su actual proceso de reforma. Además, se ha adherido a multitud de recursos ante el Juez europeo defendiendo por lo general también la interpretación de las previsiones normativas más favorable al acceso. Entre finales de los setenta y principios de los noventa, el

---

[93]   En el examen de H. KRANENBORG y W. VOERMANS, p. 11, catorce de los entonces veinticuatro países de la Unión con Constitución lo han incluido en ellas (Austria, Bélgica, Eslovaquia, Eslovenia, España, Estonia, Finlandia, Grecia, Hungría, Países Bajos, Polonia, Portugal, República checa, y Suecia), a lo que hay que añadir el caso de Croacia. En España, el artículo 105.b) de la Constitución llama a la ley a regular el acceso de los ciudadanos a los archivos y registros administrativos, salvo en lo que afecte a la seguridad y defensa del Estado, la averiguación de los delitos y la intimidad de las personas. No se inserta en el Título I ("De los derechos y deberes fundamentales"), sino en el IV ("Del Gobierno y de la Administración"). El legislador ha desarrollado este precepto en ley ordinaria, en 1992, en el artículo 37 de la Ley 30/1992, de 26 de noviembre, de régimen jurídico de las administraciones públicas y del procedimiento administrativo común ,y posteriormente en la Ley 19/2013, de 9 de diciembre, de transparencia, acceso a la información pública y buen gobierno, y no en ley orgánica, entendiendo así que la normativa de acceso no es desarrollo de la libertad de información del artículo 20 CE, pese a su innegable conexión. En la actualidad, la doctrina mayoritaria se pronuncia a favor de la consideración del derecho de acceso como parte de la libertad de información. Sobre todo ello, *in extenso*, véase GUICHOT, E., "Cuestiones generales", en GUICHOT, E. y BARRERO RODRÍGUEZ, C., *El derecho de acceso a la información pública*, Tirant lo Blanch, Valencia, 2020, pp. 66-92, y la bibliografía allí citada.

[94]   Con su precedente en Suecia ¡en 1766!, y posteriormente en 1951 Finlandia; en 1970, Dinamarca y Noruega; y en 1978 Países Bajos.

movimiento de aprobación de normas sobre acceso a la información se expandió entre los países latinos de la Europa occidental[95], constituyendo ya mayoría entre los entonces Estados miembros, y fue ya al calor de esta ola como se aprobó el Código de Conducta de 1993. Finalmente, cabe constatar que en los noventa y principios del siglo XXI hubo una auténtica eclosión y se generalizó la aprobación de leyes de transparencia y acceso a la información pública, incluidos los países de Europa occidental de la órbita anglosajona que aún carecían de ella, incluidos, Reino Unido y Alemania, muchos de ellos miembros de la Unión Europea[96]; y los países de Europa oriental que se encontraban en la órbita o integrados en la Unión Soviética hasta la caída del muro de Berlín, la mayoría de ellos ya miembros de la Unión o candidatos a serlo[97]. La mayoría de estas leyes han sido ya renovadas o sustituidas para contemplar avances en la materia.

Al final de esta evolución nos encontramos con todo un trenzado normativo, de naturaleza constitucional, legislativa y reglamentaria (en la medida en que es posible establecer el paralelismo con las categorías nacionales). Curiosamente, a la construcción de este tejido se ha llegado de abajo hacia arriba: inicialmente, fueron normas organizativas las que precedieron al reconocimiento constitucional del derecho; posteriormente, fue a partir de dicho reconocimiento constitucional que se procedió a modificar las respectivas normas organizativas. Como hemos comprobado, el reconocimiento del derecho de acceso en el Derecho de la Unión Europea se ha vinculado con el principio de democracia, y sus exigencias de participación y control de los ciudadanos en los asuntos públicos, de transparencia. Se configura, en la actualidad, como un derecho fundamental autónomo, independiente de la libertad de expresión y del derecho general a recibir

---

[95] Francia, en 1978; Grecia, en 1986, Italia, en 1990, España, en 1992, Portugal, en 1993, Bélgica, en 1994.

[96] Con el precedente de Austria, en 1987, seguida en 1996 por Islandia; en 1997 Irlanda; en 1999 Liechtenstein; en 2000, Reino Unido; en 2004, Suiza; en 2005, Alemania; en 2008, Malta; en 2010, Luxemburgo.

[97] Entre los hoy miembros de la Unión Europea, en 1992, Hungría; en 1998, Letonia; en 1999, República Checa, en 2000, Estonia, Lituania, Eslovaquia y Bulgaria; en 2001, Polonia, Rumanía; en 2003, Croacia, Eslovenia.

información[98], asociado a la ciudadanía comunitaria. Asimismo, la jurisprudencia ha puesto de relieve desde un principio esta vinculación entre derecho de acceso y principio de democracia y transparencia[99].

5. LA REFORMA DEL REGLAMENTO 1049/2001: UN *IMPASSE* COMO CONSECUENCIA DE LAS DIFERENCIAS INTERINSTITUCIONALES

La primera evaluación general de la aplicación del Reglamento 1049/2001 se realizó en un informe publicado el 30 de enero de 2004[100].

La Comisión entendía que habiendo transcurrido tan solo dos años de aplicación del Reglamento 1049/2001, la experiencia adquirida en su aplicación no había suscitado problemas que justificaran

---

[98]   Acogida en el artículo 11 de la Carta, que dispone: "1. Toda persona tiene derecho a la libertad de expresión. Este derecho comprende la libertad de opinión y la libertad de recibir o de comunicar informaciones o ideas sin que pueda haber injerencia de autoridades públicas y sin consideración de fronteras. 2. Se respetan la libertad de los medios de comunicación y su pluralismo". Como puede observarse, ambos derechos se regulan de forma independiente y en capítulos distintos: el derecho de acceso dentro del Capítulo V («Ciudadanía») y la libertad de información en el II («Libertades»). Distintos son también sus destinatarios (en el primer caso, toda persona; en el segundo, los ciudadanos y las personas físicas o jurídicas residentes) y su garantía, dado que mientras que el derecho de acceso, conforme al 52.2, se ejercerá en las condiciones y dentro de los límites determinados por el Tratado, en el que dicho derecho tiene su fundamento, la libertad de recibir información, según el artículo 52.3, tendrá un sentido y alcance igual, al menos, al que le confiere el Convenio, puesto que se corresponde con el derecho consagrado en el artículo 10 del Convenio Europeo de Derechos Humanos.

[99]   Desde la STJUE de 30 de abril de 1996, C-58/94, Reino de los Países Bajos contra Consejo, como vimos. Con posterioridad, el TJUE ha seguido insistiendo en la idea. A partir de las Declaraciones políticas y las Exposiciones de Motivos de los textos de base, resulta que el derecho de acceso tiene por objetivo asegurar una mejor participación de los ciudadanos en el proceso decisorio, así como garantizar una mayor legitimidad, eficacia y responsabilidad de la Administración frente a los ciudadanos en un sistema democrático. Contribuye, así, a reforzar el principio de la democracia y el respeto de los derechos fundamentales (por ejemplo, SSTG de 14 de octubre de 1999, T-309/97, *Bavarian Lager* contra Comisión y de 7 de febrero de 2002, T-211/00, *Aldo Kuijer* contra Consejo).

[100]   COM(2004) 45 final.

una adaptación a corto plazo de la legislación, por lo que juzgaba
conveniente adquirir más experiencia y esperar a que se desarrollase
una jurisprudencia significativa antes de contemplar una modificación de los textos que regulan el acceso del público a los documentos. Se estimaba preferible postergar una reforma en profundidad a
la entrada en vigor de un nuevo Tratado en la que, cuanto menos,
debería permitirse generalizar su aplicabilidad, habida cuenta de las
diferentes misiones de las instituciones, órganos y agencias de la
Unión. (así se previó, como hemos visto, en el Tratado de Lisboa que
entró en vigor, como hemos señalado, el 1 de diciembre de 2009). El
Reglamento estaba llamado, consideraba la Comisión, a convertirse
en una norma marco, cuyas medidas de aplicación deberían precisarse en los reglamentos internos de los organismos en cuestión.
Por otra parte, convendría entonces situar aún más el derecho de
acceso en el contexto de la participación de los ciudadanos en la
vida democrática de la Unión. De este modo, la revisión del Reglamento podría realizarse paralelamente al proceso de ratificación del
nuevo Tratado, sobre la base de una experiencia más rica y de una
jurisprudencia nueva. Con el fin de orientar la reflexión, convendría
lanzar un debate público sobre la transparencia en las instituciones
europeas. Teniendo en cuenta los resultados de esta amplia consulta
podrían formularse propuestas concretas con vistas a una refundición del Reglamento 1049/2001[101].

---

[101] Proponía, no obstante, una serie de medidas a corto plazo –con el fin de con-
solidar el derecho de acceso del público e incluirlo aún más en una política de
información del público– y a largo plazo. Entre las medidas a corto plazo, se encontraban: 1) la recomendación a las otras instituciones y órganos comunitarios
de adaptar las normas de acceso a las del Reglamento 1049/2001, anticipándose
así a una posible modificación del Tratado; 2) la recomendación a las otras instituciones y órganos comunitarios de ampliar el derecho de acceso a toda persona
física o jurídica, sin condiciones de nacionalidad o residencia; 3) el desarrollo de
los registros con el fin de lograr una mayor integración y del acceso directo a los
documentos, ampliando la cobertura de los registros de la Comisión a otras categorías de documentos, al hilo de la modernización de la gestión de los documentos, aumentando el número de documentos cuyo texto es directamente accesible
en Internet considerablemente y desarrollando un sistema de hipervínculos que
permitieran al usuario navegar por un tema concreto o por un procedimiento determinado utilizando las herramientas de información de las tres instituciones; 4)
el desarrollo de las otras herramientas de información (el servidor EUROPA, y las
herramientas de información general al público, como *EuropeDirect*, el desarrollo

Posteriormente, puede decirse que las instituciones entraron en una competición para liderar el proceso de reforma. Así:

-El 9 de noviembre de 2005, la Comisión aprobó la *Iniciativa Europea de Transparencia*, uno de cuyos puntos se refería al impulso de la revisión del Reglamento de acceso, y decidió iniciar el proceso.

-El 21 de diciembre de 2005 el Consejo elaboró un *Proyecto de Conclusiones sobre la mejora de la apertura y la transparencia en el Consejo*[102], que no llegaron a aprobarse por falta de una posición común.

-El 4 de abril de 2006 el Parlamento Europeo aprobó una Resolución por la que solicitó a la Comisión la reforma del Reglamento 1049/2001, tomando como fecha límite para la elaboración de una propuesta el año 2006[103]. La Resolución incluía una serie de recomendaciones concretas que debieran contenerse en dicha revisión[104].

---

y coordinación de las distintas redes de puntos de información, tanto dentro de la Comisión como entre las instituciones); 5) el refuerzo de la cooperación interinstitucional, entre el Consejo, la Comisión y el Parlamento a través del Comité interinstitucional, adoptando criterios comunes y estableciendo además una metodología común para el registro y la contabilización de las solicitudes de acceso, con el fin de poder elaborar los informes anuales de las tres instituciones con un modelo uniforme, y cooperando con las otras instituciones y órganos que aplican normas similares, así como con las agencias; 6) la formación adecuada de los responsables del acceso a los documentos de las agencias y otras instituciones. A más largo plazo, se proponía la realización de: 1) un inventario de los ámbitos en los que existe una carencia de normas de acceso específicas para las personas que tienen un interés particular; posteriormente, habría que suplir las lagunas de estas disposiciones; 2) un examen de la necesidad o la oportunidad de modificar el Reglamento 1049/2001, que sería útil en cuanto se hubiera desarrollado una jurisprudencia significativa, hubieran adquirido experiencia en la aplicación del Convenio de Århus las instituciones y órganos comunitarios, y estuviera en curso el proceso de ratificación del Tratado constitucional; si, a raíz de este examen, resultase indispensable realizar una refundición del Reglamento, antes de que se presente una propuesta de revisión debería celebrarse un amplio debate público.

102   Docs. 15834/05 y 15834/05 ADD 1.
103   A6-0052/2006. Esta resolución tuvo su origen en un informe de iniciativa cuyo ponente fue Michael Cashman, del Partido de los Socialistas Europeos, aprobado en la Comisión Libertades públicas, Justicia y Asuntos de Interior (en adelante, LIBE) el 22 de febrero de 2006.
104   Las recomendaciones se referían a los siguientes puntos: a) alcance de la base jurídica y objetivo del Reglamento, para conectarlo con el artículo 255 TCE; b) plena transparencia legislativa, que implica que los documentos preparatorios

-El 3 de mayo de 2006 la Comisión aprobó el Libro Verde *Iniciativa europea a favor de la transparencia*[105]. La consulta se cerró en agosto de 2006. Derivado de esta iniciativa, el 21 de marzo de 2007 aprobó la Comunicación *Iniciativa Europea a favor de la transparencia. Un marco para las relaciones con los representantes de intereses*[106]. Se centró en la creación de un Registro voluntario de representantes de grupos de intereses con suscripción de un Código de Conducta[107], uno en cada institución y con acceso telemático; y en la publicación de información sobre los beneficiarios de los fondos de la Unión Europea, que se previó en la reforma del Reglamento financiero, a través de la colaboración de bases de datos estatales y una página web central gestionada por la Comisión con enlaces a las páginas nacionales y a los fondos de la Unión, con normas comunes para la publicación de datos.

-Las Conclusiones de la Presidencia del Consejo Europeo de Bruselas de los días 15 y 16 de junio de 2006 incorporaron un apartado dedicado a *Una política global de transparencia*[108], conforme a las cuales, a fin de seguir aumentando la apertura, la transparencia y la responsabilización, se acordaron una serie de importantes medidas destinadas a lograr una mayor participación de los ciudadanos en el funcionamiento de la Unión, referidas sobre todo, pero no solo, a la publicidad de las deliberaciones sobre actos legislativos.

-El 6 de septiembre de 2006, el Parlamento Europeo y el Consejo adoptaron un nuevo Reglamento relativo a la aplicación, a las instituciones y a los organismos comunitarios, de las disposiciones

---

sean directamente accesibles; c) establecimiento del régimen jurídico de los documentos confidenciales, bajo el control del Parlamento, que debe tener acceso a los documentos clasificados; d) clarificación y limitación de las restricciones de acceso a los documentos procedentes de los Estados miembros; e) mejora del funcionamiento de los registros y archivos, creando un punto de acceso único para la legislación preparatoria, una interfaz común a los registros de las instituciones y normas comunes sobre el archivo de documentos.

[105]   COM (2006)194.
[106]   SEC (2008) 1926.
[107]   Perfilado en la Comunicación de la Comisión de 27 de mayo de 2008, Iniciativa europea a favor de la transparencia. Un marco para las relaciones con los representantes de intereses (Registros-Códigos de conducta) [COM (2008) 323 final].
[108]   Doc. 10633/1/06 REV 1, pp. 23 y 24.

del Convenio de Århus[109], que está relacionado con el Reglamento 1049/2001 en lo que respecta al acceso a los documentos que contienen información sobre el medio ambiente.

-El 18 de abril de 2007 la Comisión aprobó el Libro Verde *Acceso del público a los documentos de las instituciones de la Comunidad Europea*[110]. La consulta se cerró en julio de 2007.

-El 16 de enero de 2008 presentó su *Informe sobre los resultados de la consulta pública*[111], en el que se comprometió a tener elaborada una propuesta de revisión del Reglamento 1049/2001 en el primer trimestre de 2008.

-El 30 de abril de 2008 la Comisión formuló la *Propuesta de Reglamento del Parlamento Europeo y el Consejo relativo al acceso público de los documentos del Parlamento Europeo, el Consejo y la Comisión*[112]. Se trata de una propuesta que debía tramitarse por el procedimiento de codecisión (tras el Tratado de Lisboa, "procedimiento legislativo ordinario")[113], y que en aras de una mayor claridad optaba por la refundición ("recast") de dicho Reglamento.

-El 30 de junio de 2008 emitió Dictamen el Supervisor Europeo de Protección de Datos[114].

-En el Consejo, el Grupo de Trabajo "Información" examinó la propuesta de la Comisión en diversas ocasiones entre 2008 y 2009[115].

---

[109]   Reglamento (CE) nº 1367/2006 del Parlamento Europeo y del Consejo, de 6 de septiembre de 2006, relativo a la aplicación, a las instituciones y a los organismos comunitarios, de las disposiciones del Convenio de Århus (DO L 264, 25.9.2006, p. 13). Adapta el Convenio de Aarhus sobre el acceso a la información, la participación del público en la toma de decisiones y el acceso a la justicia en materia de medio ambiente, celebrado en Århus, Dinamarca, el 25 de junio de 1998.

[110]   COM (2007) 185.

[111]   SEC (2008)29/2 de 16 de febrero de 2008

[112]   COM (2008) 229 final.

[113]   Referencia del procedimiento 2008/0090(COD).

[114]   DOUE C 2, de 7 de enero de 2009.

[115]   Doc. 5671/1/09 REV 1 y Doc. 10859/1/09 REV 1, obtenido por nuestra parte ejerciendo el derecho de acceso a la información, que se estimó solo de forma parcial, y, sin embargo, paradójicamente, accesible en su integridad en la web de una organización no gubernamental. La respuesta que se nos dio por parte de la Secretaría del Consejo fue la siguiente: La Secretaría General del Consejo ha estudiado su solicitud de conformidad con lo dispuesto en el Reglamento (CE) n.º 1049/2001 del Parlamento Europeo y del Consejo relativo al acceso del pú-

blico a los documentos del Parlamento Europeo, del Consejo y de la Comisión
(Diario Oficial L 145 de 31.5.2001, p. 43) y con las disposiciones particulares
referentes al acceso del público a los documentos del Consejo que figuran en el
Anexo II del Reglamento interno del Consejo (Decisión del Consejo 2009/937/
CE–Diario Oficial L 325 de 11.12.2009, p. 35) llegando a la siguiente conclusión: "El documento 10859/1/09 REV 1 es un informe referente a la Propuesta
de Reglamento del Parlamento Europeo y del Consejo relativo al acceso del público a los documentos del Parlamento Europeo, del Consejo y de la Comisión.
Todavía no se ha tomado decisión alguna al respecto. Este documento solamente
existe en inglés. Podrá Vd. acceder al contenido del documento, incluidas las
posiciones de las Delegaciones, con excepción de las partes que permitan identificar a las Delegaciones correspondientes. La Secretaría General considera que
ello constituye una buena solución transaccional entre la protección del proceso
de toma de decisiones del Consejo, por una parte, y, por otra parte, el interés
público que justifica la divulgación. Ello permitirá que Vd. esté informado(a)
sobre los argumentos suscitados durante el debate en torno a una cuestión sobre
la que la institución aún no ha tomado decisión alguna. Sin embargo, la Secretaría General considera que la protección del proceso de toma de decisiones de la
institución prevalece sobre el interés que puede tener el público en identificar a
las Delegaciones cuyas posiciones se plasman en el documento. En el marco de
los debates y de las negociaciones preliminares en los órganos preparatorios del
Consejo, es indispensable que las Delegaciones puedan manifestar libremente sus
puntos de vista para permitir que el Consejo halle soluciones transaccionales y
consiga progresar en cuestiones delicadas. Divulgar en la fase actual las partes
del documento que permitan identificar a las Delegaciones que han adoptado
una u otra posición sobre cuestiones que siguen siendo objeto de debate pondría
dicho proceso en peligro, ya que ello podría reducir considerablemente el margen de maniobra de que disponen las Delegaciones para reconsiderar sus posiciones a la vista de los argumentos suscitados durante el debate. En opinión de la
Secretaría General, la divulgación de estas partes del documento podría perjudicar gravemente al proceso de toma de decisiones del Consejo. En estas circunstancias, y de conformidad con lo dispuesto en el artículo 4, apartado 3, párrafo
primero, del Reglamento (protección del proceso de toma de decisiones del Consejo), la Secretaría General no puede por el momento concederle acceso a dichas
partes del documento. No obstante, en virtud del artículo 11, apartado 6, del
Anexo II del Reglamento interno del Consejo, este documento, así como cualquier otro documento legislativo relativo al presente Reglamento, será accesible
al público en su totalidad tras la adopción definitiva del acto, a menos que su
contenido se vea afectado por las disposiciones del artículo 4, apartados 1, 2 o 3,
párrafo segundo, del Reglamento (CE) n.º 1049/2001". Presenté solicitud confirmatoria, alegando como argumento adicional el trato discriminatorio que mos-
traba la publicación íntegra disponible en Internet de una organización no gubernamental. Recibí posterior contestación por correo ordinario con la siguiente
contestación: "Como se ha indicado anteriormente, el documento en cuestión se
refiere a una propuesta de Reglamento del Parlamento Europeo y del Consejo

relativa al acceso del público a los documentos del Parlamento Europeo, del Consejo y de la Comisión. Aunque la Comisión presentó la propuesta de refundición en abril de 2008, el proceso de toma de decisiones se encuentra aún en una fase temprana: el Parlamento Europeo todavía no ha adoptado su posición en primera lectura a tenor del artículo 294.3 del TFUE y está estudiando actualmente la propuesta en primera lectura. Aún no han comenzado las negociaciones entre el Parlamento Europeo y el Consejo sobre la propuesta. El Grupo "Información", órgano preparatorio del Consejo encargado de la propuesta, se ha reunido varias veces para efectuar un estudio exhaustivo de la propuesta. En el marco de estos debates, las Delegaciones han presentado puntos de vista preliminares sobre las modificaciones que contiene la propuesta de la Comisión. Pese a ello, no ha habido convergencia de opiniones y no se han sacado conclusiones definitivas sobre las cuestiones planteadas. Así pues, el proceso de toma de decisiones sigue estando en una fase temprana y de momento no se ha hallado un planteamiento claro para las cuestiones que suscita el documento solicitado. Además, a los debates en el Consejo seguirán las futuras negociaciones entre este y el Parlamento Europeo, una vez que el Parlamento haya terminado su primera lectura de la propuesta. Por todo ello, la divulgación de los nombres de las Delegaciones que han formulado las propuestas que contiene el documento afectaría de manera adversa en la fase actual a la eficacia del proceso de toma de decisiones del Consejo, al poner en peligro la posibilidad de que el Consejo pueda llegar a un acuerdo en cuanto al expediente y, en particular, limitaría el margen de maniobra de esas Delegaciones para llegar a una fórmula transaccional en el Consejo. Así pues, el riesgo de socavar gravemente el procedimiento de toma de decisiones del Consejo es razonablemente previsible, y no meramente hipotético. De aceptar que los documentos que contienen posiciones por escrito de las Delegaciones con puntos especialmente sensibles se divulgasen totalmente en un procedimiento en curso de toma de decisiones, se induciría a las Delegaciones a que dejasen de presentar por escrito sus observaciones, y en vez de hacerlo se limitarían a intercambios verbales de puntos de vista en el Consejo y en sus órganos preparatorios, lo que no exigiría la redacción de documentos. Esto perjudicaría gravemente a la eficacia del proceso interno de toma de decisiones del Consejo, al impedir la celebración de debates internos complejos en torno al acto propuesto, y también perjudicaría seriamente a la transparencia general de la toma de decisiones del Consejo. El Consejo ha ponderado el interés público en cuanto a la eficacia de la toma de decisiones interna en relación con el interés del público en una mayor apertura, que garantiza que las instituciones de la UE tengan mayor legitimidad y responsabilidad frente a los ciudadanos, sobre todo cuando actúan en su capacidad legislativa. El resultado de esa ponderación fue que la Secretaría General decidió, como respuesta a la petición inicial del solicitante, divulgar el contenido del documento solicitado, aunque ocultando los nombres de las respectivas Delegaciones. Esta solución permite, por un lado, y de acuerdo con los principios democráticos, que los ciudadanos estudien la información en la que se basa el acto legislativo propuesto que se debate en el Consejo y, por otro lado, preservar la eficacia del proceso de toma de decisiones del

-La iniciativa pasó a tramitarse en el Parlamento. La Comisión
LIBE elaboró un primer Informe el 19 de febrero de 2009[116], siendo
el ponente el europarlamentario laborista británico Michael Cash-

---

Consejo. El Consejo ha estudiado asimismo si sería posible, mediante supresiones
efectuadas caso por caso, dar a conocer el nombre de los Estados miembros de que
se trata. Pero se rechazó esta posibilidad porque conduciría a valoraciones muy
arbitrarias que, a su vez, podrían impugnarse. Como es natural, este planteamiento
no impide que las Delegaciones de los Estados miembros hagan públicas sus posiciones si así lo desean. El Consejo recuerda que tanto este documento como cualesquiera otros documentos legislativos relacionados con el Reglamento propuesto
se pondrán a disposición del público tras su adopción definitiva, de conformidad
con las normas que establece el artículo 11.6 del Anexo II del Reglamento interno
del Consejo. Teniendo en cuenta lo anteriormente expuesto, el Consejo opina que
globalmente todos los posibles factores que en la fase actual abogan por divulgar
el documento en cuestión en su totalidad se ven superados por la necesidad de
proteger el proceso de toma de decisiones del Consejo. Por ello, el Consejo confirma la decisión de la Secretaría General en respuesta a la solicitud inicial, por la que
concedía, de conformidad con el artículo 4.6 del Reglamento 1049/2001, el acceso
parcial al documento 10859/1/09 REV 1, con exclusión de aquellas partes de él
que permitieran identificar a las Delegaciones de que se trata. El acceso del público
a esas partes debe denegarse con arreglo al artículo 4.3, primer párrafo, del Reglamento (protección del proceso de toma de decisiones del Consejo). Por último, en
lo que se refiere a su argumento según el cual el documento en cuestión ya se ha
divulgado completamente en Internet, debe subrayarse que el Consejo jamás ha
hecho público el documento en su totalidad, ni ha autorizado su publicación total
en Internet. Por consiguiente, el proceso de toma de decisiones del Consejo para
tratar la presente solicitud o cualesquiera otras futuras solicitudes de acceso del
público a los documentos, como establecen los artículos 7 y siguientes del Reglamento 1049/2001 y el Anexo II del Reglamento interno del Consejo, no puede
verse perjudicado por la divulgación no autorizada de la totalidad del contenido
del documento." Cabe destacar que la organización no gubernamental *Access Info
Europe* solicitó el acceso al Documento 16338/08, correspondiente a una nota de
la Secretaría General al Grupo de Trabajo "Información" relativa a propuesta de
revisión del Reglamento, y que se dio en versión redactada omitiendo las posiciones de las Delegaciones. Se impugnó judicialmente alegando que no se había acreditado en qué medida el conocimiento de los nombres de las Delegaciones afectaría seriamente al proceso de toma de decisiones, por qué el efecto sería el cese de
presentación de observaciones escritas y en qué afectaría seriamente al proceso de
toma de decisiones, y, además, se omitió tomar en consideración la existencia de
un interés público superior. El caso, como veremos, dio origen a una demanda judicial. La organización no gubernamental *ClientEarth* solicitó acceso a una opinión del Servicio jurídico del Consejo sobre esta materia (Doc. 6865/09), que también fue denegado y también dio origen, como veremos, a otra demanda.

[116]   A6-0077/2009.

man[117]. El texto del Informe era mucho más ambicioso que el proyecto de la Comisión[118]. La Comisión manifestó su desacuerdo, y, pese a ello, el Pleno del Parlamento aprobó el Informe el 11 de marzo de 2009, pero pospuso el voto sobre la resolución legislativa, habida cuenta del anuncio oficioso de la Comisión y del Consejo de su negativa a asumir dichas enmiendas[119].

-En junio de 2009 comenzó una nueva legislatura parlamentaria.

-El 2 de diciembre de 2009, la Comisión Europea actualizó el fundamento jurídico de la reforma del Reglamento 1049/2001, al Tratado de Lisboa, que entró en vigor el día anterior[120].

---

[117]   Como Comisión asociada intervino la Comisión AFCO (asuntos constitucionales) con informe de la eurodiputada Jäätteenmäki (ALDE- liberales). Fueron comisiones competentes para emitir opinión INTA (Comercio Internacional) con informe de la eurodiputada Plumb (PSE), JURI (Jurídica) con informe de la eurodiputada Frassoni (Verdes) y PETI (Peticiones) con informe del eurodiputado Hammerstein (Verdes).

[118]   Las enmiendas presentadas por el ponente principal, Cashman, fueron, principalmente: a) Inclusión en las definiciones de la antigua definición de documento y modificación de la definición de base de datos haciendo referencia a la información contenida en las bases de datos; b) Inclusión de nuevas definiciones sobre documentos clasificados, legislativos y administrativos, así como sobre archivos y archivos históricos; c) Modificación del artículo sobre las excepciones estableciendo una diferencia entre la protección de los intereses públicos y privados; d) Especificación del régimen de uso de documentos de terceros; e) Modificación del artículo sobre los documentos que deben publicarse en el Diario Oficial de la UE; f) Mejora del papel del Defensor del Pueblo Europeo como punto de referencia de los funcionarios responsable de la información de las instituciones a los que podría consultarse en caso de dudas; g) Sanciones por incumplimiento.

[119]   En aplicación del artículo 53. 2 del Reglamento del Parlamento entonces vigente: "Cuando la Comisión manifestare que no acepta todas las enmiendas del Parlamento, el ponente de la comisión competente o, en su defecto, el presidente de dicha comisión hará una propuesta formal al Parlamento sobre la oportunidad de votar el proyecto de resolución legislativa. Antes de hacer dicha propuesta formal, el ponente o el presidente de la comisión competente podrá pedir al Presidente que suspenda las deliberaciones. Si el Parlamento decidiere aplazar la votación, el asunto se considerará devuelto para nuevo examen a la comisión competente. En este caso, dicha comisión informará de nuevo al Parlamento oralmente o por escrito en el plazo que este hubiere fijado, que no podrá exceder de dos meses [...]"

[120]   COM (2009) 0665.

-El 17 de diciembre de 2009, el Pleno del Parlamento aprobó una *Resolución sobre las mejoras necesarias en relación con el marco jurídico de acceso a los documentos a raíz de la entrada en vigor del Tratado de Lisboa* solicitando una serie de reformas[121] y pidiendo a la nueva Presidencia (España) que promoviese el diálogo a nivel político entre las instituciones sobre este tema.

-El ponente Michael Cashman elaboró un borrador de segundo Informe con fecha 12 de mayo de 2010.

-El 21 de marzo de 2011, la Comisión hizo una segunda propuesta complementaria para adaptar la primera al Tratado de Lisboa y al valor vinculante de la Carta de Derechos Fundamentales de la Unión Europea, que se limitó a ampliar el ámbito subjetivo a todas las instituciones, oficinas, agencias y organismos de la Unión Europea, manteniendo el procedimiento de refundición.

-El 15 de diciembre de 2011, el Parlamento aprobó una Resolución legislativa crítica con la postura de la Comisión, en que constató que la nueva propuesta de la Comisión no contenía ninguna modificación de fondo, y aprobó su propia Posición en primera lectura, en forma de texto enmendado a la propuesta de la Comisión[122].

-En respuesta, la Comisión manifestó sus discrepancias, al considerar que la posición del Parlamento contenía muchas enmiendas a partes del Reglamento que la Comisión no propuso modificar, lo que, a su juicio, era incompatible con el acuerdo interinstitucional de refundición[123].

---

[121] El Parlamento pedía que se incluyera, dentro de las instituciones sujetas al Reglamento, al Consejo Europeo, el Banco Central Europeo, el Tribunal de Justicia, Europol y Eurojust; actualizar las normas relativas al acceso a los documentos, información y datos internos; una mayor transparencia financiera y en la evaluación de la aplicación de la normativa comunitaria en los Estado miembros; transparencia en el tratamiento jurídico de los documentos clasificados y mejorar la accesibilidad de los documentos de la UE.

[122] Resolución legislativa del Parlamento Europeo, de 15 de diciembre de 2011, sobre la propuesta de Reglamento del Parlamento Europeo y del Consejo relativo al acceso del público a los documentos del Parlamento Europeo, del Consejo y de la Comisión (versión refundida) (DOUE de 15 de diciembre de 2011, serie C, núm. 168, pp. 159 y ss.).

[123] SP (2012) 90, de 1 de febrero de 2021.

-En su Resolución de 2 de abril de 2012, el Parlamento reiteró su llamada a reformar de conformidad con el Tratado de Lisboa y al alza el Reglamento 1049/2001.

-Las presidencias danesa y chipriota no lograron desbloquear la situación en 2012. La primera organizó encuentros entre las tres instituciones para desbloquear la situación, que fueron infructuosos.

-En 2013, tras una serie de preguntas parlamentarias al Consejo y a la Comisión se celebró una sesión de la Comisión LIBE con representantes de la Comisión celebrada el 21 de mayo, en que se constaron las diferencias de enfoque, con acusaciones del ponente Michael Cashman de obstruccionismo por parte de la Comisión, y argumentaciones de la Comisión según las cuales la mayoría de los Estados apoyarían su posición. A la vista del resultado de esta sesión, el Parlamento adoptó la Resolución de 12 de junio de 2013 sobre el punto muerto en la revisión del Reglamento 1049/2001[124]. En ella, entre otras afirmaciones, considera que la modificación del Reglamento 1049/2001 "debe constituir una prioridad para todas las instituciones de la UE, y lamenta el punto muerto que se ha creado", "pide a todas las instituciones de la UE que trabajen conjuntamente para hallar una salida lo antes posible", "pide a la Comisión que se comprometa plenamente, a los niveles político y técnico, con la adaptación del Reglamento (CE) n° 1049/2001 al espíritu del Tratado de Lisboa o que tome las medidas adecuadas para salir del punto muerto"; y "pide al Consejo que reanude de inmediato los debates sobre el Reglamento (CE) n° 1049/2001, que adopte su posición en primera lectura y que prosiga las negociaciones"[125].

---

[124] 2013/2637 (RSP), adoptada con 333 a favor, 128 en contra y 50 abstenciones.

[125] Sobre el fondo, el Parlamento "reitera su posición en primera lectura aprobada el 15 de diciembre de 2011 como posición para el inicio de negociaciones y subraya que, como mínimo absoluto y de acuerdo con las obligaciones que imponen los Tratados, un texto modificado, en particular, debe ampliar expresamente su ámbito de aplicación a todas las instituciones, oficinas y agencias de la UE; mejorar la transparencia legislativa, también en cuanto al acceso a los dictámenes jurídicos comprendidos en procedimientos legislativos, para lo que cualquier recurso a excepciones en el procedimiento legislativo deberá constituir una excepción a la norma general de la transparencia legislativa; aclarar la relación entre transparencia y protección de datos; incluir el Convenio de Aarhus; considerar la actual definición amplia de documento como base mínima para el desarrollo ulterior;

-En años posteriores, el Parlamento continuó alentando la reforma. En su Resoluciones de 11 de marzo de 2014 y de 28 de abril de 2016, volvió a lamentar la parálisis y a insistir en sus posicionamientos.

Lo cierto es que la situación sigue en un punto muerto, a la espera de la posición del Consejo en primera lectura. El Reglamento lleva, en fin, unos catorce años en proceso de reforma, paralizado aparentemente *sine die*[126].

El motivo de la parálisis es de fondo. Mientras que la Comisión presentó una propuesta de reforma limitada y restrictiva respecto a la regulación existente, el Parlamento se muestra favorable a una revisión del reglamento más incisiva y ambiciosa[127]. En el seno del Consejo, los Estados están divididos. Además, cabe constatar que se ha generado una corriente crítica de calado que considera la propuesta de la Comisión una suerte de "contrarreforma", tanto por parte de actores civiles como por el propio Defensor del Pueblo Europeo[128].

---

garantizar un acceso adecuado a los documentos y la transparencia en relación con negociaciones y acuerdos internacionales; establecer la transparencia financiera de los fondos de la UE; y no introducir excepciones genéricas".

[126] Pueden verse, al respecto, significativamente con una década de diferencia, HARDEN, I., "The Revision of Regulation 1049/2001 on Public Access to Documents", *European Public Law*, 15(2), 2009, pp. 521-549 y AKTAS, M., "The revision of Regulation 1049/2001: public Access deadlocked for a decade", en *For the people-Critical Perspectives on Transparency, Marble Research Papers*, vol. 4, 2018.

[127] Pone de relieve que los puntos clave de divergencia con la Comisión, a la que considera responsable de la parálisis, son la defensa por el Parlamento de mayor amplitud del concepto de documento y del ámbito subjetivo de sujetos obligados, una interpretación más estricta de las excepciones y una nueva regulación de los documentos clasificados. Reconoce que la posición de los Estados está dividida, entre los países nórdicos, partidarios como el Parlamento de mayor transparencia, y otros Estados, que prefieren mantener el estado actual de la normativa, por temor a un mayor acceso a los documentos originarios de los Estados en el marco de procedimientos ligados al trabajo institucional de la Unión Europea, e incluso postulan, con la Comisión, una rebaja en los estándares actuales, por ejemplo reconociendo presunciones de la concurrencia de excepciones en especial en las áreas de competencia y ayudas de Estado o limitando el ámbito subjetivo de aplicación -lo que se une a que agencias como Europol o Eurojust solicitan excepciones que el Tratado de Lisboa solo reconoce al Banco Europeo de Inversiones, al Banco Central Europeo y al Tribunal de Justicia. ..

[128] En su documento presentado a la audiencia pública organizada por la Comisión LIBE del Parlamento viene a concluir que "la propuesta de la Comisión signifi-

A lo largo de este trabajo iremos dando cuenta en cada punto de las posiciones de las diversas instituciones. A modo de síntesis, puede decirse que en lo único en que parece que habría fácil "acuerdo" es en la determinación de los obligados por la normativa de acceso, para acomodarlo a la previsión del artículo 15 del Tratado de Lisboa, que se refiere a "instituciones, órganos y organismos de la Unión", si bien precisa que el Tribunal de Justicia de la Unión Europea, el Banco Central Europeo y el Banco Europeo de Inversiones solo están sujetos al derecho de acceso cuando ejerzan funciones administrativas[129]. A partir de ahí, todo son discrepancias. Puede decirse que, desde un principio, las principales diferencias entre la Comisión y el Parlamento son:

a) *El poder de decisión de los Estados cuando se solicita un documento que han remitido a las instituciones*: el Parlamento arguye que los Estados no deben tener derecho de veto en ningún caso, mientras que la Comisión defiende que cuando su negativa a la divulgación se

---

caría acceder a menos, y no a más, documentos", añadiendo que "algunas de las propuestas se basan en interpretaciones discutibles de la jurisprudencia de los tribunales comunitarios y otras son nuevas ideas que son difíciles de conciliar con un empeño genuino en asegurar el acceso más amplio posible a los documentos y en hacer efectivo el derecho de acceso". Considera que "el efecto conjunto de las reformas propuestas sería el de dar a la Comisión discrecionalidad para compartir documentos informalmente con un número limitado de receptores externos privilegiados a su elección, sin riesgo de que los excluidos del proceso puedan solicitar acceso a estos documentos. Las propuestas de la Comisión para incrementar su poder discrecional de control del flujo de información durante el proceso de toma de decisiones no solo ignoraría las lecciones del pasado, tal y como fueron detalladas en el primer informe del Comité de Expertos independientes sobre las alegaciones en relación con el fraude, la mala gestión y el nepotismo en la Comisión Europea, sino también las nuevas promesas formuladas a los ciudadanos, a la sociedad civil y a las asociaciones representativas en el Tratado de Lisboa. Estas promesas enfatizan el debate público, el diálogo abierto y la consulta amplia" (traducción propia). En .

129   Inicialmente, la Comisión los circunscribía al Parlamento, el Consejo y Comisión porque el artículo 255 TCE lo limitaba a dichas instituciones. Sin embargo, advertía que podría ampliarse si entraba en vigor el Tratado de Lisboa, como así fue. El Parlamento abogó por que el Reglamento 1049/2001 se aplicara a todas las instituciones, organismos, oficinas y agencias. Ya la segunda propuesta de la Comisión se acomoda a esta previsión "constitucional".

basa en un límite contemplado en la legislación nacional, las instituciones deben respetar en todo caso esta apreciación.

b) *La regulación de los documentos clasificados*: el Parlamento considera idóneo definir sus clases y establecer el régimen de custodia, acceso y desclasificación. En todo caso, la clasificación no puede oponerse frente al Parlamento. La Comisión plantea mantener el régimen actual, que se limita a enunciar las clases de documentos sensibles, sin definirlas ni establecer su régimen jurídico. Con posterioridad a la paralización de la reforma en 2011 se han producido avances en el reconocimiento de facultades de conocimiento y control de la información sensible por el Parlamento[130]. Recientemente, la Comisión ha aprobado las propuestas de Reglamentos del Parlamento y el Consejo sobre la seguridad de la información en las instituciones, órganos y organismos de la Unión[131], y por el que se establecen medidas destinadas a garantizar un elevado nivel común de ciberseguridad en las instituciones, los órganos y los organismos de la Unión[132], que mantienen la vigencia del Reglamento 1049/2001, pero integran un nuevo régimen para los documentos que afectan a la seguridad[133]. Desco-

---

[130]   Se han aprobado el Acuerdo Institucional sobre la transmisión al Parlamento Europeo y la gestión por el mismo de la información clasificada en posesión del Consejo sobre asuntos distintos de los pertenecientes al ámbito de la política exterior y de seguridad común, de 12 de marzo de 2014 y la Decisión de la Mesa del Parlamento Europeo de 15 de abril de 2013 relativa a la Reglamentación sobre el tratamiento de la información confidencial por el Parlamento Europeo.

[131]   COM (2022) 119 final, de 22 de marzo de 2022.

[132]   COM (2022) 122 final, de 22 de marzo de 2022.

[133]   El primero declara en el "Contexto de la propuesta" que: "En el ámbito de la transparencia, la presente propuesta se basa en los principios consagrados en el Reglamento (CE) n.º 1049/2001 relativo al acceso del público a los documentos del Parlamento Europeo, del Consejo y de la Comisión, con respecto a otras normas pertinentes." Y que: "El acceso público a la ICUE y a los documentos sensibles no clasificados sigue estando plenamente regulado por el Reglamento (CE) n.º 1049/2001 del Parlamento Europeo y del Consejo.". En su Considerando 6 afirma que: El presente Reglamento no obsta a la aplicación [...] del Reglamento (CE) 1049/2001 del Parlamento Europeo y del Consejo". Y en su artículo 32.1 establece determinaciones para garantizar el control del autor sobre los documentos incluidos en su ámbito objetivo "sin perjuicio de lo dispuesto en el Reglamento 1049/2001".El segundo establece en su artículo 18.2, sobre tratamiento de la información, que: "Toda solicitud de acceso público a los documentos que obren en poder del CERT-UE se atenderá a las disposiciones

nocemos si llegarán a aprobarse y si en su caso podrán contribuir a desbloquear la reforma del mencionado Reglamento.

c) *La configuración y alcance de las excepciones*: la Comisión pretende blindar el acceso cuando las decisiones no se han adoptado aún. El Parlamento se opone y quiere convertir todas las excepciones en relativas, sometidas al test del interés público superior.

d) *La transparencia del procedimiento legislativo y de la gestión presupuestaria*: el Parlamento opta por una transparencia muy amplia de todos los documentos relacionados con el proceso legislativo y de adopción de decisiones de alcance general, que incluye los documentos elaborados por todas las instituciones y los *lobbies*, y pretende extenderla a los documentos relacionados con las medidas de transposición estatales. La Comisión postula mantener el régimen actual.

Entre los Estados, y al igual que ocurriera en la fase de elaboración del Reglamento 1049/2001, también hay división de enfoques[134]. Puede hablarse de una división en bloques que reproduce la que ya se

---

del Reglamento (CE) n.º 1049/2001 del Parlamento Europeo y del Consejo, y en particular a la obligación, prevista en dicho Reglamento, de consultar a la institución, el órgano o el organismo de la Unión pertinente cuando la solicitud se refiera a sus documentos."

[134]   Las mayores divisiones entre los Estados respecto a la propuesta de la Comisión se refieren a quiénes han de ser los titulares del derecho (solo los ciudadanos o residentes o bien cualquier persona); si debe excluirse el acceso a los documentos presentados ante los Tribunales comunitarios por partes diferentes a las instituciones, como propone la Comisión, o no, en línea con el Parlamento; si deben excluirse los documentos relacionados con las investigaciones referidas a personas o empresas determinadas llevadas a cabo por las instituciones, como postula la Comisión, o si debe someterse al régimen general de las excepciones, como defiende el Parlamento; cuál debe ser el alcance de la excepción derivada de la protección del asesoramiento jurídico y de los procedimientos judiciales (si debe o no excluirse el asesoramiento en el marco de procedimientos legislativos y si debe incluirse o no los procedimientos de arbitraje y solución de controversias); la pertinencia de introducir una excepción relacionada con los documentos referidos a investigaciones de posibles infracciones estatales del Derecho Comunitario; el juego de la excepción relacionada con la protección de datos; el tratamiento de las solicitudes referidas a documentos originarios de Estados miembros –si bien con acuerdo mayoritario sobre la necesidad de ampliar el plazo de cinco días que tienen para responder a la consulta conforme a los Reglamentos internos de las instituciones.

había visualizado en los asuntos y cuestiones más relevantes conocidos por el TJUE, en los que el Parlamento y Estados miembros como los países nórdicos (Países Bajos, Dinamarca, Suecia, Finlandia), se han mostrado muy activos apoyando a los solicitantes de información con las posiciones más aperturistas, mientras que el Consejo y la Comisión, así como Francia o España han apoyado aproximaciones más restrictivas.

El 29 de enero de 2020, siguiendo la propuesta del Parlamento Europeo en el marco de la decisión de la Conferencia de presidentes de 16 de octubre de 2019, la Comisión propuso la retirada de sus dos propuestas de reforma en su Programa de Trabajo para 2020[135]. Se aducían como razones para la retirada que no hay acuerdo previsible, ya que no sean hecho progresos por los colegisladores sobre ambas propuestas desde 2011, y las propuestas entre tanto se han quedado ampliamente desfasadas[136]. El Parlamento Europeo se opuso, ante lo cual la Comisión acordó, en carta de 14 de septiembre de 2020, la no retirada de las propuestas y apoyar continuar con la discusión política. Consiguientemente, la Comisión no incluyó la retirada en su propuesta final de 29 de septiembre de 2020, de modo que continúan constituyendo la base para cualquier ulterior discusión legislativa y política. No obstante, la Comisión afirma en su Informe sobre la aplicación en 2020 del Reglamento 1049/2001 que considera que el mencionado Reglamento, en su interpretación por el TJUE continúa aportando un marco legal apropiado y eficiente para asegurar el acceso público a los documentos[137].

---

[135]   Núm. 31 del Anexo IV de la Comunicación de la Comisión al Parlamento Europeo, al Consejo, al Comité Europeo Económico y Social y al Comité de las Regiones, Programa de Trabajo de la Comisión, *A Union that strives for more*, COM (2020) 37 final, 29 enero de 2020.
[136]   En su Anexo IV, p. 31.
[137]   COM (2021) 459 final/2, p. 9.

II. ÁMBITO OBJETIVO Y SUBJETIVO

1. EL ÁMBITO OBJETIVO: DOCUMENTOS EXISTENTES DE TODO TIPO, PROPIOS O AJENOS

La cuestión del objeto del derecho de acceso requiere determinar si se refiere a la información o a la documentación, y qué se entiende por tales; si se aplica solo a documentos efectivamente existentes; qué categorías de documentos se reputan accesibles; y si tienen la misma consideración los documentos propios y los ajenos.

Veamos cómo se han abordado estas cuestiones en el Reglamento 1049/2001.

1.1. *El concepto de documento y la difícil conceptuación de la información obrante en las bases de datos*

En el Derecho de la Unión Europea se ha planteado una de las cuestiones claves de toda normativa sobre acceso: la pertinencia de hacer pivotar el sistema sobre el concepto de "información" o sobre el más clásico de "documento".

El concepto de "información" fue el manejado en el discurso político[139], mientras que en su plasmación en textos jurídicos el acogido fue el de "documento"[140], eso sí, entendido en sentido muy amplio, como todo *contenido*, sea cual sea su soporte (escrito en versión papel o almacenado en forma electrónica, grabación sonora, visual o audiovisual), referente a temas relativos a las políticas, acciones y decisiones que sean competencia de la institución[141]. Sigue así la estela del

---

[139] Los primeros impulsos políticos, tanto la Declaración núm. 17 anexa al Tratado de Maastricht como los posteriores Consejos Europeos, se referían genéricamente a garantizar el acceso a la *información* en poder de las instituciones.

[140] Tanto el Código de Conducta como las Decisiones del Consejo y la Comisión que lo dotaron de efectos jurídicos, el artículo 255 TCE, el artículo 42 de la Carta, el Reglamento 1049/2001 y el artículo 15 TFUE, aluden al derecho de acceso a los *documentos* en poder de las instituciones.

[141] Así se le define en el artículo 3.a) del Reglamento 1049/2001. El Código de Conducta y las normas que lo implementaron entendían por documento "todo escrito, sea cual fuere su soporte, que contenga datos existentes"; si bien la Decisión

Convenio 205, como vimos, y de la mayoría de las leyes nacionales de los Estados miembros, que se refieren al concepto de "documento", y solo minoritariamente al de "información"[142], si bien con una definición amplísima de documento, que incluye cualquier información registrada en cualquier soporte, y que ha dado entrada, expresa o mediante interpretación del concepto de "documento" a los inexistentes como tales pero que puede generarse con facilitad extrayendo la información registrada en bases de datos.

En efecto, la cuestión límite, como ocurre en otros Derechos, se sitúa en los casos en que la información no se encuentra recogida en un documento, pero este puede confeccionarse de forma simple, en muchos casos, automatizada. El supuesto prototípico es el de las bases de datos, cada vez más generalizada con el paso a un sistema de gestión electrónica de la información.

La práctica ha consistido desde un primer momento en considerar como documento cualquier informe extraído de los sistemas de gestión documental que corresponda a su "explotación normal"[143].

---

de la Comisión de 1994 lo amplió, para su ámbito, a los documentos no escritos. Esto es, concebían documento como *continente* de datos. Bajo dicha normativa, se le planteó al Juez comunitario si el Derecho de la Unión, a través de la normativa de acceso, reconoce un principio del derecho a la información, o si se limita a garantizar el derecho de acceso a documentos. El tema se relacionaba con la posibilidad de conceder el acceso parcial a un documento. El TJUE no consideró necesario pronunciarse, pero apuntó ya que del contexto en el que surgió dicha normativa se deducía que no se refiere al acceso a los «documentos» como tales, sino al acceso a los elementos de información contenidos en ellos, y reiteró el principio del acceso parcial (STJUE de 6 de diciembre de 2001, C-353/99 P, Consejo contra *Heidi Hautala*, que apuntala lo afirmado en la instancia por el TG y por su Abogado General Léger; es más, este apuntó que el derecho de acceso puede llevar, en ocasiones, a la necesidad de redactar un nuevo documento que contenga datos provenientes de otros, en los casos en que solo se permite el acceso parcial, por incurrir los restantes en alguna limitación al derecho de acceso, y ser imposible suprimirlos del documento original).

142   Uno de esos casos es el de España, cuya Ley 19/2013 se refiere a la "información pública", que se define como "contenidos o documentos, cualquiera que sea su formato o soporte".

143   Como se afirma en el informe de la Comisión de 2004. En él, la Comisión recalcaba que el Reglamento no obliga a crear documentos, de modo que cuando la información no está disponible en uno o más documentos, sino que implica realizar investigaciones en fuentes distintas y elaborar documentos y/o agregar

El tema fue objeto de apreciación judicial inicialmente por el TG[144]. El principio general acogido fue el de que las bases de datos son también documentos y que, en caso de que sea necesario, la institución debe auxiliar al solicitante indicándole las posibilidades de búsqueda que ofrecen para seleccionar la información que pretende obtener, y, en su caso, motivar la negativa si la configuración técnica de la base de datos no permite obtenerla[145].

Posteriormente, el TJUE tuvo ya ocasión de pronunciarse, siguiendo el principio antes mencionado y desarrollándolo[146]. Considera

---

datos, está excluida, pero se puede tramitar conforme a los códigos de conducta como solicitudes de información. No obstante, reconocía que, en la práctica, no siempre es fácil distinguir una solicitud de información de una solicitud de acceso a documentos (en particular, en los casos de bases de datos). En todo caso, la Comisión concluía que el concepto de documento debía ser precisado a la luz de la práctica.

[144] STG de 26 de octubre de 2011, T-436/09, *Dufour* contra Banco Central Europeo. El solicitante pedía acceso a las bases de datos que el BCE utiliza para los análisis estadísticos de los informes sobre selección y movilidad de su personal, previamente anonimizadas. El BCE consideró que las bases de datos no son documentos existentes.

[145] El asunto se regía, en realidad, por la normativa de acceso propia del BCE, pero el TG subrayó la unidad de interpretación en este punto.

[146] STJUE de 11 de enero de 2017, C-491/15 P, *Rainer Typke* contra Comisión. El demandante solicitó a la Oficina Europea de Selección de Personal (EPSO) acceso a las pruebas de preselección de las oposiciones generales convocadas por la Comisión, en las que había participado. En concreto, a un "cuadro" con una serie de informaciones de los candidatos, preguntas que se les habían formulado, respuestas esperadas y dadas y lenguas utilizadas. Pedía que se sustituyera la identidad y el contenido de preguntas y respuestas por indicadores distintos que permitieran su puesta en relación sin divulgar su contenido concreto. Se denegó su solicitud por inexistencia de la información. En la STG de 2 de julio de 2015, T-214/13, *Rainer Typke* contra Comisión, el TG constató que la solicitud de acceso no tenía por objeto un acceso, siquiera parcial, a uno o varios documentos existentes en poder de la EPSO, sino que su objeto era, por el contrario, que la Comisión creara nuevos documentos que no pueden obtenerse simplemente de una base de datos efectuando una búsqueda normal o rutinaria mediante un dispositivo de búsqueda existente. Por estas razones, el Tribunal General desestimó la pretensión. Recurrida la sentencia ante el TJUE, el Abogado General Bobek presentó sus extensas conclusiones el 21 de septiembre de 2016. Sobre el concepto de "documento" en el contexto de las bases de datos electrónicas y las modalidades de acceso en la era digital, parte de su amplitud, equiparable a cualesquiera datos, series de datos o conjuntos de información. Ahora bien, en el caso de las bases de datos electrónicas y los documentos que las mismas

contienen, considera que al menos tres tipos de información contenida en bases de datos electrónicas pueden considerarse «documentos» a efectos del Reglamento 1049/2001: los registros individuales que formen una unidad semántica identificable dentro de una base de datos o conjunto de datos mayor; o los datos que no han sido objeto de tratamiento contenidos en una base de datos, conjunto de datos o una de sus secciones delimitadas; o la totalidad de la base de datos o conjunto de datos. No obstante, "no es posible afirmar en abstracto si constituirán "documentos" en un caso concreto. Ello dependerá de diversas variables, en particular el tipo y la estructura específicos de la base de datos concreta y la formulación de la consulta efectiva en el caso de que se trate. Naturalmente, existe una enorme diferencia entre, por una parte, una simple hoja de cálculo con diez filas y dos columnas de datos simples y, por otra, una compleja base de datos relacional que requiere una codificación exhaustiva para la estructuración de los datos sin tratar y que puede operar en varios servidores." Estima además que "es evidente que el hecho de que una recopilación de información sea considerada un «documento» con arreglo al mencionado Reglamento no significa automáticamente que exista un derecho de *acceso* a ese documento." Y que "el acceso a los documentos puede limitarse legalmente por motivos sustantivos o por razones prácticas. Respecto de estas últimas, juega en primer lugar el requisito de precisión de la solicitud, que puede plantear problemas prácticos cuando el solicitante pretenda acceder a conjuntos de datos o datos que no han sido objeto de tratamiento sin conocer la estructura exacta de la correspondiente base de datos, lo que debe llevar a insistir en la exigencia de auxilio al solicitante y, en su caso, a realizar una nueva solicitud; en segundo lugar la extensión del documento, que puede afectar a la modalidad de acceso; y en tercer lugar a la carga excepcional que pueda suponer, que puede llevar a las instituciones a ponderar el interés del solicitante de acceso a los documentos y la carga de trabajo que se derivaría de la tramitación de su solicitud, con miras a salvaguardar el interés de una buena administración. En segundo lugar, sobre el concepto de documento "existente", "a diferencia de lo que sucede en el mundo del papel físico, con las bases de datos electrónicas se pueden hacer muchas más cosas con mayor facilidad. Así pues, el concepto de «documento existente», interpretado en el marco de las bases de datos electrónicas, no debe centrarse en la existencia estática y física de un documento en el momento de presentarse la solicitud, sino en la cuestión de la magnitud del proceso creativo necesario para generar el documento solicitado. En el contexto de las bases de datos electrónicas, el criterio de la inversión sustancial implica, en términos prácticos y tal vez en contra del lenguaje corriente, que el concepto de «documento existente» comprende los documentos que pudieran no existir físicamente en la forma o configuración específica en el momento de presentarse la solicitud de acceso a la información, pero cuya preparación es una simple operación mecánica [...] Así pues, dicho sin ambages, el Reglamento n.º 1049/2001 no confiere a una persona el derecho de acceder a un documento estructurado «a la medida» de sus deseos, con lo que la administración quedaría convertida en su agencia privada de información. Sin embargo, ello

que, en lo atinente a las bases de datos, no puede hacerse equivaler "documento existente" con "posibilidad de crear un documento". La distinción entre documento existente y documento nuevo debe hacerse con arreglo a un criterio adaptado a las peculiaridades técnicas de las bases de datos y de acuerdo con el objetivo del Reglamento 1049/2001, cuya finalidad es que se garantice el acceso más amplio posible a los documentos. Así, señala que: "(c)onsta que, en función de su estructura y dentro de los límites de su programación, la información que contienen las bases de datos electrónicas puede ser reagrupada, relacionada y presentada de diferentes maneras con ayuda de los lenguajes de programación. No obstante, la programación y la gestión informática de tales bases de datos no tienen nada que ver con las operaciones efectuadas en el marco de la utilización corriente por los usuarios finales. En efecto, estos últimos acceden a la información contenida en una base de datos utilizando herramientas de búsqueda preprogramadas. Esas herramientas les permiten realizar con facilidad operaciones estandarizadas a fin de visualizar la información que necesitan habitualmente. En este marco, no es necesario, en principio, una inversión sustancial en tiempo y esfuerzo por su parte. En estas circunstancias, debe calificarse de documento existente toda información que pueda extraerse de una base de datos electrónica en el marco de su utilización corriente mediante herramientas de búsqueda preprogramadas, aun cuando tal información no se haya mostrado aún en este formato o nunca haya sido objeto de una búsqueda por parte de los agentes de las instituciones. De lo anterior resulta que, para satisfacer las exigencias del Reglamento 1049/2001, las instituciones pueden verse abocadas a elaborar un documento a partir de la información contenida en una base de datos utilizando las herramientas de búsqueda existentes. En cambio, debe considerarse documento nuevo y no documento existente toda información cuya extracción de una base de datos requiera una inversión sustancial en tiempo y esfuerzo. Cabe colegir de lo anterior que toda información cuya obtención

no impide a dicha persona realizar por sí misma las indagaciones necesarias sobre la base de los datos sin tratar o del conjunto de datos. Una vez más, como ya he señalado, las instituciones deben dar a conocer lo que obre en su poder. Ahora bien, no están obligadas a elaborar documentos sustancialmente nuevos según los deseos de los «usuarios»."

requiera una modificación, bien de la organización de una base de datos electrónica, o bien de las herramientas de búsqueda disponibles actualmente para la extracción de información, debe calificarse de documento nuevo. Lejos de privar al Reglamento 1049/2001 de su efecto útil, tal interpretación del concepto de documento existente corresponde al objetivo del citado Reglamento de garantizar que el público tenga un acceso lo más amplio posible a los documentos de las instituciones. En efecto, los solicitantes de acceso a la información contenida en una base de datos disfrutan, en principio, de acceso a la misma información a la que tienen acceso los agentes de las instituciones."

También ha considerado que extraer información que no se encuentra en bases de datos sino en documentos en formatos comunes como PDF que permiten la explotación, transformándolos con programas fácilmente accesibles en el mercado a otros formatos que permiten expurgar y presentar de forma diferente el documento, no supone una "inversión sustancial" en el sentido de la jurisprudencia consignada, y, por tanto, esa información debe considerarse un "documento" accesible[147].

> La propuesta de reforma de la Comisión y del Parlamento abarcan el acceso a documentos que pueden confeccionarse a partir de bases de datos (e incluyen en el caso de la del Parlamento, de forma expresa, el "dato o contenido" en la propia definición de "documento"). La cuestión ahora radica en determinar hasta dónde llega el derecho: si a la información que pueda extraerse de la base de datos utilizando cualquier herramienta efectivamente disponible para la explotación del sistema (propuesta de la Comisión, que se sitúa en línea con lo que posteriormente ha interpretado la jurisprudencia) o si dichas herramientas deben de hecho existir con una amplitud suficiente para atender las posibles solicitudes de información y adaptarse a las necesidades del derecho de acceso (propuesta del Parlamento).
>
> En efecto, la propuesta de la Comisión amplia el concepto de documento, añadiendo "[...] los datos contenidos en sistemas de almacenamiento, tratamiento y recuperación electrónica son documentos si pueden extraerse en forma de listado o formato electrónico utilizando las

---

[147] STG de 26 de enero de 2022, T-570/20, *Kedrion SpA* contra Agencia Europea de Medicamentos, en relación con una solicitud de listado de empresas que operan en la recogida y tratamiento de plasma sanguíneo.

herramientas disponibles para la explotación del sistema". La propuesta del Parlamento establece que los mencionados datos, incluidos los sistemas externos utilizados para el trabajo de la institución, los órganos y los organismos, constituyen un documento, en particular si pueden extraerse utilizando cualquier herramienta razonablemente disponible para la explotación del sistema en cuestión. Y añade que: "Una institución, un órgano u un organismo que quiera crear un nuevo sistema de almacenamiento electrónico, o modificar sustancialmente un sistema existente, deberá evaluar el impacto probable sobre el derecho de acceso, velar por que se garantice el derecho de acceso como derecho fundamental, y actuar a fin de promover el objetivo de transparencia. Las funciones para la recuperación de la información almacenada en sistemas de almacenamiento electrónico deberán adaptarse para satisfacer las solicitudes del público [...]" La propuesta del Parlamento no cuenta con el apoyo de los Estados.

Es un caso claro de debate sobre si el código o "code" debe condicionar el alcance del derecho, o si por el contrario debe adaptarse a las exigencias de este, por utilizar la imagen de L. LESSIG[148].

1.2. Documentos existentes: el control judicial indiciario de la apelación a la inexistencia de los documentos solicitados

El ejercicio efectivo del derecho de acceso requiere que las instituciones procedan al establecimiento y a la conservación de la documentación relativa a sus actividades.

En ocasiones, la respuesta de las instituciones a una solicitud de acceso consiste en desestimar la solicitud por inexistencia del documento solicitado.

La jurisprudencia parte del principio de que solo han de darse documentos si efectivamente existen, y en caso contrario, ha de denegarse la solicitud. Eso sí, ha afirmado que las respuestas que se apoyan en la inexistencia de los documentos solicitados son impugnables. Cuando una institución afirma que un documento no existe, en el marco de una solicitud de acceso, se presume la inexistencia, conforme la

---

[148]   *Code and other laws of cyberspace*, Basic Books, Nueva York, 1999 (El código y otras leyes del ciberespacio, Santillana, Madrid, 2001) y *Code version 2.0*, Basic Books, Nueva York, 2006 (*Código 2.0*, Traficantes de sueños, Madrid, 2009).

presunción de legalidad de los actos de la Unión[149]. Una presunción tal puede ser destruida por cualquier medio, sobre la base de indicios pertinentes y concordantes aportados por el solicitante[150]. La regla se aplica por analogía a los casos en que la institución dice no poseer los documentos solicitados. Si el solicitante logra destruir esa presunción, la institución tiene entonces que probar la inexistencia o la no posesión dando explicaciones plausibles que permitan determinar las razones de tal inexistencia o falta de posesión[151]. Estos principios han llevado en algunas ocasiones a anular la decisión por la que se deniega el acceso con base en la supuesta inexistencia del documento reclamado[152].

---

[149]   Por ejemplo, en la STG de 25 de abril de 2007, T-264/04, *WWF European Policy Programme* contra Consejo, el Consejo denegó información sobre el primer punto del orden del día de una reunión de los miembros suplentes de un Comité, a falta de acta de la reunión, y el TG no pudo sino desestimar el recurso por inexistencia de dicho documento, o STG de 30 de enero de 2008, T-380/04, *Ioannis Terezakis* contra Comisión, en que se aplica a la afirmación de la Comisión de no poseer determinados documentos relativos a contratos públicos financiados con fondos europeos.

[150]   Así, por ejemplo, en la STG de 23 de abril de 2018, T-468/16, *Verein Deutsche Sprache eV* contra Comisión, ratificada por ATJUE de 30 de enero de 2019, C-440/18 P, *Verein Deutsche Sprache eV* contra Comisión. Se trataba de una solicitud de acceso a la documentación referida a la una decisión de la Comisión sobre el cambio de aspecto de una sala de prensa con rotulación solo en inglés y francés. La Comisión afirmó que había dado toda la información y el TG consideró que el solicitante no había logrado esgrimir indicios contra esa presunción.

[151]   Por todas, SSTG de 12 de octubre de 2000, T-123/99, *JT's Corporation* contra Comisión, de 25 de junio de 2002, T-311/00, *British American Tobacco (Investments) Ltd.* contra Comisión, o de 19 de enero de 2010, T-355/04 y T-446/04, *Co-Frutta Soc. coop.* contra Comisión.

[152]   Así, en la STJUE de 15 de mayo de 2003, C-193/01 P, *Athanasios Pitsiorlas* contra Consejo y Banco Central Europeo, en la que el BCE había respondido una solicitud por parte de una investigadora de copia del acuerdo Basilea-Nyborg sobre el reforzamiento del Sistema Monetario Europeo argumentando que no existía dicho acuerdo (la sentencia casa así el ATG de 14 de febrero de 2001, T-3/00, *Athanasios Pitsiorlas* contra Consejo y Banco Central Europeo, que había inadmitido el recurso). En la STG de 10 de septiembre de 2008, T-42/05, *Rhiannon Williams* contra Comisión, la solicitante era una doctoranda que investigaba sobre el régimen jurídico de los organismos genéticamente modificados y pedía una serie de documentos preparatorios de la Directiva sobre la materia, incluida la correspondencia interna. Pese a reconocer inicialmente la existencia de dicha correspondencia, no le fue facilitada y posteriormente, sin embargo, la Comisión

El límite insuperable es que, en efecto, la información haya sido plasmada en un soporte, lo que deja fuera la información transmitida por vía oral sin grabación o plasmación por escrito. Es más, como veremos, a menudo las instituciones escudan sus respuestas denegatorias basadas en la concurrencia de la excepción encaminada a la protección de la integridad del proceso de toma de decisiones en el argumento adicional según el cual, en caso de facilitarse la información obrante en todo documento escrito, la "táctica" futura de las instituciones pasaría por trocar la escritura en oralidad, para orillar futuras solicitudes de acceso. Este riesgo de manejo instrumental de qué se plasma o no por escrito ya ha sido detectado por el Juez europeo, que considera que sería contrario al imperativo de transparencia del que resulta el Reglamento 1049/2001 que las instituciones se prevalgan de la inexistencia de documentos para eludir la aplicación de dicho Reglamento, de tal modo que deben en la medida de lo posible y de manera no arbitraria y previsible redactar y mantener documentación

---

argumentó su inexistencia. El TG puso de relieve esta contradicción a favor de la solicitante. En la STG de 20 de septiembre de 2019, T-433/17, *Dehousse* contra Tribunal de Justicia, se solicitaba información en poder del TJUE, en aplicación de la Decisión del TJUE de 11 de octubre de 2016 relativa al acceso del público a los documentos en poder del TJUE en ejercicio de funciones administrativas. Se trataba de documentación sobre el intercambio de comunicaciones entre un antiguo presidente del TJUE y/o su jefe de gabinete y autoridades estatales, en general, y en particular en relación con una reunión determinada que tuvo con dos Ministros alemanes. La respuesta de la Secretaría General del TJUE fue que no existía documentación al respecto. El TG anuló esta decisión al estimar que había habido indicios de la existencia y posesión (el TJUE no negaba que los contactos pudieron existir, había constancia en actas del TJUE y en un artículo de prensa de que la reunión había tenido lugar y el TJUE tenía la obligación de conservar documentación sobre encuentros extraordinarios e importantes de orden institucional) y constató que no se habían dado explicaciones. En ejecución de sentencia, la Secretaría del TJUE adujo que había realizado ulteriores investigaciones internas para localizar documentación pero que no existía al haber sido una reunión planeada con poca antelación por vía telefónica. Esta respuesta dio origen a la STG de 28 de octubre de 2020, T-857/19, *Dehousse* contra Tribunal de Justicia. En la nueva sentencia, el TG consideró que se dieron explicaciones y que la afirmación genérica de que se hicieron ulteriores indagaciones internas fue posterior objeto de precisión ante el TG, señalando que se llevaron a cabo contactos con miembros del gabinete, el jefe de gabinete y el propio ex Presidente (si bien el TG considera que en todo caso bastaban las explicaciones que se dieron en la denegación).

relativa a sus actividades. El tema enlaza con el relativo a qué documentos son accesibles, que pasamos a abordar.

1.3. Tipos de documentos: el tratamiento de los documentos preparatorios, internos y de los mensajes informales

El derecho de acceso tiene, en el Reglamento 1049/2001, la mayor amplitud. Se aplica a los documentos elaborados o recibidos y que estén en posesión de la institución en cuestión, referentes a temas relativos a las políticas, acciones y decisiones que sean de su competencia, en todos los ámbitos de actividad de la Unión Europea[153], incluidos aquellos exentos, con carácter general, de control judicial, como la política exterior y de seguridad común y de justicia y asuntos interiores[154], siempre en el respeto a las normas de seguridad y a los documentos clasificados.

El Reglamento no contiene criterios relativos al grado de oficialidad de los documentos, y los mensajes informales son, por tanto, documentos, al igual que los actos oficiales[155].

Abarca, además, los documentos definitivos, los documentos para uso interno y los preparatorios (siempre que sea compatible con la eficacia del procedimiento de toma de decisiones, como veremos al estudiar esa excepción), sean administrativos o legislativos. En esto, el Derecho de la Unión Europea se muestra avanzado, pues los análisis comparados llevados a cabo por la Comisión habían apuntado que en algunos sistemas nacionales se dota a la Administración de la facultad de denegar el acceso respecto de los documentos redactados para exclusivo uso interno y los documentos preparatorios. Y es que, en efecto, el acceso a los documentos "internos" y preparatorios de decisiones en curso de elaboración está limitado en mayor o menor medida

---

[153]   Artículo 1.3.
[154]   Lo que había sido discutido por el Consejo bajo la normativa anterior. El Juez comunitario declaró su competencia para conocer de las demandas de acceso en estos casos en las SSTG de 17 de junio de 1998, T-174/95, *Svenska Journalistförbundet* contra Consejo, y de 19 de julio de 1999, T-14/98, *Heidi Hautala* contra Consejo, confirmada en casación por la STJUE de 6 de diciembre de 2001, C-353/99 P, Consejo contra *Heidi Hautala*.
[155]   Tal y como apunta la propia Comisión en su Informe de 2004.

en la mayoría de los Derechos, bien por exclusión del objeto mismo del derecho, bien por aplicación de las excepciones[156]. Al respecto de esto último, ha de advertirse, no obstante, que, como ya se ha dejado anotado, una de las excepciones contempladas en el Reglamento se refiere a los procesos de toma de decisiones cuando se trate de un documento elaborado por la institución para su uso interno o recibido por ella relacionado con un asunto sobre el que la institución no haya tomado todavía una decisión, o de un documento que contenga opiniones para uso interno, en el marco de deliberaciones o consultas previas en el seno de la institución, incluso después de adoptada la decisión. En su momento, analizaremos el alcance de esta excepción.

---

[156] Conforme al análisis de la Comisión, citado, pp. 3-5, hay dos modelos: unos excluyen los documentos internos y preparatorios del ámbito de la ley, con diferentes redacciones y por ende alcance, mientras que otros Estados los incluyen en el ámbito objetivo del derecho, si bien lo compatibilizan con el reconocimiento de excepciones que pueden tener juego en estos casos, básicamente las destinadas a preservar la eficacia del proceso de toma de decisiones. En el primer modelo, unos Derechos excluyen de la aplicación de la normativa los documentos que no han alcanzado su estado definitivo de elaboración (Suiza), o conceden el acceso solo en el momento en que un acceso prematuro pudiera obstruir el éxito de la reglamentación o de la adopción de medidas de aplicación (Alemania), una vez que se ha alcanzado la redacción oficial o se ha adoptado la decisión final (Estonia, Francia, Islandia, Liechtenstein, Portugal, Eslovenia, Suecia), o después de un período predeterminado de tiempo (Bulgaria, Hungría, Portugal, Finlandia; en este último no se aplica a los documentos privados o internos (notas internas, borradores de informes), pero sí a los relacionados con negociaciones o acuerdos entre agentes cuando contienen información susceptible de ser archivada. En el segundo modelo, las excepciones invocadas son diversas, como la destinada a proteger el secreto de las deliberaciones durante la tramitación interna de un expediente (Noruega), la referida a los documentos que contengan opiniones personales (Bélgica, Bulgaria, Países Bajos, Eslovaquia), la referida a materias o decisiones que pueden cambiar (Islandia), las que pueden comprometer las negociaciones en curso (Bulgaria, Irlanda), o la "gestión eficaz de los asuntos públicos" (*effective conduct of public affaire*) o al proceso de toma de decisiones gubernamental (Irlanda, Bélgica, Grecia). En España, la ley 19/2013 prevé la inadmisión de las solicitudes "que se refieran a información que esté en curso de elaboración o de publicación general" y de las "referidas a información que tenga carácter auxiliar o de apoyo como la contenida en notas, borradores, opiniones, resúmenes, comunicaciones e informes internos o entre órganos o entidades administrativas". Además, se contempla entre los límites el referido a "la garantía de la confidencialidad el secreto requerido en procesos de toma de decisión."

El tema más candente es el de las relaciones entre registro de documentos y acceso a la información, y, en particular, el tratamiento de las comunicaciones electrónicas. La cuestión puede sintetizarse, también aquí, y como ocurría respecto de las bases de datos, en si la amplitud del derecho de acceso debe quedar condicionada a la política de registro y archivo de cada institución, o si, por el contrario, ha de facilitarse toda información en poder de la institución en cuestión, cualquiera que sea el formato y esté o no registrada.

La Comisión considera que el derecho de acceso incluye solo los documentos registrados. Sus criterios de registro precisan que se requiere de un análisis contextual, aplicable a todos los documentos, cualquiera que sea su formato, pero establece la directriz de que un documento debe ser registrado si cumple tres condiciones: está relacionado con las políticas, actividades y decisiones que caen en la esfera de responsabilidades de la institución; es información importante y no efímera (*short-lived*), que pueda dar lugar a acciones ulteriores por parte de la Comisión; y es un documento elaborado (*drawn up*) o recibido por la Comisión, considerándose lo primero cuando es estable, es decir, listo para su transmisión por la persona responsable de su contenido y lo segundo cuando ha sido enviado de forma intencional a la Comisión por alguien externo a la misma. A partir de estos criterios de registro, cuando procesa una solicitud de acceso normalmente busca los documentos solo en los sistemas de gestión documental, y en caso de que no se hayan aplicado correctamente los criterios para decidir el registro y la solicitud se refiera a documentos sin registrar en poder de la Comisión que debieron ser registrados y no lo fueron, estima que han de registrarse *ex post* tan pronto como sean identificados en el marco de una solicitud de acceso y en todo caso antes de responder al solicitante. Estos principios se aplican también a los emails, a los SMS y a los documentos elaborados usando plataformas de trabajo colaborativo, si bien como reconoce la propia Comisión en el caso de SMS –léase también, mensajes de aplicaciones como *whatsapp* – reconoce que no es usual su registro[157]. El tema de archivo y el acceso a estos documentos, y la relación entre ambos, es

---

[157] *Guidelines on document registration*, ref. Ares (2018)5874624.-16/11/2018 y Decisión de la Comisión de 6 de julio de 2020 sobre archivos y gestión de documentos (OJ L 213).

de gran importancia, habida cuenta de la expansión de estas formas de comunicación electrónica, y llegará sin duda al Juez comunitario más pronto que tarde[158].

---

[158] Como un reciente ejemplo, puede citarse el caso de la solicitud planteada el 4 de mayo de 2021 por parte de un periodista y activista de acceso a los mensajes intercambiados por la presidenta de la Comisión, Ursula von der Leyen, y el CEO de *Pfizer*, Albert Bourla, en relación con las negociaciones para la adquisición de vacunas de COVID, y a información sobre las necesidades de vacunas en la Unión Europea en los dos años siguientes. De estos intercambios de mensajes de texto había dado cuenta el *New York Times* el 28 de abril de 2021. Se trataba de un asunto de enorme trascendencia pública, con sospechas de haberse pagado 31.000 millones de euros de más. Esta solicitud estaba vinculada a una petición que contaba con la adhesión a la petición por parte de más de 130.000 ciudadanos. La Comisión consideró, en aplicación de estos criterios, que se trataba de mensajes "efímeros" que por ello no habían sido registrados y, por lo mismo, no estaban en poder de la Comisión. Presentada queja ante la Defensora del Pueblo, Emily O'Really, a la que acudió el solicitante ante la denegación, tras entrevistarse con la Comisión, la Defensora consideró que se había producido un supuesto de mala administración, ya que la Comisión no había pedido al gabinete de la Presidenta que localizara los mensajes de texto, sino solo documentos que cumplieran los "criterios internos de registro", que excluían los mensajes de texto, que no cumplen estos criterios, de tal modo que había tramitado la solicitud "in a narrow way", sin intentar identificar si existía algún mensaje de texto. La *Ombudsman* defendía, en contraste, que, si los mensajes de texto afectaban a políticas y decisiones de la UE, debían ser tratados como documentos de la UE sometidos al Reglamento 1049/2001. De este modo, el que fueran o no objeto de registro interno posterior no es jurídicamente relevante a los efectos de la definición de documento del mencionado Reglamento. "El registro de un documento es una consecuencia de la existencia de un documento y no un requisito previo para su existencia". De este modo, recomendaba que se instara al gabinete de la Presidenta a comprobar si había algún mensaje de texto, sin limitarse a los oficialmente registrados y, en caso de ser así, aplicara el Reglamento 1049/2001. En respuesta, la Comisión mantuvo su posición, pero se comprometió, "en un esfuerzo para asegurar una mayor seguridad jurídica para la Comisión en la aplicación del Reglamento", a elaborar guías más específicas sobre las herramientas modernas de comunicación como los mensajes de texto y la mensajería instantánea. La Comisión invoca a propósito de este asunto la importancia de la guía dada por la Secretaría General del Consejo a su personal (nota SMART 21/0021 de 28 de enero de 2021), en la que se le pide un uso restrictivo de la mensajería instantánea en el contexto profesional, por ejemplo, usando los mensajes de texto e instantáneos solo para los chats efímeros sobre contenidos no sentibles o público, y no para compartir contenido sustantivo sobre asuntos sensibles. Considera que es necesario llegar al respecto a una aproximación interinstitucional conjunta, e invita al *Ombudsman* a participar en las discusiones.

En su propuesta de reforma del Reglamento 1049/2001, la Comisión pretende limitar el ámbito objetivo del Reglamento 1049/2001 en tres direcciones:

- En primer lugar, pretende excluir los documentos "informales", al añadir el requisito de que el documento haya sido "elaborado por una institución y transmitido formalmente a uno o más destinatarios, o bien registrado o recibido de otro modo por una institución". El cambio sería de un gran calado, ya que dejaría una enorme discrecionalidad en manos de las instituciones al excluir del conocimiento público todos los documentos que no han sido objeto de transmisión formal ni registrados. No es de extrañar que el Parlamento, el Defensor del Pueblo, en su comparecencia en la audiencia pública en el Parlamento, y una serie de organizaciones no gubernamentales y expertos en una carta abierta a los Parlamentarios se hayan opuesto firmemente a esta propuesta[159].

- En segundo lugar, pugna por excluir los documentos presentados en los órganos jurisdiccionales por partes distintas de las instituciones. El Parlamento se opone a introducir esta exclusión, quedando estos documentos sometidos al régimen general de excepciones, a aplicar caso por caso. Los Estados se dividen entre ambas posturas, en los bloques generales antes indicados. Lo cierto es que la admisión del acceso a este tipo de documentos presentados ante los Tribunales comunitarios y trasladados por estos a las instituciones en calidad de partes en el proceso puede parecer contradictoria con la exclusión los Tribunales del ámbito de aplicación del Reglamento, pero, como veremos al estudiar la excepción referida a los procedimientos judiciales, el Juez comunitario se ha alineado con la interpretación que propugna el Parlamento.

- En tercer lugar, y sin perjuicio de los derechos de acceso específico de las partes interesadas reconocidos por el Derecho de la Unión Europea, la Comisión pugna también por excluir los documentos que forman parte del expediente administrativo de una investigación o del procedimiento relacionado con el dictado de un acto de alcance individual hasta la conclusión de la investigación o hasta que el acto se convierta en definitivo, con la precisión de que los documentos que contengan información recogida u obtenida de una persona física o jurídica por una institución en el marco de dicha investigación no serán accesibles al público. Propone que el acceso a dichos documentos quede sometido a las reglas generales del procedimiento administrativo y no al Reglamento 1049/2001. El Parlamento se muestra también contrario a esta adición, manteniendo pues que deben quedar sometidos al régimen general de excepciones. En

---

[159] Puede consultarse en: http://www.access-info.org/documents/Access_Docs/Advancing/EU/Recast_Letter_to_MEPs_sign_ups_and_logos_pre_vote_SPANISH.pdf

los Estados de nuevo se reproduce la división de opiniones, añadiendo algunas propuestas una mención específica a la vigencia de las normas sectoriales que garantizan la confidencialidad en este género de procedimientos. Considero que la introducción de las modificaciones postuladas por la Comisión redundaría, por así decirlo, en una mayor preservación de las posiciones procesales de los afectados y en una menor posibilidad del público en general en conocer la información relacionada con el procedimiento y, por ende, de poder aportar nueva información y de actuar en el seno o extramuros del mismo, y, con ello, en una menor transparencia de la actuación pública. Todo ello teniendo en cuenta que, como veremos, ya existe una excepción que protege tanto el objetivo de las actividades de inspección e investigación, como los intereses comerciales de una persona física o jurídica, incluida la propiedad intelectual. Y que, en todo caso, una exclusión total elimina del conocimiento público este tipo de información sine die, a diferencia de las excepciones, que están limitadas en el tiempo, como veremos. En este mismo sentido se ha manifestado el Defensor del Pueblo, en sus consideraciones formuladas en la audiencia pública ante la Comisión LIBE del Parlamento.

1.4. Documentos propios y documentos ajenos: la compleja cuestión del régimen de los documentos de terceros

Una decisión que ha de tomar cualquier normativa sobre acceso es la de si este debe referirse solo a los documentos cuya autoría corresponde a los sujetos incluidos en el ámbito subjetivo de la normativa europea sobre acceso, o si, por el contrario, debe extenderse a cualquier documento en su poder. Si se opta por lo segundo, como hizo el Derecho de la Unión y es lo común en materia de acceso a la información, hay que determinar qué papel ha de jugar en el procedimiento el autor del documento, si ha de dársele audiencia en todos los casos y si su parecer ha de ser considerado solo un elemento de juicio añadido para la institución que debe decidir o, por el contrario, ha de vincular a la institución en cuestión. Se trata, debe apuntarse ya, de una de las cuestiones más conflictivas y debatidas de toda la aplicación de la normativa sobre acceso y de su actual reforma.

Puede decirse que la solución de excluir sin más los documentos que estando en poder de las instituciones no son de su autoría es la que tiene un apoyo "constitucional" más literal (los artículos 15 TFUE y 42 CDFUE hablan del derecho de acceso a los documentos "de" las instituciones).

Fue, de hecho, ésa la solución acogida en la normativa anterior al Reglamento 1049/2001, que tenía como ámbito de aplicación los documentos en poder de las instituciones y de su autoría. En caso de que el documento hubiera sido redactado por otro sujeto, el solicitante había de dirigir su solicitud al autor. Era lo que la jurisprudencia denominó "regla del autor"[160]. Asimismo, existían limitaciones cuando, a pesar de que una institución fuera la autora del documento, la información a partir de la que este se redactó hubiera sido proporcionada por un tercero. Si se trataba de un sujeto privado que la había suministrado bajo condiciones de confidencialidad, había de denegarse el acceso. Si provenía de un Estado, se requería su consentimiento, salvo que fuera información de conocimiento público o el Estado no fuera el autor de dichos documentos.

En todo caso, la "regla del autor", al tratarse de una limitación al principio de transparencia, había de interpretarse de forma restrictiva, de modo que, si existían dudas sobre la identidad, comunitaria o no, del autor, no podía denegarse el acceso. De esta forma, se consideró que los documentos emanados de Comités de representantes de los Estados presididos por representante de la Comisión, que auxilian a la Comisión para la ejecución de sus tareas ("comitología") y respecto a los que esta realiza labores de secretaría, redacción de actas y puesta a disposición de sus infraestructuras, eran, a los efectos

---

[160] Su legitimidad, en efecto, fue avalada por la jurisprudencia, que entendió que era lícita la exclusión de los documentos emanados de terceros a falta de una norma superior que lo prohibiera, sin que pudieran considerarse como tal las declaraciones de política general como la núm. 17 y las Conclusiones de los Consejos subsiguientes. Véanse las SSTG de 19 de julio de 1999, T-188/97, *Rothmans International BV contra Comisión*, de 7 de diciembre de 1999, T-92/98, *Interporc contra Comisión*, de 12 de octubre de 2000, T-123/99, *JT's Corporation contra Comisión*, de 11 de diciembre de 2001, T-191/99, *David Petrie y otros contra Comisión*, o de 16 de octubre de 2003, T-47/01, *Co-Frutta Soc. coop. Rl contra Comisión*. En la STJUE de 6 de marzo de 2003, C-41/00 P, *Interporc contra Comisión*, el TJUE, siguiendo a su Abogado General Léger, ratificó la corrección de este razonamiento, precisando que la institución sí estaba obligada a señalar cuáles eran los autores para que pudiera solicitárseles a ellos los documentos en cuestión. Estimó que cuando las instituciones para tomar sus decisiones utilizan documentos emanados de terceros a los que el Derecho de la Unión Europea no garantiza el acceso, la transparencia y la confianza en el funcionamiento de las instituciones se garantizan por una motivación suficiente.

del acceso, documentos de la Comisión, ya que lo contrario sería una limitación considerable de un derecho tan esencial como el de acceso incompatible con su objetivo mismo[161]. Esta interpretación supuso una ampliación considerable del ámbito de aplicación de la normativa.

Asimismo, el Consejo dio una interpretación restrictiva del concepto de "documento originario de un Estado miembro", que tuvo en cuenta el hecho de que los representantes de los Estados miembros participen en sus trabajos. Según esta interpretación, en el marco de su participación en los trabajos del Consejo y sus comités y grupos, los representantes de los Gobiernos de los Estados miembros o sus delegados no son personas o entidades externas a la institución, sino que forman parte de ella. En cambio, los documentos elaborados por un Estado miembro que expresaran posiciones de este Estado miembro como tal y no en su calidad de miembro del Consejo en el curso de sus trabajos, debían considerarse documentos originarios de un tercero.

El estudio de Derecho comparado realizado con vistas a la aprobación del que sería el Reglamento 1049/2001 extrajo como conclusión que como norma general el derecho de acceso se refiere a todo documento en poder del sujeto obligado, sea o no de su autoría, aunque, si no lo es, algunos sistemas exigen la consulta al autor o el respeto a la clasificación que este haya otorgado a dicho documento. En efecto, en el Derecho de los Estados miembros, el derecho de acceso incluye la documentación en poder de las autoridades públicas, sean originada o recibida por las mismas[162]. La cuestión de si, en los casos de documentos originarios de terceros, ha de consultárseles ante una solicitud de acceso o si hay que respetar la clasificación que dicho tercero haya podido dar al documento recibe soluciones diversas, pero mayoritariamente se mantiene la capacidad de decisión de la autoridad en cuyo poder se encuentra el documento.

---

[161] SSTG de 19 de julio de 1999, T-188/97, *Rothmans International BV* contra Comisión, y de 10 de octubre de 2001, T-111/00, *British American Tobacco International (Investments) Ltd* contra Comisión.

[162] Un caso singular es el de Grecia, que distingue entre documentos originarios de la Administración y documentos privados, exigiéndose para el acceso a éstos últimos un interés legítimo.

En consecuencia, el Reglamento 1049/2001 dispone ya que el derecho abarca todos los documentos que obren en poder de una institución; es decir, los documentos por ella elaborados o recibidos y que estén en su posesión[163]. Cuando la institución no sea la autora del documento, consultará a los terceros[164] con el fin de verificar si son aplicables las excepciones, salvo que se deduzca con claridad que se ha de permitir o denegar su divulgación, y, en todo caso, siempre que el documento sea clasificado[165]. Adicionalmente, dispuso una norma especial en el caso de que el tercero sea un Estado miembro, que podrá solicitar a la institución que no divulgue sin su consentimiento previo un documento que le haya facilitado[166]. Las normas de desarrollo de cada institución pormenorizaron el procedimiento a seguir[167].

---

[163]   Artículos 1.3 y 1.6.

[164]   A estos efectos, ha de tenerse en cuenta que el Reglamento 1049/2001 considera "tercero", en su artículo 3, a "toda persona física o jurídica, o entidad, exterior a la institución de que se trate, incluidos los Estados miembros, las demás instituciones y órganos comunitarios o no comunitarios, y terceros países". Por tanto, se incluyen también al resto de instituciones, lo que dio origen a la firma de un *"memorandum de acuerdo"*, firmado el 9 de julio de 2002 por los representantes de los tres Secretarios Generales, que como veremos, establece el procedimiento a seguir en estos casos.

[165]   Artículo 4.4.

[166]   Artículo 4.5.

[167]   En el caso del Parlamento, lo regula en la Decisión de la Mesa de 28 de noviembre de 2001, relativa al acceso público a los documentos del Parlamento Europeo. Artículo 10. Consulta de terceros. "1. Cuando la solicitud se refiera a documentos de terceros, el servicio competente, en su caso y en coordinación con el servicio que esté en posesión de los documentos solicitados, comprobará la aplicabilidad de una de las excepciones previstas en los artículos 4 o 9 del Reglamento (CE) n° 1049/2001. 2. Si, al concluir ese examen, se considera que debe denegarse el acceso a los documentos solicitados en virtud de una de las excepciones previstas en el artículo 4 del Reglamento (CE) n° 1049/2001, se enviará la respuesta negativa al solicitante sin consultar al tercero autor. 3. El servicio competente dará un curso favorable a la solicitud sin consultar al tercero si: -el documento solicitado ya ha sido divulgado por su autor en virtud de las disposiciones del Reglamento (CE) n° 1049/2001 o de disposiciones análogas; -la divulgación de su contenido, en su caso parcial, no atenta de forma manifiesta contra uno de los intereses señalados en los artículos 4 y 9 del Reglamento (CE) n° 1049/2001. 4. En todos los demás casos, se consultará a los terceros y se les concederá un plazo de 5 días laborables para manifestarse con el fin de determinar si procede aplicar alguna de las excepciones previstas en los artículos 4 o 9 del Reglamento (CE) n° 1049/2001. 5. En ausencia de respuesta en el plazo fijado, o cuando no

se pueda encontrar o identificar al tercero, el Parlamento Europeo resolverá, de conformidad con el régimen de excepciones del artículo 4 del Reglamento (CE) nº 1049/2001, teniendo en cuenta los intereses legítimos de los terceros sobre la base de los elementos de los que dispone." En el caso del Consejo, en los artículos 2 a 5 del Anexo II de su Reglamento interno: Consultas sobre documentos de terceros. Artículo 2 Consultas sobre documentos de terceros.: "1. A efectos de la aplicación del artículo 4, apartado 5, y del artículo 9, apartado 3, del Reglamento (CE) n o 1049/2001, y salvo que, tras haberse examinado el documento teniendo en cuenta el artículo 4, apartados 1, 2 y 3, del mencionado Reglamento, no se deduzca claramente que el documento no debe divulgarse, se consultará al tercero de que se trate siempre que el documento: a) sea un documento sensible, tal como se define en el artículo 9, apartado 1, del mencionado Reglamento; b) proceda de un Estado miembro, y — haya sido presentado al Consejo antes del 3 de diciembre de 2001, o — el Estado miembro interesado haya solicitado que no se divulgue el documento sin su consentimiento previo. 2. En todos los demás casos, cuando se solicite al Consejo un documento de terceros que obre en su poder, la Secretaría General consultará a efectos de la aplicación del artículo 4, apartado 4, del Reglamento (CE) n o 1049/2001 al tercero de que se trate, salvo que, tras haberse examinado teniendo en cuenta el artículo 4, apartados 1, 2 y 3, del mencionado Reglamento, se deduzca claramente si el documento debe divulgarse o no debe divulgarse. 3. Se consultará al tercero por escrito (incluido por correo electrónico) y se le concederá un plazo razonable para la respuesta, teniendo en cuenta el plazo establecido en el artículo 7 del Reglamento (CE) n o 1049/2001. En los casos a que se refiere el apartado 1, se solicitará al tercero que manifieste su opinión por escrito. 4. Cuando no quepa aplicar al documento el apartado 1, letras a) o b), y a la vista de la opinión negativa del tercero la Secretaría General no tenga el convencimiento de que sea aplicable el artículo 4, apartados 1 o 2, del Reglamento (CE) n o 1049/2001, el asunto se someterá al Consejo. En caso de que el Consejo tenga intención de divulgar el documento, se informará inmediatamente por escrito al tercero de la intención del Consejo de divulgar el documento transcurrido un plazo de diez días hábiles como mínimo. Al mismo tiempo se señalará al tercero lo dispuesto en el artículo 279 del TFUE." Artículo 3. Peticiones de consulta recibidas de otras instituciones o de los Estados miembros: Las peticiones de consulta que reciba el Consejo de otras instituciones o de los Estados miembros sobre solicitudes de documentos del Consejo deberán dirigirse por correo electrónico a access@consilium.europa.eu o por fax al número +32(0)2 281 63 61. En nombre del Consejo, la Secretaría General dictaminará rápidamente, en un máximo de cinco días hábiles, teniendo en cuenta el plazo necesario para que la institución o el Estado miembro de que se trate puedan tomar una decisión." Artículo 4: Documentos procedentes de los Estados miembros. "Las solicitudes que presenten los Estados miembros de acuerdo con el artículo 4, apartado 5, del Reglamento (CE) n o 1049/2001 se presentarán por escrito a la Secretaría General". Artículo 5. Solicitudes presentadas por los Estados miembros. "Cuando un Estado miembro presente una solicitud al Consejo, se tramitará de conformidad con los artículos 7 y 8 del Reglamento (CE) n o

1049/2001 y las disposiciones correspondientes del presente anexo. En caso de denegación de acceso total o parcial, se informará al solicitante de que cualquier solicitud confirmatoria deberá dirigirse directamente al Consejo.". Para la Comisión, artículo 5 de las disposiciones relativas a la aplicación del Reglamento (CE) n° 1049/2001 del Parlamento europeo y el Consejo relativo al acceso del público a los documentos del Parlamento Europeo, el Consejo y la Comisión: Consultas: "1. Cuando la Comisión reciba una solicitud de acceso a un documento que obre en su poder pero emane de un tercero, la Dirección General o el Servicio depositarios del documento comprobarán la aplicabilidad de alguna de las excepciones contempladas en el artículo 4 del Reglamento (CE) no 1049/2001. Si el documento solicitado está clasificado en virtud de las normas de seguridad de la Comisión, será de aplicación el artículo 6 de las presentes disposiciones. 2. Si, al término de este examen, la Dirección General o el Servicio depositarios consideraran que el acceso al documento solicitado debe denegarse en virtud de alguna de las excepciones contempladas en el artículo 4 del Reglamento (CE) no 1049/2001, la respuesta negativa se enviará al solicitante sin previa consulta del tercero autor del documento. 3. La Dirección General o el Servicio depositarios darán curso favorable a la solicitud sin consultar previamente al tercero autor del documento cuando: a) El documento solicitado ya haya sido divulgado por su autor o en virtud del Reglamento o de disposiciones similares. b) La divulgación, eventualmente parcial, de su contenido no afecte manifiestamente a ninguno de los intereses contemplados en el artículo 4 del Reglamento 4. En todos los demás casos, se consultará al tercero autor del documento. En particular, cuando la solicitud de acceso se refiera a un documento que emane de un Estado miembro, la Dirección General o el Servicio depositarios consultarán a la autoridad de origen cuando: a) El documento haya sido transmitido a la Comisión antes de la fecha de entrada en vigor del Reglamento (CE) no 1049/2001. b) El Estado miembro haya pedido a la Comisión que no divulgue el documento sin su previo consentimiento, de acuerdo con lo dispuesto en el apartado 5 del artículo 4 del Reglamento (CE) no 1049/2001. 5. El tercer autor del documento al que se haya consultado dispondrá de un plazo de respuesta que no podrá ser inferior a cinco días laborables, pero que deberá permitir a la Comisión respetar sus propios plazos de respuesta. A falta de respuesta en el plazo fijado, o cuando el tercero en cuestión resulte inencontrable o inidentificable, la Comisión resolverá con arreglo al régimen de excepciones del artículo 4 del Reglamento (CE) no 1049/2001, teniendo en cuenta los intereses legítimos del tercero sobre la base de los elementos disponibles. 6. En caso de que la Comisión tenga previsto otorgar el acceso a un documento en contra de la voluntad explícita de su autor, informará a este de su intención de divulgar el documento en un plazo de diez días laborables, y le informará de las vías de recurso de que dispone para oponerse a esta divulgación. 7. Cuando un Estado miembro reciba una solicitud de acceso a un documento que emane de la Comisión, aquél podrá dirigirse a efectos de consulta a la Secretaría General, quien se encargará de determinar cuál es la Dirección General o el Servicio responsable del documento en la Comisión. La Dirección general o el Servicio autor del documento responderá a esta solicitud tras consultar a la Secretaría General."

El sentido de la posición especial de los Estados, con su posibilidad de solicitar la no divulgación, no es claro[168].

Inicialmente, el TG mantuvo, en línea con su jurisprudencia anterior al Reglamento 1049/2001, que cuando se trata de documentos provenientes de Estados miembros hay un trato especial respecto del resto de terceros. Si el Estado ha solicitado previamente que no se divulgue el documento, vincula a la institución, sin que esté obligado a motivar su decisión; se trata de un mandato a la institución y no corresponde a esta analizar si está justificada la divulgación. Si el Estado no ha solicitado previamente la no divulgación, la institución en cuestión tiene que darle traslado de la solicitud, de modo que, si el Estado da su consentimiento, debe otorgarse sin más el acceso y, si lo deniega, la institución ha de apreciar si debe o no ser divulgado a la vista de las excepciones previstas en el Reglamento 1049/2001[169].

---

[168] En su Informe de 2004, la Comisión afirmaba que la formulación acogida no precisa en qué medida las instituciones deben respetar la opinión negativa emitida por un Estado miembro respecto a la divulgación de uno de sus documentos, y sintetiza lo que ha sido su entendimiento hasta la actualidad: la ausencia de tal obligación privaría a esta disposición de eficacia, pues en este caso la posición de los Estados miembros no sería diferente de la de los otros terceros. La posición privilegiada de los Estados miembros con relación a los otros terceros se explica por el hecho de que el Reglamento no afecta a las legislaciones nacionales sobre acceso a los documentos. No correspondería a las instituciones, pues, tomar una decisión contraria a una decisión tomada por un Estado miembro en aplicación de su propia legislación nacional. Esto es, viene a considerar que los Estados tienen un derecho de veto. Por lo demás, la propia Comisión reconocía que, a pesar de que el número de casos en que el acceso se ha denegado a raíz de la oposición manifestada por el Estado miembro del que procede un documento es escaso, las denegaciones de acceso a petición del Estado miembro han dado lugar a un número relativamente elevado de recursos.

[169] Así, SSTG de 17 de septiembre de 2003, T-76/02, *Mara Messina* contra Comisión, de 30 de noviembre de 2004, T-168/02, *IFAW Internationales Tierschutz-Fonds gGmbH* contra Comisión, y de 17 de marzo de 2005, T-187/03, *Isabella Scippacercola* contra Comisión (que puntualiza además que, sin pronunciarse sobre si los documentos simplemente transmitidos y no redactados por los Estados miembros se hallan cubiertos por la excepción, cuando el documento fue redactado por cuenta de un Estado miembro se considera que es originario del mismo). Sobre esta jurisprudencia puede verse DRIESSEN, B., "Access to Member State documents in EC law: a comment", *European Law Review*, vol. 31, núm. 6, 2006, pp. 906-911.

El TJUE, sin embargo, corrigió esta interpretación. Considera que los documentos originarios de los Estados y en poder de las instituciones están sometidos al Reglamento 1049/2001, y solo puede denegarse el acceso con apoyo en algunas de las excepciones en él previstas. Ahora bien, los Estados están en una posición de privilegio respecto del resto de los terceros, pues participan en la apreciación de la concurrencia o no de dichas excepciones –siempre que la concurrencia no sea evidente, en cuyo caso la institución puede directamente denegar el acceso– a condición de que hayan solicitado previamente que el documento no se divulgue sin su consentimiento, lo que no equivale a otorgarles un derecho de veto discrecional. Las excepciones contenidas en el Reglamento 1049/2001 pueden servir para proteger los intereses públicos o estatales tutelados por la norma nacional[170]. Se trataría de una regla procedimental, que confía en estos casos la aplicación del Reglamento conjuntamente a la institución y al Estado que ha ejercido la facultad. Ambos están obligados por el deber de cooperación leal reconocido en los Tratados a actuar y cooperar de forma que la normativa sobre acceso reciba una aplicación efectiva, lo que implica que la institución y el Estado en cuestión tienen el deber de entablar sin demora un diálogo legal que permita cumplir con los plazos. El Estado que tras el diálogo se oponga al acceso invocando alguna de las excepciones previstas en la normativa europea, tiene la obligación de motivar su negativa, en cuyo caso la institución denegará el acceso dando traslado al solicitante de dicha motivación. Si el Estado no se opone, la institución debe resolver denegando o concediendo el acceso en función de la concurrencia o no de algunas de las limitaciones previstas en la normativa comunitaria. La institución requerida, como autora de una decisión por la que se deniega el acceso a documentos, es responsable de la legalidad de ésta. En este sentido, dicha institución no puede admitir la oposición manifestada por un Estado miembro a que se divulgue un documento procedente de él si

---

[170] Aquí el razonamiento jurídico se debilita: "A este respecto, nada permite excluir que la observancia de determinadas normas de Derecho nacional que protegen un interés público o privado, contrarias a la divulgación de un documento e invocadas por un Estado miembro a este efecto, pueda considerarse como un interés público digno de protección con arreglo a las excepciones establecidas por dicho Reglamento".

esta oposición carece de toda motivación o si la motivación aportada por ese Estado para denegar el acceso al documento en cuestión no se refiere a las excepciones enumeradas en el Reglamento 1049/2001. Por consiguiente, antes de denegar el acceso a un documento originario de un Estado miembro, corresponde a la institución de que se trate examinar si éste ha basado su oposición en las excepciones materiales establecidas en el Reglamento 1049/2001 y si ha motivado debidamente su postura al respecto. Por tanto, en el contexto del proceso de adopción de una decisión de denegación del acceso, debe asegurarse de que tal motivación existe y dejar constancia de ella en la decisión que adopte al concluir el procedimiento. La denegación total o parcial es susceptible de control por el juez comunitario porque en todo caso la decisión sigue siendo formalmente comunitaria[171].

A nuestro juicio, esta jurisprudencia del TJUE estuvo cargada de "buenas intenciones" y extrae del texto lo que no dice. Probablemente no puede ser de otro modo en una norma cuya redacción es conscientemente ambigua. Lo cierto es que como puso de relieve el Abogado General Maduro[172], hay una duda interpretativa razonable derivada de la falta de univocidad del término "solicitar". De los Reglamentos internos de las instituciones no se deriva el entendimiento del precepto como un derecho de veto[173]. La causa radica en que la fórmula adoptada por el Reglamento 1049/2001 constituyó un "equívoco constructivo" que permitió su adopción por el legislador comunitario ante la diversidad de posiciones entre los Estados y las instituciones[174].

---

[171]   STJUE de 18 de diciembre de 2007, C-64/05 P, Reino de Suecia contra Comisión, casación de la STG de 30 de noviembre de 2004, T-168/02, *IFAW Internationales Tierschutz-Fonds gGmbH* contra Comisión.

[172]   En sus Conclusiones al recurso de casación en el asunto *IFAW*.

[173]   La Comisión no parece prohibir la posibilidad de divulgar en contra del criterio del Estado. El Consejo reproduce el Reglamento 1049/2001, y la Decisión de la Mesa del Parlamento de 28 de noviembre de 2001, relativa al acceso público a los documentos del Parlamento Europeo, señala en el artículo 10.4 que [...] se consultará a los terceros y se les concederá un plazo de 5 días laborables para manifestarse con el fin de determinar si procede aplicar la excepción prevista en los artículos 4 o 9 del Reglamento nº 1049/2001".

[174]   Los Estados defendían posturas divergentes, como siguen haciendo hoy, ante el Juez europeo y en relación con la propuesta de reforma. Lo mismo ocurría con las instituciones, ya que la Comisión era favorable a dar a los Estados un derecho de veto y el Parlamento a otorgar a las instituciones la última palabra. De este

A partir de entonces, el TG comenzó a aplicar la doctrina establecida por el TJUE[175]. Pero precisó algo muy relevante, que no parecía

---

modo, se rechazó una propuesta presentada por la presidencia francesa en diciembre de 2000 que reconocía claramente a los Estados un derecho de veto. La
solución de compromiso consistió en reproducir de manera casi literal el texto
de la Declaración n° 35, impregnada de la misma ambigüedad que el Reglamento, que adolece, pues, de un "equívoco insalvable", en palabras de Maduro. De
este modo, el Abogado General Maduro sostuvo que la interpretación del TG,
esto es, como derecho de veto, debería desprenderse, precisamente por ser una
excepción al derecho de acceso, del tenor literal del precepto, y no lo hace. Una
interpretación sistemática y teleológica, marcada por el avance inexorable hacia
la exigencia de transparencia en general y del derecho de acceso a los documentos de las instituciones en particular, le lleva a concluir que reconocer un derecho
de veto sería reintroducir la regla del autor, lo que sería contradictorio con la reforma operada por el Reglamento 1049/2001 que amplía el ámbito objetivo del
derecho a todos los documentos en poder de las instituciones, disposición que,
de lo contrario, quedaría sin efecto útil. Asume que pueda haber contradicciones
en la respuesta que se pueda dar a la solicitud de un documento elaborado por
un Estado y en poder de este y de las instituciones según se solicite de uno o de
otras, pero entiende que estas divergencias no tienen mayor importancia y son
una prueba de que no se ha procedido a la armonización de legislaciones. La
norma, en definitiva, sería en efecto una *lex especialis*, pero reducida al derecho
de los Estados a ser consultados obligatoriamente cuando han solicitado previamente la confidencialidad, lo que les permite formular alegaciones no solo en
relación con los límites establecidos en el Reglamento 1049/2001 sino también
de los que pueden derivarse del Derecho interno. En todo caso, la institución no
queda vinculada y el Estado sí tiene que motivar su posición para que la institución pueda revisar la apreciación, salvo cuando se base en razones previstas por
el Derecho interno. Pero aun así la institución podría no acceder a la solicitud
de no transmisión hecha por el Estado si considera que la transparencia del
proceso comunitario de toma de decisiones así lo exige. *Lo* contrario permitiría,
por ejemplo, invocar la excepción de "política exterior" prevista en los Derechos
nacionales para excluir la divulgación de todo documento enviado a la Unión
europea anulando así el derecho fundamental de acceso a los documentos. Como
puede comprobarse, el Tribunal de Justicia adoptó un enfoque intermedio entre
el del Tribunal General y el de su Abogado General.

[175]   Así, en la STG de 19 de enero de 2010, T-355/04 y T-446/04, *Co-Frutta Soc.*
coop. contra Comisión, si bien su lectura no nos parece del todo correcta. El
TG recuerda que la "regla de autor" fue abolida por el Reglamento 1049/2001,
si bien interpreta que: "El Tribunal de Justicia, en su sentencia IFAW, consideró
que aun en el caso de que los Estados miembros se opongan a la divulgación
de un documento, la Comisión, por su propia iniciativa, debe invocar una de
las excepciones del artículo 4, apartados 1 a 3, del Reglamento n° 1049/2001
con el fin de denegar el acceso a los documentos solicitados (sentencia IFAW del

derivarse, o al menos no necesariamente, de la jurisprudencia sentada hasta el momento por el TJUE: que la institución puede y debe llevar a cabo un examen a primera vista, *prima facie*, de la plausibilidad de la motivación, que puede llevarle en su caso, a considerar que no concurre la excepción y conceder el acceso. Y ello por cuando la institución es la que asume la responsabilidad sobre la decisión. En palabras del TG, "no se trata, para la institución, de imponer su opinión ni de sustituir la apreciación del Estado miembro interesado por la suya propia, sino de evitar la adopción de una decisión que no considera defendible. En efecto, como autora de la decisión de acceso o de denegación, la institución es responsable de su legalidad. Antes de denegar el acceso a un documento procedente de un Estado miembro, debe, por lo tanto, examinar si éste ha basado su oposición en las excepciones materiales establecidas en el artículo 4, apartados 1 a 3, del Reglamento nº 1049/2001 y si ha motivado debidamente su postura con respecto a tales excepciones", afirmación que se pretende derivar del pronunciamiento del TJUE, que en realidad lo que dice es que la institución debe confirmar la existencia de motivación con base al Reglamento 1049/2001 y mencionarla. Este examen "ha de

---

Tribunal de Justicia, apartados 68 y 99)." En realidad, el TJUE, como vimos lo que establece es que cabe que la institución deniegue el acceso cuando considera que concurre claramente una excepción, haya o no consultado al Estado, y que en caso de que se agote el proceso de diálogo con el Estado sin llegar a un acuerdo y el Estado siga considerando aplicable una excepción, la institución ha de reproducir la motivación dada por el Estado y mencionarla en la decisión de denegación de acceso que adopte, siempre que se base en una de las excepciones del Reglamento 1049/2001. Por su parte, en la STG de 24 de mayo de 2011, T-109/05 y T-444/05, *Navigazione Libera del Golfo Srl (NLG)* contra Comisión, se pide acceso a información sobre el coste de las obligaciones de servicio público impuestas a una compañía, el TG entiende que en estos casos el Estado debe motivar su oposición y si no lo hace, compete a la Comisión dar la información o motivar la denegación, pero no basta, como se hizo en el caso de autos, con aportar por toda motivación el rechazo de las autoridades italianas a la transmisión de la información, por lo que se anula la decisión. En la STG de 24 de mayo de 2011, T-250/08, *Edward William Batchelor* contra Comisión, en que se pide acceso a documentos acerca de la compatibilidad con el Derecho de la Unión Europea de una serie de medidas estatales en materia audiovisual, el TG reafirma que, aunque le decisión de denegación se base en las razones esgrimidas por el Estado en cuestión, la decisión es imputable a la institución y plenamente controlable por el TG.

llevarse a cabo en el marco del diálogo leal que caracteriza el proceso decisorio establecido por el artículo 4, apartado 5, del Reglamento n° 1049/2001, estando obligada la institución a permitir que el Estado miembro exponga mejor sus motivos o que vuelva a apreciarlos para que, *prima facie,* puedan considerarse defendibles". Esto es, se establece por el TG una obligación de maximizar la colaboración para alcanzar una posición común, que debe llevarse a cabo a partir del principio de interpretación restrictiva de las excepciones. Ahora bien, de no lograrse, la institución puede conceder el acceso si considera que a primera vista no concurre la excepción que el Estado invoca[176].

Sin embargo, posteriormente, el TJUE aclaró que no incumbe a la institución requerida examinar exhaustivamente la decisión de oposición del Estado miembro de que se trate, llevando a cabo un control que vaya más allá de verificar la mera existencia de una motivación en la que se haga referencia a las excepciones establecidas en el artículo 4, apartados 1 a 3, del Reglamento 1049/2001. Exigir tal control exhaustivo podría conducir a que, una vez realizado, la institución destinataria pudiera remitir indebidamente al solicitante el documento en cuestión a pesar de la oposición —debidamente motivada— del Estado miembro del que procede dicho documento. Sí es pleno el control posterior por el Juez europeo[177].

---

[176] STG de 14 de febrero de 2012, T-59/09, Alemania contra Comisión, en relación con la negativa de Alemania a conceder el acceso a documentos relativos a un procedimiento por incumplimiento, con base en la excepción relativa al objetivo de las actividades de inspección, investigación y auditoría. La Comisión concedió el acceso, por entender que no concurrían esta excepción por tratarse de un procedimiento ya terminado.

[177] Esta doctrina se sentó de nuevo en relación con el asunto *IFAW Internationales Tierschutz-Fonds GmbH.* En efecto, como consecuencia de la STJUE de 18 de diciembre de 2007, la demandante reiteró su solicitud de acceso relativa a un proyecto industrial en suelo alemán y su compatibilidad con la protección del medio ambiente que fue finalmente estimada salvo en lo referente a una carta dirigida al Presidente de la Comisión por el Canciller alemán, a cuya divulgación se habían opuesto las autoridades alemanas, alegando perjuicios para las relaciones internacionales y la política económica de la República Federal de Alemania, en el sentido del artículo 4.1.a) del Reglamento 1049/2001, y al proceso de toma de decisiones, en el sentido del artículo 4.3.apartado segundo de dicho Reglamento. Además, la Comisión consideró que no concurría un interés público superior ni era posible el acceso parcial. La STG de 13 de enero de 2011, T-362/08, *IFAW Internationaler Tierschutz-Fonds g-GmbH* contra Comisión, retomó la sentencia

Este pronunciamiento parecía echar por tierra la aproximación desarrollada meses antes por el TG, pero lo cierto es que este Tribunal ha seguido reconociendo que la pertinencia del control *prima facie* por la institución también con posterioridad a este segundo pronunciamiento del TJUE[178], que le ha llevado a rechazar algún recurso de

---

del TJUE y examinó la motivación dada por el Estado alemán a la luz del Reglamento 1049/2001, al haberse limitado la Comisión a reproducirla, de forma plena (y no *prima facie*, como pretendía la Comisión), es decir, con la misma "densidad" de control que aplica en los casos en que la decisión de fondo ha sido adoptada por una institución comunitaria (sin entrar en cuál haya de ser en estos casos el control que puede ejercer la institución misma de las motivación dadas por el Estado en cuestión, y que la Comisión limitaba a un control *prima facie*). Sobre las excepciones relativas a las relaciones internacionales y a la política económica, reiteró su doctrina, que comentaremos, acerca de los límites de su control derivados la necesidad de dejar a las instituciones un amplio margen de apreciación respecto a este género de excepciones, y que, en estos casos, una motivación sucinta puede ser necesaria para salvaguardar el objetivo protegido. De esta forma, da por buena la invocación del interés económico –de forma poco convincente, a nuestro juicio– y evita entrar en la cuestión de si es invocable la excepción de las relaciones internacionales respecto de las relaciones entre los Estados miembros y la Unión. La decisión es polémica máxime cuando se denegó la pretensión de que el Tribunal ordenara a la Comisión por la vía de las medidas de instrucción, conforme al artículo 66.1 del Reglamento de Procedimiento, que aportara dicha carta a fin de que el Tribunal pudiera examinar su contenido y determinar de ese modo si y en qué medida la carta estaba cubierta por las excepciones invocadas por la Comisión. El TG consideró que "como se desprende del conjunto de los razonamientos anteriores, el Tribunal puede resolver eficazmente el recurso basándose en las pretensiones, motivos y alegaciones desarrollados durante el procedimiento." Recurrida en casación, en sus Conclusiones, el Abogado General Cruz Villalón consideraba que la STJUE Reino de Suecia contra Comisión buscó la alternativa mera consulta/derecho de veto, "por medio de un pronunciamiento que suscita, a su vez, sus propias dificultades de interpretación", pero que en todo caso supuso "un avance en la racionalización del régimen del Derecho de la Unión en este ámbito". Consideraba que la institución puede contentarse con exponer la motivación dada por el Estado, si es suficiente y la asume, pero que posteriormente el TG ha de controlar su legalidad para lo que se requiere que tenga a la vista el documento en cuestión. La STJUE de 21 de junio de 2012, C-135/11 P, *IFAW Internationaler Tierschuitz-Fonds* contra Comisión, llevó a cabo las precisiones consignadas y constató, siguiendo a su Abogado General, que, para resolver, el TG debió haber consultado el documento en cuestión a puerta cerrada, y al no hacerlo, no llevó a cabo un control de legalidad *ad casum*, por lo que anuló su sentencia.

[178] En el ATG de 27 de marzo de 2014, T-603/11, Ecologistas en Acción contra Comisión, se solicita acceso a documentos originarios de un Estado miembro,

un Estado miembro contra una decisión de una institución que no "respeta" su oposición al acceso[179]. De esta forma, se va decantando la solución hacia una atribución a las instituciones de la responsabilidad sobre el fondo de la decisión de los Estados.

Como puede colegirse, no es de extrañar que este sea uno de los puntos discutidos en el proyecto de reforma.

En efecto, en su resolución inicial de impulso de la reforma del Reglamento, el Parlamento deseaba limitar y definir mejor la capacidad de los Estados miembros para oponerse a la divulgación de sus documentos.

En su propuesta de reforma, la Comisión previó el procedimiento a seguir para solicitar el acceso a documentos procedentes de un Estado miembro "distintos de los documentos transmitidos en el marco de los procedimientos de adopción de actos legislativos o no legislativos de carácter general". Según esta previsión, se deberá consultar al Estado miembro, salvo que se deduzca con claridad que se ha de permitir o denegar la divulgación de los documentos. El Estado puede aducir razones para no

---

España, relativos a la realización de un proyecto industria en una zona ambientalmente protegida. Las autoridades españolas se opusieron. El TG repite la doctrina del TJUE, pero añade la elaborada en su Sentencia Alemania contra Comisión. En el caso de autos, la Comisión constató que la concurrencia de las excepciones había sido motivada por las autoridades españolas y realizó el control *prima facie*. En la STG de 25 de septiembre de 2014, T-669/11, *Daruis Nicolai Spirlea* y *Mihaela Spirlea* contra Comisión, en la que los padres de un niño fallecido por un tratamiento médico en una clínica alemana piden documentos intercambiados entre Alemania y la Comisión en el marco de un procedimiento *EU Pilot*, el TG consideró que la Comisión puedo entender que era de aplicación la excepción relativa a la protección de las actividades de investigación invocada por Alemania. Y, de hecho, el propio TG confirma la concurrencia de esta excepción.

[179]   En la STG de 5 de abril de 2017, T-344/15, República Francesa contra Comisión, se solicita acceso al expediente de un proyecto de ley francés, comunicado a la Comisión en virtud de la Directiva por la que se establece un procedimiento de información en materia de normas y reglamentaciones técnicas. Francia negó autorización invocando la excepción de la protección de los procedimientos judiciales, que estaría en juego ante la posibilidad de un futuro recurso por incumplimiento. La Comisión consideró que no quedaba justificada la aplicación de esta excepción, dado que en este caso a fecha de la decisión habían transcurrido nueve meses sin que la Comisión hubiera iniciado un procedimiento por incumplimiento, por lo que el perjuicio era meramente hipotético. El TG confirma que la institución debe controlar *prima facie* la procedencia de los motivos de la denegación de divulgación planteada por el Estado miembro afectado, y da por bueno el razonamiento.

divulgar los documentos solicitados, tomando como base el Reglamento 1049/2001 o disposiciones específicas de su propia legislación. La institución examinará las razones aducidas por el Estado siempre que estén basadas en las excepciones previstas en el Reglamento. Esto es, si se aducen razones basadas en el Reglamento 1049/2001, las instituciones tienen la última palabra; si se basan en la legislación nacional, la institución debe denegar en todo caso el acceso.

Esta solución se presenta como la normativización de la doctrina jurisprudencial sentada en el asunto IFAW. No obstante, como acabamos de comprobar, la Sentencia del TJUE limita las excepciones invocables a las establecidas en el Reglamento 1049/2001, sin ampliarlas a las contempladas en las diferentes legislaciones nacionales, como también ha destacado el Defensor del Pueblo Europeo, si bien también señalamos la ambigüedad de la consideración de las excepciones nacionales como "un interés público digno de protección con arreglo a las excepciones establecidas por dicho Reglamento".

La propuesta del Parlamento de modificación es la siguiente: cuando la solicitud se refiere a un documento proveniente de un Estado miembro, fuera del marco de los procedimientos legislativos (en cuyo caso debe prevalecer en todo caso la transparencia en forma de publicidad activa) la institución debe consultar a las autoridades de dicho Estado miembro cuando existan dudas sobre si el documento puede acogerse a una de las excepciones. En ese caso, el Estado solo podrá aducir las excepciones contempladas en la normativa europea y la decisión en todo caso competerá a la institución en cuestión.

Las Delegaciones de los Estados tienes perspectivas diferentes, ninguna de las cuales se corresponde con la propuesta de la Comisión. Los países nórdicos proponen que en todos los casos decida la institución en cuestión con base únicamente en las excepciones previstas en el Reglamento 1049/2001. Otros, por el contrario, se oponen a cualquier control de la decisión de los Estados por parte de las instituciones. Una postura intermedia, próxima a la propuesta de la Comisión, solo permitiría invocar por los Estados razones basadas en su Derecho nacional si se corresponden con las previstas por el Reglamento, y con control último de las instituciones. Y, por lo demás, la mayoría consideran que los Estados necesitan un plazo mayor al de cinco días previstos en los Reglamentos internos de las instituciones para responder a las consultas. Ninguna Delegación apoya la propuesta del Parlamento.

Como puede comprobarse, se trata de un tema no resuelto, y al que habría de darse una solución clara, determinando cuáles son las limitaciones invocables por el Estado −si solo las previstas en la normativa europea, si solo las previstas en la normativa nacional, o si ambas− y cuál es la posición de los Estados y de las instituciones −si la decisión del Estado es o *no vinculante para la institución y si es susceptible de control por el Juez europeo.*

La postura más garante de la uniformidad en la efectividad de los derechos de todos los ciudadanos europeos sería la de limitar las excepciones a las previstas por el Reglamento 1049/2001 y dar a los Estados tan solo un papel consultivo, correspondiendo la decisión final a la institución, salvo que se deduzca con claridad que se ha de permitir o denegar la divulgación. Esto es, suprimir el apartado 5 y equiparar la posición de los Estados a la de los demás terceros. Ahora bien, no será fácil que los Estados consientan en desproveerse de esta manera de un poder de decisión respecto de documentos de su autoría.

Finalmente, hay que aclarar que la normativa europea sobre acceso no es de aplicación, obviamente, a los Estados miembros, que se rigen por su propio Derecho nacional de la transparencia y el acceso a la información. No obstante, como precisa el propio Reglamento, están sujetos a la obligación general de cooperación leal con las instituciones[180]. Ahora bien, el Reglamento 1049/2001 aprovechó para establecer una previsión inversa, según la cual, cuando un Estado miembro reciba una solicitud de un documento que obre en su poder y que tenga su origen en una institución, consultará a la institución de que se trate para tomar una decisión que no ponga en peligro la consecución de los objetivos del Reglamento, salvo que se deduzca con claridad que se ha de permitir o denegar la divulgación de dicho documento[181]. Alternativamente, el Estado puede remitir la solicitud a la institución. El precepto plantea problemas interpretativos, en la medida que no parece otorgar a la institución un derecho de veto ("consultar"), si bien, aparentemente, "europeiza" el régimen sustantivo ("se ponga en peligro la consecución de los objetivos del presente Reglamento") e incluso faculta para derivar la solicitud a las propias instituciones, contra lo que generalmente disponen las normas de los Estados miembros, ya que solo algunas de ellas disponen la consulta a

---

[180] Sí les es de aplicación directa la normativa comunitaria relativa al acceso del público a la información medioambiental. La Directiva 2003/4/CE, del Parlamento Europeo y del Consejo, de 28 de enero, que derogó a la pionera Directiva 90/313/CEE del Consejo, de 7 de junio.

[181] Artículo 5. En su Informe de 2004, la Comisión apunta que este artículo concreta el principio de lealtad. Asimismo, constata que en la práctica las consultas procedentes de los Estados miembros son relativamente escasas y no sistemáticas.

terceros y dejan en todo caso la decisión de fondo en manos de la autoridad nacional en cuyo poder se encuentra el documento, que debe decidir conforme a su propio Derecho nacional, sin permitir derivar las solicitudes a sujetos que sujetos a otros ordenamientos .

> *Cara a la reforma del Reglamento 1049/2001, el Parlamento pretende precisar que esta consulta o derivación de la solicitud a las instituciones se hará "sin perjuicio del control parlamentario nacional".*

2. EL ÁMBITO SUBJETIVO: EL DERECHO DE TODOS A CONOCER INFORMACIÓN EN RELACIÓN CON LA ACTIVIDAD LEGISLATIVA Y ADMINISTRATIVA

2.1. *Titularidad del derecho: un derecho de ciudadanía con tendencia a la universalización*

En el Tratado, en la Carta –que incluye además el derecho de acceso entre los derechos de ciudadanía– y en el Reglamento 1049/2001 se reconoce el derecho a todo ciudadano de la Unión, así como a toda persona física o jurídica que resida o tenga su domicilio social en un Estado miembro. Las restantes personas no son titulares de un derecho; respecto de ellas, las instituciones no tienen un deber de permitir el acceso, sino la facultad libre de hacerlo, eso sí, con las condiciones y límites generales contemplados en el Reglamento[182]. Ahora bien, lo cierto es que, haciendo uso de esta posibilidad, los Reglamentos internos de la Comisión[183] y del Consejo[184] extendieron también a ellos el derecho de acceso, y el Parlamento "en la medida de lo posible"[185], aunque en la práctica ha admitido siempre todas las solicitudes.

---

[182] El Código de Conducta y las disposiciones que lo implementaron se referían genéricamente al acceso por parte del «público».

[183] Artículo 1 del Anexo I de su Reglamento interno. Precisa que los no nacionales ni residentes no pueden interponer reclamación ante el Defensor del Pueblo, pero sí recurso ante el TG.

[184] Artículo 1 del Anexo II de su Reglamento interno.

[185] Artículo 122.1 de su Reglamento interno.

Por lo demás, la solicitud de acceso no se condiciona a la acreditación de interés específico alguno[186]. No es necesario, por tanto, motivar la solicitud, lo que refleja el fundamento del derecho como medio de fomentar la participación ciudadana y el control del poder público, y no como instrumento para la tutela de derechos o intereses individuales.

Se sigue así la línea del Convenio 205 y de la inmensa mayoría de Estados europeos opta por esta misma solución, y desvincula el derecho de la nacionalidad o la residencia, o de la acreditación de un interés específico.

No es de extrañar que la Comisión haya propugnado en su propuesta de reforma la legitimación universal, si se tiene en cuenta que el Convenio de Aarhus no permite discriminar en razón de la nacionalidad o la residencia (y, en consecuencia, el posterior Reglamento (CE) n° 1367/2006 sobre el acceso a la información en materia de medio ambiente extendió el derecho a toda persona física o jurídica, independientemente de su nacionalidad o Estado de residencia); y que un número cada vez mayor de solicitudes se reciben por correo electrónico y no permiten la comprobación de la ciudadanía o residencia.

Las organizaciones no gubernamentales y expertos y del Defensor del Pueblo Europeo han aplaudido esta propuesta.

El Parlamento pugna, además, por extenderlo a las "asociación de personas físicas o jurídicas".

Entre los representantes de los Estados en el Grupo "Información", hay dos posiciones principales: la favorable a la extensión; y la que prefieren acotarlo en sintonía con el Tratado.

---

[186] En algún caso, las instituciones han objetado que no cabe recurrir contra la denegación de acceso a documentos que los demandantes ya han obtenido por otras vías, con el único objetivo, general y político, de chequear el buen funcionamiento del sistema. El Juez comunitario ha reafirmado que toda persona puede solicitar tener acceso a cualquier documento de la Comisión no publicado, sin que sea necesario motivar la solicitud, ya que el objetivo de la normativa de acceso es traducir el principio que postula por un acceso de los ciudadanos a la información lo más amplio posible con el fin de reforzar el carácter democrático de las instituciones, así como la confianza del público en la Administración, por lo que el hecho de que los documentos solicitados hayan pasado a ser de dominio público carece de pertinencia a este respecto. Véanse las SSTG de 17 de junio de 1998, T-174/95, *Svenska Journalistförbundet* contra Consejo, o de 6 de febrero de 1998, T-124/96, *Interporc* contra Comisión.

A nuestro juicio y por las razones indicadas, debería acogerse la legitimación universal, por las razones antes indicadas y en línea con el Convenio 205 y con la solución mayoritaria en los Estados miembros.

2.2. Obligados: el legislador y el ejecutivo comunitario bajo el foco de la transparencia

En el Derecho de la Unión Europea, que no ha incluido a sujetos privados en el ámbito de aplicación de la normativa sobre acceso, la cuestión nuclear en este apartado se centra en determinar si solo determinadas instituciones deben estar sujetas a la obligación de proporcionar información[187], o si dicha obligación debe extenderse a todas las instituciones, órganos y organismos europeos.

La primera solución (restringir la obligación al Parlamento Europeo[188], al Consejo y a la Comisión –y sus respectivos comités–, con exclusión del Tribunal de Justicia) fue la acogida inicialmente por el Tratado, la Carta y el Reglamento[189]. No obstante, este último en su considerando 8 estableció que "con objeto de garantizar la plena aplicación del presente Reglamento a todas las actividades de la Unión,

---

[187]   No se incluye el Defensor del Pueblo, que no es una institución comunitaria en el sentido del artículo 175 del Tratado (ATG de 22 de mayo de 2000, T-103/99, *Associazione delle cantine sociali venete* contra Defensor del Pueblo y Parlamento). En el caso del Parlamento, el artículo 122.2 de su Reglamento interno precisa que: "A efectos de acceso a los documentos, se entenderá por «documento del Parlamento» todo contenido, en el sentido del artículo 3, letra a), del Reglamento (CE) no 1049/2001, elaborado o recibido por funcionarios del Parlamento en el sentido del Título I, Capítulo 2, órganos rectores del Parlamento, comisiones o delegaciones interparlamentarias, o por la Secretaría del Parlamento. De conformidad con el artículo 4 del Estatuto de los diputados al Parlamento Europeo, los documentos elaborados por los diputados o por los grupos políticos se considerarán documentos del Parlamento, a efectos del acceso a documentos, únicamente si se han presentado de conformidad con el presente Reglamento interno."

[188]   Como precisa el artículo 104.2 del Reglamento interno del parlamento, incluye todos los documentos elaborado o recibido por funcionarios del Parlamento en el sentido del Capítulo 2 del Título I, órganos rectores del Parlamento, comisiones o delegaciones interparlamentarias, o por la Secretaría del Parlamento. Los documentos elaborados por los diputados o por los grupos políticos se considerarán documentos del Parlamento, a efectos del acceso a los mismos, si se han presentado de conformidad con el Reglamento interno.

[189]   Así como, en su día, por el Código de Conducta.

las agencias creadas por las instituciones deben aplicar los principios establecidos en el presente Reglamento". La Declaración común de 2001 acordó que las agencias y organismos similares establecerían normas conformes con el Reglamento y pidió que las demás instituciones y organismos adoptaran normas internas similares. De hecho, otros órganos y organismos ya habían aprobado su propia normativa de acceso bajo la normativa anterior, inspirada en el Código de Conducta de 1993, y tras la aprobación del Reglamento 1049/2001 se fueron adaptando a él tanto las Agencias –con entrada en vigor, para todas ellas, el 1 de octubre de 2003– como otros organismos tal que el Comité de las Regiones o el Comité Económico y Social.

El Tribunal de Cuentas, el Banco Central Europeo y el Banco Europeo de Inversiones aplican normas más restrictivas. En el caso del Juez europeo, el TJUE aprobó una normativa para el acceso a documentos relacionados con su actividad administrativa[190]. Por tanto, de nuevo nos encontramos con una tendencia a la ampliación por la vía de los Reglamentos internos.

A ello se le suma que el Reglamento (CE) nº 1367/2006 sobre el acceso a la información en materia de medio ambiente tuvo un efecto ampliatorio de los sujetos, en este caso, obligados, al referirse a "las instituciones y órganos".

Es más, el frustrado proyecto de Tratado por el que se establece una Constitución europea aludía ya a las "instituciones, órganos y organismos"[191].

Finalmente, fue esta la solución retenida en el artículo 15 TFUE, que extendió el ámbito subjetivo a los documentos "de las instituciones, órganos y organismos de la Unión" y precisó que el Tribunal de Justicia de la Unión Europea, el Banco Central Europeo y el Banco Europeo de Inversiones solo están obligados cuando ejerzan funciones administrativas. En definitiva, y simplificadamente, dado que el entramado institucional comunitario no tiene paralelismos estatales claros, puede decirse que el derecho de acceso se aplica por imperativo "constitucional" al legislador y al ejecutivo comunitario, incluidos

---

[190]   Decisión del TJUE de 11 de octubre de 2016 relativa al acceso del público a los documentos en poder del TJUE en ejercicio de funciones administrativas.
[191]   Artículo I-50.

todos los entes instrumentales a su servicio, y al poder judicial y a las autoridades monetarias tan solo en el ejercicio de funciones administrativas, pero no en el de sus funciones características, si bien las autoridades monetarias están *de facto* sometidas a un régimen de publicidad similar a los anteriores –bien que la excepción relativa a la política monetaria tiene un papel potencialmente amplio que jugar, pero no permite descartar en bloque la publicidad de toda su documentación, a lo que volveremos cuando tratemos esa excepción–.

La opción del Derecho de la Unión Europea de extender el ámbito de aplicación de su normativa de acceso no solo al Ejecutivo sino también al Legislador–dentro de la relativa validez del empleo de estas categorías transpuestas al ámbito europeo– y a otras instituciones, como el Tribunal o el Banco Central cuando ejercen funciones administrativas, está en la línea pero va más allá de lo previsto en la mayoría de los Derechos de los Estados miembros, entre los que la solución mayoritaria limita la aplicación de las leyes sobre acceso a la información al poder ejecutivo, y no se extienden al poder judicial ni al legislativo, salvo en el ejercicio de funciones materialmente administrativas. En estos casos, son sus normas reguladoras específicas las que prevén las formas de publicidad de sus actuaciones[192]. Esa es

---

[192] Entre los que lo limitan al poder ejecutivo y a sujetos privados que ejercen funciones propias del mismo, en unos casos los constriñen a entes de derecho público (Grecia), y en otros, la opción mayoritaria, incluyen a sujetos privados que ejercen funciones administrativas (Alemania, Estonia, Finlandia, Francia, Hungría, Irlanda, Italia, Lituania, Polonia, Portugal, Eslovaquia, Suecia o Suiza) o financiados con fondos públicos (República Checa, Croacia y Estonia; en Dinamarca, su aplicación a los sujetos que reciben fondos públicos depende del Ministerio financiador en cuestión), e incluso, en algunos casos, a los partidos políticos (Lituania, Polonia), sindicatos (Lituania), bancos (Finlandia) u organizaciones no gubernamentales que reciben apoyo del Estado (Estonia). Una minoría de Estados han optado por un sistema de lista, susceptible de ampliación, que incluyen entes del poder ejecutivo o con él relacionados (Irlanda, Eslovenia). En Finlandia se incluyen los tribunales. En Suecia y Hungría se aplica a todos los poderes públicos. En España, la Ley 19/2013 establece una escala de aplicación, que es plena para el Gobierno y la Administración estatal, autonómica o local y las entidades de ellas dependientes, incluso las de naturaleza privada si el capital es mayoritariamente público, así como para los demás órganos constitucionales y estatutarios o las corporaciones de derecho público en la medida en que actúan conforme al Derecho administrativo. Además, las entidades privadas que prestan servicios públicos o ejercen potestades administrativas están obligadas

precisamente, como vimos, la fórmula prevista como mínima en el Convenio 205, que eso sí, añade que, para mejorar la transparencia, los Estados parte pueden ampliar el campo de aplicación por medio de una declaración en el momento de la firma del Convenio, para incluir plenamente a los poderes legislativo y judicial o a las personas privadas físicas y jurídicas en la medida en que ejerzan funciones públicas o funcionen gracias a fondos públicos[193]. Esto último, por lo demás y como indicaremos, *infra*, también se ha impuesto en el Derecho de la Unión Europea, no a través de la aplicación directa del Reglamento 1049/2001 a estos sujetos, sino a través de la publicidad de las ayudas y subvenciones.

> *Cara a la reforma del Reglamento 1049/2001, la primera propuesta de la Comisión, formulada antes de la entrada en vigor del TFUE, no modificaba el ámbito subjetivo, y en su Exposición de motivos explicaba que si bien entre las sugerencias al Libro verde, muchos de los consultados solicitaron la ampliación del ámbito de aplicación del Reglamento a todas las instituciones, organismos y agencias de la UE, no era posible en el marco del Tratado entonces vigente, si bien afirmaba que se llevaría a cabo tras la entrada en vigor del Tratado sobre el funcionamiento de la Unión. La segunda propuesta ya se acomodaba al Tratado de Lisboa.*
>
> *El Parlamento incluye el acceso a los documentos "de las instituciones, órganos y organismos de la Unión Europea", en línea con el artículo 15 TFUE, al que se refiere expresamente.*
>
> *La ampliación es, pues, obligada y, por ende, pacífica.*

---

a suministrar a las Administraciones a las que están vinculadas información a requerimiento para que éstas puedan trasladar la información a los ciudadanos. Por último, los partidos políticos, organizaciones empresariales y sindicales y entidades privadas que reciben aportaciones elevadas en su cuantía total o en su porcentaje respecto de su presupuesto global están obligadas a publicitar en internet determinada información al respecto. Por lo demás, la publicidad de las actuaciones de otros poderes del Estado en el ejercicio de sus funciones características se regula en su normativa propia, los Reglamento de las Cámaras legislativas y la Ley orgánica reguladora del poder judicial.

[193] Artículo 2.a).

III. EXCEPCIONES

1. CUESTIONES GENERALES

Antes de proceder al complejo y apasionante análisis del alcance e interpretación judicial de las excepciones o límites al derecho de acceso contemplados en el Reglamento 1049/2001 hemos de ocuparnos de algunas cuestiones generales, como son sus clases, el test del perjuicio y las presunciones de daño, el test del interés público superior, el acceso parcial o los límites temporales en la aplicación de las excepciones.

1.1. *Clases: distintos criterios de apreciación en función del interés en conflicto*

Los artículos 255 TCE y 42 CDFUE remitieron a la normativa de desarrollo el establecimiento de las limitaciones o excepciones.

En el Código de Conducta, la institución había de denegar el acceso cuando pudiera suponer un perjuicio para los intereses protegidos por una excepción[194], que debía ser razonablemente previsible y no puramente hipotético[195]. Se referían a intereses públicos (seguridad pública, relaciones internacionales, estabilidad monetaria, procedimientos judiciales o actividades de inspección e investigación, así como de los intereses financieros de la Comunidad) o privados (protección del individuo y de la intimidad y del secreto en materia comercial e industrial). La excepción era el caso de la referida al secreto de las deliberaciones, respecto de la que había que ponderar el perjuicio que supondría el acceso y el interés público de la divulgación[196].

---

[194] Por todas, STG de 13 de septiembre de 2000, T-20/99, *Denkavit Nederland BV* contra Comisión.

[195] STG de 7 de febrero de 2002, T-211/00, *Aldo Kuijer* contra Consejo.

[196] Por todas, STG de 12 de julio de 2001, T-204/99, *Olli Mattila* contra Consejo y Comisión, casada en la STJUE de 22 de enero de 2004, C-353/01 P, *Olli Mattila* contra Consejo y Comisión. El Juez comunitario debía verificar, sin sustituir la apreciación discrecional, si efectivamente se llevó el balance entre los beneficios

El Reglamento 1049/2001 introdujo una importante modificación respecto de su precedente. A diferencia del Código, establece tres tipos o niveles de excepciones al derecho de acceso[197]. Dispone que el acceso se denegará:

a) En todo caso, cuando la divulgación del documento suponga un perjuicio para la protección del interés público, por lo que respecta a la seguridad pública; la defensa y los asuntos militares; las relaciones internacionales; la política financiera, monetaria o económica de la Comunidad o de un Estado miembro; o para la protección de la intimidad y la integridad de la persona, en particular de conformidad con la legislación comunitaria sobre protección de los datos personales.

b) Salvo que su divulgación revista un interés público superior, cuando suponga un perjuicio para la protección de los intereses comerciales de una persona física o jurídica, incluida la propiedad intelectual; los procedimientos judiciales y el asesoramiento jurídico; el objetivo de las actividades de inspección, investigación y auditoría.

c) Salvo que su divulgación revista un interés público superior, cuando suponga un perjuicio grave al proceso de toma de decisiones y se trate de un documento elaborado por la institución para su uso interno o recibido por ella relacionado con un asunto sobre el que la institución no haya tomado todavía una decisión, o de un documento que contenga opiniones para uso interno, en el marco de deliberacio-

---

del secreto y el interés del particular en acceder a la información, sin exceder de los límites inherentes a su poder de apreciación. No bastaba, por tanto, referirse a los documentos como relativos a deliberaciones de la institución en cuestión. La dificultad estribaba, claro está, en que como la solicitud de acceso no tenía que ser motivada, la institución no tenía en principio que ponderar el interés de la persona más allá del que tendría cualquier sujeto anónimo. No obstante, el Juez comunitario afirmó la necesidad de estar a las circunstancias del caso, que pueden llevar a concluir que las instituciones conocían el contexto y los objetivos de la solicitud y, por ello, el interés particular que podía tener para un sujeto determinado el acceso a la información. En todo caso, el que existieran discrepancias en las deliberaciones no era una razón en sí suficiente para denegar el acceso a las actas sin mayor ponderación, so pretexto de que ello comprometería el buen y eficaz desarrollo de las discusiones, sobre todo cuando se trata de asuntos sobre los que ya existe una postura global definida (STG de 10 de octubre de 2001, T-111/00, *British American Tobacco International Investments Ltd* contra Comisión).

[197]   Artículo 4.

nes o consultas previas en el seno de la institución, incluso después de adoptada la decisión.

Ha de entenderse, por el tenor literal del Reglamento, que se trata de un *numerus clausus*[198].

Puede afirmarse que los Derechos de los Estados europeos comparten el tronco común establecido en el Convenio. En efecto, hay un conjunto de excepciones generalizadas, con diferentes matices en la extensión, referidas a intereses públicos (seguridad nacional, defensa, relaciones exteriores, seguridad pública, investigaciones criminales, actividades de control administrativo, política económica, monetaria y cambiaria, procedimientos judiciales, protección medioambiental, protección de la toma de decisiones pública) y privados (vida privada, integridad y salud, intereses comerciales e industriales, secreto profesional; estos últimos también pueden ser de titularidad pública). No hay un acercamiento común en los Derechos de los Estados europeos a la naturaleza de las excepciones, ya que en algunos casos la aplicación se condiciona al criterio del perjuicio y en otros se añade un segundo criterio añadido de ponderación[199].

---

[198]   Si bien, con el objeto de excluir el acceso por terceros a los dictámenes de los Servicios Jurídicos de las instituciones, cuando estaba en vigor el Código de Conducta y no preveía la actual excepción relativa al "asesoramiento jurídico", el TG afirmó, de forma más que cuestionable, que del tenor de la disposición del Código de Conducta se desprendía que lo que puede justificar la denegación de acceso a los documentos es la protección del interés público en general y que, por tanto, no está justificado limitar el alcance del concepto de interés público reduciéndolo a los supuestos previstos que estaban previstos en el Código de Conducta (ATG de 3 de marzo de 1998, T-610/97 R, *Hanne Norup Carlsen* y otros contra Consejo).

[199]   El estudio de H. KRANENBORG y W. WOERMANS, *op. cit.*, pp. 15-17, apunta que hay tres posibles cláusulas de relatividad: el *test* del daño, el del balance de intereses y el de exigencia de aprobación. Además, algunos países como Dinamarca y Suecia utilizan un *test* de necesidad, según el cual solo se denegará el acceso cuando el secreto sea esencial o necesario para la protección de ciertos intereses. El *test* del daño implica que el acceso se debe o puede denegar cuando la divulgación perjudicaría ciertos intereses. En unos casos, se dice "podría" (p. ej., República checa), en otros se utiliza el condicional "perjudicaría" (p. ej., Hungría). En otros se exige que el perjuicio sea grave (Austria) o sustancial (Polonia), o razonablemente previsible (Irlanda). El balance de intereses implica que la autoridad pública tiene que ponderar el interés general de la transparencia y el interés protegido por la excepción, y solo habrá de/podrá denegarse cuando

El elenco de límites viene también a coincidir con los reconocidos en el propio Convenio 205, que analizamos en la primera parte de este trabajo. Además, el Convenio 205, como vimos, acoge la posibilidad –que no parece contemplar la jurisprudencia del TEDH– de que la aplicación algunas excepciones solo esté condicionada a la concurrencia de perjuicio –prescribiendo, eso sí, en su Memoria explicativa que esos casos deben reducirse al mínimo– como ocurre como acabamos de ver con algunas de las excepciones en el Derecho de la Unión Europea

> *La propuesta de reforma de la Comisión introduce entre las excepciones "el medio ambiente, como los lugares de reproducción de especies raras", en línea con lo dispuesto en el Reglamento (CE) n° 1367/2006, de 6 de septiembre de 2006, del Parlamento Europeo y el Consejo, relativo a la aplicación, a las instituciones y a los organismos comunitarios, de las disposiciones del Convenio de Aarhus sobre el acceso a la información, la participación del público en la toma de decisiones y el acceso a la justicia en materia de medio ambiente y con el propio Convenio 205 del Consejo de Europa de acceso a los documentos públicos. Ha sido en general aplaudida por las organizaciones no gubernamentales y los especialistas y por el Defensor del Pueblo Europeo. El Parlamento añade a la propuesta de la Comisión que el acceso a la información ambiental se divulgará únicamente de conformidad con el Reglamento CE) n° 1367/2006. Todas las Delegaciones están de acuerdo con el objetivo perseguido, pero hay división en cuanto a la forma de regularlo. En unos casos, se prefiere incluir una mera referencia al Reglamento núm. 1367/2006, que sería lex specialis. En otros, se opta por la propuesta de la Comisión, apuntando una Delegación que deberían integrarse en el Reglamento 1049/2001 todas las excepciones previstas en el Reglamento 1367/2006. El Convenio 205 prevé en esta línea la excepción del medioambiente y su Memoria, pone como ejemplo la información sobre localización de especies animales y*

---

el segundo prevalezca sobre el primero (p. ej., Bélgica, Grecia, Irlanda, Países Bajos). La exigencia de aprobación implica que el acceso únicamente se concede cuando una persona, empresa u otra entidad aprueba explícitamente el acceso. En Croacia se establecen diferentes criterios en función del bien protegido, una imperativa, la que protege las investigaciones criminales, y las demás sometidas a los test de proporcionalidad e interés público. En la Ley 19/2013, todas las limitaciones se someten al criterio del daño y al de la ponderación con el interés público o privado superior, siendo la introducción del interés privado una excepción frente al Derecho comparado mayoritario y, como se ve, respecto al Convenio 205 y al Reglamento 1049/2001. En el caso del límite por protección de datos, aunque la redacción es diferente, en la práctica, operan los mismos criterios.

vegetales amenazadas, y añade que esta excepción ya se encuentra en la normativa internacional, europea y estatal sobre acceso a la información ambiental. La verdad es que surgen dudas: si se considera que cualquier información cuya divulgación pueda afectar al medio ambiente es una información ambiental, la solución lógica sería una remisión a su normativa propia. Pero lo cierto es que, ante la duda de que determinadas informaciones no tengan dicha naturaleza, pero sí puedan tener dicho efecto, no parece ociosa la previsión. A nuestro juicio, de hecho, lo idóneo sería la integración de la normativa de acceso especial en materia ambiental en la general.

La Comisión ha propuesto añadir además un nuevo supuesto: "la protección de la objetividad e imparcialidad de los procedimientos de selección". Lo justifica en el dato de que, en estos sectores, el Estatuto de los funcionarios y el Reglamento financiero regulan la transparencia y debe garantizarse el funcionamiento adecuado de los comités de selección y de evaluación. El Parlamento lo formula como "la objetividad e imparcialidad de los procedimientos de contratación pública hasta que la institución, el órgano o el organismo adjudicador haya tomado una decisión, o de los procedimientos de un órgano de selección destinados a la contratación de personal hasta que la autoridad facultada para proceder a los nombramientos haya tomado una decisión." La mayor parte de las Delegaciones se muestran a favor del objetivo de la propuesta, pero piden mayor precisión en la redacción y una de ellas se muestra favorable a la precisión del Parlamento. En realidad, a mi juicio, el objetivo puede protegerse igualmente a través de una lectura de la excepción relacionada con la salvaguarda del proceso de toma de decisiones, interpretado a la luz de las regulaciones sobre funcionarios, contratos o subvenciones. Veremos que esa ha sido la aproximación jurisprudencial, que además ha reconocido en estos casos una presunción de daño.

En otros casos, las propuestas de la Comisión se refieren a alteraciones en el alcance de las limitaciones ya previstas, de modo que las comentaremos al hilo de su estudio.

Finalmente, debe destacarse que, en la propuesta de reforma del Parlamento, se prevé respecto de todas las excepciones, que "[...] no se aplicarán a los documentos transmitidos en el marco de los procedimientos de adopción de actos legislativos o no legislativos de carácter general", en coherencia con su idea de dar la mayor transparencia de dicho procedimiento que es una de las claves de bóveda de su propuesta.

1.2. El test del perjuicio y las presunciones

El hilo conductor de la doctrina jurisprudencial en torno al alcance de los límites al derecho de acceso está nítidamente perfilado, y reiterado hasta la saciedad como frontispicio de muchas de las sentencias: toda limitación a un derecho que entronca con el principio democrático ha de interpretarse restrictivamente, a la luz del derecho a la información y del principio de proporcionalidad, de modo que no se frustre la aplicación del principio general de libre acceso.

Las instituciones están obligadas a examinar, antes de decidir acerca de una solicitud de acceso a documentos, respecto a cada uno, si, habida cuenta de la información de que disponen, su divulgación puede efectivamente menoscabar (gravemente, en el caso de las excepciones relativas al proceso de toma de decisiones) uno de los intereses públicos protegidos, motivándolo. De hecho, la falta de una motivación suficiente ha sido el motivo más frecuente de anulación de las decisiones que deniegan el acceso. No obstante, esta obligación no significa que dichas instituciones estén obligadas en cualquier circunstancia a aportar, para cada documento, las "razones imperativas" que justifican la aplicación de la excepción, so pena de comprometer el objetivo esencial de la excepción de que se trata. En efecto, podría resultar imposible indicar las razones que justifican la confidencialidad respecto a cada documento, sin divulgar el contenido de este último y, por lo tanto, sin privar a la excepción de su finalidad esencial. Del tenor de la motivación debe deducirse que la institución procedió a una apreciación concreta de los documentos en cuestión, y no basada exclusivamente en las características generales de las categorías de documentos y del sector al que pertenezca. Además, hay que atender a su contexto, así como al conjunto de reglas jurídicas que rigen la materia. De esta forma, el contexto en que se adoptó la decisión puede aligerar las exigencias de motivación (piénsese, por ejemplo, en el acceso a documentos militares o de alta diplomacia) a cargo de la institución.

Es preciso estudiar la motivación en su conjunto, esto es, tanto del rechazo inicial como de la segunda apreciación. De este modo, cuando una respuesta confirma la denegación de una solicitud fundándose en los mismos motivos, la suficiencia de la motivación debe ser apreciada a la luz del intercambio entre la institución y el solicitante en su totalidad, teniendo en cuenta la información de que disponía el solicitante sobre la naturaleza y el contenido de los documentos solicitados. Ahora bien, y en sentido contrario, cuando durante el procedimiento de solicitud de acceso a documentos el demandante formula alegaciones que pueden menoscabar el fundamento de la primera denegación, las exigencias de motivación imponen a la institución la obligación de responder a una solicitud confirmatoria indicando los motivos por los que estas alegaciones no le permiten modificar su postura. De no ser así, el demandante no podría comprender las razones por las que el autor de la respuesta a la solicitud confirmatoria ha decidido mantener los mismos motivos para confirmar la denegación[200].

No obstante, estas reglas se han compatibilizado con la posibilidad de establecer una presunción *iuris tantum* de que dar información relativa a determinados tipos de procedimiento supone un perjuicio para los intereses protegidos por las excepciones. En efecto, la jurisprudencia ha establecido que la institución puede basarse en presunciones generales que se aplican a determinadas categorías de documentos[201]. El reconocimiento de una presunción general en favor de una nueva categoría de documentos exige que se demuestre previamente que la divulgación de los documentos de esta categoría puede perjudicar, de forma razonablemente previsible, al interés protegido por la excepción en cuestión. Además, las instituciones de la Unión deben interpretar y aplicar de forma estricta estas presunciones generales, puesto que constituyen una excepción a la obligación de examen concreto e individual por la institución interesada de cada documento al que se solicita acceso, y de manera más general al principio del acceso más amplio posible del público a los documentos en poder de las instituciones de la Unión[202]. En la mayor parte de los casos, la existencia de normas específicas que limitan el acceso por terceros e incluso por los propios afectados al expediente, y la necesidad de no desvirtuarlas mediante la aplicación del Reglamento 1049/2001, ha sido un argumento de peso en el razonamiento judicial, aunque no es

---

[200] Por todas, STJUE de 21 de septiembre de 2010, C-514/07 P, Reino de Suecia y *API* contra Comisión.

[201] Por vez primera, en la STJUE de 1 de julio de 2008, C-39/05 P y C-52/05, Reino de Suecia y *Maurizio Turco* contra Consejo.

[202] STJUE de 4 de septiembre de 2018, C-57/16 P, *ClientEarth* contra Comisión.

una condición necesaria, ya que la presunción viene principalmente dictada por la necesidad imperiosa de asegurar el correcto funcionamiento de los procedimientos en cuestión y de garantizar que sus objetivos no se vean comprometidos, cuando el procedimiento aún está en curso o bien la decisión que de él se deriva no es aún firme. La presunción se extiende a todos los documentos no publicados comprendidos en el expediente administrativo de los procedimientos de que se trata y permite a las instituciones una denegación global, pero no excluye la posibilidad de demostrar que un documento determinado no está amparado por la misma, si bien en la práctica la jurisprudencia es reacia a acogerla. Por lo demás, la institución no está obligada a basar su decisión en la presunción general de que se trata. Siempre puede optar por llevar a cabo un examen concreto de los documentos a que se refiere la solicitud de acceso y facilitar la correspondiente motivación. Además, si comprueba que el procedimiento en cuestión presenta características singulares que permiten la divulgación íntegra o parcial de los documentos del expediente, tiene la obligación de proceder a tal divulgación. En cambio, la exigencia de verificar si resulta realmente aplicable la presunción general de que se trata no puede interpretarse en el sentido de que la institución deba examinar individualmente todos los documentos a los que se haya solicitado el acceso en el caso concreto. Tal exigencia privaría a la presunción general de su efecto útil, a saber, el de permitir que se dé respuesta a una solicitud de acceso global de un modo igualmente global[203]. Cuando opera una presunción (y no prevalece el interés público, como veremos a continuación) no cabe ningún tipo de acceso, ni total ni parcial, ni mediante copia ni por consulta *in situ*[204]. Al hilo de cada excepción veremos qué presunciones ha ido estableciendo la jurisprudencia[205].

---

[203]   SSTJUE de 14 de noviembre de 2013, C-514/11 P y C-605/11 P, *Liga para a Protecção da Natureza (LPN)* contra Comisión, que ratifica la STG de 9 de septiembre de 2011, T-29/08, *Liga para a Protecção da Natureza (LPN)* contra Comisión y de 27 de febrero de 2014, C-365/12 P, Comisión Europea contra *EnBW Energie Baden-Württemberg AG*, que casa la STG de 22 de mayo de 2012, T-344/08, *EnBW Energie Baden-Württemberg AG* contra Comisión.

[204]   STJUE de 14 de julio de 2016, C-271/15 P, *Sea Handling* contra Comisión.

[205]   Una relación actualizada puede encontrarse en la STG de 1 de septiembre de 2021, T-517/19, *Andrea Homoki* contra Comisión, que refiere como presunciones reconocidas hasta su fecha por el TJUE las relativas a los documentos de un

1.3. El interés público superior

Las excepciones incluidas en el artículo 4.2 y 4.3 están sometidas a un segundo test: el de la ponderación con el interés público, aplicable también en los casos en que se admite el juego de las presunciones.

Si bien teóricamente su concurrencia debe examinarse de oficio por la institución, incumbe al recurrente invocar de manera concreta las circunstancias que fundamentan un interés público superior que justifique la divulgación.

Al respecto, no basta aludir al principio de transparencia y su importancia institucional, y si bien el interés público que puede justificar la divulgación de un documento no ha de ser necesariamente distinto de los principios que subyacen al propio Reglamento 1049/2001, unas consideraciones generales no son suficientes para demostrar que el principio de transparencia presenta un carácter tan acusado como para prevalecer sobre las razones que justifican la no divulgación.

Como comprobaremos al analizar cada una de las excepciones, la interpretación es sumamente restrictiva, y ello hasta el punto de que, cuando el interés público invocado es precisamente la transparencia y las posibilidades de conocimiento por la opinión pública europea de asuntos de relevancia relativos al cumplimiento y efectividad del Derecho de la Unión, y los solicitantes no buscan su propio interés, la respuesta ha sido casi siempre la negativa apreciar su concurrencia.

---

expediente administrativo relativos a un procedimiento de control de ayudas de Estado; los escritos presentados ante los órganos jurisdiccionales de la Unión en un procedimiento judicial aún pendiente; los documentos correspondientes a un procedimiento por incumplimiento en la fase administrativa pre-contenciosa; los documentos intercambiados entre la Comisión y el Estado miembro afectado en el contexto de un procedimiento *EU Pilot*; los documentos intercambiados entre la Comisión y las partes notificantes o terceros en el marco de un procedimiento de control de las operaciones de concentración entre empresas, y los documentos correspondientes a procedimientos en materia de defensa de la competencia. A ellas se añaden las acogidas por el TG sin confirmación aún por el TJUE, referidas al acceso a las ofertas de los licitadores en un procedimiento de contratación pública en caso de solicitud de acceso presentada por otro licitador; a los documentos transmitidos por parte de las autoridades nacionales de competencia a la Comisión; a las preguntas con respuestas múltiples en una oposición general organizada por la Oficina europea de selección de personal, y a los documentos relativos a procedimientos por abuso de posición dominante.

Así, respecto de solicitudes de acceso a la información formuladas por una asociación internacional de prensa que persigue conocer si los Estados están cumplimiento con las reglas de la libre competencia en un sector estratégico[206]; por entidades sin ánimo de lucro dedicadas a la protección del medio ambiente, y ello pese a que la normativa ambiental se basa en el acceso a la información, la participación y el

---

[206]   En el asunto *Association de la presse internationale ASBL (API)*, la citada aso-ciación solicita acceso a todos los escritos presentados por la Comisión ante el TG o el TJUE en asuntos ante ellos residenciados y no aún no resueltos relativos a la aplicación de la normativa comunitaria en un determinado sector (en este caso, el de la aplicación de las normas sobre competencia al sector de la navega-ción aérea). El TG consideró, en relación con el "interés público superior", que la libertad de prensa desempeña un papel esencial en una sociedad democrática y que el derecho del público a recibir esta información constituye la expresión del principio de transparencia, pero dicho "interés público superior" debe en prin-cipio ser distinto de los principios antes mencionados que sirven de base para el Reglamento 1049/2001. En este caso, no lo entiende prevalente respecto de los procesos judiciales en curso, teniendo en cuenta la publicidad de que son objeto, de suyo, las actuaciones judiciales (cada recurso es objeto desde su presentación de una comunicación en el Diario Oficial, que también se difunde por Internet en el sitio Eur-Lex y en el sitio del Tribunal de Justicia, en la que se mencionan, entre otros, la cuestión objeto del litigio y las pretensiones de la demanda, así co-mo los motivos y las principales alegaciones invocados; el informe para la vista, que contiene un resumen de las alegaciones de las partes, se publica el día de la vista, en la que se discuten públicamente las alegaciones de las partes), pero sí respecto a los ya concluidos, salvo que se demostrara la concurrencia de una cir-cunstancia excepcional (STG de 12 de septiembre de 2007, T-36/04, *Association de la presse internationale ASBL (API)* contra Comisión). El TJUE corrigió al TG, afirmando que el "interés público superior" es el de la propia transparencia. Ahora bien, estima que la asociación se limitó a alegar que el derecho del públi-co a ser informado de cuestiones importantes de Derecho Comunitario, como las relativas a la competencia, y de cuestiones que revisten un indudable interés político, como las suscitadas en los recursos por incumplimiento, prevalece so-bre la protección de los procedimientos judiciales. Sin embargo, consideraciones tan genéricas no pueden bastar para acreditar que el principio de transparen-cia presentaba, en el caso de autos, una gravedad especial que hubiese podido primar sobre las razones que justifican la denegación de la divulgación de los documentos controvertidos (STJUE de 21 de septiembre de 2010, C-514/07 P, Reino de Suecia contra *Association de la presse internationale ASBL* y Comi-sión, C-528/07 P, *Association de la presse internationale ASBL* contra Comisión, C-532/07 P, Comisión contra *Association de la presse internationale ASBL*).

acceso a la justicia[207], incluso si ha sido su denuncia la que ha motivado el procedimiento por incumplimiento[208], o por personas físicas que ponen de manifiesto casos de corrupción y pretenden acceder al expediente a que ha dado lugar la denuncia[209], o por miembros de una asociación de consumidores que pretender poner de relieve un incumplimiento estatal que puede hacerse valer en pleitos nacionales en masa[210]. Por el contrario, cuando no se trata de procedimientos administrativos o judiciales sino legislativos, la transparencia adquiere su mayor vigor y en principio, y aunque pueda tener repercusión en el proceso de toma de decisiones políticas, ha de facilitarse la información, incluidos los dictámenes de los servicios jurídicos, salvo que el documento en cuestión tenga un carácter especialmente sensible o un alcance particularmente amplio que vaya más allá del marco del proceso legislativo en cuestión, motivándolo en ese caso de forma detallada[211].

---

[207] STJUE 16 de julio de 2015, C-612/13 P, *ClientEarth* contra Comisión (que estima parcialmente el recurso de casación contra la STG de 13 de septiembre de 2013, T-111/11, *ClientEarth* contra Comisión).

[208] STJUE de 14 de noviembre de 2013, C-514/11 P y C-605/11 P, *Liga para a Protecção da Natureza (LPN)* contra Comisión (que desestima el recurso de casación contra la STG de 9 de septiembre de 2011, T-29/08, *Liga para a Protecção da Natureza (LPN)* contra Comisión).

[209] STJUE de 2 de octubre de 2014, C-127/13 P, *Guido Strack* contra Comisión (que estima parcialmente el recurso de casación contra la STG de 15 de enero de 2013, T-392/07, *Guido Strack* contra Comisión).

[210] ATJUE de 21 de mayo de 2019, *Anikó Pint* contra Comisión, C-770/18 P.

[211] Así, puede verse el asunto *Mauricio Turco*, en que se solicitaba acceso a documentos relacionados con una propuesta de Directiva del Consejo en materia de asilo). El TG consideró que el interés público superior debía ser distinto de los principios de transparencia, apertura y democracia o participación de los ciudadanos en el proceso de toma de decisiones, que justifican el propio Reglamento, correspondiendo su acreditación al solicitante, y desestimó el recurso (STG de 23 de noviembre de 2004, T-84/03, *Maurizio Turco* contra Consejo). La STJUE de 1 de julio de 2008, C-39/05 P y C-52/05 P, *Maurizio Turco* contra Consejo, siguió al Abogado General Maduro, que en sus Conclusiones discrepó de este entendimiento. Consideraba que el interés público radica en el propio principio de transparencia, y afirmó que no corresponde su acreditación al solicitante, que de hecho desconoce el contenido de la documentación solicitada. Añadió que las consideraciones en torno a la relevancia de la transparencia tienen especial tienen especial relevancia cuando el Consejo actúa en su capacidad legislativa, como resulta del sexto considerando del Reglamento nº 1049/2001 (según el

En todo caso, el interés público no incluye el privado, esto es, el interés añadido y específico que pueda tener el solicitante, habida cuenta de la repercusión del conocimiento de la documentación para su esfera de intereses. Evidentemente, muchos de los solicitantes persiguen intereses particulares más allá del puro conocimiento de la actividad pública, a menudo directamente relacionados con la tutela de derecho o intereses propios, de modo que el derecho de acceso se hace valer con una finalidad instrumental[212]. Sin embargo, la jurisprudencia ha afirmado que el interés a ponderar con el que protege la excepción es el de la transparencia, y no el específico del solicitante, lo que se des-

---

cual se debe proporcionar un mayor acceso a los documentos precisamente en tal caso, puesto que la transparencia contribuye a reforzar la democracia al permitir que los ciudadanos controlen toda la información que ha constituido el fundamento de un acto legislativo, siendo una condición del ejercicio efectivo, por aquéllos, de sus derechos democráticos); de su artículo 12.2 (que reconoce la especificidad del proceso legislativo cuando dispone que se debería facilitar el acceso directo a los documentos elaborados o recibidos en el marco de los procedimientos de adopción de actos jurídicamente vinculantes para o en los Estados miembros) y del propio Tratado (según el cual el Consejo está obligado a definir los casos en los que deba considerarse que actúa en su capacidad legislativa a fin de permitir un mayor acceso a los documentos en tales casos).

[212] Como ponía de relieve ya el Informe de la Comisión de 2004, la experiencia muestra, especialmente en la Comisión, que a veces se ha invocado el Reglamento con el fin de obtener tal acceso privilegiado. A este respecto señalaba dos casos de recurso inadecuado al Reglamento: "Algunas personas han intentado, a través del Reglamento, obtener la comunicación de documentos a los que se había denegado el acceso en el marco de un procedimiento específico, alegando el derecho general a la transparencia. Ha sido el caso, por ejemplo, de despachos de abogados que intentaban obtener, en virtud del Reglamento 1049/2001, documentos a los que no habían obtenido acceso en virtud del derecho de acceso al expediente concedido a las partes interesadas, bien porque los documentos solicitados no eran siquiera accesibles a las partes, o bien porque actuaban en nombre de un tercero. Tales solicitudes pueden obstaculizar el funcionamiento de los servicios encargados de gestionar los expedientes en cuestión, que corresponden generalmente a las actividades de investigación de la Comisión. En otros casos, personas que pueden alegar un interés específico en un expediente que les afecta, han invocado el Reglamento a falta de normas específicas al respecto. Este caso se presenta, en particular, en el marco de la contratación de funcionarios u otros agentes, concursos o auditorías. En una serie de ámbitos, hay una carencia de normas relativas al derecho de acceso a los expedientes para las partes interesadas, más allá del derecho de acceso del público."

cartó expresamente en los trabajos preparatorios del Reglamento[213]. Y, de este modo, no aprecia la concurrencia de un interés público cuando el solicitante pretende acceder a la información para hacer valer sus derechos y, en su caso, obtener una indemnización ante los tribunales nacionales o ante el propio Juez europeo[214]. Parece que esta interpretación respeta la literalidad ("interés *público* superior") y el propio sentido de la regulación (un derecho que conecta con el principio de transparencia democrática, lo que explica que no se exija motivar la solicitud ni, por ende, acreditar interés alguno), y se sitúa en línea con el Convenio 205. En algún caso, es preciso apuntarlo, la jurisprudencia parece relativizar este principio y descarta la concurrencia de un interés público superior por no haberse acreditado que el acceso sea el *único* medio para conseguir la información y que esta sea *imprescindible* para defender los propios intereses[215].

---

[213] Frente a la propuesta según la cual "cuando la institución examine el interés del público en la divulgación del documento, también tendrá en cuenta el interés invocado por un solicitante, un denunciante u otro beneficiario que tenga un derecho, un interés o una obligación en la materia".

[214] Así, cuando los solicitantes son accionistas minoritarios perjudicados por una concentración empresarial autorizada ilegalmente por la Comisión, que solicitan información para la defensa judicial de sus derechos (SSTJUE 28 de junio de 2012, C-477/10 P, Comisión Europea contra *Agrofert Holding a. s.*, que estima parcialmente el recurso contra la STG de 7 de julio de 2010, T-111/07, *Agrofert Holding a. s.* contra Comisión; y de 28 de junio de 2012, C-404/10 P, Comisión Europea contra *Éditions Odile Jacobs SAS*, que estima parcialmente la STG de 9 de junio de 2010, T-237/05, *Éditions Odile Jacobs SAS* contra Comisión). Lo mismo ocurre cuando se trata de acceder por parte del beneficiario de una ayuda de Estado al expediente de control de compatibilidad de la ayuda recibida con el Derecho de la Unión (STJUE de 14 de julio de 2016, C-271/15 P, *Sea Handling SpA* contra Comisión, que desestima el recurso de casación contra la STG de 25 de marzo de 2015, T-456/13, *Sea Handling SpA* contra Comisión y ATJUE de 6 de noviembre de 2019, C-332/19 P, Hércules Club de Fútbol, S.A.D. contra Comisión, que inadmite el recurso de casación contra la STG de 12 de febrero de 2019, T-134/17, Hércules Club de Fútbol, S.A.D. contra Comisión).

[215] Así, cuando el perjudicado por las prácticas de concertación de precios de un cártel, que precisa de la información para reclamar una indemnización ante los tribunales (STJUE de 27 de febrero de 2014, C-365/12 P, Comisión Europea contra *EnBW Energie Baden-Württemberg AG*, que estima parcialmente el recurso de casación contra la STG de 22 de mayo de 2012, T-344/08, *EnBW Energie Baden-Württemberg AG* contra Comisión), al considerar poco probable que la reclamación deba fundamentarse en todos los datos que figuran en el expediente relativo a dicho procedimiento. Por tanto, incumbe a toda persona que pretenda

El Parlamento propone extender la ponderación con el interés público a todas las excepciones, también respecto a las relativas a intereses públicos como la seguridad, la defensa y los asuntos militares, las relaciones internacionales, la política financiera, monetaria o económica o el medio ambiente, o los procesos de toma de decisión. La redacción sería la siguiente: "Cuando se trate de sopesar el interés público en la divulgación con arreglo a los apartados 1 y 3, se considerará que la divulgación reviste tal interés público superior cuando el documento solicitado se refiera a la protección de derechos fundamentales y el Estado de Derecho, la correcta gestión de los fondos públicos o el derecho a vivir en un entorno saludable, incluidas las emisiones al medio ambiente. La institución, el órgano o el organismo que invoque una de esas excepciones habrá de realizar una evaluación objetiva e individual y demostrar que el riesgo que afecta al interés protegido es previsible y no meramente hipotético, y definirá la forma en que el acceso al documento puede socavar de forma específica y efectiva el interés protegido."

1.4. La posibilidad de conceder un acceso parcial como forma de maximizar los derechos e intereses en juego

El acceso a los documentos públicos es un derecho de rango constitucional y desarrollo legal y como tal, las autoridades están obligadas a maximizar su efectividad, analizando, en el caso de que concurran limitaciones, las posibilidades de conceder acceso parcial.

Así se contempla, como vimos, en el Convenio 205, y es común, como solución legal o jurisprudencial, en el Derecho de los Estados miembros.

Es esta también la solución en el Derecho de la Unión Europea. Se dispone que en caso de que la información solicitada sea susceptible de afectar a uno de los intereses protegidos, la institución está obligada a examinar la posibilidad de conceder el acceso parcial, limitado, a las partes del documento solicitado a las que se aplica la excepción.

---

obtener la reparación del perjuicio sufrido a causa de una infracción del artículo 81 CE acreditar la necesidad de acceder a uno u otro de los documentos obrantes en el expediente de la Comisión, para que esta pueda ponderar en cada caso los intereses que justifican la comunicación de esos documentos y su protección, considerando todos los factores pertinentes en el asunto.

El Código de Conducta no decía nada al respecto, pero el Juez comunitario lo dedujo de la propia fundamentación del derecho de acceso en el principio de democracia y de su consiguiente importancia, con la consiguiente necesidad de interpretar restrictivamente las excepciones a la regla general. La regla se positivizó ya en el Reglamento 1049/2001[216].

De este modo, cuando concurre una excepción, se analiza no obstante si cabe dar acceso parcial, sin revelar información que suponga un perjuicio para el interés protegido, y se señala el alcance exacto de los fragmentos a que sí ha de poder accederse. A la vez, se afirma que la institución demandada no está obligada a identificar, en la motivación del acto impugnado, las partes sensibles del contenido de los documentos controvertidos que no pueden revelarse al divulgarlos, si obrar así implica desvelar información que pretende proteger la excepción invocada[217].

El alcance de la obligación de conceder el acceso parcial ha generado controversia judicial. Se ha discutido, en concreto, si la obligación es incondicional o puede someterse a dos condiciones no contenidas en el Reglamento: que la carga de trabajo que genere la supresión de los pasajes afectados por la excepción no sea excesiva y que el contenido que puede divulgarse conserve su interés. Ambas posibilidades se contemplan, como vimos en la primera parte de este trabajo, en el Convenio 205.

A la primera cuestión se ha respondido afirmativamente: las instituciones pueden salvaguardar el interés de una buena administración, si bien solo con carácter extraordinario y cuando la carga administrativa provocada por la disimulación de los datos no comunicables se revelara

---

[216] Artículo 4.6.
[217] Véase, p. ej., la STG de 7 de febrero de 2018, T-851/16 y T-852/16, *Access Info Europe* contra Comisión, en que se solicita acceso a notas y correos electrónicos en los que se analiza la legalidad del acuerdo entre la Turquía y la Unión Europea en el marco de la crisis de refugiados sirios, el TG considera que concurren varias excepciones, pero afirma la ilegalidad de la negativa a dar acceso parcial, señalando detalladamente qué frases y párrafos no están cubiertos por las excepciones.

extremadamente gravosa, excediendo así de los límites de lo que puede exigirse razonablemente y con sujeción a control judicial[218].

Puede decirse que aún no hay una respuesta incontrovertida a la segunda. El TG parece dar por sentado la improcedencia de dar acceso parcial cuando el contenido que puede divulgarse carece de interés, indicando que se trataría de casos en los que el documento al que se daría acceso contendría solo informaciones marginales como la fecha, el encabezado o el título[219]. Pero en algún caso, por el contrario, ha

---

[218] Así, el asunto estrella es en este caso *Heidi Hautala*, en el que un europarlamentario solicitó información en relación con los criterios europeos sobre la exportación de armamento, que le fue denegada apelando a la excepción "relaciones internacionales" (STJUE de 6 de diciembre de 2001, C-353/99, *Heidi Hautala* contra Comisión, que ratifica en este sentido la STG de 19 de julio de 1999, T-14/98, *Heidi Hautala* contra Comisión. El Abogado General Léger, que formuló las Conclusiones al recurso de casación, mostró sus cautelas frente a esta posibilidad de prevalencia del interés de una buena administración. De su análisis de Derecho comparado concluye que el acceso parcial está reconocido, por la ley o por la jurisprudencia, en nueve de los entonces quince Estados miembros de la Comunidad, y en tres de los restantes no está prohibido ni permitido de forma expresa, por lo que es el principio más general. Y, en la medida en que supone condicionar la efectividad de un derecho fundamental a motivos meramente administrativos, debe reservarse esta posibilidad a supuestos totalmente excepcionales y sometidos a revisión judicial, correspondiendo a la institución la carga de la prueba de su concurrencia. Con posterioridad, el TG ha llegado a anular la decisión de la Consejo de no conceder acceso parcial amparada en la presunta desproporción de la carga de trabajo, a la vista del caso concreto, reafirmando así tanto la excepcionalidad de este principio como la posibilidad de fiscalizar su aplicación (así, en la STG de 6 de abril de 2000, T-188/98, *Aldo Kuijer* contra Consejo, que dio origen posterior al ATJUE de 7 de febrero de 2002, C-239/00 P, Consejo contra *Kuijer*, de archivo).

[219] STG de 20 de marzo de 2014, T-181/10, *Reagens SpA* contra Comisión. En el mismo sentido, STG de 15 de septiembre de 2016, T-710/14 y T-755/14, *Herbert Smith Freehills LLP* contra Consejo, en que se solicita acceso a la propuesta de Reglamento relativo al tabaco, el Consejo alegaba que las excepciones que el TG entendió concurrentes eran aplicables a todo el documento y que una divulgación de los saludos o de información logística anodina que figura en los correos electrónicos identificados no habría aportado ninguna información pertinente a la demandante y habría sido, por tanto, inútil. El TG considera que "conforme a reiterada jurisprudencia, las instituciones están facultadas para no conceder un acceso parcial cuando el examen de los documentos controvertidos muestre que dicho acceso parcial carecería de sentido porque las partes de dichos documentos, si se divulgaran, no tendrían utilidad alguna para quien solicitó acceder a ellos", y cita en apoyo su sentencia de 12 de julio de 2001, T-204/99,

señalado que el Reglamento 1049/2001 no exige en ningún momento del solicitante que demuestre la "utilidad" del documento y considera que, en todo caso, no es competencia de la institución determinar lo que es útil o no para el solicitante ni la institución puede dejar de divulgar las partes del documento no afectadas por la excepción, teniendo en cuenta el principio de que debe darse a los ciudadanos el mayor acceso posible y que las excepciones deben ser interpretadas de forma estricta[220]. El TJUE aún no ha dado una respuesta[221].

Mattila contra Consejo y Comisión. Estima en este caso que "[...] en la medida en que las partes de los documentos controvertidos incluidos en la solicitud de acceso de la demandante están totalmente amparados por la excepción relativa a la protección del asesoramiento jurídico y que las demás partes solo incluyen saludos e información logística anodina, el Consejo concluyó acertadamente que un acceso parcial a los mismos no tenía ningún sentido." En la STG de 5 de diciembre de 2018, T-875/16, *Falcon Technologies International* contra Comisión, considera que, en todo caso, se admita o no esta posibilidad, en este supuesto, el documento resultante iría mucho más allá de la mera fecha, encabezado o título.

[220] STG de 6 de diciembre de 2012, T-167/10, *Evropaiki Dynamiki-Proigmena Systimata Tilepiloinonion Pliroforikis kai Tilematikis AE* contra Comisión.

[221] El tema se planteó ya conforme al Código de Conducta en el asunto *Olli Mattila*, en el que los documentos solicitados se referían a las relaciones entre la Unión y Rusia y Ucrania, y la solicitud se denegó apelando de nuevo a la excepción "relaciones internacionales". El TG partió de su pronunciamiento en *Heidi Hautala* y afirmó la posibilidad excepcional de no conceder el acceso a la vista de la carga de trabajo que supondría, con base en el principio de buena administración, pero además añadió, basándose en el mismo principio, que las instituciones están facultadas para no conceder un acceso parcial cuando el examen de los documentos controvertidos muestre que dicho acceso parcial carecería de sentido porque las partes de dichos documentos, si se divulgaran, no tendrían utilidad alguna para quien solicitó acceder a ellos (STG de 12 de julio de 2001, T-204/99, *Olli Mattila* contra Consejo y Comisión). También fue el Abogado General Léger el encargado de presentar sus conclusiones en este asunto. Puso de relieve que ni el Código de Conducta ni el Reglamento 1049/2001 –no aplicable *ratione temporis*– recogen excepción vinculada a la carga excesiva de trabajo ni exigen acreditación de interés alguno. Teniendo en cuenta que las excepciones deben interpretarse restrictivamente y que se pidió expresamente el acceso parcial en la solicitud confirmatoria, considera que debió concederse. Solo cuando la amplitud del trabajo generado por la ocultación de los elementos no aptos para ser comunicados exceda los límites de lo que puede exigirse razonablemente de la institución afectada, esta puede, en aras de la buena administración, examinar si el acceso responde a un interés y apreciar la importancia de este. Además, en ese supuesto, la existencia de un interés personal del solicitante podría también obligar a la Administración a concederle el acceso parcial a los documentos de

1.5. Límite temporal de aplicación de las limitaciones

En el Derecho de los Estados miembros, unos países acogen un límite temporal máximo a las excepciones, mientras que otros se limitan al principio general conforme al cual las excepciones se aplican solo mientras concurre la causa que las justifica[222].

En línea con lo dispuesto, como vimos, en el Convenio 205, el Reglamento 1049/2001 prevé que las excepciones se harán valer durante el período en que esté justificada la protección en función del contenido del documento, con un período máximo de treinta años. En el caso de los documentos cubiertos por las excepciones relativas a la intimidad o a los intereses comerciales, así como en el caso de los documentos sensibles, las excepciones podrán seguir aplicándose después de dicho período, si fuere necesario.

El tema enlaza directamente con la articulación de esta normativa con la reguladora del acceso a los archivos históricos, regulado inicialmente por el Reglamento (CEE, EURATOM) del Consejo, núm. 354/83, de 1 de febrero de 1983, relativo a la apertura al público de los archivos históricos de la Comunidad Económica Europea y de la Comunidad Europea de la Energía Atómica del Consejo, referido al acceso público a los documentos con más de treinta años de antigüedad[223].

---

que se trate, a pesar de la carga de trabajo muy onerosa que ese acceso originaría. En definitiva, que una institución no puede lícitamente denegar el acceso a los elementos de información no amparados por una excepción alegando que esos elementos son muy escasos para ser de utilidad e invocando meras dificultades administrativas. El TJUE se limitó a casar la sentencia del TG por no haber anulado la decisión por la mera inexistencia de análisis por las instituciones de la posibilidad de conceder acceso parcial, y dejó así imprejuzgado el motivo relativo a la utilidad de la parte del documento no afectado por la excepción (STJUE de 22 de enero de 2004, C-353/01 P, *Olli Mattila* contra Consejo y Comisión).

[222] Así, p. ej., mientras que unas leyes como la de Alemania, no recogen limitación temporal, en Francia o Portugal se distingue en función del tipo de excepción. La Ley sueca no prevé un plazo temporal, solo que, atendiendo a las circunstancias de un caso concreto y siempre que dicha posibilidad esté prevista en una norma con rango legal el Parlamento o el Gobierno pueden hacer público un documento al que, en principio, se le aplicaría una excepción. En España, la Ley 19/2013 no establece nada al respecto.

[223] Sobre lo que supuso dicha normativa en su momento, es clásica la referencia a A. FORREST, "Naissance des archives historiques des Communautés européennes", *Revue de Marché Commun*, 1983, pp. 466-473

Dicho Reglamento fue modificado en 2003 para adecuarlo al Reglamento 1049/2001[224], con la única divergencia ya, llamada a corregirse, de que el Reglamento sobre archivos históricos se aplica a todas las instituciones y a todos los órganos de la Unión Europea, así como a las agencias comunitarias, tema este que conecta con el de los sujetos pasivos, que ya hemos tenido ocasión de comentar[225]. Prevé la posibilidad de que incluso pasados treinta años se pueda apelar a las excepciones relativas a la intimidad y la integridad y a los intereses comerciales. No obstante, establece dos singularidades respecto de la regulación general, que aunque no figuran en el Reglamento ha consagrado la práctica del derecho de acceso: declara expresamente que los datos personales pueden transmitirse en las condiciones establecidas por la normativa sobre

---

[224] Por el Reglamento del Consejo (CE, EURATOM) núm. 1700/2003 (DO L 243 de 27 de septiembre de 2003, p. 1).

[225] El objeto de los archivos históricos es garantizar la conservación permanente de los documentos de interés histórico o administrativo y el acceso del público a ellos, en la mayor medida posible. Para alcanzar este objetivo, cada institución de la Comunidad Europea y de la Comunidad Europea de la Energía Atómica, así como el Comité Económico y Social Europeo, el Comité de las Regiones, las agencias y organismos similares creados por el legislador comunitario posee sus archivos históricos y los abrirán al público en las condiciones fijadas en el Reglamento una vez transcurrido un plazo de 30 años a partir de la fecha de elaboración de los documentos. Se excluyen de la apertura a los 30 años los documentos clasificados y se acoge la posibilidad de seguir excepcionando documentos que afectan a la intimidad o la integridad de la persona física o a los intereses comerciales de una persona física o jurídica, incluida la propiedad intelectual. Para garantizar el respeto del plazo de 30, cada institución debe a su debido tiempo, y a más tardar durante el vigésimo quinto año siguiente a la fecha de su elaboración, al examen de todos los documentos clasificados de conformidad con las normas de la institución de que se trate, con miras a decidir sobre su eventual desclasificación. Los documentos no desclasificados en ese primer examen se reexaminarán periódicamente y al menos cada cinco años. A más tardar 15 años después de su elaboración, cada institución transmite a los archivos históricos todos los documentos contenidos en sus archivos corrientes. Con arreglo a los criterios que establezca cada institución, estos documentos son luego objeto de una selección para separar los documentos que deben conservarse de aquellos desprovistos de interés administrativo o histórico. En la medida de lo posible, las instituciones deben permitir el acceso a sus archivos en forma electrónica. Asimismo, conservarán los documentos existentes en formatos adaptados a necesidades particulares (escritura en Braille, letra de gran tamaño o cinta magnetofónica). Cada institución publicará anualmente una información sobre sus actividades relativas a los archivos históricos.

protección de datos, y establece que cuando los documentos afecten al interés comercial de un tercero, este tenga entrada en el procedimiento para hacer valer dichos intereses, quedando la ponderación final en manos de la institución[226].

En la consulta pública la propuesta de definir los hechos antes de los cuales los documentos no serían accesibles no recibió gran apoyo y sí en cambio la de difusión sistemática de los documentos después de determinados hechos específicos y mucho antes del plazo de 30 años que se exige para la apertura de los archivos.

La Comisión no ha formulado propuestas de cambio normativo de fondo, más allá, por parte de la Comisión, de simplificar la redacción y trocar la referencia a la intimidad por la protección de datos personales.

El Parlamento propone: "Las excepciones solo se aplicarán mientras el contenido del documento lo justifique y, en cualquier caso, durante un período máximo de treinta años", sin admitir la prolongación del plazo para ninguna de ellas.

---

[226] Una muestra del juego del plazo la encontramos en el asunto *Athanasios Pitsiorlas*. Se trata de un estudiante de doctorado que solicita una copia del acuerdo Basilea-Nyborg sobre el reforzamiento del Sistema Monetario Europeo, tanto al Consejo como al Banco Central Europeo – que no se rige, este último, como vimos, por el Reglamento 1049/2001, sino por su propio Reglamento de funcionamiento, que establece un plazo de 30 años, con la posibilidad excepcional de autorizar el acceso antes de dicho plazo. Para el TG, la disposición del Reglamento interno enlaza con el objetivo de protección de la política monetaria que justifica dicha excepción en el Reglamento 1049/2001. En ambos casos y en la regulación de los archivos históricos se establece un plazo común de 30 años a partir de los cuales el documento se convierte en público. Dicho plazo no impide a cualquier persona solicitar con anterioridad el acceso, que obliga a la institución u organismo a ponderar el interés salvaguardado –en este caso, la política monetaria– y la transparencia y la decisión, que debe ser motivada, se somete a control judicial (STG de 27 de noviembre de 2007, T-3/00 y T-337/04, *Athanasios Pitsiorlas* contra Banco Central Europeo; interpuesto recurso de casación, fue desestimado por ATJUE de 3 de julio de 2008, C-84/08), *Athanasios Pitsiorlas* contra Banco Central Europeo).

2. ANÁLISIS DE LAS EXCEPCIONES

2.1. La seguridad pública, la defensa y los asuntos militares, las relaciones internacionales y la política financiera, monetaria o económica de la Comunidad o de un Estado miembro. Su conexión con el régimen de los documentos clasificados

En el Derecho de la Unión Europea, los límites que protegen altos intereses públicos solo están sometidos al test del perjuicio, pero no a un test posterior de ponderación.

El artículo 4.1.a) del Reglamento 1049/2001 dispone que "(l)as instituciones denegarán el acceso a un documento cuya divulgación suponga perjuicio para la protección del interés público, por lo que respecta a la seguridad pública; la defensa y los asuntos militares; las relaciones internacionales; la política financiera, monetaria o económica de la Comunidad o de un Estado miembro"[227].

Estos intereses públicos se encuentran en muchos casos íntimamente relacionados. De hecho, la inclusión de las excepciones relativas a la "defensa y asuntos militares" y "a la política económica de la Comunidad o de un Estado miembro" fue una novedad del Reglamento 1049/2001 en relación con el Código de Conducta, lo que no impidió a la jurisprudencia anterior a su aprobación incluirlas con naturalidad bien en el concepto de "seguridad pública" –noción que, como es sabido, tiene un concepto muy amplio en el Derecho de la Unión Europea, inclusiva de la seguridad interior y exterior y el abastecimiento de productos esenciales– bien en el de "relaciones internacionales"[228].

---

[227] El considerando 7 del Reglamento 1049/2001 explicita que, conforme al Tratado, el derecho de acceso es asimismo de aplicación a los documentos referentes a la política exterior y de seguridad común y a la cooperación policial y judicial en materia penal. Cada institución debe respetar sus normas de seguridad. Y, consecuentemente, el Juez comunitario ha declarado su competencia para conocer de las demandas de acceso, cualquiera que sea el ámbito de actividad comunitaria de que se trate, incluidas la política exterior y se seguridad común o los asuntos de interior y judiciales.

[228] Así, bajo la vigencia del Código, véase la STG de 17 de junio de 1998, T-174/95, *Svenska Journalistförbundet* contra Consejo.

Ya existe una notable jurisprudencia que interpreta estas excepciones[229].

El *leitmotiv* en su interpretación de estas excepciones radica en que las instituciones cuentan con un amplio margen de apreciación a la hora de valorar si la divulgación de un documento supondría un perjuicio para estos intereses, por su naturaleza especialmente sensible y esencial y por el carácter obligatorio de la denegación, no sometido a

---

[229] STG de 17 de junio de 1998, T-174/95, *Svenska Journalistförbundet* contra Consejo; STG de 19 de julio de 1999, T-14/98, *Heidi Hautala* contra Consejo (casación, STJUE de 6 de diciembre de 2001, C-353/99, Consejo contra *Heidi Hautala*); STG de 12 de julio de 2001, T-204/99, *Olli Mattila* contra Consejo y Comisión (casación, STJUE de 22 de enero de 2004, C-353/01 P, *Olli Mattila* contra Consejo y Comisión); STG de 7 de febrero de 2002, T-211/00, *Aldo Kuijer* contra Consejo; STG de 26 de abril de 2005, T-110/03, T-150/03 y T-405/03, José María Sisón contra Consejo (casación, STJUE de 1 de febrero de 2007, C-266/05, José María Sisón contra Consejo); STG de 13 de enero de 2011, T-362/08, *IFAW Internationaler Tierschutz-Fonds g GmbH* contra Comisión; STG de 4 de mayo de 2012, T-529/09, *Sophie in 't Veld* contra Comisión (casación, STJUE de 3 de julio de 2014, C-350/12 P, Consejo contra *Sophie in 't Veld*); STG de 3 de octubre de 2012, T-465/09, *Ivan Jurasinovic* contra Consejo (casación, STJUE de 28 de noviembre de 2013, C-576/12 P, *Ivan Jurasinovic* contra Consejo); ATG de 27 de noviembre de 2012, T-17/10, *Gerald Steinberg* contra Comisión; STG de 29 de noviembre de 2012, T-590/10, *Gabi Thesing y Bloomberg Finance LP* contra Banco Central Europeo; STG de 6 de diciembre de 2012, T-167/10, *Evropaiki Dynamiki-Proigmena Systimata Tilepiloinonion Pliroforikis kai Tilematikis AE* contra Comisión; STG de 19 de marzo de 2013, T-301/10, *Sophie in 't Veld* contra Comisión; STG de 7 de junio de 2013, T-93/11, *Stichting Corporate Europe Observatory* contra Comisión (casación, STJUE de 4 de junio de 2015, C-399/13 P, *Stichting Corporate Europe Observatory* contra Comisión); STG de 12 de septiembre de 2013, T-331/11, *Leonard Besselink* contra Consejo; STG de 4 de junio de 2015, T-376/13, *Versorgundswek der Zahnärztekammer Schlewig-Holstein* contra Banco Central Europeo; STG de 7 de octubre de 2015, T-658/14, *Ivan Jurasinovic* contra Consejo; STG de 7 de febrero de 2018, T-851/16 y T-852/16, *Access Info Europe* contra Comisión; STG de 26 de abril de 2018, T-251/15, *Espírito Santo Financial (Portugal), SGPS, SA* (casación, STJUE de 19 de diciembre de 2019, C-442/18 P, Banco Central Europeo contra *Espírito Santo Financial (Portugal), SGPS*, SA; STG de 11 de julio de 2018, T-644/16, *ClientEarth* contra Comisión (casación, STJUE de 19 de marzo de 2020, C-6112/18 P, *ClientEarth* contra Comisión); STG de 27 de septiembre de 2018, T-116/17, *Spiegel-Verlag Rudolf Augstein GmbH & Co. KG* contra Banco Central Europeo; STG de 13 de marzo de 2019, T-730/16, *Espírito Santo Financial Group SA* (casación, STJUE de 21 de octubre de 2020, C-396/19 P, Banco Central Europeo contra *Espírito Santo Financial Group SA*).

una posterior ponderación con el interés público en la divulgación. El precepto además utiliza un concepto muy amplio, el de "perjudicar", que prevaleció en la redacción del Reglamento frente a otras propuestas más restrictivas ("perjuicio significativo"; comprometer "sensiblemente"). Además, la jurisprudencia ha afirmado que ni siquiera el dato de que se trate de acceder a documentos instrumentales para la adopción de actos legislativos relativiza dicha imperatividad. La facultad de apreciación del Consejo se incardina en estos casos en las responsabilidades políticas que le atribuyen las disposiciones de estos Títulos del TUE. En estas circunstancias, el control judicial debe limitarse a comprobar el cumplimiento de las normas de procedimiento y de motivación de la decisión impugnada, la exactitud material de los hechos, la falta de error manifiesto en la apreciación de los hechos y la inexistencia de desviación de poder.

La aplicación de este criterio ha llevado a una jurisprudencia mayoritariamente desestimatoria de las pretensiones de acceso a la información:

-Con base en la excepción de las *"relaciones internacionales"* cabe denegar el acceso a documentación que pueda revelar estrategias de la política exterior de la Unión Europea y comprometer las negociaciones con terceros países[230], a informes en el ámbito militar y armamentístico[231], a las posiciones que se sostienen en las negociaciones

---

[230] STG de 12 de julio de 2001, T-204/99, *Olli Mattila* contra Consejo y Comisión, con pronunciamiento en el mismo sentido de su Abogado General Léger y ratificada por la STJUE de 22 de enero de 2004, C-353/01 P, *Olli Mattila* contra Consejo y Comisión. Los documentos solicitados se referían a las relaciones entre la Unión Europea y Rusia y Ucrania.

[231] STG de 19 de julio de 1999, T-14/98, *Heidi Hautala* contra Consejo, en el que un europarlamentario solicitó información en relación con los criterios europeos sobre la exportación de armamento. El TG estimó que: "El informe controvertido contiene, en particular, los intercambios de puntos de vista entre los Estados miembros sobre la cuestión del respeto de los derechos humanos por parte del país de destino final y fue redactado para uso interno, y no para ser publicado, y, por lo tanto, contiene términos y expresiones que pueden crear tensiones con algunos países terceros". El Abogado General Léger y la STJUE de 6 de diciembre de 2001, C-353/99, Consejo contra *Heidi Hautala*, sostuvieron la misma conclusión en el recurso de casación.

de acuerdos internacionales[232] –salvo en lo atinente a principios y cuestiones generales[233]– o a la documentación, reuniones y correspondencia relativos a las mismas[234], o a documentos que se enmarcan

---

[232] En la STG de 19 de marzo de 2013, T-301/10, *Sophie in 't Veld* contra Comisión, se enjuicia una solicitud de acceso a documentos relativos a la negociación del proyecto de Acuerdo Comercial Internacional de Lucha contra la Falsificación (ACLF-ACTA). El TG considera que la negociación de acuerdos internacionales puede justificar, para asegurar la eficacia de la negociación, cierto nivel de discreción que permita garantizar la confianza mutua de los negociadores y el desarrollo de un debate libre y eficaz, pues cualquier forma negociadora implica necesariamente un cierto número de consideraciones tácticas por parte de los negociadores, y la indispensable cooperación entre las partes depende, en gran medida, de la existencia de un clima de confianza mutua. La iniciativa y el desarrollo de las negociaciones para celebrar un acuerdo internacional corresponden, en principio, al ámbito ejecutivo, y la participación del público en el procedimiento de negociación y celebración de un acuerdo internacional está necesariamente restringida, habida cuenta del interés legítimo en no desvelar los elementos estratégicos de las negociaciones. Además, no se excluye que esta divulgación de las posiciones de la Unión en las negociaciones pueda permitir conocer, indirectamente, las de las otras partes negociadoras. Así puede suceder, en particular, cuando la posición de la Unión se expresa por referencia a la de otra parte negociadora, o cuando el examen de la posición de la Unión o de su evolución durante las negociaciones permite inferir, de manera más o menos precisa, la posición de una o de varias otras partes negociadoras. Por otra parte, en el contexto de las negociaciones internacionales, las posiciones adoptadas por la Unión pueden evolucionar en función del curso de esas negociaciones, de las concesiones y de los compromisos consentidos en ese marco por las diferentes partes participantes. La formulación de posiciones de negociación puede implicar cierto número de consideraciones tácticas por parte de los negociadores, incluida la propia Unión. En este contexto, no puede excluirse que la divulgación por la Unión de sus propias posiciones de negociación, aún en el caso de que las posiciones de negociación de las otras partes se mantengan en secreto, pueda tener por consecuencia que se vea afectada negativamente en la práctica la capacidad de negociación de la Unión.

[233] STG de 12 de septiembre de 2013, T-331/11, *Leonard Besselink* contra Consejo. Se solicita acceso al proyecto de decisión del Consejo por la que se autoriza a la Comisión a negociar el acuerdo de adhesión de la Unión Europea al CEDH. El TG considera que el acceso parcial otorgado es insuficiente y debe incluir también el acceso al documento que reproduce los principios que conforme al Derecho de la Unión Europea deben presidir las negociaciones o que plantean las cuestiones que deben ser abordadas.

[234] En el asunto *Stichting Corporate Europe Observatory* se solicita acceso a información sobre las negociaciones entre la Unión Europea y la India para alcanzar un acuerdo de libre comercio. En el marco de los trabajos preparatorios, se creó

en las relaciones entre la Unión Europea y las organizaciones internacionales[235].

Algunos casos son particularmente complejos. Es lo que ocurre con los informes jurídicos en relación con la legalidad de las actuaciones de las instituciones en sus negociaciones el escenario internacional. La jurisprudencia considera que su divulgación perjudica a las "relaciones internacionales", pues en ellos están imbricados los objetivos perseguidos y las posiciones a mantener, que por lo demás, pueden cambiar en el curso de las negociaciones en función de los compromisos alcanzados y su divulgación debilitaría la posición de la institución en las negociaciones[236]. En algún caso, partiendo de la misma doctrina general,

---

un comité asesor para asistir a la Comisión integrado por representantes de los Estados y presididos por un representante de la Comisión, en el que también participaron representantes empresariales. La demandante era una fundación, que motivaba su solicitud en el objetivo de incrementar el conocimiento general sobre la influencia política y económica de las compañías transnacionales y las instituciones financieras y de formular alternativas y propuestas de políticas que limitaran estas influencias en orden a contribuir a una sociedad más democrática y más justa social y económicamente. La STG de 7 de junio de 2013, T-93/11, *Stichting Corporate Europe Observatory* contra Comisión, concedió un acceso parcial, y la STJUE de 4 de junio de 2015, C-399/13 P, *Stichting Corporate Europe Observatory* contra Comisión, ratificó esta solución.

235   En la STG de 7 de octubre de 2015, T-658/14, *Ivan Jurasinovic* contra Consejo, se solicita acceso a documentos intercambiados con el Tribunal Penal Internacional para la ex Yugoslavia en el curso de un proceso. El TG considera que afecta a las relaciones del Consejo con el mencionado Tribunal y el sistema de Naciones Unidas.

236   Así, el TG da por buena la negativa a conceder acceso a los informes jurídicos relativos a la legalidad de los acuerdos entre la Unión Europea y Turquía para hacer frente a la crisis de los refugiados sirios. Así, en las STG de 7 de febrero de 2018, T-851/16 y T-852/16, *Access Info Europe* contra Comisión, en que la Comisión alegaba que permitir el acceso del público a estos documentos habría perjudicado gravemente las cruciales relaciones entre la Unión y la República de Turquía en una situación en extremo sensible. En la STG de 11 de julio de 2018, T-644/16, *ClientEarth* contra Comisión, se solicita acceso a documentos sobre la compatibilidad con el Derecho de la Unión Europea del mecanismo de arreglo de diferencias entre inversores y Estados miembros y del sistema de protección jurisdiccional de los inversores establecidos en acuerdos comerciales de la Unión. El TG analiza el argumento del solicitante según el cual se trata de informes jurídicos que no afectarían a la negociación por la Comisión, pero concluye que se redactaron en el marco de negociaciones previas a la conclusión de un acuerdo internacional, y constituyen elementos sobre la base de los cuales

considera no obstante que el límite no se pone en cuestión con el acceso a informes que se limitan a estudiar la base jurídica para entablar una negociación internacional[237].

También resulta delicada la cuestión de si debe darse acceso a la documentación relacionada con la actividad de las instituciones como

---

[237] la Comisión fija su posición en las negociaciones en curso y su divulgación es susceptible de revelar los objetivos estratégicos perseguidos por la Unión en sus negociaciones, lo que debilitaría inevitablemente su posición. La STJUE de 19 de marzo de 2020, C-6112/18 P, *ClientEarth* contra Comisión, da por bueno el razonamiento, aunque estima que adolece de motivación suficiente sobre el riesgo razonablemente previsible y no meramente hipotético que supondría, pese a lo cual considera que se deriva de la argumentación aportada por la Comisión. En el asunto *Sophie in 't Veld* se analiza la solicitud por parte de una parlamentaria europea de acceso a un dictamen del Servicio Jurídico del Consejo relativo a una recomendación de la Comisión al Consejo para que se autorice la apertura de negociaciones entre la Unión Europea y los Estados Unidos de América con vistas a un acuerdo internacional destinado a poner a disposición del Departamento del Tesoro de los Estados Unidos datos de mensajería financiera en el marco de la prevención del terrorismo y de su financiación, así como de la lucha contra estos fenómenos. La solicitud fue denegada apelando a la excepción de las "relaciones internacionales". En la STG de 4 de mayo de 2012, T-529/09, *Sophie in 't Veld* contra Comisión, el TG consideró que «el mero temor a divulgar una eventual postura divergente en el seno de las instituciones […] no basta para deducir un riesgo de perjuicio para el interés público protegido en materia de relaciones internacionales» y precisó que el mero temor de que se revele la existencia de opiniones discrepantes en el seno de las instituciones en cuanto a la base jurídica idónea para adoptar una decisión por la que se autorice la apertura de negociaciones en nombre de la Unión no basta para deducir un riesgo de perjuicio para el interés público en materia de relaciones internacionales. Por último, excluyó que la existencia de un debate jurídico sobre la amplitud de las competencias institucionales relativas a la acción internacional de la Unión permita presumir la existencia de un riesgo para la credibilidad de la Unión durante las negociaciones de un acuerdo internacional. Al respecto, entendió que el Consejo no había aportado ningún dato que demostrara de qué manera el acceso al documento n° 11897/09 podía provocar concreta y efectivamente un perjuicio al interés. Las Conclusiones de la Abogada General Sharpston y la STJUE de 3 de julio de 2014, C-350/12 P, Consejo contra *Sophie in 't Veld*, compartieron esta aproximación. Véase al respecto ABAZI, V. y HILLEBRANDT, M., "The legal limits to confidential negotiations: Recent case law developments in Council transparency: Access Info Europe and In't Veld", *Common Market Law Review*, 52(3), 2015, pp. 825-846.

"observadoras" de la realidad internacional, ya que en unos casos la respuesta ha sido negativa[238] y en otros más matizada[239].

-En relación con la "*seguridad pública*", límite también presente, como analizamos, *supra*, en todos los Derechos nacionales y en el

---

[238] Así, en la STG de 3 de octubre de 2012, T-465/09, *Ivan Jurasinovic* contra Consejo, se enjuicia la negativa al acceso a los informes de observadores de la Unión Europea en Croacia. El TG consideró que los informes contenían apreciaciones y análisis de la situación política, militar y de seguridad en la zona de Knin durante el mes de agosto de 1995. Por lo tanto, si se hubiera divulgado el contenido de los informes, por una parte, ello podría haber supuesto perjuicios para las políticas de la Unión que tienen por objeto contribuir a la paz, a la estabilidad y a una reconciliación regional duradera en esa región de Europa y, por otra parte, podría haber creado una situación que habría debilitado la confianza de los Estados de los Balcanes occidentales en el proceso de integración en la Unión ya iniciado. El pronunciamiento fue ratificado en la STJUE de 28 de noviembre de 2013, C-576/12 P, *Ivan Jurasinovic* contra Consejo.

[239] Así, en el asunto *Aldo Kuijer*, el peticionario de información era un docente e investigador universitario en el ámbito del Derecho de asilo y de la inmigración que solicitó al Consejo acceso a determinados documentos relacionados con la actividad del Centro de Información, Discusión e Intercambio de Datos en Materia de Asilo (CIREA), al que se denegó el acceso a información sobre la situación política de diversos países invocando la excepción relativa a las "relaciones internacionales". La STG de 7 de febrero de 2002, T-211/00, *Aldo Kuijer* contra Consejo, anuló la denegación por falta de motivación suficiente y de análisis de la procedencia de acceso parcial. Consideró que "[...] el mero hecho de que determinados documentos contengan informaciones o afirmaciones negativas sobre la situación política o la protección de los derechos humanos en un país tercero no significa necesariamente que pueda denegarse el acceso a tales documentos a causa de un peligro de perjuicio del interés público. Este hecho, por sí mismo y de manera abstracta, no basta para denegar una solicitud de acceso. Por el contrario, la denegación de acceso a los informes de que se trate debe basarse en un análisis de los elementos relativos al contenido o al contexto de cada informe que permita llegar a la conclusión de que, tomando como fundamento determinadas circunstancias específicas, la divulgación de tal documento ocasionaría un peligro para el interés público". En este caso, se trataba de un mero análisis objetivo de la situación política y de protección de los derechos humanos en general en cada país, por lo que anula la decisión al incurrir en un error manifiesto de apreciación al estimar que los motivos invocados para denegar el acceso a los informes controvertidos afectaban al contenido completo de estos últimos. Sí admite que en lo que respecta a determinados pasajes de varios informes controvertidos, como aquellos en los que se citan las personas que proporcionaron las informaciones, el interés público puede justificar que se mantenga su confidencialidad y que, en esta medida, la negativa a divulgarlos sea legítima. En estos casos, procede el acceso parcial.

Convenio 205, la jurisprudencia ha denegado el acceso a decisiones en el marco de la lucha contra el terrorismo[240] o a las subvenciones concedidas en el marco de un programa de paz en Palestina, que pueden poner en riesgo tanto el objetivo perseguido como la seguridad de las personas implicadas[241].

-En cuanto a la *"política financiera, monetaria o económica de la Comunidad o de un Estado miembro"*, límite de nuevo contemplado comúnmente en los Derechos de los Estados miembros y en el Convenio 205, ha de tenerse en cuenta que, como expusimos, el BCE se rige por su propia norma de acceso a la información, la Decisión 2004/258/CE del Banco Central Europeo, de 4 de marzo de 2004, relativa al acceso del público a los documentos. Esta norma, que remite al Reglamento 1049/2001 para determinar sus claves aplicativas, tiene como peculiaridad que da libertad al Consejo de Gobierno del BCE para hacer públicos o no los resultados de las deliberaciones, por lo que, si decide no hacerlo, basta con la invocar el mencionado artículo sin que sea necesario la denegación acreditando el perjuicio que conllevaría dar la concreta información solicitada. Así, la jurisprudencia ha denegado el acceso a documentos relativos a la actuación del BCE en la gestión de la crisis griega, referidos a la restructuración de su deuda pública[242], o sobre el importe del déficit y la deuda pública[243], o sobre la utilización de productos derivados para hacer frente a la crisis[244]; o a los documentos relativos a la intervención del Banco Central Europeo, en coordinación con el Banco de Portugal,

---

[240] En el asunto José María Sisón, el solicitante pretendía acceder al expediente que dio origen a la decisión que lo incluyó en una lista de personas a los que se congelaron sus fondos y activos en el marco de lucha contra el terrorismo. La denegación fue ratificada por la STG de 26 de abril de 2005, T-110/03, T-150/03 y T-405/03, José María Sisón contra Consejo, por el Abogado General Geelho-ed, y por la STJUE de 1 de febrero de 2007, C-266/05, José María Sisón contra Consejo.

[241] ATG de 27 de noviembre de 2012, T-17/10, *Gerald Steinberg* contra Comisión.

[242] STG de 4 de junio de 2015, T-376/13, *Versorgundswek der Zahnärztekammer Schlewig-Holstein* contra Banco Central Europeo.

[243] STG de 27 de septiembre de 2018, T-116/17, *Spiegel-Verlag Rudolf Augstein GmbH & Co. KG* contra Banco Central Europeo.

[244] STG de 29 de noviembre de 2012, T-590/10, *Gabi Thesing y Bloomberg Finance LP* contra Banco Central Europeo.

en relación con el Banco Espírito Santo[245]. En lo que hace a la aplicación de esta excepción a las instituciones sí sometidas al Reglamento 1049/2001, la jurisprudencia es restrictiva[246]. Eso sí, ha precisado que conocer información sobre las ofertas presentadas a licitaciones de contratos públicos adjudicados no perjudica a los intereses económicos, sino que más bien puede generar una mejor competencia[247].

> Respecto de este grupo de excepciones, la propuesta de la Comisión aboga por adicionar "[...] incluida la seguridad de las personas físicas o jurídicas", para que quede expresamente integrada la seguridad de individuos –p. ej., miembros de misiones militares o civiles o de personas jurídicas, como asociaciones humanitarias–. Las Delegaciones han mostrado su apoyo mayoritario al objetivo de la propuesta de la Comisión, y en algunos casos a la redacción, si bien otras dudan de la necesidad de incluir la referencia a las personas jurídicas y algunas la de adicionar precisión alguna.

> El Parlamento pugna por añadir a la seguridad la coletilla "interna de la Unión Europea o de uno o más de sus Estados miembros", pero no ha encontrado apoyo de ninguna Delegación.

Analizado este grupo de excepciones hay que hacer referencia a su conexión con el régimen de los documentos clasificados, ya que los intereses públicos protegidos a los que hemos hecho referencia en no pocas ocasiones justifican la previa clasificación de los documentos a los que se pretende acceder[248].

---

245 STG de 26 de abril de 2018, T-251/15, *Espírito Santo Financial (Portugal), SGPS, SA*, ratificada por STJUE de 19 de diciembre de 2019, C-442/18 P, Banco Central Europeo contra *Espírito Santo Financial (Portugal), SGPS, SA*, y STG de 13 de marzo de 2019, T-730/16, *Espírito Santo Financial Group SA*, ratificada por STJUE de 21 de octubre de 2020, C-396/19 P, Banco Central Europeo contra *Espírito Santo Financial Group SA*.

246 STG de 13 de enero de 2011, T-362/08, *IFAW Internationaler Tierschutz-Fonds g GmbH* contra Comisión, que avala la legalidad de la negativa a conceder el acceso a un correo del canciller alemán a la Comisión apoyando la realización de un proyecto industrial en una zona protegida conforme a la normativa ambiental, incluso cuando habían transcurrido ocho años desde el envío y el proyecto ya había sido ejecutado, por considerar que era un proyecto de enorme importancia para la política económica de la República Federal de Alemania.

247 STG de 6 de diciembre de 2012, T-167/10, *Evropaiki Dynamiki-Proigmena Systimata Tilepiloinonion Pliroforikis kai Tilematikis AE* contra Comisión.

248 Sobre el tema, véase PÉREZ CARRILLO, E. F., "Accesibilidad a los documentos en materia de seguridad en la Unión Europea", *Revista de Derecho Comunitario Europeo*, núm. 28, 2007, pp. 819.854.

En el Derecho de los Estados miembros, la clasificación de los documentos, su carácter de secreto oficial, en unos casos se contempla como excepción específica, y en otros se entiende subsumida en la relativa a defensa y seguridad nacional, si bien, a su vez, en este caso, a veces se concreta que solo está excluida, precisamente, la información clasificada[249].

El Reglamento 1049/2001 no lleva a cabo una regulación integral de los documentos clasificados. Tan solo, en sede de "ámbito de aplicación", prevé la aplicación a los documentos sensibles del tratamiento especial previsto en el artículo 9, que pese a titularse "Tramitación de documentos sensibles" e incluirse en la parte dedicada al procedimiento de

---

[249] Conforme al examen de H. KRANENBORG y W. VOERMANS, *op. cit.*, p. 17, la mayor parte de los Estados de la Unión cuenta con una Ley de Secretos oficiales, que protegen los documentos que afectan a la seguridad nacional, la defensa y la integridad territorial del Estado. Por lo general, los documentos clasificados como "secreto de Estado" o "restringido" se excluyen de la normativa general sobre acceso (p. ej., en Estonia) o se consideran excepciones imperativas absolutas (p. ej., en Italia). Los documentos clasificados son inaccesibles para el público en general. Los individuos solo pueden acceder a ellos con un permiso especial, previa acreditación de un interés especial y normalmente reservado a los nacionales (p. ej, en Estonia). Los empleados públicos encargados de su gestión pueden ser perseguidos en los tribunales en caso de que la información sea divulgada contra lo dispuesto en la Ley de Secretos oficiales. La competencia para clasificar se reserva a ciertas personas autorizadas o a una Comisión especial (p. ej, en Lituania). En algunos países, la clasificación de documentos se somete a límites temporales. En Portugal, p. ej., la clasificación de "secreto" por un período máximo de cuatro años ampliable a otros cuatro. En Suecia, varía entre dos y setenta años, dependiendo del interés protegido. En Hungría, se distingue entre "secretos de Estado" (máximo de noventa años) y "secretos oficiales" (máximo de veinte años). En España, la regulación de esta materia se halla aún en la Ley preconstitucional 9/1968, de Secretos oficiales, reformada por la Ley 48/1978, según la cual "podrán ser declaradas *materias clasificadas* los asuntos, actos, documentos, informaciones, datos y objetos cuyo conocimiento por personas no autorizadas pueda dañar o poner en riesgo la seguridad y defensa del Estado". La Ley de Secretos Oficiales, a diferencia de sus homólogas en el Derecho comparado, no fija un plazo o un procedimiento para reconsiderar la decisión o en su caso a entender *ope legis* producida la desclasificación, de tal forma que se exige siempre una desclasificación formal. Además, prevé que tendrán carácter secreto, sin necesidad de previa clasificación las materias así declaradas por Ley, como ocurre con la Ley 11/1995 sobre uso de los fondos reservados. La Ley 19/2013 no establece una conexión con la mencionada normativa, pero el Consejo de Transparencia y Buen Gobierno ha considerado que es normativa especial que desplaza su aplicación.

ejercicio del derecho, contiene, también, determinaciones sustantivas[250].
Conforme a dicho artículo 9, se entiende por "documento sensible" todo
documento que tenga su origen en las instituciones o en sus agencias, en
los Estados miembros, en los terceros países o en organizaciones internacionales, clasificado como "TRÈS SECRET/TOP SECRET", "SECRET"
o "CONFIDENTIEL", en virtud de las normas vigentes en la institución
en cuestión que protegen intereses esenciales de la Unión Europea o de
uno o varios Estados miembros en los ámbitos a que se refiere la letra a)
del apartado 1 del artículo 4, en particular la seguridad pública, la defensa y los asuntos militares.

La regulación parte, pues, de la extensión del derecho de acceso también a los documentos clasificados. De este modo, la clasificación no
permite por sí sola justificar la aplicación de los motivos de denegación
establecidos en el artículo 4, apartado 1, del Reglamento 1049/2001 ni
prejuzga el resultado del análisis caso por caso que ha de llevarse a cabo –con la posibilidad excepcional de un análisis por categoría de documentos. Así lo ha ratificado la jurisprudencia, conforme a la cual, si
bien es cierto que la calificación como documento sensible o restringido
lo somete a una tramitación especial, no permite por sí sola justificar la
aplicación de estas excepciones. Cuando un documento de esa clase es
objeto de una solicitud de acceso el perjuicio causado por su divulgación
se aprecia al igual que en el caso de cualquier otro documento, a saber,
a partir en principio de un examen concreto de su contenido. Correlati-
vamente, la falta de clasificación previa de un documento no basta para
excluir la aplicación de las excepciones previstas en el artículo 4 de ese
Reglamento, so pena de privar de efecto útil a esa disposición y de lesionar los intereses protegidos por ella[251].

---

[250] El Considerando 9 lo justifica del siguiente modo: "Por razón de su contenido altamente sensible, determinados documentos deben recibir un tratamiento especial.
Las condiciones en las que el Parlamento Europeo será informado del contenido de
dichos documentos deben establecerse mediante acuerdo interinstitucional."

[251] STG de 26 de abril de 2005, T-110/03, T-150/03 y T-405/03, José María Sisón
contra Consejo (confirmada por STJUE de 1 de febrero de 2007, C-266/05 P,
José María Sisón contra Consejo), STG de 3 de octubre de 2012, T-465/09, *Ivan
Jurasinovic* contra Consejo (confirmada por la STJUE de 28 de noviembre de
2013, C-576/12 P, *Ivan Jurasinovic* contra Consejo) y STG de 7 de junio de 2013,
T-93/11, *Stichting Corporate Europe Observatory* contra Comisión (confirmada

En estos casos, la tramitación de las solicitudes está a cargo únicamente de las personas autorizadas a conocer el contenido de dichos documentos, conforme a la normativa reguladora de cada institución, que son a su vez las competentes para determinar las referencias a los documentos sensibles que podrán figurar en el registro público al que nos referiremos más adelante.

La mayor peculiaridad es que, cuando el documento procede de un tercero, sea un Estado miembro o no miembro, conserva el control total sobre su divulgación e incluso sobre su inclusión en el registro[252], pues ambos exigen su consentimiento, que se convierte aquí pues en un auténtico derecho de veto[253]. Otorgado el consentimiento, conserva la institución que posee el documento su poder para determinar si es de aplicación alguna de las excepciones del artículo 4.1. En caso de estimarlo así, el artículo 9.4 prevé expresamente que la decisión de una institución de denegar el acceso a un documento sensible estará motivada de manera que no afecte a la protección de los intereses a que se refiere el artículo 4. Si considera que no es así, concede el acceso, previa desclasificación.

Además, el Reglamento impone a los Estados la adopción de las medidas adecuadas para garantizar que en la tramitación de las solicitudes relativas a los documentos sensibles se respeten estos principios.

El artículo 9 añade dos medidas que tratan de "compensar" este régimen especial de menor transparencia. Cara a los ciudadanos, se prevé la obligación de dar publicidad de las normas relativas a los documentos sensibles establecidas por las instituciones; cara al Parlamento europeo, la obligación de la Comisión y el Consejo de informarle sobre los documentos sensibles de conformidad con los acuerdos celebrados entre las instituciones[254].

---

por STJUE de 4 de junio de 2015, C-399/13 P, *Stichting Corporate Europe Observatory* contra Comisión).

[252]   El informe anual que debe presentar cada institución deberá mencionar el número de documentos sensibles no inscritos en el registro. No hay documentos sensibles inscritos en los registros del Parlamento ni de la Comisión, Por lo que se refiere al Consejo, solo una parte de ellos están inscritos en el Registro.

[253]   Si bien la realidad es, siguiendo el Informe de 2004 de la Comisión, que las solicitudes de acceso a documentos sensibles originarios de terceros son infrecuentes.

[254]   El Parlamento y el Consejo celebraron el 20 de noviembre de 2002 un Acuerdo Interinstitucional relativo al acceso del Parlamento a los documentos e información sensibles del Consejo en el ámbito de la política de seguridad y defensa y el

Precisamente la falta de una regulación general de los documentos sensibles, la falta de correspondencia con las clasificaciones establecidas en las normativas internas del Consejo y de la Comisión y la posición del Parlamento respecto de estos es uno de los puntos de mayor fricción entre la Comisión y el Consejo, de una parte, y el Parlamento, de otra, que mantienen la reforma en su actual paralización.

En síntesis, el Parlamento considera idóneo definir sus clases y establecer el régimen de custodia, acceso y desclasificación en la normativa sobre acceso, incluido el principio de que la clasificación no pueda oponerse frente al Parlamento. De este modo, ya en su Resolución de 2006 por la que solicita a la Comisión la reforma del Reglamento 1049/2001 el Parlamento Europeo propuso que el Reglamento estableciera normas de clasificación de documentos y que se garantizara el control parlamentario de la aplicación de dichas normas y del acceso a los documentos.

La Comisión aduce que la clasificación de documentos no excluye de por sí el derecho de acceso del público y que, en consecuencia, las normas específicas de clasificación y manipulación de material reservado no deben establecerse en un Reglamento sobre el acceso del público. Por ello, plantea mantener el régimen actual.

Ante la falta de acogida de su sugerencia en el proyecto de la Comisión, el Parlamento propone un artículo 3 bis, titulado "procedimiento para la clasificación y desclasificación de documentos", que contiene una regulación general de los documentos clasificados, que no establece modificaciones relevantes sobre el acceso, pero sí una clasificación cuatripartita (EU TOP SECRET, EU SECRET, EU CONFIDENTIAL, EU RESTRICTED); reglas sobre la necesaria revisión periódica de la clasificación; en línea con el principio de máxima publicidad del proceso legislativo, la exclusión de

---

Parlamento adoptó el 23 de octubre de 2002, una Decisión relativa a la aplicación de este acuerdo, que establecen la obligación del Consejo de comunicarlos al Parlamento de forma restringida, a través de un Comité Parlamentario Especial, con obligación de secreto tanto para los parlamentarios en él integrados como para los funcionarios del Parlamento que accedan a los mismos en el ejercicio de sus funciones. Un déficit básico de esta regulación es que el concepto de documentos sensibles que maneja el Reglamento 1049/2001 solo coincide parcialmente con el sistema de clasificación de los documentos previstos en las normas de seguridad del Consejo y de la Comisión, lo que constituye, como reconoce la propia Comisión en su Informe de 2004, una fuente potencial de incoherencias. Posteriormente, se han aprobado el Acuerdo Institucional sobre la transmisión al Parlamento Europeo y la gestión por el mismo de la información clasificada en posesión del Consejo sobre asuntos distintos de los pertenecientes al ámbito de la política exterior y de seguridad común, de 12 de marzo de 2014 y la Decisión de la Mesa del Parlamento Europeo de 15 de abril de 2013 relativa a la Reglamentación sobre el tratamiento de la información confidencial por el Parlamento Europeo.

la posibilidad de clasificar documentos relativos a procedimientos legislativos; o la publicación las normas relativas a los documentos clasificados de las instituciones, los órganos y los organismos.

Se trata de una decisión puramente política, si bien cabe constatar que la tendencia general es la de no incluir la regulación integral de los secretos de Estado en las leyes sobre acceso, sino tan solo una mención a las relaciones entre ambas leyes.

En 2010, el Parlamento y la Comisión suscribieron un Acuerdo marco que incluía una regulación de los documentos clasificados y una participación y control del Parlamento en la materia, uno de los principales puntos de desencuentro en la reforma del Reglamento 1049/2001[255], pero el Consejo mostró su radical disconformidad[256].

Muy recientemente, la Comisión ha aprobado dos propuestas de Reglamentos del Parlamento y el Consejo, uno sobre la seguridad de la información en las instituciones, órganos y organismos de la Unión[257], y otro por el que se establecen medidas destinadas a garantizar un elevado nivel común de ciberseguridad en las instituciones, los órganos y los organismos de la Unión[258], que mantienen la vigencia del Reglamento 1049/2001, pero integran un nuevo régimen para los documen-

---

[255] Nos referimos al Acuerdo marco adoptado el 20 de octubre de 2010, el Parlamento y la Comisión (DOUE de 20 de noviembre de 2010, serie L, núm. 304/47), que regula las relaciones entre ambas instituciones que está encaminado a "reforzar la responsabilidad y la legitimidad de la Comisión, ampliar el diálogo constructivo, mejorar la circulación de la información entre ambas instituciones y mejorar la cooperación en materia de procedimientos y de planificación". Se incluyen varios Anexos, entre ellos, uno relativo a la transmisión de información confidencial al Parlamento (Anexo II), que incluye una definición de "información confidencial", que abarca la "información clasificada de la Unión Europea", en clasificación cuatripartita (Très secret UE-EU Top secret/Secret UE/Confidentiel UE/Restreint UE), y la llamada "otra información confidencial", y define los órganos parlamentarios que pueden solicitar dicha información y los procedimientos y medidas de seguridad.

[256] El Consejo se opuso vivamente a este Acuerdo, en particular a las disposiciones que favorecen el conocimiento y participación del Parlamento en relación con los acuerdos internacionales, los procedimientos de infracción contra los Estados y la transmisión de informaciones clasificadas al Parlamento, y ha manifestado que el acuerdo marco no le es oponible y que recurrirá ante el Tribunal de Justicia frente a todo acto o acción del Parlamento o de la Comisión adoptado en aplicación de las disposiciones del Acuerdo marco que atente contra sus intereses contra las prerrogativas que le confieren los Tratados. Puede consultarse esta posición en: http://www.consilium.europa.eu/uedocs/cms_data/docs/pressdata/FR/genaff/117239.pdf

[257] COM (2022) 119 final, de 22 de marzo de 2022.

[258] COM (2022) 122 final, de 22 de marzo de 2022.

tos que afectan a la seguridad[259]. *Tal vez, en caso de llegar a aprobarse, pueda suponer una ocasión para avanzar en el desbloqueo de este punto de la reforma.*

2.2. *La protección de la intimidad y la integridad de la persona, en particular de conformidad con la legislación comunitaria sobre protección de los datos personales*

La excepción relativa a la protección de la intimidad y la integridad, con su referencia añadida a la protección de datos personales, hace aflorar la apasionante cuestión de las relaciones entre transparencia y privacidad[260].

---

[259] El primero declara en el "Contexto de la propuesta" que: "En el ámbito de la transparencia, la presente propuesta se basa en los principios consagrados en el Reglamento (CE) n.º 1049/2001 relativo al acceso del público a los documentos del Parlamento Europeo, del Consejo y de la Comisión, con respecto a otras normas pertinentes." Y que: "El acceso público a la ICUE y a los documentos sensibles no clasificados sigue estando plenamente regulado por el Reglamento (CE) n.º 1049/2001 del Parlamento Europeo y del Consejo.". En su Considerando 6 afirma que: El presente Reglamento no obsta a la aplicación [...] del Reglamento (CE) 1049/2001 del Parlamento Europeo y del Consejo". Y en su artículo 32.1 establece determinaciones para garantizar el control del autor sobre los documentos incluidos en su ámbito objetivo "sin perjuicio de lo dispuesto en el Reglamento 1049/2001".El segundo establece en su artículo 18.2, sobre tratamiento de la información, que: "Toda solicitud de acceso público a los documentos que obren en poder del CERT-UE se atendrá a las disposiciones del Reglamento (CE) n.º 1049/2001 del Parlamento Europeo y del Consejo, y en particular a la obligación, prevista en dicho Reglamento, de consultar a la institución, el órgano o el organismo de la Unión pertinente cuando la solicitud se refiera a sus documentos."

[260] Sobre este mismo tema, KRANENBORG, H., "Access to documents and data protection in the European Union: On the public nature of personal data", *Common Market Law Review*, núm. 4, 2008, pp. 1079-1114. Permítaseme, además, hacer referencia a mis trabajos "Un paso decisivo en la clarificación de las relaciones entre derecho de acceso y derecho a la protección de datos: la Sentencia del TG de 8 de noviembre de 2007, *Bavarian Lage*/Comisión, T-194/04, Civitas, *Revista Española de Derecho Europeo*, núm. 27, 2008, pp. 329.345, núm. 3, 2007, y "Las relaciones entre transparencia y privacidad en el Derecho Comunitario ante la reforma de la normativa sobre acceso a los documentos públicos", *Revista Española de Derecho Europeo*, núm. 37, 2011.

En el Derecho de los Estados miembros, la regla mayoritaria consiste en reconocer a la normativa sobre acceso como determinante de la procedencia o no de la divulgación y del procedimiento a seguir, regla que, como vimos, también es la acogida por el Convenio 205. A su vez, en la aplicación de la excepción relativa a la privacidad, común a todos los Derechos, la directriz es la mayor protección de los datos "íntimos" –de creencias e ideología, de salud, de antecedentes penales ..., en fin, lo que en la normativa de protección de datos europea se ha ido calificando como "datos especialmente protegidos" o "categorías especiales de datos", según la terminología de las normas que se han ido sucediendo en el tiempo– y la menor protección de los datos relacionados con la propia organización y funcionamiento de los sujetos obligados o con los que se relacionan oficialmente, todo ello sometido a una apreciación al caso que tenga en cuenta los riesgos reales de perjuicio para los afectados, y a la aplicación posterior de la normativa de protección de datos si se incorporan a un fichero para una finalidad distinta de aquella a la que sirve la normativa sobre acceso a la información pública[261].

En el Derecho de la Unión, la cuestión del encaje de ambos derechos no se encuentra claramente establecida en ninguno de los dos grupos normativos, de acceso y de protección de datos, si bien la Exposición de Motivos del Reglamento 45/2001 del Parlamento Europeo y del Consejo, de 18 de diciembre de 2000, relativo a la protección de las personas físicas en lo que respecta al tratamiento de datos personales por las instituciones y los organismos comunitarios y a la libre circulación de estos datos, que regula los tratamientos efectuados por dichos sujetos en los ámbitos regidos por el TFUE afirma que el acceso a los documentos en poder de las Administraciones comunitarias y nacionales que contengan datos personales se rige por

---

[261] Sobre el tema, *in extenso*, permítaseme la remisión al análisis comparado en mi obra *Publicidad y privacidad de la información administrativa*, Madrid, Civitas, 2009, y la bibliografía allí citada. No coincidimos en este punto con el análisis de Derecho comparado de la Comisión, que considera que la mayor parte de los Derechos prevé la no divulgación de los datos personales sin consentimiento del afectado, previendo el respeto a la vida privada de las personas nombradas en los documentos o de otros intereses legítimos. El análisis nos parece sesgado. En España, la Ley 10/2013 lleva a cabo una regulación que responde a los principios arriba sintetizados.

la normativa sobre acceso[262], en lo que parece una clara remisión a la consideración del Reglamento 1049/2001 como norma especial habilitadora de la comunicación de datos personales en las condiciones en él establecidas.

La primera interpretación por las instituciones fue maximizadora de la protección de datos frente a la transparencia, y su resultado fue la denegación, incluso, del acceso a documentos directamente relacionados con la organización y el funcionamiento de dichas instituciones[263].

El primero en llamar la atención sobre los efectos perversos de esta errónea interpretación fue el Defensor del Pueblo Europeo, que denunció que suponía la consagración *de facto* de un "derecho fundamental a la participación anónima en actividades públicas"[264], y puso de relieve la necesidad de una reconducción del concepto de dato personal por su vinculación con la protección del derecho a la vida privada, reclamando a estos efectos una modificación normativa

---

[262] "El acceso a los documentos, incluidas las condiciones de acceso a los documentos que contengan datos personales, depende de las normas adoptadas sobre la base del artículo 255 del Tratado CE, cuyo ámbito de aplicación abarca los Títulos V y VI del Tratado de la Unión Europea.".

[263] Como el listado de aprobados en los exámenes para entrar a formar parte de la función pública comunitaria, la identificación de los representantes de asociaciones empresariales que participan en un procedimiento administrativo, la identificación de funcionarios que realizan actividades privadas, que figuran por tal motivo en el registro creado al efecto o la identificación del nombre de los asistentes de los parlamentarios. Algunas de estas informaciones, en la actualidad, son objeto de publicidad general. Como se señaló anteriormente, la práctica comunitaria ha evolucionado hacia una mayor publicidad de este tipo de informaciones.

[264] En su Carta de 14 de noviembre de 2001, titulada *Transparencia y protección de datos* (*Openness and data protection*).

que lo expresara de manera diáfana[265]. La crítica obtuvo el refrendo del Parlamento[266].

Posteriormente, el Grupo de protección de las personas en lo que respecta al tratamiento de datos personales insistió en la necesidad de alcanzar un equilibrio, sin automatismos, mediante una ponderación caso por caso[267].

Finalmente, el Supervisor Europeo de Protección de Datos elaboró en julio 2005 un documento fundamental, titulado *Public access to documents and data protection*[268], en que abordó monográfica y detalladamente esta cuestión, y en el que vino, muy en síntesis, a defender que ante una solicitud de acceso a documen-

---

[265]   En Carta de 30 de septiembre de 2002 dirigida al Presidente de la Comisión, el Defensor del Pueblo entiende que el objetivo de la protección de datos es el derecho a la privacidad del artículo 8 CEDH e informa que ha solicitado a la Comisión que se clarifiquen las normas comunitarias sobre protección de datos para asegurar que las mismas no limitan el principio de transparencia y el derecho de acceso público a documentos, exponiendo su preocupación "por una interpretación perversa de las reglas comunitarias sobre la protección de datos que ha derivado en la asunción de un presunto genérico derecho a la participación anónima en actividades públicas". "Esta mala interpretación amenaza socavar el principio de transparencia y de acceso público a documentos". Propone un cambio en la redacción del Considerando 72, que diga "Whereas this Directive [allows] is not intended to limit the principle of openness and the right of access to official documents [to be taken into account when implementing the principles set out in this Directive] under national constitutions or laws." (las palabras entre corchetes corresponden a la redacción actual y las palabras en cursiva son los añadidos propuestos). Y en el Reglamento 1049/2001, que regula el tratamiento de datos por las instituciones, añadir: "This Regulation is not intended to limit the concept of openness enshrined in the second subparagraph of Article 1 of the Treaty on European Union. Nor is it intended to limit the right of access to documents, which is governed by Regulation 1049/2001/EC"

[266]   En su pronunciamiento adoptado en sesión de 11 de diciembre de 2001 hizo suya la aproximación del Defensor del Pueblo, y afirmó: "a menudo se producen conflictos entre la demanda de transparencia y la protección de la integridad personal; destaca que el principal objetivo de la protección de los datos es proteger la vida privada y la información confidencial; por consiguiente, no debería hacerse referencia a la protección de datos cuando, por ejemplo, las personas están actuando en calidad pública, cuando participan en un proceso de toma de decisiones público por propia iniciativa o cuando intentan influir en dicha toma de decisiones" (punto 3).

[267]   En su Dictamen *5/2001*, de 17 de mayo.

[268]   Publicaciones de la Comisión. *Background Paper Series*, julio 2005, núm. 1.

tos que contengan datos personales, la normativa a aplicar es la que regula el derecho de acceso (salvo que sea el propio afectado quien pide la información, en cuyo caso estamos ante el también llamado "derecho de acceso" de la normativa sobre protección de datos). Lo primero que habrá que analizar es si el documento contiene datos personales y, además, si está en juego la intimidad, pues no todo dato personal puede considerarse íntimo. Ello no quiere decir que la noción de intimidad excluya *per se* las actividades de carácter profesional o comercial, pero, en lo que hace a las actividades "profesionales" de los agentes públicos en el ejercicio de sus funciones, estos deben ser conscientes de que sus datos personales pueden ser de interés público por razones legítimas vinculadas al valor de la transparencia, y que mientras más relevante sea la función del agente, más poderoso puede ser el interés legítimo del público a ser informado sobre sus actividades. Y, a la inversa, que el acceso a los datos sensibles tiene el mayor potencial de afectar a la intimidad. Al efecto, considera que en casos particulares está justificado contactar antes de conceder o no el acceso con el sujeto afectado para recabar su opinión sobre los efectos que tendría la revelación, y tomarla en consideración por la institución. El paso final es el test de proporcionalidad, que implica un acercamiento necesariamente casuístico, en que hay que analizar qué tipo de daño provocaría (o ha provocado, si se actúa *ex post facto*) en la práctica la comunicación, daño que debe ser sustancial para que pueda considerarse desproporcionada, sin que en ningún caso pueda tener como resultado que una persona se vea privada o indebidamente restringida en relación con su derecho fundamental a la protección de datos. Si (y solo si) se considera que se produciría esta situación, hay que plantearse si el acceso parcial (borrando únicamente los elementos del texto que causan un daño sustancial) o la anonimización serían una solución, ya que se trata de una excepción a la regla general de la plenitud del derecho de acceso. Puede ser por tanto una solución práctica si el daño a la intimidad del sujeto es sustancial y si el sujeto en cuestión no es la fuente primaria de interés para el público. Si el trabajo administrativo que ocasiona el acceso parcial fuera irrazonable, se debe contactar con el solicitante del documento para encontrar una solución, ampliando en su caso y tal y como permite la normativa, el breve plazo general de quince días para otorgar el acceso. En el caso de los datos sensibles, en principio el acceso debe denegarse en base a la excepción por razones de intimidad e integridad, salvo que el sujeto haya dado su consentimiento o los haya hecho públicos de forma manifiesta, o bien por motivos de interés público importantes, con las garantías adecuadas y requiriéndose su previsión en los Tratados, en otros actos legislativos adoptados en virtud de los mismos o, si fuera necesario, por decisión del Supervisor Europeo de Protección de Datos. Todo ello se intenta compatibilizar con un enfoque proactivo y reactivo que maximice la tutela de los datos personales[269].

---

[269] Establecido que se trata de datos relacionados con la intimidad de la persona cuya revelación puede afectar sustancialmente a la misma, hay que comprobar si la revelación está permitida conforme a la legislación sobre protección de datos; en este caso, el Supervisor considera que el Reglamento nº 45/2001 permite la transmisión cuando regula la licitud del tratamiento y de la transmisión de datos, al establecer entre las causas que lo legitiman la necesidad para el cumplimiento de una misión de interés público o el ejercicio del poder público, entre las que se encontraría precisamente el deber de facilitar el acceso a la información pública derivado del principio de transparencia. Ahora bien, otros preceptos de la normativa sobre protección de datos son también relevantes y llaman a una aproximación proactiva y reactiva. Desde un punto de vista *proactivo*, se trata de intentar atenuar el conflicto potencial mediante la regulación particularizada para cada situación potencialmente conflictiva y la información al sujeto, coetánea a la recogida de datos, acerca de en qué casos sus datos podrán hacerse públicos. Esta aproximación se conecta con el principio establecido en la normativa sobre protección de datos conforme al cual no caben posteriores tratamientos (en este caso, consistente en la comunicación de datos) para una finalidad incompatible con aquélla que motivó la recogida de los datos, lo que lleva a analizar cuál fue esta y cómo pudo el sujeto entender razonablemente dicha finalidad. Resulta relevante a este respecto conocer si el sujeto fue informado en el momento de la recogida sobre la posibilidad de revelación posterior, que puede hacerse por referencia a los textos normativos que lo permiten, en cuyo caso lo normal será que se conceda el acceso. Por el contrario, si el sujeto fue informado de que los datos se mantendrían en la confidencialidad, lo normal será la denegación del acceso. Ha de analizarse también, en estrecha relación, si el sujeto ha dado su consentimiento inequívoco para la revelación, teniendo en cuenta si fue obtenido voluntariamente y previa una información adecuada; y evaluando su valor y grado sobre la base del modo en que fue obtenido, de modo que si el sujeto dio su consentimiento inequívoco el acceso debe concederse, sin que juegue la excepción de la intimidad. El enfoque *reactivo* surge una vez producida una solicitud de acceso, o cuando una institución se plantea si procede o no publicar información que contiene datos personales, o bien cuando estos han sido comunicados y se produce una queja del sujeto afectado. En los dos primeros casos, ha de analizarse si la revelación puede afectar negativamente al sujeto y si este puede tener

Posteriormente, el TG y el TJUE ya han conocido de diversos recursos contra decisiones de acceso a la información adoptadas por las instituciones en que está en juego la excepción que estudiamos[270].

La interpretación inicial del Tribunal General fue aperturista, en línea con las posiciones expuestas, favorable a la resolución de las solicitudes bajo la exclusiva óptica de la normativa de acceso y la excepción en ella prevista, sin necesidad, pues, de motivar las solicitudes. Ello le llevó a considerar que había de transmitirse la identidad de los

---

razones de peso relacionadas con su situación particular para oponerse, en cuyo caso puede ser necesario consultarle para tener en cuenta su argumentación.

[270] STG de 8 de noviembre de 2007, T-194/04, *Bavarian Lager* contra Comisión (casación, STJUE de 29 de junio de 2010, C-28/08 P, Comisión contra *Bavarian Lager*); STG de 11 de marzo de 2009, T-121/05 y T-166/05, *Borax Europe Ltd* contra Comisión; STG de 9 de septiembre de 2009, T-437/05, *Brink's Security Luxemburgo SA* contra Comisión; STG de 21 de octubre de 2010, T-474/08, *Dieter C. Umbach* contra Comisión (casación, ATJUE de 14 de abril de 2011, C-609/10 P, *Dieter C. Umbach* contra Comisión); STG de 7 de julio de 2011, T-161/04, Gregorio Valero Jordana contra Comisión; STG de 23 de noviembre de 2011, T-82/09, *Gert-Jan Dennekamp* contra Parlamento; STG de 22 de mayo de 2012, T-300/10, *Internationaler Hilfsfonds Ev* contra Comisión; STG de 15 de enero de 2013, T-392/07, *Guido Strack* contra Comisión (casación, STJUE de 2 de octubre de 2014, C-127/13 P, *Guido Strack* contra Comisión); STG de 13 de septiembre de 2013, T-214/11, *ClientEarth* y *PAN Europe* contra Autoridad europea de Seguridad Alimentaria (casación, STUE de 16 de julio de 2015, C-615/13 P, *ClientEarth* y *PAN Europe* contra Autoridad europea de Seguridad Alimentaria); STG de 11 de junio de 2015, T-496/13, *Colin Boyd McCullough* contra Centro europeo para el desarrollo de la formación profesional; STG de 7 de julio de 2015, T-677/13, *Axa Versicherung AG* contra Comisión; STG de 15 de julio de 2015, T-115/13, *Gert-Jan Dennekamp* contra Parlamento Europeo; STG de 25 de abril de 2016, T-221/08, *Guido Strack* contra Comisión (; STG de 21 de septiembre de 2016, T-363/14, *Secolux, Association pour le contrôle de la sécurité de la construction* contra Comisión; STG de 19 de septiembre de 2018, T-39/17, *Chambre de commerce et d'industrie métropolitaine Bretagne-Ouest (port de Brest)* contra Comisión; STG de 25 de septiembre de 2018, T-639/15 a T-666/15 y T-94/16, *Maria Psara* y otros contra Parlamento; STG de 27 de noviembre de 2018, T-314/16 y T-435/16, *VG* contra Comisión; STG de 12 de diciembre de 2019, T-692/18, *Marco Montanari* contra Servicio europeo de acción exterior; STG de 23 de septiembre de 2020, T-727/19, *Giorgio Basaglia* contra Comisión; STG de 28 de marzo de 2021, T-190/10, *Kathleen Egan* y *Margaret Hackett* contra Parlamento; STG de 6 de abril de 2022, T-506/21, *Hans-Wilhelm Saure* contra Comisión.

representantes de intereses económicos que se reúnen con la Comisión[271], o de expertos científicos que participan en un proceso previo

---

[271] La STG de 8 de noviembre de 2007, T-194/04, *Bavarian Lager* contra Comisión, tiene como telón de fondo la solicitud por una empresa de las actas de reuniones de la Comisión con una asociación del *lobby* de las empresas cerveceras, incluyendo el nombre de los representantes de las mismas. La información sobre la identidad de las personas les fue denegada respecto de las personas que, consultadas por la Comisión, se oponen a la comunicación. Constató que según el Reglamento de protección de datos un tratamiento es lícito cuando es necesario para el cumplimiento de una obligación jurídica a la que esté sujeto el responsable del tratamiento (artículo 5.b), una de las cuales es precisamente proveer el acceso a los documentos en poder de las instituciones en los términos del Reglamento nº 1049/2001. En cuanto al requisito de la normativa de protección de datos de que el destinatario demuestre la necesidad de que se transmitan los datos y no existan motivos para suponer que ello pudiera perjudicar los intereses legítimos del interesado, la normativa sobre acceso no exige justificación de la solicitud, por lo que el solicitante no está obligado a demostrar la necesidad y, por otra, la propia previsión de la excepción por protección de la intimidad y la integridad de la persona lleva a descartar, *en principio*, la existencia de motivos para suponer la posibilidad de un perjuicio. En cuanto al derecho de oposición al tratamiento, por razones imperiosas y legítimas propias de su situación particular, contemplado en la normativa sobre protección de datos (artículo 18 Reglamento 45/2001) al tratarse de una obligación jurídica, no cabe tampoco, *en principio*, accionar el derecho de oposición de la normativa sobre protección de datos, si bien de nuevo la previsión de la excepción por protección de la intimidad y la integridad de la persona conduce a que deba tenerse en cuenta, sobre esta base, la incidencia de la divulgación de los datos relativos al interesado. Por tanto, la comunicación no depende de la aceptación o la negativa del titular de los datos a su comunicación, sino de la concurrencia objetiva de dicho perjuicio. Para interpretar la excepción, contenida en la normativa sobre acceso, relativa a la protección de la intimidad, hay que acudir a la jurisprudencia del Tribunal Europeo de Derechos Humanos, como dispone el artículo 6 TUE, conforme a la cual las actividades profesionales y comerciales y el derecho a la protección de datos no están excluidas *per se* del concepto de intimidad, pero no todos los datos personales referidos a dichas actividades entran necesariamente en dicho concepto. En todo caso, la excepción solo se aplica cuando haya un riesgo de perjuicio concreto y efectivo a la intimidad, lo que ocurrirá tendencialmente cuando se trate de datos especialmente protegidos, sin excluir que sean los únicos que pueden producir este efecto. La aplicación de estos principios al caso de autos le lleva a considerar que la lista de los participantes en la reunión contiene datos personales, pero este mero hecho no significa que su difusión ponga en peligro su intimidad o integridad. Se trata de personas que asistieron en calidad de representantes de una organización empresarial, y no a título personal, y cuyas manifestaciones fueron imputables a dichas entidades y no opiniones personales,

a la adopción de actos normativos[272], o el nombre, grado, antigüedad y destino de los miembros de un comité de evaluación en materia de contratación formado por empleados públicos de la institución concernida[273].

---

sin que haya constancia de la existencia de un previo compromiso de confidencialidad por parte de la Comisión o una solicitud de la misma durante la reunión por parte de los afectados. Debe recordarse que, pocos meses antes de dictarse sentencia, la Comisión aprobó el 21 de marzo de 2007 su Comunicación *Iniciativa Europea a favor de la transparencia. Un marco para las relaciones con los representantes de intereses*, resultado del seguimiento del *Libro Verde Iniciativa europea a favor de la transparencia*, y que pocos meses después, se desarrolló mediante la Comunicación de la Comisión de 27 de mayo de 2008 [COM (2008) 323 final], con creación de un Registro voluntario de representantes de grupos de intereses con suscripción de un Código de Conducta.

[272] STG de 11 de marzo de 2009, T-121/05 y T-166/05, *Borax Europe Ltd* contra Comisión. El solicitante era una empresa de explotación, producción y distribución de borato y ácido bórico, que asiste a una reunión de expertos del Grupo de Trabajo de la Comisión para la clasificación y el etiquetado de sustancias peligrosas, preparatoria de una adaptación al progreso técnico de la directiva sobre la materia. Siguiendo la práctica usual de estas reuniones, los expertos escuchan y dialogan con los representantes del sector, y continúan después la reunión a puerta cerrada. Considerando que las actas sumarias no reflejan precisa e íntegramente las afirmaciones, comentarios y conclusiones de los expertos, solicita acceso pleno. El TG considera que la alegación sobre la necesidad de permitir a los expertos deliberar y expresarse libremente y con total independencia sin riesgo de ser objeto de presiones externas injustificadas, es de alcance general e hipotético y no basta ni que se afirme que en otros casos ha habido presiones ni que el solicitante haya llevado a cabo indagaciones para conocer la identidad de los expertos y haya vertido críticas sobre su competencia ni que la afirmación general de que las críticas pueden afectar a la reputación o a la carrera de los expertos.

[273] STG de 9 de septiembre de 2009, T-437/05, *Brink's Security Luxemburgo SA* contra Comisión. Se trata de una empresa que concurre a una licitación y que, en el marco de la impugnación de la adjudicación a otra empresa, solicita acceso a los documentos donde figuran la composición exacta del comité de evaluación, que se le deniega apelando a la excepción basada en la protección de la intimidad y la integridad personal. El TG considera que, como en los demás casos, es necesario examinar si el conocimiento por el solicitante de la composición (nombre, grado, antigüedad y destino de los miembros) del comité de evaluación puede perjudicar efectivamente la protección de la vida privada y la integridad de los miembros de dicho comité. Teniendo en cuenta que fueron nombrados en calidad de representantes de los servicios interesados y no a título personal, concluye que la divulgación no afecta a la vida privada de las personas interesadas y que, en cualquier caso, la divulgación de la mera pertenencia al comité, en nombre

Sin embargo, el TJUE, en el recurso de casación del que conoció
contra esta primera sentencia dictada por el Tribunal General, descartó esta aproximación y elaboró una doctrina cuyos puntos clave son
los siguientes. Los Reglamentos 1049/2001 y 45/2001 no contienen
ninguna disposición que establezca expresamente la primacía de uno
sobre otro, por lo que en principio es preciso garantizar la plena aplicación de ambos. El único vínculo explícito en el articulado es la referencia "en particular de conformidad con la legislación comunitaria
sobre protección de los datos personales", lo que implica que el límite
se extiende a todo dato personal, tenga o no relación con la vida privada, incluidos los datos relacionados con actividades profesionales.
De conformidad con la normativa sobre protección de datos, para
que quepa el acceso inconsentido, ha de seguirse la siguiente secuen-
cia. 1°) Corresponde al solicitante acreditar la necesidad para el objetivo de transparencia al que sirve el Reglamento 1049/2001 de la obtención de la información con constancia de datos personales, y no a
la institución de oficio, sin que pueda considerarse que la divulgación
constituye siempre *per se* un interés suficiente. 2°) En caso de que el
solicitante acredite la necesidad de la transmisión, y solo en ese caso,
la institución debe analizar de oficio el perjuicio que puede seguirse
para el afectado, debiendo en la medida de lo posible dar audiencia al
afectado. Si la divulgación no es susceptible de causar perjuicio, ha de
concederse el acceso. 3°) En caso contrario, ha de ponderar el interés
que justifica la necesidad de la transmisión y el perjuicio al afectado.
Este mecanismo altera el principio del derecho de acceso conforme al
cual las solicitudes no han de ser motivadas y, a la vez, relativiza esta
excepción, en la medida en que incluso si el acceso puede provocar un
perjuicio a la protección de datos, es posible que se estime la prevalencia del interés público de la divulgación de la información en cuestión,
de modo que en la práctica se introduce el criterio del "interés público
superior"[274].

---

de la entidad a las que las personas interesadas representaban no puede causar
perjuicio concreto y efectivo a la protección de la vida privada.

[274] Recurrida la STG *Bavarian Lage* en casación, la Abogada General Sharpston
presentó sus Conclusiones. Parte de la necesidad de interpretación armónica de
dos Reglamentos que desarrollan dos derechos fundamentales de igual rango, lo
que imposibilita dar prioridad absoluta a uno sobre el otro y llama a ponderar,
decantándose en el caso de autos por la prevalencia de la publicidad. La STJUE

De este modo, la mayoría de las veces, la solicitud no supera el primer filtro de análisis. A veces, porque se considera que la transmisión de los datos personales es innecesaria[275], pese a que se persiga conocer la identidad de funcionarios involucrados en casos de supuestas corrupción o malas prácticas[276], el gasto de los propios eurodiputados

---

de 29 de junio de 2010, C-28/08 P, Comisión contra *Bavarian Lager*, casó la sentencia y estableció la doctrina general antes apuntada. Consideró que, en el caso concreto, la Comisión actuó correctamente: facilitó el acceso al contenido de actas, incluidas las opiniones personales de los intervinientes, sin su identificación (parece que debe leerse, maximizó en lo posible el derecho de acceso, concediendo el acceso parcial); actuó legítimamente solicitando el consentimiento de las personas afectadas, de acuerdo con lo que disponía la Directiva 95/46, norma inicialmente aplicable, y más tarde, con el Reglamento 1049/2001 (significativamente, no se cita en qué preceptos se prevé dicha solicitud de consentimiento *a posteriori*, parece, en suma, apoyarse en la exigencia general de consentimiento); y cumplió el artículo 8.b) al exigir que *Bavarian* demostrara la necesidad de conocimiento de los datos personales de aquellos que no daban su consentimiento expreso. Desconociendo los motivos que podían tener los afectados para oponerse a la difusión y los del solicitante de información para necesitar conocer la identidad de aquéllos, la Comisión no pudo llevar a cabo la ponderación, por lo que denegó legítimamente la solicitud de acceso al acta completa, sin infringir lo dispuesto en el Reglamento 1049/2001 ni incumplir su obligación de transparencia. El TG se hizo eco de esta doctrina y la hizo propia, hasta el punto de anular las decisiones que no tengan en cuenta la normativa sobre protección de datos (STG de 7 de julio de 2011, T-161/04, Gregorio Valero Jordana contra Comisión).

275 Véase, por ejemplo, STG de 7 de julio de 2015, T-677/13, *Axa Versicherung AG* contra Comisión.

276 En la STG de 22 de mayo de 2012, T-300/10, *Internationaler Hilfsfonds Ev* contra Comisión Europea, se deniega el acceso a un expediente de contratación entre la Comisión y una ONG para cofinanciar un programa de ayuda médica resuelto por la Comisión a la vista del comportamiento inapropiado de un miembro de la ONG, en lo que hace a la información personal referida a este. En la STG de 15 de enero de 2013, T-392/07, *Guido Strack* contra Comisión, se pide acceso a la identidad de los funcionarios públicos involucrados en un caso de posible corrupción, y se deniega; ante la petición del solicitante de que se cambiaran los nombres por código para así poder acceder a la información estimó que era una carga excesiva e innecesaria. Recurrida en casación, la Abogada General Kokott considera que las instituciones pueden estar obligadas a tener en cuenta, aun sin la correspondiente prueba del solicitante, los motivos que se impongan para la transmisión de datos personales y que la consulta a los afectados solo es necesaria si no está claro si se ha de permitir o denegar su divulgación. Considera que codificar todos los nombres habría exigido un esfuerzo desproporcionado. La STJUE de 2 de octubre de 2014, C-127/13 P, *Guido Strack* contra Comisión,

con cargo a los fondos públicos[277], o la identidad de las personas que se reúnen con las instituciones en funciones de *lobby*[278]. En otras oca-

---

desestimó el recurso. En la STG de 21 de septiembre de 2016, T-363/14, *Secolux, Association pour le contrôle de la sécurité de la construction* contra Comisión, un licitador solicita acceso a los documentos relativos a un procedimiento de licitación de un contrato público, incluyendo el nombre de los miembros del comité de selección, sus firmas y funciones. Se considera que, si bien es cierto que, en principio, un licitador excluido podría invocar motivos legítimos para tener acceso a los nombres de los miembros del comité de selección de la licitación controvertida, la demandante no ha justificado esa necesidad en modo alguno en su solicitud ni de forma detallada en el procedimiento judicial.

[277] En la STG de 25 de septiembre de 2018, T-639/15 a T-666/15 y T-94/16, *Maria Psara* y otros contra Parlamento Europeo, los solicitantes sobre el empleo de las dietas por parte de los europarlamentarios, pese a las carencias en los mecanismos de control existentes ponían de manifiesto la necesidad de la información para saber, esencialmente, por una parte, permitir al público verificar la adecuación de los gastos en que incurrieron los miembros del Parlamento en el ejercicio de su mandato y garantizar el derecho del público a la información y a la transparencia. El TG consideró que se trataba de una argumentación demasiado genérica. Respecto del primer objetivo, señala que no formularon ninguna alegación acerca de sospechas de empleos simulados con respecto a los miembros del Parlamento antes de la adopción de las Decisiones impugnadas. Por lo que respecta al segundo objetivo, la voluntad de establecer un debate público no basta para demostrar la necesidad de la transmisión de los datos personales, dado que tal alegación se vincula únicamente con la finalidad de la solicitud de acceso a los documentos, sin que quepa atribuir una primacía automática al objetivo de transparencia frente al derecho a la protección de los datos de carácter personal. Aunque la necesidad de la transmisión de los datos personales puede basarse en un objetivo genérico, como el derecho a la información del público en cuanto al comportamiento de los miembros del Parlamento en el ejercicio de sus funciones, únicamente la prueba por parte de los demandantes del carácter adecuado y proporcionado a los objetivos perseguidos de la solicitud de divulgación de los datos personales permite al Tribunal verificar su necesidad, con arreglo al artículo 8, letra b), del Reglamento n.º 45/2001. Considera que, a diferencia de lo que ocurría en el asunto *ClientEarth* y *PAN Europe*, en que la prueba de la necesidad de la divulgación de datos personales se había aportado mediante datos concretos, como, por ejemplo, los vínculos que ligaban a la mayoría de los expertos miembros de grupos de trabajo de la Autoridad europea de Seguridad Alimentaria con grupos de presión, aquí no se concurría una circunstancia tal.

[278] En la STG de 6 de abril de 2022, T-506/21, *Hans-Wilhelm Saure* contra Comisión, un periodista del diario *Bild* pide acceso a información relacionada con los contratos firmados por la Comisión en nombre de los Estados para la compra de vacunas contra el COVID-19. La Comisión da acceso parcial, ocultando los nombres y coordenadas de los representantes de las sociedades farmacéuticas,

siones, porque se reputa que el interés que se persigue no es un interés público, sino privado, no amparado por la normativa sobre acceso a la información (en un argumento que reproduce la interpretación general restrictiva del concepto de "interés público" a la que aludimos, *supra*, y que veremos de nuevo con detalle al estudiar las excepciones sometidas a ese criterio)[279].

---

miembros de su personal no directivo y terceros que no fueran personalidades públicas y alegando que el perjuicio a la vida privada vendría de la presión externa que podrían sufrir de conocerse su identidad. El TG, pese a reconocer que el interés alegado es público, dado que la transparencia en las negociaciones de la vacuna contribuye a aumentar la confianza en la política de vacunación y luchar contra la desinformación, estima que no se requiere para alcanzarlo la difusión de información personal.

[279] En la STG de 21 de octubre de 2010, T-474/08, *Dieter C. Umbach* contra Comisión, pide información sobre la identidad de las personas que intervienen en la preparación de un contrato público el adjudicatario, para hacerla valer en un litigio nacional derivado de su anulación, y se estima que se busca un interés privado que no tiene acogida en la normativa sobre acceso. El ATJUE de 14 de abril de 2011, C-609/10 P, *Dieter C. Umbach* contra Comisión, inadmite el recurso de casación. La STG de 19 de septiembre de 2018, T-39/17, *Chambre de commerce et d'industrie métropolitaine Bretagne-Ouest (port de Brest)* contra Comisión, considera que no basta alegar que conocer la identidad de los empleados públicos que intervienen en un procedimiento en materia de ayudas de Estado es necesario para emprender acciones legales contra ellos. En la STG de 23 de septiembre de 2020, T-727/19, *Giorgio Basaglia* contra Comisión, el beneficiario de unas ayudas pide conocer la identidad de evaluadores externos y funcionarios que participan en la gestión de un programa de ayudas y alega que es necesario para defenderse en un proceso penal en los tribunales. El TG recuerda que el Reglamento 1049/2001 no permite ponderar las excepciones con intereses privados, de tal modo que para la labor de ponderación es indiferente la condición del demandante. En su caso, el afectado siempre podrá tratar de que el juez nacional pida la información a la institución en cuestión u ordenar una comparecencia en juicio como testigo. Sin embargo, estas aproximaciones pueden contrastarse con la STG de 27 de noviembre de 2018, T-314/16 y T-435/16, *VG* contra Comisión. Se enjuicia una solicitud de acceso a documentos e información relativos a una decisión de la Comisión de poner fin unilateralmente a una "Carta de entendimiento y de adhesión al Team Europe" por la que una persona era hasta entonces miembro de la red, tras recibir mails y testimonios de conductas inapropiadas por parte de esa persona. La documentación contiene la identidad de las personas que presentaron quejas con ella. El TG considera que en este caso es necesario conocer la identidad y las quejas formuladas para poder emprender acciones judiciales, sin que haya datos que justifiquen un temor a represalias, por lo que procede el acceso.

Si se logra pasar este primer y exigente filtro, el Juez europeo analiza si efectivamente dar la información supone un perjuicio para la vida privada. Si la institución no lo motiva, considera que no juega la excepción[280]. También ha aclarado que ha de darse en todo caso acceso a la información personal si el afectado, al que ha de consultarse, da su consentimiento expreso[281].

Finalmente, si se constata que la solicitud persigue un interés público que solo se puede satisfacer sin ocultar la información personal cuya revelación supondría un perjuicio para el tercero afectado, y este no da su consentimiento o, directamente, se opone, el Juez europeo procede a la ponderación entre interés público y perjuicio privado. A veces ha concluido en la prevalencia del interés público en la divulgación, singularmente, en casos en que se aduce de forma justificada la relevancia de la información para poner de relieve la existencia de conflictos de intereses en personas (europarlamentarios, expertos) que adoptan decisiones públicas[282].

---

[280] En la STG de 11 de junio de 2015, T-496/13, *Colin Boyd McCullough* contra Centro europeo para el desarrollo de la formación profesional, una persona que ha trabajado para el mencionado centro pide acceso a actas para su defensa en un proceso judicial contra la institución. Considera el TG que no se justificado en qué medida podría suponer un perjuicio para la vida privada. En la STG de 12 de diciembre de 2019, T-692/18, *Marco Montanari* contra Servicio europeo de acción exterior, el solicitante de información había demandado por acoso a sus superiores y pedía acceso a documentos sobre mediación y al informe de sus resultados, que se le denegaron. El TG estima el recurso por deficiente motivación de las razones por las que dar la información supone un perjuicio para la vida privada. En la STG de 28 de marzo de 2021, T-190/10, *Kathleen Egan y Margaret Hackett* contra Parlamento Europeo, dos personas —apoyadas por el Supervisor europeo de protección de datos— solicitaban acceso al registro de los asistentes de antiguos miembros del Parlamento Europeo, dado que alegaban haber ejercido esas funciones para dos parlamentarios, pero habían sido informadas que no eran sus nombres, sino otros, los que constaban. Alegaban que precisaban esa información para defender su derecho a obtener una pensión. En este caso, el TG anula la denegación por falta de motivación de en qué medida dar la información supone un perjuicio para la vida privada.

[281] STG de 25 de abril de 2016, T-221/08, *Guido Strack* contra Comisión.

[282] En el asunto *ClientEarth* y *PAN Europe* se solicitó conocer el nombre de los expertos que suscriben las distintas observaciones para el diseño de un procedimiento de autorización de comercialización de productos fitosanitarios por parte de la Autoridad Europea de Seguridad Alimentaria, en un caso de sospecha documentada de conflicto de intereses. La STG de 13 de septiembre de 2013,

T-214/11, *ClientEarth* y *PAN Europe* contra Autoridad europea de Seguridad Alimentaria, consideró que no se había acreditado la necesidad de divulgación y en todo caso prevalecía la protección de datos incluso pese a que se hubiera divulgado previamente las identidades, la biografía y la declaración de intereses y no se hubieran negado a la divulgación de su identidad. Recurrida en casación, el Abogado General Cruz Villalón presentó sus Conclusiones el 14 de abril de 2015, y consideró por el contrario que la necesidad de transmisión sí se había acreditado en un caso en el que había acusaciones de conflictos de intereses. La STUE de 16 de julio de 2015, C-615/13 P, *ClientEarth* y *PAN Europe* contra Autoridad europea de Seguridad Alimentaria, considera que la transparencia del proceso seguido por una autoridad pública para adoptar un acto de la naturaleza del acto en cuestión contribuye en efecto a conferir a esa autoridad una mayor legitimidad a los ojos de los destinatarios de ese acto y a elevar la confianza de estos en esa autoridad, y que las detalladas alegaciones de *ClientEarth* y de *PAN Europe* acerca de las acusaciones de parcialidad contra la Autoridad europea de Seguridad Alimentaria en la elección de sus expertos, y de la necesidad de garantizar la transparencia del proceso decisorio de esa autoridad pública, demuestran de modo suficiente en Derecho que la transmisión de la información discutida era necesaria en el sentido de esa disposición. Sin embargo, la alegación sobre el perjuicio para la intimidad y la integridad de esos expertos constituye una consideración general no sustentada de otra forma por ningún factor propio del caso específico. Por el contrario, esa divulgación habría permitido por sí misma disipar las sospechas de parcialidad referidas o habría ofrecido a los expertos potencialmente afectados la ocasión de refutar el fundamento de esas alegaciones de parcialidad, en su caso a través de los medios de acción judicial disponibles. También ha estimado la solicitud por parte de un periodista de acceso a la identidad de los europarlamentarios que intervinieron en la aprobación de una modificación del régimen de pensión complementaria y que se beneficiaron de ella, para conocer los potenciales conflictos de intereses. El asunto se planteó en la STG de 15 de julio de 2015, T-115/13, *Gert-Jan Dennekamp* contra Parlamento. Previamente, la STG de 23 de noviembre de 2011, T-82/09, *Gert-Jan Dennekamp* contra Parlamento, había rechazado un recurso con el mismo objeto por aplicación de la doctrina *Bavarian Lage*, que exige una acreditación de la necesidad de la transmisión de datos que en este caso estaba ausente en el razonamiento del periodista solicitante. En este nuevo recurso, el periodista argumentó la existencia de un gran interés público por la transparencia, la necesidad del público de entender mejor cómo se adoptaban las decisiones y el hecho de que, para ello, podía generarse un debate a través de los reportajes de prensa. Subrayaba que revestía la máxima importancia para los ciudadanos europeos saber quiénes eran los diputados que tenían un interés personal en el régimen, habida cuenta, principalmente, de que el Parlamento pagaba dos tercios de las cotizaciones de los diputados que estaban afiliados al régimen, que había cubierto, en repetidas ocasiones, los déficits del régimen y que se había comprometido a compensar todas las pérdidas que sufriera el régimen, garantizando así a los diputados afiliados al régimen el mantenimiento de los derechos a pensión adquiridos, lo que se traducía, según el demandante, en un uso considerable de fondos públicos. Además, argumentaba que era difícil distinguir qué perjuicio se derivaría de la divulgación de los nombres de los diputados afiliados al régimen, puesto que estos podrían seguir estando afiliados a él y obteniendo los beneficios, y que sus inversiones privadas no serían así divulgadas. En el supuesto de que se considerase que la divulgación de los nombres de los diputados afiliados al régimen afectaría a sus intereses privados, el demandante sostenía que no se trata de intereses privados legítimos, puesto que, dado que el régimen fue establecido e influido por los cargos electos por cuenta de cargos electos y que abona beneficios financiados por fondos públicos, tales intereses privados no debían tratarse del mismo modo que los relativos al carácter privado de las cotizaciones a un régimen de pensiones normal. Para el demandante, una reacción negativa del público a la afiliación de algunos diputados al régimen no podía considerarse un perjuicio para la intimidad que el Reglamento 1049/2001 tenía como objeto evitar. Además, recalcaba que Tribunal Europeo de Derechos Humanos estima que el interés del público en recibir información prevalece sobre el derecho a la intimidad de una personalidad pública, es decir, que el reportaje relate hechos susceptibles de contribuir a un debate en una sociedad democrática en relación con dichas personalidades cuando ejercen sus funciones oficiales. El TG considera que la acreditación de la necesidad de la transmisión de datos "no significa que no pueda tomarse en consideración una justificación de la transmisión de datos personales de carácter general, como el derecho a la información del público en cuanto al comportamiento de los diputados en el ejercicio de sus funciones." Estima que entre los objetivos respecto de los que el demandante sostuvo, en su solicitud confirmatoria, que era necesario que el Parlamento procediera a transmitir los datos personales en cuestión, es preciso distinguir entre, por un lado, el control público de cómo se gastan los fondos públicos mediante la aplicación del derecho a la información, suscitando un debate público en una sociedad informada, y, por otro lado, el posible impacto de los intereses de los diputados sobre sus votos en relación con el régimen, es decir, la identificación de los conflictos de intereses potenciales de los diputados. Para lo primero, no considera acreditada la necesidad de conocer los nombres de los diputados. Para lo segundo, por el contrario, considera que sí es necesario conocer la identidad de los parlamentarios beneficiarios del sistema de pensiones que pudieron pronunciarse en votación sobre las modificaciones de sus modalidades de gestión. Superado este requisito de la necesidad, enjuicia el perjuicio que la divulgación podría causar. El TG afirma que "tal exigencia debe llevar a dicha institución o a dicho órgano de la Unión a denegar la transmisión de los datos personales cuando exista el más mínimo motivo para suponer que la transmisión podría perjudicar los intereses legítimos de los interesados". Sin embargo, aplica que la apreciación está en función de la personalidad pública o no del afectado y que "en la ponderación de los intereses existentes, los intereses legítimos vinculados a la esfera pública de los diputados afiliados al régimen deben ser objeto de un menor grado de protección que el que, conforme a la lógica del Reglamento n° 45/2001, disfrutarían intereses vinculados a su esfera privada. En segundo lugar, procede recordar que,

Finalmente, cabe apuntar que, frente a una práctica más restrictiva en el pasado, buena parte de la información personal más relacionada con el conocimiento y control de la actividad pública, tales como la identidad de personas al servicio de las instituciones, beneficiarias de sus fondos o adjudicatarias de sus contratos, es objeto de publicación oficial y/o en la *web* de las instituciones[283].

Por lo demás, cabe constatar que el TJUE también se ha pronunciado sobre las relaciones entre publicidad y protección de datos por la vía de la cuestión prejudicial, al interpretar la compatibilidad con la normativa europea de protección de datos de la divulgación de datos personales llevada a cabo por poderes públicos nacionales. Su jurisprudencia en ese contexto es también restrictiva. Ha afirmado el concepto omnicomprensivo de "dato personal", no referido solo a la información sobre la vida privada de las personas, sino también sobre sus salarios, patrimonio o actividades, y la necesidad de ponderación entre el interés público de la información y la protección de datos, divulgando la información estrictamente necesaria para el interés público que persiga la divulgación, que a menudo no requiere conocer

---

aun en este contexto, los datos personales solo se transmiten si no existen motivos para suponer que esa transmisión puede perjudicar los intereses legítimos de los interesados. Sin embargo, el menor grado de protección de los nombres de los diputados afiliados al régimen tiene por efecto conceder un mayor peso a los intereses representados por el objetivo perseguido por la transmisión.". Sacar a la luz conflictos de intereses potenciales de los diputados, que es el objetivo de la transmisión de los datos solicitada, permite garantizar un mejor control de la actuación de los diputados y del funcionamiento de una institución de la Unión que representa a los pueblos de los Estados miembros y mejorar la transparencia de su actuación. La ponderación de los intereses existentes debió haber llevado, de este modo, a admitir la transmisión de los nombres de los diputados que estaban afiliados al régimen y participaron en las votaciones sobre este.

[283]   En efecto, hay que reseñar que, sobre todo a partir de las reflexiones contenidas en el Libro Verde sobre la iniciativa europea de transparencia [COM (2006)194] se han ido adoptando decisiones y articulando prácticas que prevén la publicidad tanto en el Diario Oficial como a través de Internet de la información personal más relevante para el control del destino de las ayudas comunitarias, acompañadas de las garantías de información, acceso, rectificación y cancelación de la legislación sobre protección de datos, y con el visto bueno del propio Supervisor Europeo de Protección de Datos (véase, sobre la normativa de publicación de beneficiarios de fondos agrícolas, Dictamen 2007/C 134/01, de 10 de abril de 1997, DO C 134, p. 1).

el nombre de personas físicas concretas, y solo si no prevalece el derecho a la protección de datos, para ponderar lo cual tiene en cuenta la naturaleza de la información, esto es, su mayor o menor proximidad del núcleo de lo "íntimo" y el carácter o no de personaje público[284].

---

[284] Así, en la STJUE de 14 de septiembre de 2000, C-369/98, *Fischer*, se trataba de dilucidar si, en el marco del sistema integrado de gestión y control relativo a determinados regímenes de ayudas comunitarias, el nuevo titular de unas explotaciones tiene derecho a que las autoridades nacionales le den información sobre los cultivos a que se habían destinado anteriormente sus explotaciones agrícolas o si se trata de datos personales que no deben comunicarse sin consentimiento; el TJUE estimó que la normativa comunitaria prevé la consulta de base de datos, sin limitarla a autoridades nacionales y comunitarias, y que un solicitante de ayudas tiene un interés esencial y legítimo en poder disponer de la información necesaria para presentar una solicitud de pagos compensatorios correcta y evitar ser objeto de sanciones, por lo que no cabe condicionar la comunicación de estos datos al consentimiento del tercero. En la STJUE de 20 de mayo de 2003, C-465/00, C-138 y 139/01, *Österreichischer Rundfunk* se planteaba si ante una normativa sobre publicación de los salarios más elevados pagados por la Administración nacional, había de prevalecer el principio de transparencia y control democrático, o el principio de consentimiento como integrante del derecho a la protección de datos; el TJUE apunta a la anonimización de los datos personales, e, incluso, a la publicación de las retribuciones generales de los diferentes puestos como medidas proporcionadas. En la STJUE de 9 de noviembre de 2010, *Schecke* y *Eifert*, unos beneficiarios de ayudas agrícolas cuestionan la publicación en la web por una autoridad estatal de su identidad, en tanto beneficiarios de ayudas agrícolas, la cuantía de la ayuda y su municipio y código postal de residencia, con cumplimiento del deber de información previa previsto en la normativa sobre protección de datos. El TJUE sigue a su Abogada General Sharpston y estima que la medida no es proporcionada. Considera que "si bien es cierto que, en una sociedad democrática, los contribuyentes tienen derecho a ser informados de la utilización de los fondos públicos (sentencia *Österreichischer Rundfunk* y otros, antes citada, apartado 85), no es menos cierto que para ponderar equilibradamente los diversos intereses en conflicto se requería haber tomado en consideración la posibilidad de establecer diferencias en función de las duración de las ayudas percibidas, de su frecuencia, o del tipo o magnitud de las mismas que "podría ir acompañada, en su caso, de explicaciones adecuadas sobre las demás personas físicas beneficiarias de ayudas de dichos Fondos y sobre los importes percibidos por estas últimas." A su juicio, "no parece que una limitación de esta índole, que protegería de una injerencia en su vida privada a algunos de los beneficiarios afectados, impida obtener a los ciudadanos una imagen bastante fiel como para permitir que se alcancen los objetivos de dicha normativa." Frente a la alegación de las instituciones y los Estados acerca del importante porcentaje del presupuesto de la Unión que representa la PAC, descarta que pueda atribuirse una primacía automática al objetivo de transparencia frente al derecho a la protección

*Los términos en que la reforma de la excepción relativa a la vida priva-
da se encuentra planteada son los siguientes:*

*-La Comisión, consciente de que se trata de una cuestión necesitada
de precisión normativa, formula una propuesta demasiado tributaria de
la por entonces única jurisprudencia existente, constituida por el pronunciamiento del TG en* Bavarian Lage *–aún no había sentado el TJUE su
jurisprudencia más restrictiva en la casación de esa sentencia– que parte
de la consideración de que la práctica actual de suprimir nombres y otros
datos personales de los documentos objeto de divulgación es demasiado
restrictiva, especialmente cuando las personas ejercen funciones públicas.
Ahora bien, fuera de prever la publicidad en este supuesto, incorpora una
remisión general a la normativa sobre protección de datos. De este modo,
propone la siguiente redacción: "Se divulgarán los nombres, cargos y funciones de los titulares de cargos públicos, funcionarios y representantes
de intereses relacionados con la actividad profesional salvo que, por circunstancias particulares, tal divulgación pueda perjudicar a las personas
afectadas. Se divulgarán otros datos personales de conformidad con las
condiciones de tratamiento legal de tales datos establecidas en la legislación de la CE en materia de protección de las personas en lo que respecta
al tratamiento de datos personales."*

*-En su dictamen de 30 de junio de 2008 sobre dicha propuesta, el
Supervisor Europeo de Protección de Datos considera que la solución no
es equilibrada ni viable, en la medida en que el reenvío al Reglamento
45/2001, que no aporta una solución clara, conduciría a un callejón sin
salida. Además, se entiende demasiado limitada, en la medida en que no
aborda una gama más amplia de personas en sus actividades profesionales (trabajadores por cuenta ajena en sector privado y autónomos, investigadores académicos, peritos, maestros y profesores...), e igualmente debe
ampliarse el objeto para incluir no solo nombres, cargos y funciones, sino
también, por ejemplo, domicilio, teléfono y correo y otros datos como retribuciones y gastos en caso funcionarios y políticos de alto rango. Su propuesta,
que ha adoptado el Parlamento, acoge como principio la no divulgación de*

---

de datos, ni aunque estén en juego intereses económicos. Sin embargo, respecto a
las personas jurídicas, que solo pueden invocar el derecho a la protección de datos en la medida en que en la razón social de la persona jurídica se identifique a
una o varias personas físicas (y sean, pues, identificables, como era el caso de uno
de los demandantes), considera que la injerencia no es desproporcionada, ya que
las personas jurídicas ya están sometidas a una obligación acrecentada de publicación de los datos que les conciernen y, además, sería una carga administrativa
desmesurada para las autoridades nacionales competentes obligarla a examinar,
antes de publicar los datos, si el nombre de cada persona jurídica beneficiaria de
ayudas identifica o no a una persona física.

los datos personales que pueda suponer un perjuicio para la intimidad o la integridad de la persona a la que estos se refieran, salvo que exista un interés público superior en la divulgación, debidamente justificado. Se "relativizaría" así el carácter imperativo de la excepción. Además, establece casos en que debe prevalecer la publicidad –o, en su terminología "no existe tal perjuicio"– como son los datos referidos a actividades profesionales o personajes públicos –salvo por excepción justificada en el caso concreto– y los que ya se han publicado con el consentimiento del interesado. Su propuesta es la siguiente. Añadir un apartado nuevo con el siguiente tenor: "Los datos personales no se divulgarán si su divulgación perjudica la intimidad o la integridad de la persona en cuestión. No se considerará que se ha causado ese perjuicio: -si los datos se refieren exclusivamente a la actividad profesional de la persona afectada, salvo que, por circunstancias particulares, haya motivos para suponer que tal divulgación pueda perjudicar a dicha persona; -si los datos se refieren exclusivamente a una persona pública, salvo que, por circunstancias particulares, haya motivos para suponer que tal divulgación pueda perjudicar a dicha persona o a otras personas relacionadas con ella;–si los datos ya han sido publicados con el consentimiento de la persona afectada. No obstante, se divulgarán los datos personales si un interés público superior exige su divulgación. En tal caso, la institución, el órgano o el organismo en cuestión estará obligado a especificar el interés público. Deberá asimismo explicar las razones por las que, en ese caso concreto, el interés público prevalece sobre el interés de la persona afectada. Cuando una institución, un órgano o un organismo deniegue el acceso a un documento sobre la base del presente apartado, deberá considerar si es posible dar un acceso parcial a dicho documento." Junto a ello, precisa en otro apartado que las excepciones no se aplican a la información de interés público relacionada con los beneficiarios de fondos de la Unión Europea y disponible en el marco del sistema de transparencia financiera: "No se considerará que las excepciones contempladas en el presente artículo se refieran a la información de interés público relacionada con los beneficiarios de fondos de la Unión Europea y disponible en el marco del sistema de transparencia financiera."

-El Defensor del Pueblo europeo ha calificado la remisión general a la normativa sobre protección de datos que propone la Comisión como el resultado de una polémica interpretación de la jurisprudencia, ya que el principio sentado por el TG fue el opuesto, la aplicación del Reglamento 1049/2001, como también, argumenta, sostiene el propio Supervisor Europeo de Protección de Datos y prevé el Convenio 205 del Consejo de Europa.

-Las Delegaciones no apoyan la propuesta de la Comisión. Se dividen en tres posturas. Unas abogaban por el mantenimiento de la actual redacción, al menos hasta que el TJUE se hubiera pronunciado en la casación del asunto Bavarian Lager. Otros apoyan la solución del Parlamento (y,

por ende, del Supervisor): eliminar la referencia a los datos personales y circunscribir la excepción a la intimidad y la integridad, salvo que los datos se refieran únicamente a las actividades profesionales de una persona pública o haya un interés público superior en la divulgación. Otro grupo de Delegaciones defienden la postura contraria, reflejada en la enmienda que presentó Reino Unido, conforme a la cual los datos personales solo se divulgarán de acuerdo con la normativa sobre protección de datos.

Considero, con el Supervisor y el Parlamento, que la propuesta de la Comisión es a todas luces insuficiente. Trata de regular un caso concreto (el que dio origen a Bavarian), y se contenta en lo demás con remitir a la normativa sobre protección de datos, que, si algo está claro es que no resuelve la cuestión planteada. Por el contrario, la propuesta del Supervisor, acogida por el Parlamento, se sitúa a nuestro juicio en la dirección adecuada, y debería completarse con otros elementos apuntados por el propio Supervisor como necesitados de clarificación, para lo que propone una acogida en los considerandos que, a nuestro juicio, y por seguridad jurídica, deberían preferentemente incorporarse al articulado: que el derecho de acceso se entiende sin perjuicio del derecho de acceso a los propios datos personales regulado en el Reglamento 45/2001, con la consiguiente reconducción de oficio de los procedimientos iniciados sobre una base legal errónea; y que el tratamiento ulterior está sometido a las normas sobre protección de datos. A ello debería sumarse la previsión expresa de la entrada en el procedimiento del tercero cuyos datos personales figuran en el documento, en todos los casos o en aquellos en que el propio Reglamento no ha establecido por sí mismo la preferencia en la ponderación, en un plazo breve, para que dicha ponderación pueda llevarse a cabo con los necesarios elementos de juicio. Además, creemos que debe avanzarse en la definición normativa de qué información personal debe ser puesta de oficio a disposición del público por medios electrónicos. Asimismo, considero acertada la propuesta del Parlamento de modulación de la imperatividad de esta excepción, sometida al último límite del interés público superior, ya que hay casos en que, en efecto, la reserva debe decaer ante el derecho de todos a conocer, como ha establecido la propia jurisprudencia.

2.3. Los intereses comerciales de una persona física o jurídica, incluida la propiedad intelectual

La excepción relativa a los intereses comerciales, también común en los Derechos de los Estados miembros y recogida en el Convenio 205, se alega básicamente por la Comisión y las diferentes agencias, y no por el Parlamento o el Consejo, por razones obvias de ser aquellas las que tramitan y resuelven expedientes administrativos que involucran datos empresariales.

La aplicación de esta excepción ha dado origen a una copiosa jurisprudencia[285].

---

[285] STG de 30 de enero de 2008, T-380/04, *Ioannis Terezakis* contra Comisión; STG de 19 de enero de 2010, T-355/04 y T-446/04, *Co-Frutta Soc. coop.* contra Comisión; STG de 9 de junio de 2010, T-237/05, *Éditions Odile Jacob SAS* (casación, STJUE de 28 de junio de 2012, C-404/10 P, Comisión Europea contra *Éditions Odile Jacobs SAS*); STG de 7 de julio de 2010, T-111/07, *Agrofert Holding* contra Comisión (casación, STJUE 28 de junio de 2012, C-477/10 P, Comisión Europea contra *Agrofert Holding a. s.*); STG de 21 de octubre de 2010, T-439/08, *Agapiou Joséphidès* contra Comisión y Agencia Ejecutiva en el ámbito Educativo, Audiovisual y Cultural (casación, ATJUE de 10 de noviembre de 2011, C-626/10 P, *Agapiou Joséphidès* contra Comisión y Agencia Ejecutiva en el ámbito Educativo, Audiovisual y Cultural); STG de 24 de mayo de 2011, T-109/05 y T-444/05, *Navigazione Libera del Golfo Srl (NLG)*; STG de 15 de diciembre de 2011, T-437/08, *CDC Hydrogene Peroxide Cartel Damage Claims* contra Comisión; STG de 22 de mayo de 2012, T-6/10, *Sviluppo Globale GEIE* contra Comisión; STG de 22 de mayo de 2012, T-344/08, *EnBW Energie Baden-Württenberg AG* contra Comisión (casación, STJUE de 27 de febrero de 2014, C-365/12, Comisión contra *EnBW Energie Baden-Württemberg AG*); STG de 6 de diciembre de 2012, T-167/10, *Evropaiki Dynamiki-Proigmena Systimata Tilepiloinonion Pliroforikis kai Tilematikis AE* contra Comisión; STG de 15 de enero de 2013, T-392/07, *Guido Strack* contra Comisión (casación, STJUE de 2 de octubre de 2014, C-127/13 P, *Guido Strack* contra Comisión); STG de 29 de enero de 2013, T-339/10 y T-532/10, *Cosepuri Soc. Coop. pA* contra Autoridad Europea de Seguridad Alimentaria; STG de 13 de septiembre de 2013, T-380/08, Reino de los Países Bajos contra Comisión; STG de 8 de octubre de 2013, T-545/11, *Stichting Greenpeace Nederland y Pesticide Action Network Europe (PAN Europe)* (casación, STJUE de 23 de noviembre de 2016, C-673/13 P, Comisión contra *Stichting Greenpeace Nederland y Pesticide Action Network Europe, PAN Europe*); STG de 20 de marzo de 2014, T-181/10, *Reagens SpA* contra Comisión; STG de 9 de septiembre de 2014, T-516/11, *Master Card, Inc., MasterCard International, Inc.* y *MasterCard Europe* contra Comisión; STG de 7 de octubre de 2014, T-534/11, *Schenker AG* contra Comisión; STG de 25 de marzo de 2015, T-456/13, *Sea Handling SpA* contra Comisión (casación, STJUE de 25 de marzo de 2015, C-271/15 P, *Sea Handling SpA* contra Comisión); STG de 12 de mayo de 2015, T-623/13, Unión de Almacenistas de Hierros de España contra Comisión; STG de 7 de julio de 2015, T-677/13, *Axa Versicherung AG* contra Comisión; STG de 23 de septiembre de 2015, T-245/11, *ClientEarth, The International Chemical Secretariat* contra Agencia Europea de Sustancias y Mezclas Químicas; STG de 25 de abril de 2016, T-221/08, *Guido Strack* contra Comisión; STG de 21 de septiembre de 2016, T-363/14, *Secolux, Association pour le contrôle de la sécurité de la construction* contra Comisión; STG de 28

Si la jurisprudencia no ha definido el concepto de intereses comerciales, sí ha precisado que no toda información relativa a una empresa y sus relaciones comerciales puede considerarse incluida en la protección que debe garantizarse a los intereses comerciales, so pena de dejar sin efecto el principio general consistente en conferir al público el más amplio acceso posible a los documentos en poder de las instituciones.

de marzo de 2017, T-210/15, *Deutsche Telekom AG* contra Comisión; STG de 5 de febrero de 2018, T-729/15, *MSD Animal Health Innovation GmbH* y *Intervet International BV* contra Agencia Europea de Medicamentos (casación, STJUE de 22 de enero de 2020, C-178/18 P, *MSD Animal Health Innovation GmbH* y *Intervet International BV*); STG de 5 de febrero de 2018, T-718/15, *PTC Therapeutics Internatinal Ltd* contra Agencia Europea de Medicamentos (casación, STJUE de 22 de enero de 2020, C-175/18 P, *PTC Therapeutics International* contra Agencia Europea de Medicamentos); STG de 5 de febrero de 2018, T-235/15, *Pari Pharma GmbH* contra Agencia Europea de Medicamentos; STG de 11 de julio de 2018, T-643/13, *Rogesa Roheisengesellschaft Saar mbH* contra Comisión (casación, ATJUE de 17 de diciembre de 2019, C-568/18 P, *Rogesa Roheisengesellschaft Saar mbH* contra Comisión); STG de 25 de septiembre de 2018, T-33/17, *Amicus Therapeutics UK Ltd* y *Amicus Therapeutics, Inc.* contra Agencia europea de Medicamentos; STG de 21 de noviembre de 2018, T-545/11, *RENV, Stichting Greenpeace Nederland* y *Pesticide Action Network europe (PAN Europe)* contra Comisión; STG de 5 de diciembre de 2018, T-875/16, *Falcon Technologies International* contra Comisión; SSTG de 11 de diciembre de 2018, T-440/17, y T-441/07 *Arca Capital bohemia a.s.* contra Comisión; STG de 12 de diciembre de 2018, T-498/14, *Deutsche Umwelthilfe Ev* contra Comisión; STG de 12 de febrero de 2019, T-134/17, Hércules Club de Fútbol, S. A. D. contra Comisión (casación, ATJUE de 6 de noviembre de 2019, C-332/19 P, Hércules Club de Fútbol, S. A. D. contra Comisión); STG de 7 de marzo de 2019, T-329/17, *Heidi Hautala* y otros contra Autoridad Europea de Seguridad Alimentaria; STG de 7 de marzo de 2019, T-716/14, *Anthony C. Tweedale* contra Autoridad Europea de Seguridad Alimentaria; STG de 14 de mayo de 2019, T-751/17, *Commune de Fessenheim, Communauté de comunes Pays Rhin-Brisach, Conseil departamental du Haut Rhin* y *Conseil régional Grand Est Alsace Champagne-Ardenne Lorraine* contra Comisión; STG de 28 de junio de 2019, T-377/18, *Intercept Pharma Ltd* y *Intercept Pharmaceuticals, Inc.* contra Agencia Europea de Medicamentos (casación, STJUE de 29 de octubre de 2020, C-576/19 P, *Intercept Pharma Ltd* y *Intercept Pharmaceuticals, Inc.* contra Agencia Europea de Medicamentos); STG de 26 de marzo de 2020, T-734/17, *ViaSat, Inc* contra Comisión; STG de 23 de septiembre de 2020, T-727/19, *Giorgio Basaglia* contra Comisión; STG de 1 de septiembre de 2021, T-517/19, *Andrea Homoki* contra Comisión; STG de 29 de septiembre de 2021, T-619/18, *TUI fly* contra Comisión (casación, ATJUE de 19 de mayo de 2022, C-764/21 P, *TUI fly GmbH* contra Comisión); STG de 26 de enero de 2022, T-570/20, *Kedrion SpA* contra Agencia Europea de Medicamentos.

De esta manera, es necesario que la institución pruebe que los documentos solicitados contienen elementos susceptibles, en caso de divulgación, de conllevar un perjuicio para los intereses comerciales de una persona jurídica. Ello es así, en particular, cuando los documentos solicitados contienen informaciones comerciales sensibles, relativas a las estrategias comerciales de las empresas implicadas, a su montante de ventas, a sus cuotas de mercado o a sus relaciones comerciales, o bien cuando la divulgación supondría revelar documentos que contienen datos propios de la empresa que muestran su *expertise*[286].

El alcance del concepto de "intereses comerciales" está hoy íntimamente ligado al concepto de "secreto comercial o empresarial", cuya definición se contiene en la Directiva 2016/943, del Parlamento Europeo y del Consejo de 8 de junio de 2016, relativa a la protección de los conocimientos técnicos y la información empresarial no divulgados (secretos comerciales) contra su obtención, utilización y revelación ilícitas. En realidad, hace suya la definición presente en un texto internacional[287]. Define "secreto comercial" como "la información que reúna todos los requisitos siguientes: a) ser secreta en el sentido de no ser, en su conjunto o en la configuración y reunión precisas de sus componentes, generalmente conocida por las personas pertenecientes a los círculos en que normalmente se utilice el tipo de información en cuestión, ni fácilmente accesible para estas; b) tener un valor comercial por su carácter secreto; c) haber sido objeto de medidas razonables, en las circunstancias del caso, para mantenerla secreta, tomadas por la persona que legítimamente ejerza su control"[288]. Además, en sus

---

[286]   STG de 9 de septiembre de 2014, T-516/11, *Master Card, Inc., MasterCard International, Inc.* y *MasterCard Europe*. La STG de 24 de mayo de 2011, T-109/05 y T-444/05, *Navigazione Libera del Golfo Srl (NLG)*, considera que entra también en el secreto comercial la información sobre los costes de las obligaciones de servicio público reflejados en las cuentas de resultados de las empresas que prestan actividades sometidas a estas obligaciones, por cuando de su divulgación o utilización pueda resultar un beneficio económico para otras empresas, sin que en este caso concurra un interés público superior en la solicitud, sino un mero interés privado: la defensa de los intereses de la empresa solicitante con vistas a interponer un recurso.

[287]   El artículo 39.1 del Acuerdo de la Organización Mundial del Comercio sobre los Aspectos de los Derechos de Propiedad Intelectual relacionados con el Comercio (ADEPIC) de 1994.

[288]   Artículo 2.

Considerandos, precisa aún más esa definición, que incluye la propiedad intelectual e industrial, así como conocimientos técnicos, datos comerciales como la información sobre los clientes y proveedores, los planes comerciales y los estudios y estrategias de mercado, cuyo conocimiento por terceros puede perjudicar el potencial científico y técnico, los intereses empresariales o financieros, las posiciones estratégicas o la capacidad para competir de una empresa[289].

En todo caso, la normativa sobre acceso a la información es "autoaplicativa", o, dicho de otra forma, no queda vinculada por la definición de la Directiva 2016/943, que lo que trata es de prevenir y dar medios

---

[289] Considerando 2: "Las empresas, sea cual sea su tamaño, valoran los secretos comerciales tanto como las patentes u otros derechos de propiedad intelectual. Utilizan la confidencialidad como una herramienta de gestión de la competitividad empresarial y de la innovación en investigación, para proteger información de muy diversa índole que no se circunscribe a los conocimientos técnicos, sino que abarca datos comerciales como la información sobre los clientes y proveedores, los planes comerciales y los estudios y estrategias de mercado. Las pequeñas y medianas empresas (en lo sucesivo, 'las pymes') otorgan aún más valor a los secretos comerciales y dependen aún más de ellos. Al proteger esa gran diversidad de conocimientos técnicos e información empresarial, ya sea como complemento o como alternativa a los derechos de propiedad intelectual, los secretos comerciales permiten a los creadores e innovadores sacar provecho de sus creaciones e innovaciones, por lo que son especialmente importantes para la competitividad de las empresas, así como para la investigación y el desarrollo, y el rendimiento asociado a la innovación". Considerando 14: "Es importante formular una definición homogénea del término 'secreto comercial', sin restringir el objeto de la protección contra la apropiación indebida. Dicha definición debe construirse pues de forma que incluya los conocimientos técnicos, la información empresarial y la información tecnológica, siempre que exista un interés legítimo por mantenerlos confidenciales y una expectativa legítima de que se preserve dicha confidencialidad. Además, dichos conocimientos técnicos o información deben tener valor comercial, ya sea real o potencial. Debe considerarse que esos conocimientos técnicos o información tienen valor comercial, por ejemplo, cuando sea probable que su obtención, utilización o revelación ilícitas puedan perjudicar los intereses de la persona que ejerce legítimamente su control, menoscabando su potencial científico y técnico, sus intereses empresariales o financieros, sus posiciones estratégicas o su capacidad para competir. Se excluye de la definición de secreto comercial la información de escasa importancia, así como la experiencia y las competencias adquiridas por los trabajadores durante el normal transcurso de su carrera profesional y la información que es de conocimiento general o fácilmente accesible en los círculos en que normalmente se utilice el tipo de información en cuestión".

de reacción contra la obtención, utilización y revelación ilícitas de secretos comerciales. Así lo subraya la jurisprudencia europea dictada en
aplicación de la normativa de acceso a la información en poder de las
instituciones, que, a la vez, no obstante, destaca el valor de la citada
definición para interpretar el concepto de confidencialidad[290].

Junto a este concepto de "intereses comerciales", la jurisprudencia,
en una afirmación que nos parece polémica, ha determinado que la
excepción no solo cubre el secreto empresarial, sino también intereses
como la reputación, afectada en el caso de conocerse la identidad de
empresas involucradas en prácticas contrarias a la libre competencia[291].

---

[290] En las Conclusiones del Abogado general Campos Sánchez-Bordona a la STJUE
de 7 de septiembre de 2021, C-927/19, UAB *Klaipédos regiono atlieku tvarkymo
centras*: "[...] La Directiva 2016/943, por encontrarse en un ámbito próximo,
podrá emplearse como referencia auxiliar, pero no como texto dirimente". En
la STG de 5 de febrero de 2018, T-235/15, *Pari Pharma Gmbh* contra Agencia
Europea de Medicamentos, el TG apunta que "pese a que el artículo 2 de la
Directiva 2016/943 no es aplicable en el presente caso, el concepto de 'secreto
comercial' adoptado por la EMA se ajusta a esta disposición".

[291] Así lo considera la STJUE de 2 de octubre de 2014, C-127/13 P, *Guido Strack*,
en la que se solicita acceso a todos los documentos sobre solicitudes confirmatorias de acceso denegadas por la Comisión desde 2005 y documentación relativa
a un asunto judicial, ya firme, sobre corrupción de funcionarios y empresas,
que incluía la identificación de empresas implicadas en prácticas contrarias a la
competencia, sus cifras de negocio y las conductas ilegales que se les imputaban.
La STG de 5 de diciembre de 2018, T-875/16, *Falcon Technologies International* contra Comisión, en la que se solicita información sobre las insuficiencias
o carencias de un producto autorizado, también lo considera así, y manifiesta
que "la reputación de todo operador activo en el mercado es esencial para la
realización de sus actividades económicas en el mercado". En la misma línea, la
STG de 21 de octubre de 2010, T-439/08, *Agapiou Joséphidès* contra Comisión
y Agencia Ejecutiva en el ámbito Educativo, Audiovisual y Cultural ((casación,
confirmatoria, por ATJUE de 10 de noviembre de 2011, C-626/10 P, *Agapiou
Joséphidès* contra Comisión y Agencia Ejecutiva en el ámbito Educativo, Audiovisual y Cultural), en que se pide información en relación con la atribución de
ayudas a un centro de excelencia *Jean Monnet* a la Universidad de Chipre. El TG
considera que la solicitud de subvención y el convenio contienen informaciones
potencialmente confidenciales y relativas a las relaciones comerciales entre las
partes contratantes, como los compromisos de divulgación, presupuesto provisional, metodología o *expertise* de la Universidad de Chipre. Revelaría de este
modo su secreto comercial, permitiría a terceros apreciar cómo está cumpliendo
sus obligaciones contractuales y podría atentar contra su reputación. Además, el

La jurisprudencia exige con carácter general, y al igual que para el resto de excepciones, que se acredite un daño efectivo en caso de revelarse la información, documento por documento[292]. La efectividad del daño está además en relación con el momento al que se refiere la información. En efecto, el Reglamento 1049/2001 dispone que esta excepción, como la relativa a la intimidad y la integridad y el caso de los documentos sensibles, se puede prolongar incluso más allá de los 30 años que constituyen, como sabemos, la regla general de duración máxima[293]. Ahora bien, el tiempo reduce la actualidad de la información y con ello el potencial de lesión al interés comercial. Según la jurisprudencia, el hecho de que determinadas informaciones que hayan podido contener secretos comerciales o presentar carácter confidencial tengan cinco años o más tiene por consecuencia que deban ser tenidas por históricas a menos que, excepcionalmente, constituyan aún elementos esenciales de la posición comercial de la empresa a la que se refieren, y ello por cuanto por lo general las consecuencias negativas que pueden derivarse de la divulgación de información comercial delicada son tanto menos importantes cuanto más antigua es la información. Sin embargo, ello no excluye que esa información pueda continuar amparada por la excepción. Eso sí, se exige en efecto respecto de los documentos antiguos que la institución acredite por qué la divulgación de los documentos mantiene su potencial lesivo para los intereses comerciales[294].

Ahora bien, la invocación por la Comisión y sus agencias y demás organismos de la excepción relativa a los "intereses comerciales" está en muchos casos unida a la de la excepción de las "actividades de investigación, inspección y auditoría", cuando se solicita información sobre empresas objeto de este tipo de actividad. En estos casos, cuando la investigación se halla en curso, la jurisprudencia ha reconocido, como veremos, una presunción de perjuicio en el acceso al expediente

---

interés que persigue la solicitud es utilizar la información en un litigio contra la mencionada Universidad, interés que no puede caracterizarse como público.

[292] Véase, por ejemplo, STJUE de 29 de octubre de 2020, *Intercept Pharma* y *Intercept Pharmaceuticals* contra Agencia Europea de Medicamentos, C-576/19 P, o STG de 20 de marzo de 2014, T-181/10, *Reagens SpA* contra Comisión.

[293] Artículo 4.7.

[294] Así, STG de 23 de septiembre de 2020, T-727/19, *Giorgio Basaglia* contra Comisión, en que el solicitante quería activar un proceso penal, para lo que requería acceso a expedientes de proyectos de investigación financiados por la Comisión.

en relación con ambas excepciones, apoyándose además en que la normativa que regula estos procedimientos limita el acceso por terceros e incluso por los propios afectados al expediente, de modo que es necesario una interpretación conjunta de la normativa especial y del Reglamento 1049/2001 que impida que a través de la segunda se desvirtúen las garantías de reserva establecidas en la primera. En su acercamiento a estos asuntos, la jurisprudencia opta unas veces por una aproximación conjunta a ambas excepciones y otras por analizar primero la excepción de las "actividades de investigación, inspección y auditoría", aplicar la presunción, descartar la concurrencia de un interés público superior, y, desestimada así la procedencia del acceso, no entra a conocer de la excepción de los "intereses comerciales". En otros casos, si la investigación, inspección o auditoría ya no está en curso, sí lo hace, ya que la presunción deja de actuar respecto de las "actividades de investigación, inspección y auditoría", pero no respecto de los "intereses comerciales", cuya protección exige que se extienda también a los procedimientos finalizados, dado que el posible perjuicio a los mencionados intereses no depende de la finalización o no del procedimiento. Apoya la jurisprudencia su razonamiento, también, con el recordatorio de que el propio Reglamento 1049/2001 prevé que esta excepción, como la de la integridad y la intimidad, se pueda extender incluso más allá de los treinta años que constituyen el límite general a las demás excepciones. En estos casos, además, la antigüedad superior a cinco años no parece en la práctica desvirtuar la presunción de daño[295]. Quizás se debe a que la jurisprudencia conecta esta presunción con otro argumento, el de que la perspectiva de una publicidad de la información que afecta a los intereses comerciales tras la clausura del procedimiento podría perjudicar a la disponibilidad de las empresas a colaborar en un procedimiento de ese tipo, si bien nos parece que el razonamiento, en esto, enlaza más con la efectividad de las actividades de investigación, inspección y auditoría[296]. Eso

---

[295] Así, STG de 7 de julio de 2015, T-677/13, *Axa Versicherung AG* contra Comisión.

[296] Así, desde las SSTJUE de 28 de junio de 2012, C-404/10 P, Comisión Europea contra *Éditions Odile Jacobs SAS*, y de 28 de junio de 2012, C-477/10 P, Comisión Europea contra *Agrofert Holding a. s.*, que casan respectivamente las SSTG de 9 de junio de 2010, T-237/05, *Éditions Odile Jacob SAS*, y de 7 de julio de 2010, T-111/07, *Agrofert Holding* contra Comisión, que habían estimado el recurso al estimar que la Comisión debía haber consultado a los afectados y

realizado un examen concreto e individual de cada documento. La misma solución se repite en la STJUE de 27 de febrero de 2014, C-365/12, Comisión contra *EnBW Energie Baden-Württenberg AG*, que casa la STG de 22 de mayo de 2012, T-344/08, *EnBW Energie Baden-Württenberg AG* contra Comisión, que había estimado que la Comisión habría debido llevar a cabo un análisis documento por documento y había precisado que debido a la antigüedad de información, su divulgación no perjudicaba a la posición de mercado de las empresas afectadas, que pretendían evitar acciones judiciales, siendo así que el interés de una empresa que participa en un cártel no es interés comercial y en todo caso no es digno de protección. En todos los casos se trataba de acceder a información generada en procedimientos por prácticas contrarias a la libre competencia. A partir de estas sentencias del TJUE, el TG comenzó a aplicar la presunción. Así, en la STG de 13 de septiembre de 2013, T-380/08, Reino de los Países Bajos contra Comisión, también un supuesto de este tipo, en que invocan ambas excepciones, lleva a cabo un análisis conjunto y aplica la presunción. Añade que, "habida cuenta del objetivo de un procedimiento de aplicación del artículo 81 CE, que consiste en comprobar si una o varias empresas han incurrido en comportamientos colusorios que pueden afectar de manera significativa a la competencia, la Comisión recaba en el marco de tal procedimiento información comercial sensible, relativa a las estrategias comerciales de las empresas implicadas, a los importes de sus ventas, a sus cuotas de mercado o a sus relaciones comerciales, de modo que el acceso a los documentos del citado procedimiento puede perjudicar a la protección de los intereses comerciales de las referidas empresas. En consecuencia, las excepciones relativas a la protección de los intereses comerciales y a la de los objetivos de las actividades de inspección, investigación y auditoría de las instituciones de la Unión están, en el presente asunto, estrechamente relacionadas. En la misma línea, SSTG de 7 de octubre de 2014, T-534/11, *Schenker AG* contra Comisión; de 25 de marzo de 2015, T-456/13, *Sea Handling SpA* contra Comisión (confirmada en casación por la STJUE de 25 de marzo de 2015, C-271/15 P, *Sea Handling SpA* contra Comisión); de 12 de mayo de 2015, T-623/13, Unión de almacenistas de Hierros de España contra Comisión. Una aproximación aparentemente diferente en la STG de 7 de julio de 2015, T-677/13, *Axa Versicherung AG* contra Comisión, en la que de nuevo se analizan ambas excepciones de forma conjunta, pero se concluye que solo rige mientras el asunto está pendiente de decisión o está pendiente de revisión, sin considerar que esta limitación temporal sea inaplicable a la excepción de los "intereses comerciales". Aplica esta presunción también la STG de 28 de marzo de 2017, T-210/15, *Deutsche Telekom AG* contra Comisión, en que la empresa investigada por una práctica de abuso de posición dominante pide acceso al expediente una vez finalizada la inspección, y el TG aplica conjuntamente de presunción de afectación a este género de actividad y a los intereses comerciales "pues ambos tipos de protección se encuentran estrechamente relacionados en este contexto", entendiendo que son procedimientos asimilables a estos efectos a los que persiguen prácticas colusorias. La presunción se afirma "con independencia de si la solicitud de acceso se refiere a un procedimiento de investigación ya concluido o a un procedimiento pendiente. En efecto, la publicación de la información sensible relacionada con las actividades económicas de las empresas interesadas puede lesionar sus intereses comerciales, con abstracción de que se halle pendiente un procedimiento de investigación. Además, la perspectiva de dicha publicación tras la clausura del procedimiento de investigación podría perjudicar a la disponibilidad de las empresas a colaborar cuando está pendiente un procedimiento de este tipo [...]". Descarta por lo demás que concurra un interés público superior, y que el solicitante pretende obtener información para ejercer su derecho de defensa, para lo que hay vías de recurso contra la decisión de inspección y la demandante, que, en el caso de autos, no las ejercitó, no acredita que no hubiera podido o se le hubiera impedido ejercerlas a su debido tiempo. Lo mismo ha de decirse respecto de la finalidad de utilizarlas para pedir daños y perjuicios. En la misma línea, las SSTG de 11 de diciembre de 2018, T-440/17, y T-441/07, *Arca Capital bohemia a.s.* contra Comisión, en relación con un procedimiento de control de ayudas de Estado, en las que afirma que la presunción actúa, respecto a los intereses económicos y comerciales, haya o no concluido el procedimiento, máxime teniendo en cuenta que el artículo 4.7 del Reglamento 1049/2001 prevé que pueda prolongarse incluso más allá de 30 años, sin que se considere un interés público superior el alegado por una entidad dedicada a proteger a los inquilinos ante un proceso de privatización de las viviendas que ocupan y referido al conocimiento de la información para detectar irregularidades, prevenirlas en el futuro y reforzar la confianza de los ciudadanos en sus instituciones, para lo cual sirven en este caso los procedimientos nacionales; la STG de 12 de diciembre de 2018, T-498/14, *Deutsche Umwelthilfe Ev* contra Comisión; en relación a información ligada a una investigación sobre la utilización de refrigerantes que pueden afectar al ambiente por fabricantes de vehículos; la STG de 12 de febrero de 2019, T-134/17, Hércules Club de Fútbol, S. A. D. contra Comisión (casación ATJUE de 6 de noviembre de 2019, C-332/19 P, Hércules Club de Fútbol, S. A. D. contra Comisión), en un caso de ayudas de Estado a un club de fútbol español; la STG de 14 de mayo de 2019, T-751/17, *Commune de Fessenheim, Communauté de comunes Pays Rhin-Brisach, Conseil departamental du Haut-Rhin* y *Conseil régional Grand Est Alsace Champagne-Ardenne Lorraine* contra Comisión, en que se solicita acceso al escrito dirigido por la Comisión a las autoridades francesas sobre indemnización por revocación de autorización de explotación de una central nuclear, se aplica la presunción de daño de la excepción de las actividades de investigación y se considera innecesario analizar posteriormente la relativa a los intereses comerciales; la STG de 1 de septiembre de 2021, T-517/19, *Andrea Homoki* contra Comisión, en que se solicita acceso al informe final de investigación de la Oficina europea de Lucha contra el Fraude (OLAF) sobre un proyecto de inversión en iluminación pública en Hungría por parte de una militante de una asociación de un pueblo que se queja de la mala calidad e insuficiencia de la iluminación, sin que tampoco se entienda concurrente un interés público superior; o la STG de 29 de septiembre de 2021, T-619/18, *TUI fly* contra Comisión, en materia de ayudas de Estado, en que se aplica la presunción de las actividades de investigación, sin que se considere que la necesidad de la información por el sí, la presunción no se extiende los meros índices de los documentos contenidos en un expediente de este tipo, que no son secretos comerciales, por mucho que el acceso pueda servir para apoyar una acción contra las empresas involucradas en una práctica contraria a la libre competencia[297].

En muchos casos, el solicitante es una empresa que solicita documentos entregados por otra empresa para presentarse a licitaciones de contratos públicos. También en estos supuestos, para decidir si procede conceder el acceso, ha de llevarse a cabo un examen del perjuicio concreto y real que supondría la divulgación del documento en relación con la protección de los intereses comerciales. No toda información contractual que refleje el nombre de una empresa afecta a sus intereses comerciales, como por ejemplo la información de la identidad de las empresas a las que se haya pedido presupuesto para un futuro contrato[298]. Tampoco las notas del comité de evaluación afectan en principio al interés comercial, pues no revelan elementos relativos al *savoir-faire (know-how)*, al *expertise* y la metodología o a

---

[297] solicitante para su defensa en juicio sea un interés público, y por ello mismo, no se considera ya necesario analizar la excepción de los intereses comerciales. El asunto se planteó en la STG de 15 de diciembre de 2011, T-437/08, *CDC Hydrogene Peroxide Cartel Damage Claims* contra Comisión. Se solicitaba acceso al índice de materias del expediente administrativo de un procedimiento en materia de prácticas colusorias. La Comisión invocaba ambas excepciones. Para el TG, el índice en sí no es un secreto comercial. En efecto, únicamente en el supuesto de que alguna de las columnas del índice contuviese, por lo que respecta a uno o varios de los antedichos documentos, información relativa a las relaciones comerciales de las sociedades de que se trata, los precios de sus productos, la estructura de sus costes, las cuotas de mercado o a elementos semejantes, podría considerarse que la divulgación del índice supone un perjuicio para la protección de los intereses comerciales de las antedichas sociedades. Y ello por mucho que el índice pueda ser eventualmente utilizado por los solicitantes de información en una reclamación de daños contra las empresas implicadas ante los tribunales nacionales pues "[...] no es menos cierto que el interés de una sociedad que ha participado en un cártel en evitar tales acciones no puede calificarse de interés comercial y, en cualquier caso, no constituye un interés digno de protección, habida cuenta, en particular, del derecho que toda persona tiene a solicitar que se le indemnice por el perjuicio que supuestamente le haya causado un comportamiento que pueda restringir o falsear el juego de la competencia."

[298] STG de 6 de diciembre de 2012, T-167/10, *Evropaiki Dynamiki-Proigmena Systimata Tilepiloinonion Pliroforikis kai Tilematikis AE* contra Comisión.

las relaciones comerciales con otras empresas[299]. Si se pide el texto del propio contrato, y se concluye que la divulgación íntegra supondría un perjuicio tal porque incluye secretos empresariales, la ponderación puede llevar a un acceso parcial a las cláusulas generales que no contengan información de este tipo[300]. El tema más delicado es el del acceso a las ofertas. La jurisprudencia (por ahora, del TG, y, por tanto, a falta de su confirmación o no por el TJUE) ha afirmado que puede establecerse una presunción según la cual el acceso a las ofertas supone un perjuicio para los intereses comerciales, que estaría en línea con la previsión de la normativa de contratos, que no la contempla ni siquiera mediando solicitud escrita de los licitadores no seleccionados, que sí tienen derecho a ser informados de las características y ventajas de la oferta seleccionada y el nombre del adjudicatario. Esta restricción es inherente al objetivo de las normas de la Unión en materia de contratos públicos que se basa en una competencia no falseada. Para alcanzar dicho objetivo, es necesario que las entidades adjudicadoras no divulguen información relativa a procedimientos de adjudicación de contratos públicos cuyo contenido pueda ser utilizado para falsear la competencia, ya sea en un procedimiento de adjudicación en curso o en procedimientos de adjudicación ulteriores. Además, tanto por su naturaleza como conforme al sistema de la normativa de la Unión en la materia, los procedimientos de adjudicación de contratos públicos se basan en la relación de confianza entre las entidades adjudicadoras y los operadores económicos que participan en ellos. Estos han de poder comunicar a tales entidades adjudicadoras cualquier información útil en el marco del procedimiento de adjudicación, sin miedo a que estas comuniquen a terceros datos cuya divulgación pue-

[299] STG de 22 de mayo de 2012, T-6/10, *Sviluppo Globale GEIE* contra Comisión
[300] Así, en la STG de 30 de enero de 2008, T-380/04, *Ioannis Terezakis* contra Comisión, se solicita acceso a documentos relativos a la construcción de un nuevo aeropuerto en Atenas con financiación de los fondos de cohesión. Para el TG, respecto al acceso al contrato mismo, se trata de un documento susceptible de contener informaciones confidenciales que pueden estar cubiertas por la excepción, como, en el caso de autos, los contratantes, sus relaciones de negocios y los costes específicos de elementos ligados al proyecto, si bien debe concederse acceso parcial a las cláusulas redactadas en términos generales y usuales, como por ejemplo las definiciones de los términos, el arreglo de controversias, etc. No, sin embargo, a las facturas y al informe final, en este caso, y dado que estaba siendo objeto de auditoría, por la excepción que estudiaremos en el siguiente epígrafe.

da perjudicar a dichos operadores. Para desvirtuar esa presunción, el solicitante debe argumentar la ausencia de perjuicio o la existencia de un interés público superior, que no puede confundirse con un interés privado ni con una invocación general sobre la necesidad de transparencia y control de los procedimientos de contratación[301].

También son múltiples los casos en que los documentos solicitados se refieren a informes recaídos en procedimientos de autorización de medicamentos u otro tipo de sustancias. La aproximación inicial del

---

[301]   STG de 29 de enero de 2013, T-339/10 y T-532/10, *Cosepuri Soc. Coop. pA* contra Autoridad Europea de Seguridad Alimentaria. En ella, una empresa que ha quedado en segundo lugar en una licitación hace uso del derecho, reconocido en la normativa de contratos, de que le sean comunicados los motivos por los que se rechazaba su oferta, las características y ventajas de la oferta del licitador seleccionado y el nombre de este, pero, no satisfecho con ello, pide, esta vez, acceder al expediente completo, a lo que la Autoridad Europea de Seguridad Alimentaria le responde facilitándole, adicionalmente, una copia del informe de evaluación y del contrato firmado con el licitador seleccionado, pero denegando el acceso a la ofertas técnica y económica del seleccionado y de los demás licitadores, aduciendo perjuicio para la protección de los intereses comerciales. En ella se establece que es necesario conciliar el principio de transparencia con la protección del interés público, de los intereses comerciales legítimos de empresas públicas o privadas y de la competencia leal. Cuando un licitador no seleccionado solicita información es de aplicación la normativa sobre acceso a la información. Aun si fuera aplicable la normativa de contratación como normativa específica, ambas tienen objetivos diferentes y no se relacionan por un principio de primacía, por lo que es preciso garantizar una aplicación de cada uno de dichos Reglamentos que sea compatible con la del otro y permita así una aplicación coherente. Si el licitador y el órgano de contratación argumentaron conforme a la normativa de acceso, se aplicará esta normativa, conforme a la cual, además de la información que el licitador no seleccionado tiene derecho a recibir, referida a los motivos por los que se rechazaba la oferta de la demandante, las características y ventajas de la oferta del licitador seleccionado y el nombre de este, puede solicitarse información adicional. Posteriormente, ha reafirmado el entendimiento de esta presunción. Así, en la STG de 21 de septiembre de 2016, T-363/14, *Secolux, Association pour le contrôle de la sécurité de la construction*, en la que la información la solicita un licitador no seleccionado. Se le da acceso parcial al informe de evaluación, pero no a la oferta, incluyendo los precios y el TG da por buena la aplicación de la presunción. En la STG de 26 de marzo de 2020, T-734/17, *ViaSat, Inc* contra Comisión, una empresa de la competencia pide acceso a los documentos facilitados por un candidato seleccionado en una licitación. La sentencia aclara que la presunción juega frente a cualquiera, hayan sido o no candidatos en la licitación, y que no es óbice que el procedimiento haya concluido, si revelar la información puede seguir afectando a los intereses comerciales.

TG fue la de excluir la posibilidad de reconocimiento de una nueva presunción de daño, dado que, en estos casos, a diferencia de los anteriores, la normativa específica no prevé restringir el acceso a las partes o a los denunciantes, ni hay un régimen específico de acceso. Consideró, además, que la normativa excluye expresamente la publicidad de datos de composición, calidad o fabricación, exige para otorgar una autorización estudios y ensayos propios y prevé un período de exclusividad comercial, lo que hace que no queden afectados los intereses comerciales por otorgar el acceso a los documentos obrantes en los expedientes en la parte que la propia normativa no declara expresamente como confidencial[302]. Sin embargo, el TJUE no ha descartado reconocer la existencia de una presunción de daño respecto al acceso a documentos contenidos en procedimientos de autorización de medicamentos que involucran altas dosis de información objeto de secreto empresarial, si bien ha reafirmado que las instituciones siempre pueden prescindir de la presunción y apreciar el caso concreto, en cuyo caso la empresa que tiene la autorización deberá probar cuál es el perjuicio que puede derivarse de la divulgación[303].

---

[302]   En esta línea, las SSTG de 5 de febrero de 2018, T-235/15, *Pari Pharma Gmbh* contra Agencia Europea de Medicamentos, T-729/15, *MSD Animal Health Innovation GmbH* y *Intervet International BV* contra Agencia Europea de Medicamentos, y T-718/15, *PTC Therapeutics International* contra Agencia Europea de Medicamentos; de 25 de septiembre de 2018, T-33/17, *Amicus Therapeutics UK Ltd* y *Amicus Therapeutics, Inc.* contra Agencia Europea de Medicamentos o de 28 de junio de 2019, T-377/18, *Intercept Pharma Ltd* y *Intercept Pharmaceuticals, Inc.* contra Agencia Europea de Medicamentos.

[303]   Así, las SSTG *MSD Animal Health Innovation GmbH* y *Intervet International BV* y *PTC Therapeutics International*, citadas en nota anterior, fueron recurridas en casación. El Abogado general Hogan en sus Conclusiones argumentó que sí puede reconocerse en estos supuestos una presunción general de daño. Las STJUE de 22 de enero de 2020, C-178/18 P, *MSD Animal Health Innovation GmbH* y *Intervet International BV*, y C-175/18 P, *PTC Therapeutics International* contra Agencia Europea de Medicamentos, mantuvieron que sí puede operar una presunción, pero en todo caso las presunciones son facultativas, y la institución siempre puede llevar a cabo un examen concreto e individual. En ese caso, el riesgo de uso abusivo por un competidor y el valor comercial de la combinación de la información obtenida, que no forma parte del conocimiento general de la industria farmacéutica y que puede ser utilizado en uno o varios Estados terceros por un competidor para obtener una autorización de comercialización, aprovechándose así deslealmente del trabajo desarrollado, tiene que justificarlo el afectado en la fase en que la institución tiene que tomar la decisión. También

Analizada la aplicación del criterio del daño y sus presunciones respecto de esta excepción, en el caso de que no se constate que la divulgación puede suponer un perjuicio a los intereses comerciales, procede conceder el acceso. Por el contrario, una vez constatado el posible perjuicio, sea a la vista del caso concreto o por aplicación de presunciones, respecto de las clases de procedimientos en que se han reconocido, hay que analizar si concurre no obstante un interés público superior. Y, al respecto, la aproximación de la jurisprudencia es muy restrictiva, como ocurre en general, y como ya apuntamos, en la interpretación de este concepto, cualquiera que sea la excepción invocada –entre las que admiten este segundo test–. De este modo, cuando la información se solicita por empresas afectadas que pretenden obtenerla para defender sus intereses ante los tribunales nacionales o europeos, esto es, para ejercer su derecho de defensa y/o solicitar reclamaciones patrimoniales, la respuesta sin excepción es negativa, ya que no se considera un interés público, por mucho que en abstracto la eficaz tutela de los derechos lo sea[304]. La misma respuesta se da cuando

---

descarta que el recurrente haya acreditado el perjuicio la STJUE de 29 de octubre de 2020, C-576/19 P, *Intercept Pharma Ltd y Intercept Pharmaceuticals, Inc.* contra Agencia Europea de Medicamentos, en este caso sin entrar siquiera en si cabe o no reconocer una presunción en este supuesto.

[304] Así, en la STG de 19 de enero de 2010, T-355/04 y T-446/04, *Co-Frutta Soc. coop.* contra Comisión, el solicitante es un operador pide la cifra de importación de cada operador de una organización común de mercado, ante casos de fraude de importación con certificados falsos. El TG considera que comparar el volumen de referencia y el real puede perjudicar dando a conocer su posición competitiva y el éxito de sus estrategias comerciales y estima que persigue intereses privados y que, además, la lucha contra el fraude no incumbe a los operadores, sino a las autoridades europeas nacionales. La STG de 24 de mayo de 2011, T-109/05 y T-444/05, *Navigazione Libera del Golfo Srl (NLG)*, que considera además que no concurre un interés público superior en la solicitud, sino un mero interés privado: la defensa de los intereses de la empresa solicitante con vistas a interponer un recurso. En la STG de 12 de mayo de 2015, T-623/13, Unión de almacenistas de Hierros de España contra Comisión, el solicitado es el único perjudicado por una práctica de cártel y su interés de conseguir información se encamina a utilizarla para pedir indemnización ante los tribunales nacionales. El TG pone de manifiesto cómo el interés particular se descartó en la redacción final del artículo 4.2 Reglamento 1049/2001 y desestima, por ello, que concurra un interés público superior. La STG de 7 de julio de 2015, T-677/13, *Axa Versicherung AG* contra Comisión, considera que el interés de la víctima de una práctica contraria a competencia en obtener la información para ejercitar la

el solicitante no es una empresa de la competencia, sino la propia empresa afectada singularmente por un procedimiento administrativo, que pretende acceder al expediente una vez concluido, puesto que pueden figurar datos de otras empresas[305], o una persona que actúa sin ánimo de lucro[306]. De nada valen las alegaciones acerca de cómo el acceso a la información contribuye además a escrutar la legalidad

---

acción de daños no es un interés público superior. La STG de 5 de diciembre de 2018, T-875/16, *Falcon Technologies International* contra Comisión, descarta que el derecho de defensa ante un tribunal nacional de una empresa afectada por una autorización de un sistema de registro de imágenes de radiodiagnóstico a otra empresa no constituye un interés público. Reconoce que "[...] la existencia de derechos de defensa presenta en sí misma un interés general. Sin embargo, el hecho de que estos derechos se manifiesten en el caso de autos por el interés subjetivo de la solicitante para su defensa implica que el interés en el que se ampara el demandante no es un interés general sino un interés privado."

[305]   En la STG de 28 de marzo de 2017, T-210/15, *Deutsche Telekom AG* contra Comisión, la empresa investigada por una práctica de abuso de posición dominante pide acceso al expediente una vez finalizada la inspección. Descarta que concurra un interés público superior, y que el solicitante pretende obtener información para ejercer su derecho de defensa, para lo que hay vías de recurso contra la decisión de inspección y la demandante, que, en el caso de autos, no las ejercitó, no acredita que no hubiera podido o se le hubiera impedido ejercerlas a su debido tiempo. Lo mismo ha de decirse respecto de la finalidad de utilizarlas para pedir daños y perjuicios. La STG de 12 de febrero de 2019, T-134/17, Hércules Club de Fútbol, S. A. D. contra Comisión (confirmada en casación por el ATJUE de 6 de noviembre de 2019, C-332/19 P, Hércules Club de Fútbol, S. A. D. contra Comisión) reitera que el derecho de defensa del único afectado por una decisión en materia de ayudas de Estado no es un interés público y le deniega su derecho a acceder al expediente. En la STG de 29 de septiembre de 2021, T-619/18, *TUI fly GmbH* contra Comisión, se pide información sobre un procedimiento de control de ayudas de Estado que afecta a la solicitante. El TG reitera que obtener información para la defensa en juicio no es un interés público superior. El ATJUE de 19 de mayo de 2022, C-764/21 P, *TUI fly GmbH* contra Comisión, confirma esta resolución.

[306]   Las SSTG de 11 de diciembre de 2018, T-440/17, y T-441/07m *Arca Capital bohemia a.s.* contra Comisión, en relación con un procedimiento de control de ayudas de Estado, no consideran un interés público superior el alegado por una entidad dedicada a proteger a los inquilinos ante un proceso de privatización de las viviendas que ocupan y referido al conocimiento de la información para detectar irregularidades, prevenirlas en el futuro y reforzar la confianza de los ciudadanos en sus instituciones, para lo cual sirven en este caso los procedimientos nacionales. En la STG de 1 de septiembre de 2021, T-517/19, *Andrea Homoki* contra Comisión, una militante de una asociación de un pueblo que se queja de la mala calidad e insuficiencia de la iluminación pide acceso a informe final de la

de la actuación de las instituciones y de este modo a conocer posibles desviaciones de la legalidad. Se añade a veces que esa tarea corresponde a las autoridades europeas y en su caso nacionales.

Un caso singular es aquel en que la información que se solicita se refiere a emisiones al medio ambiente, dado que, como sabemos, el Reglamento 1367/2006, del Parlamento Europeo y del Consejo, de 6 de septiembre de 2006, relativo a la aplicación, a la institucionales y a los organismos comunitarios, de las disposiciones del Convenio de Aarhus sobre el acceso a la información, la participación del público en la toma de decisiones y el acceso a la justicia en materia de medio ambiente, que regula las especialidades del acceso a la información ambiental, prevé que en esos casos concurre un interés público superior en la divulgación[307]. En estas hipótesis, prevalece, pues, como regla general, el interés público en la divulgación[308]. La cuestión que

---

investigación de la OLAF sobre proyecto de inversión en iluminación pública en Hungría, y se deniega, considerando que no se trata de un interés público.

[307] Artículo 6.1 del Reglamento 1367/2006: "Por lo que respecta al artículo 4, apartado 2, guiones primero y tercero, del Reglamento (CE) no 1049/2001, con excepción de las investigaciones, en particular aquellas relativas a posibles incumplimientos del Derecho comunitario, se considerará que la divulgación reviste un interés público superior cuando la información solicitada se refiera a emisiones al medio ambiente. Por lo que respecta a las demás excepciones contempladas en el artículo 4 del Reglamento (CE) no 1049/2001, los motivos de denegación serán interpretados de manera restrictiva, teniendo en cuenta el interés público que reviste la divulgación y si la información solicitada se refiere a emisiones al medio ambiente."

[308] En la STG de 12 de diciembre de 2018, T-498/14, *Deutsche Umwelthilfe Ev* contra Comisión, se pide información relacionada con una investigación acerca de la utilización por fabricantes de vehículos de refrigerantes que pueden afectar al ambiente. Se considera que, aunque concurre un interés público de protección de los consumidores, dada la fase aún de investigación que requiere la colaboración de las empresas y que aún no facilitaría información sobre emisiones prevalece el interés comercial. La STG de 7 de marzo de 2019, T-329/17, *Heidi Hautala* y otros contra Autoridad Europea de Seguridad Alimentaria, en que se solicita acceso a estudios de carácter cancerígeno en relación con la aprobación de una sustancia, el TG considera que la información sobre emisiones incluye la de las consecuencias de emisiones, y concurre, así, un interés público superior. A la misma solución se llega en la STG de 7 de marzo de 2019, T-716/14, *Anthony C. Tweedale* contra Autoridad Europea de Seguridad Alimentaria, en relación con una solicitud de acceso a documentos relativos a los estudios de toxicidad elaborados en el marco de la renovación de la autorización de una sustancia activa.

se ha reputado más controvertida al respecto es qué ha de entenderse por "emisiones al medio ambiente", y puede decirse que se ha optado por una interpretación estricta del concepto[309].

Al respecto, cara a la reforma del Reglamento 1049/2001, no hay mayor propuesta de modificación que la de la Comisión, que pugna por la eliminación de la referencia a la propiedad intelectual como coletilla y su conversión en una excepción autónoma ("los derechos de propiedad intelectual"). El sentido conecta con otra propuesta, conforme a la cual el

---

[309] Así, en el caso de una solicitud de documentos relativos a la primera autorización de comercialización de una sustancia activa, la STG de 8 de octubre de 2013, T-545/11, *Stichting Greenpeace Nederland y Pesticide Action Network Europe (PAN Europe)* contra Comisión, consideró que se trataba de información sobre emisiones al medio ambiente y otorgó el acceso. En casación, la STJUE de 23 de noviembre de 2016, C-673/13 P, Comisión contra *Stichting Greenpeace Nederland y Pesticide Action Network Europe, PAN Europe*, estimó que el concepto de emisiones no puede interpretarse restrictivamente, ni se refiere solo a las generadas por actividades industriales, ni a las efectivamente liberadas en el pasado, pero consideró que las del supuesto de autos no se trataba de información sobre emisiones. En la STG de 23 de septiembre de 2015, T-245/11, *ClientEarth, The International Chemical Secretariat* contra Agencia Europea de Sustancias y Mezclas Químicas, se pide información sobre fabricantes e importadores de sustancias químicas y el tonelaje exacto. El TG considera que el dato del tonelaje revelaría la cuota de mercado de cada operador, que la propia normativa considera que es confidencial. Y que, si bien todas las sustancias distintas de las sustancias intermedias pueden ser expulsadas al medio ambiente en un momento de su ciclo de vida, ello no significa sin embargo que el tonelaje fabricado o comercializado de ellas se pueda considerar como una información relacionada con liberaciones en el medio que afecten o puedan afectar a los elementos del medio ambiente. Estima, pues, que no concurre aquí el supuesto de la primera frase del artículo 6.1. En la STG de 11 de julio de 2018, T-643/13, *Rogesa Roheisengesellschaft Saar mbH* contra Comisión, se pide información sobre la base de cálculo utilizada para determinar el diez por ciento de instalaciones más eficaces en la industria del acero, en relación con el comercio de derechos de emisión. El TG considera que los documentos solicitados contienen informaciones precisas sobre los volúmenes de emisión por tonelada que son significativos de los costes soportados y, por ello, de su situación competencial, que la información tiene una cierta relación con las emisiones al medio ambiente, pero en realidad de lo que dan cuenta es de la eficacia de las instalaciones, no de la emisión total, y que el interés en la correcta aplicación de la normativa reguladora no basta para establecer que este interés constituya un interés público superior que obligue a la divulgación de los documentos en su totalidad. En casación, esta interpretación fue confirmada por el ATJUE de 17 de diciembre de 2019, C-568/18 P, *Rogesa Roheisengesellschaft Saar mbH* contra Comisión.

interés público en la divulgación de información que afecta a las emisiones al ambiente prevalece por definición sobre la protección de intereses comerciales, pero no necesariamente sobre la protección de la propiedad intelectual. Se acoge en las propuestas del Parlamento y las Delegaciones no han hecho observaciones a este punto.

2.4. Los procedimientos judiciales y el asesoramiento jurídico

La excepción relativa a "los procedimientos judiciales y el asesoramiento jurídico" –concepto este último incorporado por el Reglamento 1049/2001 respecto del Código de Conducta– ha dado origen a toda una serie de sentencias[310].

---

[310] STG de 19 de marzo de 1998, T-83/96, *Gerard van der Wal* contra Comisión (casación, *STJUE* de 11 de enero de 2000, C-174/98 P y C-189/98 P, *Países Bajos y Gerald van der Wal* contra Comisión); STG de 7 de diciembre de 1999, T-92/98, *Interporc* contra Comisión; de 23 de noviembre de 2004, T-84/03, *Maurizio Turco* contra Consejo (casación, *STJUE* de 1 de julio de 2008, C-39/05 P y C-52/05 P, *Reino de Suecia y Maurizio Turco*); STG de 6 de julio de 2006, T-391/03 y T-70/04, *Yves Franchet y Daniel Byk* contra Comisión; STG de 12 de septiembre de 2007, T-36/04, *Association de la presse internationale ASBL* contra Comisión (casación, *STJUE* de 21 de septiembre de 2010, C-514/07 P, Reino de Suecia contra *Association de la presse internationale ASBL* y Comisión, C-528/07 P, *Association de la presse internationale ASBL* contra Comisión, C-532/07 P, Comisión contra *Association de la presse internationale ASBL*); STG de 9 de septiembre de 2008, T-403/05, *MyTravel Group pic* contra Comisión (casación, *STJUE* de 21 de julio de 2011, C-506/08 P, Reino de Suecia contra *MyTravel Group plc* y Comisión); STG de 9 de junio de 2010, T-237/05, *Éditions Odile Jacob SAS* (casación, *STJUE* de 28 de junio de 2012, C-404/10 P, Comisión Europea contra *Éditions Odile Jacobs SAS*); STG de 7 de julio de 2010, T-111/07, *Agrofert Holding* (casación, *STJUE* de 28 de junio de 2012, C-477/10 P, Comisión Europea contra *Agrofert Holding*); STG de 4 de mayo de 2012, T-529/09, *Sophie in 't Veld* contra Consejo (casación, *STJUE* de 3 de julio de 2014, C-350/12 P, Consejo contra *Sophie in 't Veld*); STG de 3 de octubre de 2012, T-63/10, *Ivan Jurasinovic* contra Consejo; STG de 27 de febrero de 2015, *Patrick Breyer* contra Comisión, T-188/12 (casación, *STJUE* de 8 de julio de 2017, C-213/15 P, Comisión contra *Patrick Breyer*); STG de 18 de septiembre de 2015, T-395/13, *Samuli Miettinen* contra Consejo; STG de 15 de septiembre de 2016, T-796/14, T-800/14 y T-18/15 *Philip Morris Ltd* contra Comisión; STG de 15 de septiembre de 2016, T-710/14 y T-755/14, *Herbert Smith Freehills LLP* contra Consejo; STG de 5 de abril de 2017, T-344/15, República Francesa contra Comisión; STG de 7 de febrero de 2018, T-851/16 y T-852/16, *Access Info Europe* contra Comisión; STG de 8 de febrero de 2018, T-74/16, *Pagkyprios organismos ageladotrofon (POA) Dimosia*

Esta excepción se descompone, en el análisis de las resoluciones de las instituciones y en las sentencias, en dos, si bien, como en seguida se comprobará, en muchas ocasiones están estrechamente ligadas.

-La excepción relativa a los *procedimientos judiciales* se aplica a los escritos procesales presentados tanto por una institución de la Unión como por un Estado en un proceso ante el Juez de la Unión[311], y la jurisprudencia, en un razonamiento no exento de controversia, ha

---

Ltd contra Comisión; STG de 11 de julio de 2018, T-644/16, *ClientEarth* contra Comisión (casación, STJUE de 19 de marzo de 2020, C-6112/18 P, *ClientEarth* contra Comisión); STG de 12 de marzo de 2019, *Fabio de Masi y Yanis Varoufakis* (casación, STJUE de 17 de diciembre de 2020, C-342/19 P, *Fabio de Masi y Yanis Varoufakis* contra Banco Central Europeo); STG de 28 de junio de 2019, T-377/18, *Intercept Pharma Ltd y Intercept Pharmaceuticals, Inc.* contra Agencia europea de Medicamentos (casación, de 29 de octubre de 2020, C-576/19 P, *Intercept Pharma Ltd y Intercept Pharmaceuticals, Inc.* contra Agencia europea de Medicamentos); STG de 21 de abril de 2021, T-252/19, *Laurent Pech* contra Consejo; STJUE de 16 de febrero de 2022, C-157/21, Polonia contra Parlamento y Consejo; STJUE de 16 de febrero de 2022, C-156/21, Hungría contra Parlamento y Consejo.

[311] La STJUE de 8 de julio de 2017, C-213/15 P, Comisión contra *Patrick Breyer*, resuelve un recurso de casación contra la STG de 27 de febrero de 2015, T-188/12, y confirma la resolución de instancia, en línea también con su Abogado General Bobek. Se solicitaba acceso a los documentos relativos a la transposición por Austria de una Directiva y en particular los escritos presentados por Austria para defenderse en el recurso por incumplimiento a que dio origen. Para el TJUE, se trata de documentos en poder de la Comisión a los que es aplicable el Reglamento 1049/2001, por mucho que el propio TJUE no esté entre las instituciones a las que es aplicable dicho Reglamento. Se les aplica también la presunción de confidencialidad que, no obstante, no excluye la posibilidad de que el solicitante demuestre que un documento determinado cuya divulgación se solicita no está amparado por la citada presunción. Además, en estos casos, conforme al artículo 4.5 Reglamento 1049/2001, el Estado miembro puede solicitar a la institución que no divulgue el documento sin su consentimiento, pudiendo así participar en la decisión sin por ello otorgarle un derecho de veto.

considerado también que protege los procedimientos judiciales ante tribunales internacionales[312] y nacionales[313].

El TJUE ha recalcado la necesaria vinculación entre los documentos y la existencia de un procedimiento judicial en curso, afirmando que "cualquiera que sea la identidad de quien solicita acceder a un documento, este solo puede protegerse en virtud de la excepción prevista en el artículo 4, apartado 2, segundo guión, del Reglamento n.º 1049/2001 si ha sido elaborado en el contexto de un proceso judicial específico ante un órgano jurisdiccional de la Unión, de un Estado miembro, de una organización internacional o de un tercer Estado, o, de no ser así, si, en el momento en que se da respuesta a esa solicitud, hubiese sido presentado en un procedimiento judicial de este tipo."[314]

---

[312] Así, en la STG de 3 de octubre de 2012, T-63/10, *Ivan Jurasinovic* contra Consejo, se solicitan documentos intercambiados entre el Consejo y el Tribunal Penal Internacional para la ex Yugoslavia. El TG afirma que la protección de los procedimientos judiciales se refiere a los desarrollados ante tribunales de la Unión o de sus Estados miembros, pero también a otros tribunales. En este caso, ni siquiera lo impide que la Unión Europea no sea miembro de la ONU ni esté sometida a ese tribunal.

[313] Se ha planteado qué sucede cuando los documentos que se solicitan son informes elaborados por una institución a petición de un Juez nacional que tiene que resolver un pleito que enfrenta a una autoridad nacional y a un ciudadano, en ámbitos regidos por el Derecho de la Unión. La jurisprudencia ha entendido que solo cabe restringir el acceso cuando se trate de documentos redactados a los solos fines de un procedimiento judicial particular (no así a cualesquiera otros que existan con independencia del mismo), y solo en la medida en que no se limitan a reproducir los que ya existían o a emitir una opinión de carácter general, independiente del asunto pendiente ante el Tribunal nacional (STG de 19 de marzo de 1998, T-83/96, *Gerard van der Wal* contra Comisión, ratificada por la STJUE de 11 de enero de 2000, C-174/98 P y C-189/98 P, *Países Bajos* y *Gerald van der Wal contra Comisión*).

[314] STJUE de 29 de octubre de 2020, C-576/19 P, *Intercept Pharma Ltd y Intercept Pharmaceuticals, Inc.* contra Agencia europea de Medicamentos, que resuelve un recurso de casación contra la STG de 28 de junio de 2019, T-377/18, *Intercept Pharma Ltd y Intercept Pharmaceuticals, Inc.* contra Agencia europea de Medicamentos. Se trataba de documentos presentados en el marco de una solicitud de autorización de comercialización de un medicamento, solicitados por un despacho de abogados que actuaba en un pleito en Estados Unidos contra la sociedad matriz, y que no habiéndolos conseguido conforme a las normas procesales de aquel país y pretendía conseguirlos por la vía del Reglamento 1049/2001. En la STG de 8 de febrero de 2018, T-74/16, *Pagkyprios organismos ageladotrofon (POA) Dimosia Ltd* contra Comisión, se solicita acceso a documentos relativos

Al respecto, no basta una posibilidad meramente hipotética de que un asunto pueda llegar a judicializarse[315]. Ha acogido así la misma interpretación estricta que, como vimos, rige en el Convenio 205.

La jurisprudencia ha afirmado la existencia de una presunción de que los procedimientos judiciales se verían perjudicados por la divulgación del contenido de documentos redactados por la institución a los solos fines de un procedimiento jurisdiccional particular (los escritos presentados, los documentos internos relativos a la instrucción del asunto pendiente de resolución, las comunicaciones relativas al asunto entre la Dirección General interesada y el Servicio Jurídico o un bufete de abogados) hasta que no se ha producido la audiencia pública. Y ello por cuanto este tipo de escrito tienen una relación directa con la propia actividad jurisdiccional del Tribunal de Justicia, institución excluida, como sabemos, del ámbito subjetivo de aplicación del artículo 15 TFUE y del Reglamento 1049/2001; y por cuanto su difusión afectaría a los principios de igualdad de armas y de buena administración de la justicia, dado que una divulgación previa a la sentencia daría origen, para una sola de las partes, a un debate y juicio público paralelos, que impediría un debate sereno libre de presiones externas y obligaría a contra-argumentar en sede judicial. Esta presunción general se justifica, asimismo, a la vista de que ni el Estatuto del Tribunal de Justicia de la Unión Europea ni los Reglamentos de Procedimiento de los órganos jurisdiccionales de la Unión prevén el derecho de acceso de terceros a los escritos procesales presentados ante el Tribunal de Justicia en los procedimientos jurisdiccionales. La jurisprudencia exige, pues, que sea el solicitante el que pruebe que un documento determinado cuya divulgación solicita no está amparado

---

a una solicitud de una denominación de origen protegida que era objeto de un recurso ante los tribunales nacionales, y se aplica la excepción.

[315]   Así, en la STG de 5 de abril de 2017, T-344/15, República Francesa contra Comisión, se solicita acceso a documentos relativos al expediente de notificación de un proyecto de ley en virtud de la Directiva por la que se establece un procedimiento de información en materia de normas y reglamentaciones técnicas. Francia invocó la excepción de la protección de procedimientos judiciales en relación con un eventual futuro recurso por incumplimiento. Sin embargo, la Comisión consideró que habida cuenta del tiempo transcurrido desde el cierre del procedimiento, sin que se hubieran iniciado actuaciones por incumplimiento, la argumentación era insuficiente y concedió el acceso. La solución tuvo el visto bueno del TG.

por la citada presunción, sin que deba hacerlo *motu proprio* la institución en cuestión. Por el contrario, si el Juez europeo estima que el documento está incluido en la presunción de daño, no considera un interés público preponderante el conocimiento del público de cuestiones importantes de Derecho de la Unión, como las relativas a la competencia, o que revisten un indudable interés político, como las suscitadas en los recursos por incumplimiento, ni siquiera si el solicitante es una asociación de prensa internacional. En relación con los asuntos ya juzgados, por el contrario, ya no cabe presumir que la divulgación de los escritos procesales perjudique la actividad jurisdiccional del Tribunal de Justicia, dado que, una vez finalizado el procedimiento, esta actividad ha terminado. No se puede excluir que la divulgación de escritos procesales relativos a un procedimiento jurisdiccional finalizado, pero relacionado con otro procedimiento aún pendiente, pudiera perjudicar a este último procedimiento, en particular, cuando las partes en él no son las mismas que las del procedimiento finalizado. Sin embargo, ese riesgo depende de múltiples factores, entre ellos, en particular, el grado de semejanza entre las alegaciones formuladas en ambos procedimientos. Si los escritos procesales de la Comisión solo coinciden parcialmente, podría bastar una divulgación parcial para evitar cualquier posible perjuicio para el procedimiento pendiente. En estas circunstancias, únicamente un examen concreto de los documentos cuyo acceso se solicita, realizado de conformidad con los criterios antes apuntados puede permitir a la institución determinar si se puede denegar su divulgación, de conformidad con el Reglamento 1049/2001[316].

---

[316] STJUE de 21 de septiembre de 2010, C-514/07 P, Reino de Suecia contra *Association de la presse internationale ASBL* y Comisión, C-528/07 P, *Association de la presse internationale ASBL* contra Comisión, C-532/07 P, Comisión contra *Association de la presse internationale ASBL*. El asunto es el de una asociación que solicita acceso a todos los escritos presentados por la Comisión ante el TG o el TJUE en asuntos ante ellos residenciados y no aún no resueltos relativos a la aplicación de la normativa comunitaria en el sector de la navegación aérea. La STG de 12 de septiembre de 2007, T-36/04, *Association de la presse internationale ASBL* contra Comisión había sostenido que la excepción al principio general de acceso a los documentos relativa a la protección de los procedimientos judiciales trasciende la protección de los intereses de las partes en litigio, pues se refiere no solo a los intereses de las partes en el marco del procedimiento judicial, sino, más en general, al buen desarrollo del mismo. El argumento le llevó a

concluir que la exigencia de un proceso no influido ni "contaminado" de valoraciones y presiones externas conduce a denegar el acceso a todos los documentos presentados hasta que tiene lugar la vista; con posterioridad a esta, la decisión habrá de hacerse tras un análisis caso por caso sobre el perjuicio que podría suponer para el interés salvaguardado. Consideró que la divulgación previa podría dar lugar a críticas y objeciones en los medios especializados, prensa y opinión pública en general contra los argumentos contenidos en los escritos, y sentirse las instituciones obligadas a tenerlas en cuenta en la defensa de la postura ante el juez, carga que no soportarían las otras partes en el proceso. En cuanto a la consideración que el interés público superior debe tener en estos casos, si bien es cierto que la libertad de prensa desempeña un papel esencial en una sociedad democrática y que el derecho del público a recibir esta información constituye la expresión del principio de transparencia (recordemos que el solicitante de información era la Asociación de la Prensa Internacional), dicho interés "debe ser en principio distinto de los principios antes mencionados que sirven de base para este Reglamento". En el caso de los expedientes judiciales, cada recurso es objeto desde su presentación de una comunicación en el Diario Oficial, que también se difunde por Internet en el sitio Eur-Lex y en el sitio del Tribunal de Justicia, en la que se mencionan, entre otros, la cuestión objeto del litigio y las pretensiones de la demanda, así como los motivos y las principales alegaciones invocados. Además, el informe para la vista, que contiene un resumen de las alegaciones de las partes, se publica el día de la vista, en la que se discuten públicamente las alegaciones de las partes. Por tanto, juzgó que no prevalece ningún interés público superior. En el caso de los procesos ya concluidos, por el contrario, no basta para denegar el acceso apelar a que existan otros similares pendientes, ya que las alegaciones ya se han hecho públicas al menos en forma de resumen, y se requeriría una argumentación específica que demostrara el riesgo de perjuicio y no meras afirmaciones hipotéticas. Interpuesto recurso de casación, el Abogado General Maduro presentó sus conclusiones el 1 de octubre de 2009. Consideraba que los escritos solicitados tienen una relación directa con la propia actividad jurisdiccional del Tribunal de Justicia, institución excluida del ámbito subjetivo de aplicación del artículo 15 TFUE y del Reglamento 1049/2001, y su difusión afectaría a los principios de igualdad de armas y de buena administración de la justicia. En relación con los asuntos ya juzgados, no cabe presumir que la divulgación de los escritos procesales perjudique la actividad jurisdiccional del Tribunal de Justicia y deben prevalecer las consideraciones relativas a la publicidad del procedimiento y al derecho a una sentencia motivada, lo que puede incrementar la confianza general del público europeo en el sistema judicial de la Unión. Como argumenta Maduro, históricamente, la publicación del informe para la vista, que resume las alegaciones de las partes, cumplía este objetivo facilitando al público y a la comunidad jurídica el acceso a una gran cantidad de información necesaria. El que hubieran dejado de publicarse proporciona una justificación adicional para divulgar los escritos de las partes. No obstante, habrá asuntos en que tendrá que denegarse el acceso por consideraciones contrarias de una mayor importancia (la inclusión de datos personales sensibles, la protección de los intereses de

La jurisprudencia ha venido manteniendo que esta excepción, en cambio, no permite eludir la obligación de facilitar los documentos que hayan sido elaborados en el marco de un expediente puramente administrativo, esto es, a documentos que no han sido elaborados cara a un proceso judicial, incluso si la aportación de esos documentos en un procedimiento seguido ante el Juez comunitario pudiera perjudicar a la institución, siendo irrelevante que se haya interpuesto un recurso de anulación contra la decisión adoptada al término del procedimiento administrativo, por cuanto atender a la circunstancia de que un documento pudiera ser utilizado en un proceso ampliaría de modo inaceptable el ámbito de aplicación de la excepción[317].

Sin embargo, el TG ha matizado que no se desprende de ello que todos los documentos "extraprocesales" estén excluidos, en su caso, del ámbito de aplicación de la excepción relativa a la protección de los procedimientos judiciales, en casos por así decirlo de gran trascendencia y conflictividad. Afirma que el principio de igualdad de armas y la buena administración de la justicia constituyen el núcleo de esta excepción, lo que justifica la protección no solo de los documentos redactados a los únicos efectos de un procedimiento judicial concreto, como los escritos procesales, sino también de los documentos cuya divulgación pueda poner en peligro, en el marco de un procedimiento concreto, la igualdad de que se trata, que constituye el corolario del propio concepto de proceso justo. En estos casos, para que esta excepción pueda aplicarse, es preciso que, en el momento de la adopción de la decisión que deniegue el acceso a los documentos solicitados, dichos documentos tengan un vínculo relevante con un litigio pendiente ante el Juez de la Unión por el que la institución afectada invoca la excepción, y que su divulgación, pese a que dichos documentos no hayan sido elaborados en el marco de un procedimiento

---

menores, a veces y durante un lapso de tiempo las negociaciones en curso con Estados durante un tiempo, etc.).

[317] STJUE de 29 de octubre de 2020, C-576/19 P, *Intercept Pharma Ltd y Intercept Pharmaceuticals, Inc.* contra Agencia europea de Medicamentos. Ya antes lo había afirmado el TG en SSTG de 7 de diciembre de 1999, *Interporc* contra Comisión, T-92/98, o de 6 de julio de 2006, *Yves Franchet y Daniel Byk* contra Comisión, T-391/03 y T-70/04.

judicial pendiente, menoscabe el principio de igualdad de armas y potencialmente la capacidad de defensa de la institución afectada en dicho procedimiento. En otras palabras, es preciso que los documentos divulguen la posición de la institución afectada sobre cuestiones litigiosas planteadas en el procedimiento judicial invocado. Ello es aplicable también a procedimientos que se hallen pendientes ante un órgano jurisdiccional nacional en el momento de la adopción de una decisión que deniegue el acceso a los documentos solicitados, siempre y cuando en esos procedimientos se plantee una cuestión de interpretación o de validez de un acto del Derecho de la Unión, de modo que, habida cuenta del contexto del asunto, resulte especialmente probable que se produzca una remisión prejudicial. En esos dos casos, pese a que dichos documentos no hayan sido elaborados en el marco de un procedimiento judicial concreto, la integridad del procedimiento judicial afectado y la igualdad de armas entre las partes podrían verse seriamente dañadas si las partes disfrutasen de un acceso privilegiado a información interna de la otra parte estrechamente relacionada con los aspectos jurídicos de un litigio pendiente o potencial, pero inminente. En efecto, el principio de igualdad de armas requiere que la institución de la que emana el acto cuestionado esté en posición de defender ante el juez, de forma eficaz, la legalidad de su actuación. Contrariamente a lo que ocurre en el caso de los documentos que contienen elementos que constituyen el sustrato fáctico del ejercicio de la competencia, cuya divulgación puede resultar necesaria, la divulgación de documentos que contienen este tipo de posiciones puede obligar, de hecho, a la institución de que se trate a defenderse de las apreciaciones de su propio personal, que finalmente no prosperaron. Este hecho puede romper el equilibrio entre las partes en un procedimiento judicial, en la medida en que no se podría obligar a la parte demandante a divulgar ese tipo de apreciaciones internas. Por ello, la divulgación de esos documentos al público cuando hay un procedimiento judicial en curso respecto a la interpretación y la legalidad del acto de que se trata podría poner en peligro la posición de defensa de la institución y el principio de igualdad de armas, en la medida en que se pondrían de manifiesto en el mismo momento de esa divulgación las posiciones internas de naturaleza jurídica de sus servicios sobre cuestiones litigiosas, mientras que a la otra parte no se le impondría ninguna obligación similar[318]. El TJUE aún no se ha pronunciado sobre esta interpretación.

-En cuanto a la excepción relativa al *"asesoramiento jurídico"*, la cuestión se plantea en especial respecto al acceso a los dictámenes de los servicios jurídicos de las instituciones. La jurisprudencia ha aclarado, en todo caso, que el concepto de "asesoramiento jurídico" está ligado al contenido de un documento y no a su autor o a sus destinatarios, cualesquiera que sean las modalidades conforme a las cuales se dé dicho dictamen, se dé en una fase inicial, avanzada o final del proceso de toma de decisiones, se produzca en un contexto formal o informal, haya sido proporcionado o recibido internamente por una institución o haya sido externalizado a un despacho de abogados, o

---

[318] En la STG de 15 de septiembre de 2016, T-796/14, T-800/14 y T-18/15 *Philip Morris Ltd* contra Comisión, una gran empresa de comercialización de tabaco solicitaba acceso a documentación relacionada con los trabajos preparatorios para la adopción de una Directiva reguladora de este producto. Considera que concurre la excepción, teniendo en cuenta que la propuesta legislativa en materia de productos del tabaco fue muy discutida. Posteriormente reprodujo este razonamiento en la STG de 7 de febrero de 2018, T-851/16 y T-852/16, *Access Info Europe* contra Comisión, en la que se pretendía acceder a documentos – notas y correos electrónicos– que contenían asesoramiento jurídico o análisis de legalidad en relación con las medidas acordadas entre la Unión europea y Turquía a raíz de la crisis de refugiados sirios. Trae a colación la doctrina de su Sentencia *Philip Morris Ltd* contra Comisión y reconoce que el TJUE aún no se ha pronunciado sobre ella. Admite que se trata de documentos que no fueron elaborados específicamente cara a un procedimiento judicial, pero toma en consideración a la fecha en que se adoptó la decisión de denegación del acceso había tres procedimientos judiciales abiertos en los que se dirimía la legalidad de la actuación de Unión en la crisis de los refugiados y en los que la Comisión, que no era parte demandada, había presentado una demanda de intervención. Además, tiene en cuenta que los documentos fueron elaborados por el Servicio Jurídico, que también se encargaba de la representación de la Comisión en esos procedimientos judiciales, y presentaban un estrecho vínculo con los aspectos jurídicos de la controversia que se dirimía en dichos procedimientos judiciales. Por tanto, existía un riesgo previsible y no hipotético de que la divulgación de dichos documentos afectara a la posición de la Comisión como parte coadyuvante, en la medida en que contenían tomas de posición jurídicas, fundamentalmente preliminares, sobre los aspectos controvertidos en los asuntos de asilo. Por tanto, considera que la Comisión invocó correctamente esta excepción y no lo hizo aplicando la presunción de daño, sino tras un examen individualizado de cada uno de los documentos controvertidos, que le llevó a conceder un acceso parcial a uno de los documentos.

que sea para uso interno o se comparta con un tercero y haya sido enviado a un Estado miembro o a los servicios jurídicos de otras instituciones (como ocurre a menudo en el caso de los diálogos tripartitos o "trílogos", encaminados a adoptar un texto legislativo definitivo)[319].

Para el TJUE, en estos casos, la institución tiene que llevar a cabo un examen en tres tiempos, conforme a tres criterios: 1) analizar si es un dictamen jurídico y, en caso afirmativo, determinar qué partes tienen esta naturaleza (no basta que se denomine "dictamen jurídico" si no es ésa su naturaleza); 2) discernir si el acceso supone un perjuicio para la protección del asesoramiento, teniendo en cuenta que el objeto de esta excepción radica en proteger el interés que tiene una institución en solicitar asesoramiento jurídico y en recibir dictámenes sinceros, objetivos y completos, y que el riesgo de menoscabo ha de ser razonablemente previsible y no puramente hipotético; 3) por último, ponderar si concurre un interés público superior, "habida cuenta de las ventajas que se derivan, como señala el segundo considerando del Reglamento nº 1049/2001, de una mayor apertura, a saber, una mayor participación de los ciudadanos en el proceso de toma de decisiones y una mayor legitimidad, eficacia y responsabilidad de la Administración para con los ciudadanos en un sistema democrático". De este modo, el TJUE ha salido al paso de lo que las instituciones han pretendido convertir en una nueva presunción, según la cual, divulgar los informes jurídicos y las posibles discrepancias que puedan traslucir impediría un asesoramiento en confianza[320].

Cuando la solicitud de información se refiere a dictámenes relacionados con la adopción de decisiones políticas por el Consejo o el Parlamento, la tendencia es a la prevalencia de la transparencia. El TJUE considera que, en el procedimiento legislativo, el peso de la transparencia tiene una especial relevancia. De este modo, no cabe considerar que existe una necesidad general de confidencialidad por lo que respecta a los dictámenes del servicio jurídico del Consejo o el Parlamento relativos a cuestiones legislativas, so pretexto de que la divulgación puede inducir a dudar de la legalidad del acto legislativo,

---

[319]   STG de 15 de septiembre de 2016, T-710/14 y T-755/14, *Herbert Smith Freehills LLP contra Consejo.*

[320]   STJUE de 1 de julio de 2008, C-39/05 P y C-52/05 P, Reino de Suecia y *Maurizio Turco.*

pues permitir el debate informado es precisamente la finalidad del principio de transparencia. Igualmente, descartables son las argumentaciones en torno al riesgo para la independencia del servicio jurídico o la dificultad de defensa de la legalidad de una norma que ha sido informada desfavorablemente. Además, y en todo caso, hay que ponderar la concurrencia de intereses públicos superiores, y en este sentido, la divulgación de dictámenes en marco de procedimientos legislativos puede aumentar la transparencia y la apertura del proceso legislativo, y puede reforzar el derecho democrático de los ciudadanos europeos a controlar la información que constituyó la base de un acto legislativo, tal y como se contempla, en particular, en los considerandos segundo y sexto de dicho Reglamento. Ahora bien, esta afirmación no impide que la divulgación de un dictamen específico, emitido en el contexto de un proceso legislativo, pero que tenga un carácter especialmente sensible o un alcance particularmente amplio que vaya más allá del marco del proceso legislativo en cuestión, pueda denegarse para proteger el asesoramiento jurídico. En tal caso, correspondería a la institución de que se trate motivar detalladamente la denegación, que, por lo demás, se extendería el período de tiempo en que está justificada en función del contenido del documento[321].

---

[321]   En el asunto *Mauricio Turco* se enjuiciaba una solicitud de acceso a documentos incluidos en el orden del día de una reunión del Consejo "Justicia y Asuntos de Interior", entre los que figuraba un dictamen de su servicio jurídico relativo a una propuesta de directiva del Consejo en materia de asilo. La STG de 23 de noviembre de 2004, T-84/03, *Mauricio Turco* contra Consejo, consideró que la excepción no se refiere solo al asesoramiento en procesos judiciales (razonando que, de hecho, estos tienen una mención específica que ya se encontraba en el Código de Conducta), sino que es general y, por tanto, cubre también los dictámenes elaborados en el contexto de la elaboración de normas y que, como las demás excepciones, requiere de un análisis *ad casum*. No obstante, en la práctica, consideró que la divulgación de los dictámenes e informes puede dar lugar a una duda sobre la legalidad del acto legislativo, y que era necesario preservar la independencia del asesoramiento de su servicio jurídico (frente a la alegación de que, por el contrario, la divulgación del dictamen contribuiría a proteger al servicio jurídico del Consejo de influencias exteriores ilegítimas). En sus Conclusiones, el Abogado General Maduro adoptó la misma perspectiva del TG, apelando incluso a una presunción general de confidencialidad de los dictámenes jurídicos elaborados por los servicios jurídicos de las instituciones sobre propuestas legislativas, que además se extendería en el tiempo más allá del momento de aprobación de la norma, porque siempre puede cuestionarse su

El TG ha reproducido este criterio general, pero, si bien en alguna ocasión ha concluido en la prevalencia de la publicidad[322], lo cierto es que, en asuntos de gran interés social y mediático, generadores de una fuerte controversia, ha considerado que concurre la excepción y que, pese a tratarse de procedimientos legislativos, prevalece la protección del asesoramiento jurídico. En unos casos, cuando solicita la información un operador del sector perjudicado por la regulación, con apoyo en que se trata de un tema judicializado y se busca el interés privado

---

legalidad mediante una cuestión prejudicial, si bien puede haber casos en que la propia norma haya sido ya derogada. La solución contraria llevaría, a su juicio, a evitar el asesoramiento escrito. No obstante, matizó que puede haber casos de asesoramientos no controvertidos o incluso destinados a ser publicados para terminar con una discusión sobre la legalidad de la actividad de la institución. La aproximación en la STJUE de 1 de julio de 2008, C-39/05 P y C-52/05 P, Reino de Suecia y *Maurizio Turco*, que acabamos de exponer, es, como puede comprobarse, mucho más favorable a la transparencia. Una lógica similar subyace en la STJUE de 3 de julio de 2014, C-350/12 P, Consejo contra *Sophie in 't Veld*, en la que una europarlamentaria solicita acceso a un dictamen del Servicio Jurídico del Consejo relativo a una recomendación de la Comisión al Consejo para que se autorice la apertura de negociaciones entre la Unión Europea y los Estados Unidos de América con vistas a un acuerdo internacional destinado a poner a disposición del Departamento del Tesoro de los Estados Unidos datos de mensajería financiera en el marco de la prevención del terrorismo y de su financiación, así como de la lucha contra estos fenómenos. Descartado que el acceso perjudique a las relaciones internacionales, tampoco cabe considerar, por lo mismo, que afecte gravemente al proceso de toma de decisiones. Desestima, de este modo, el recurso de casación interpuesto contra la STG de 4 de mayo de 2012, T-529/09, *Sophie in 't Veld* contra Consejo, que había llegado a esta conclusión. Sobre este asunto, véase ABAZI, V. y HILLEBRANDT, M., "The legal limits to confidential negotiations: Recent case law developments in Council transparency: Access Info Europe and In't Veld", *Common Market Law Review*, 52(3), 2015, pp. 825-846.

[322] Así, en la STG de 18 de septiembre de 2015, T-395/13, *Samuli Miettinen* contra Consejo, en que se solicitaba acceso al dictamen del servicio jurídico del Consejo sobre una propuesta de directiva, en que analizaba la base jurídica seleccionada para una propuesta de directiva y si el contenido respetaba el *non bis in idem* en materia sancionadora. El TG parte de la doctrina del TJUE en las Sentencias Reino de Suecia y *Maurizio Turco* y Consejo de la Unión europea contra *Sophie in 't Veld* y aplicada al caso, considera que no queda acreditado el riesgo de atentar contra la capacidad del Consejo de defender su posición en procesos judiciales ni contra la independencia del servicio jurídico del Consejo, porque el dictamen solicitado no va más allá del marco normal del examen de una propuesta normativa, ni es particularmente sensible.

de obtener información para la defensa de los intereses propios, y no el interés público[323]. En otros, cuando lo hacen precisamente organizaciones dedicadas a la transparencia, resaltando que el asesoramiento informal y de urgencia no es compatible con la perspectiva de una posterior divulgación[324].

---

[323] Así ocurrió en el caso de la solicitud de acceso a los trabajos preparatorios de la Directiva sobre productos del tabaco, a los que ya aludimos en relación con la excepción de los procedimientos judiciales. En la STG de 15 de septiembre de 2016, T-796/14, T-800/14 y T-18/15 *Philip Morris Ltd* contra Comisión, tiene en cuenta que, en este caso, cuando se adoptó la decisión estaba pendiente de resolución ante los tribunales británicos un recurso en que se cuestionaba la Directiva y que implicaba probablemente una cuestión prejudicial y un Estado la había impugnado ante el TJUE. Debido a ello, no carece de fundamento el argumento de la Comisión basado en el menoscabo a su capacidad para defender su posición durante los procedimientos judiciales y al principio de igualdad de armas. En efecto, de las partes divulgadas se desprendía que el Servicio Jurídico consideraba que, en lo que respecta a determinadas elecciones políticas, algunas de las cuales habían sido ocultadas, contenidas en el proyecto de evaluación de impacto y vinculadas a los productos del tabaco, la Unión Europea no tenía la competencia para legislar o que dicha elección política no era proporcional a la luz del artículo 114 TFUE. Ahora bien, la divulgación de las partes ocultadas podría poner en peligro la protección del asesoramiento jurídico, es decir la protección del interés de una institución en solicitar asesoramiento jurídico y en recibir dictámenes sinceros, objetivos y completos y la posición del Servicio Jurídico de la Comisión en su defensa de la validez de la Directiva sobre productos del tabaco ante el Tribunal de Justicia de la Unión Europea, en pie de igualdad con las demás partes, en la medida en que revelaría la posición de su Servicio Jurídico sobre cuestiones sensibles y controvertidas antes incluso de haber tenido la oportunidad de presentarla durante el procedimiento judicial, mientras que la otra parte no está sometida a una obligación similar. Además, pone de relieve que el solicitante perseguía un interés particular, encaminado a preparar demandas para la defensa de sus intereses, y no un interés público. En la STG de 15 de septiembre de 2016, T-710/14 y T-755/14, *Herbert Smith Freehills LLP* contra Consejo, con el mismo marco, se llega a una conclusión similar.

[324] En la STG de 7 de febrero de 2018, T-851/16 y T-852/16, *Access Info Europe* contra Comisión, esa organización no gubernamental especializada en transparencia solicitaba información en forma de notas y correos electrónicos que contuvieran asesoramiento jurídico o análisis de la legalidad del acuerdo entre la Unión Europea y Turquía para hacer frente a la crisis de refugiados sirios, muchos de ellos evacuados de urgencia en los primeros días de la crisis. Pese a estar relacionados con procesos legislativos, el TG considera que no son en sí dictámenes jurídicos relativos a una propuesta legislativa concreta, y que como alega la Comisión, ·la divulgación de tales dictámenes jurídicos, preparatorios e internos, elaborados a efectos de un diálogo político entre la institución y representantes

Si la información ha sido ya divulgada por otra vía, el Juez comunitario se decanta por reconocer el derecho de acceso –porque siempre es más grato conceder el acceso que denegarlo, cuando en la práctica la información ya ha sido divulgada, puede pensarse–[325].

de un Estado miembro y de un Estado tercero habría causado previsiblemente un perjuicio efectivo al interés de la Comisión en solicitar y recibir de sus distintos servicios un asesoramiento jurídico sincero, objetivo y completo a fin de preparar su postura definitiva como institución, especialmente en un ámbito que presenta una evidente sensibilidad política y en un contexto de emergencia para poner remedio a una situación migratoria delicada. En efecto, las consultas ente servicios, que cristalizaron en los documentos controvertidos, pero que habían estado acompañadas de conversaciones telefónicas, constituyen un trabajo preparatorio indispensable para el buen funcionamiento de esta institución. Pues bien, la sinceridad, la objetividad y la completitud, así como la celeridad de estas consultas jurídicas, evacuadas de manera urgente —como lo muestran, en particular, las horas a veces avanzadas a las que los miembros del Servicio Jurídico enviaron los correos electrónicos en cuestión a la Presidencia de la Comisión y a la DG dependiente del comisario responsable de los asuntos de interior—, se habrían visto perjudicadas en el presente caso si los autores de dichas consultas, redactadas apresuradamente para preparar unas reuniones entre los responsables de esta institución y los de un Estado miembro y de un Estado tercero, hubieran debido anticipar que tales correos electrónicos podrían ponerse a disposición del público." Además, y eso parece polémico, considera que no se ha acreditado que el principio de transparencia cobrara en el caso de autos una especial importancia que justificase la divulgación, conclusión que "resulta especialmente válida en un contexto en el que la Comisión ha difundido con regularidad información general destinada al público". Resuelve otorgar acceso parcial.

[325] En la STG de 21 de abril de 2021, T-252/19, *Laurent Pech* contra Consejo, un ciudadano francés que trabaja de profesor de Derecho público europeo en una universidad británica pidió un dictamen del servicio jurídico del Consejo del que tiene conocimiento por un artículo de prensa, en relación con la propuesta de Reglamento sobre un régimen general de condicionalidad para la protección del presupuesto de la Unión. El Consejo le da acceso parcial. El TG constata que se trata de documentación referente a un procedimiento legislativo, y considera que el que se trate de cuestiones jurídicas controvertidas, como la base jurídica o el sistema de adopción de la decisión propuesto, y que el dictamen refleje las discrepancias, carece de relevancia para justificar una negativa. El Consejo había alegado que la divulgación del dictamen presentaba un riesgo de afectar a su capacidad para defender su posición en los procedimientos judiciales, porque la medida propuesta, en caso de que fuera adoptada, tendría un impacto directo en el reparto de fondos, por lo que era esperable que diera origen a un riesgo elevado de litigios y que las cuestiones planteadas en el dictamen se pondrían en cuestión en el seno del proceso, como había ocurrido en casos similares precedentes. El TG considera que son meras hipótesis y constata, además, que el

En el caso de la información de asesoramiento jurídico a la Comisión no relacionado con procesos legislativos o "para-legislativos", si la decisión no es firme, opera la excepción en relación con la presunción de perjuicio para los procesos judiciales[326], pero una vez ha adquirido firmeza (en su caso, porque el procedimiento judicial a la que

[326]   dictamen ya había sido filtrado, de forma que su contenido era ya conocido. En cuanto al argumento de que la divulgación podía generar presiones exteriores a los miembros del servicio jurídico, de nuevo considera que es una mera hipótesis. Ciertamente, el TG afirma que el dato de que el dictamen hubiera sido divulgado no impide que el Consejo hubiera podido prevalerse de la excepción si hubiera concurrido su presupuesto, pero cuesta no pensar que la solución podría haber sido otra en el caso contrario. En sentido análogo, aunque en otro contexto, las SSTJUE de 16 de febrero de 2022, C-157/21, Polonia contra Parlamento y Consejo y de 16 de febrero de 2022, C-156/21, Hungría contra Parlamento y Consejo. En el marco del recurso de ambos países encaminado a la anulación del reglamento que establece un régimen de condicionalidad para la protección del presupuesto de la Unión, el Consejo consideraba que en su demanda ambos Estados habían reproducido pasajes de documentos internos relacionados con el asesoramiento jurídico. El TJUE, siguiendo a su Abogado General Sánchez-Bordona, tiene en cuenta que se enmarca en el proceso legislativo, sirve al debate público sobre la legalidad de las normas de la Unión y con ello a un interés público superior. Pero, obsérvese, de nuevo se trataba de una alegación "a toro pasado", puesto que la información ya había sido utilizada y, además, la sentencia era desestimatoria de la pretensión de fondo de anulación.

En los asuntos *Agrofert Holding* y *Éditions Odile Jacobs SAS* y *Éditions Odile Jacobs SAS*, accionistas minoritarios solicitan información sobre la autorización por la Comisión de una concentración empresarial, incluidos los documentos emanados de los Servicios Jurídicos. El TG resolvió en sus Sentencias de 9 de junio de 2010, T-237/05, *Éditions Odile Jacob SAS* y de 7 de julio de 2010, T-111/07, *Agrofert Holding*, y consideró que no se había acreditado que facilitar este tipo de información supusiera un riesgo para la posibilidad de un asesoramiento jurídico sincero, objetivo y completo, y si bien se puede actuar con presunciones para estas categorías de documentos, estaba obligada a comprobar en cada caso si eran aplicables efectivamente a un documento específico cuya divulgación se solicita. Las SSTJUE de 28 de junio de 2012, C-477/10 P, Comisión Europea contra *Agrofert Holding* y C-404/10 P, Comisión Europea contra *Éditions Odile Jacobs SAS*, estimaron, por el contrario, por remisión a su Sentencia en el asunto Suecia/API, que era de aplicación una presunción general y que los documentos protegidos por excepciones estaban exentos de la obligación de divulgación, total o parcial, de su contenido. Además, consideró que el interés de las solicitantes de obtener la documentación para invocar más eficazmente sus alegaciones en el marco de sus recursos de anulación contra las decisiones que autorizan concentraciones por parte de los accionistas minoritarios es un interés privado.

dio lugar su impugnación ya ha terminado y la sentencia es firme), ha de darse acceso a las notas e informes de los servicios jurídicos, sin que pueda considerarse que el hecho de arroje dudas o discrepe, en su caso, de la legalidad de la decisión alcanzada pueda implicar un perjuicio para esta excepción, ya que la transparencia y el debate, y no su contrario, es lo que legitima la acción pública y en estos casos lo que debe llevar es a reforzar la motivación de la decisión en cuestión, sin que pueda acogerse el argumento de que la publicidad de los dictámenes pueda conllevar dar origen a una sustitución del asesoramiento escrito por el oral[327].

---

[327] En el asunto *MyTravel* se pide acceso al informe jurídico y notas del servicio jurídico de la Comisión sobre una decisión en materia de concentraciones empresariales y sobre la pertinencia de interponer un recurso de casación contra una sentencia. La STG de 9 de septiembre de 2008, T-403/05, *MyTravel Group pic* contra Comisión, consideró que el perjuicio para el asesoramiento jurídico no es meramente hipotético, ya que la divulgación del referido asesoramiento implica el riesgo de colocar a la Comisión en la delicada situación de que su Servicio Jurídico pueda verse obligado a defender ante el juez de la Unión una posición diferente de la mantenida en el ámbito interno y que semejante riesgo puede afectar considerablemente a la libertad de opinión del Servicio Jurídico y a su posibilidad de defender eficazmente ante dicho juez, en pie de igualdad con los representantes de las diferentes partes en el procedimiento judicial, la posición definitiva de la Comisión. Por razones idénticas a las señaladas con respecto a la aplicación de la excepción relativa a la protección del proceso de toma de decisiones, declaró, que la divulgación de dichas notas no revestía un interés público superior. La Abogada General Kokott en sus Conclusiones consideró que una vez resuelto en firme un procedimiento jurídico, ya no es aplicable la excepción, sin que pueda atenderse al argumento de un riesgo de autocensura a los dictámenes del Servicio Jurídico, habida cuenta de que el Servicio Jurídico de la Comisión es independiente de la Dirección General de Competencia y, por lo tanto, los miembros del Servicio Jurídico no deben temer perjuicios por su postura crítica, aunque esta se haga pública. Además, los dictámenes del Servicio Jurídico carecerían de razón de ser si en ellas se renuncia a la crítica, toda vez que su función es precisamente advertir sobre posibles problemas y deficiencias. Más plausible sería la argumentación de que conceder el acceso potenciaría el uso de vías informales de asesoramiento, teniendo este lugar, por ejemplo, solo de forma oral. Pero considera que la misma complejidad de los procedimientos en materia de Derecho de la competencia hará con frecuencia imposible que se renuncie totalmente a los dictámenes escritos. Además, el peligro de divergencia entre la opinión que el Servicio Jurídico expuso internamente y la posición que quizá sus miembros se verían obligados a defender ante los tribunales, riesgo desaparece en cualquier caso una vez que estos hayan resuelto en firme sobre el acto comunitario de que se trata. El que se encuentre pendiente una recla-

También se ha planteado la cuestión respecto del asesoramiento al BCE. El juez comunitario recuerda que no es de aplicación el Reglamento 1049/2001 sino la Decisión 2004/258, cuyo artículo 4.3, párrafo 1, exige para aplicar la excepción tan solo demostrar que el documento está destinado a su uso interno en el marco de deliberaciones y consultas previas en el BCE, incluso una vez adoptada la

---

mación indemnizatoria, condicionada a la constatación de la existencia de un incumplimiento de sus obligaciones suficientemente caracterizado tampoco sería óbice porque, por regla general, los dictámenes del Servicio Jurídico relativos a una decisión de este tipo solo habrían de reflejar que se trata de cuestiones complejas y, por ende, abogan contra un incumplimiento caracterizado. Dichos dictámenes solo pueden fundamentar un incumplimiento caracterizado cuando ponen de manifiesto graves irregularidades del procedimiento administrativo. En este caso, la Comisión carecería de un interés digno de protección que justificase la retención de los documentos y existiría más bien un interés público en descubrir dichas irregularidades y evitar de esta manera su repetición. La STJUE de 21 de julio de 2011, C-506/08 P, Reino de Suecia contra *MyTravel Group plc* y Comisión considera que por lo que respecta, en primer lugar, al temor de que la divulgación de un dictamen del Servicio Jurídico de la Comisión relativo a un proyecto de decisión pueda inducir a dudar de la legalidad de la decisión definitiva, es precisamente la transparencia a este respecto lo que, al permitir que se debatan abiertamente las divergencias entre varios puntos de vista, contribuye a conferir una mayor legitimidad a las instituciones a los ojos de los ciudadanos de la Unión y a aumentar la confianza de estos. De hecho, es más bien la falta de información y de debate lo que puede suscitar dudas en los ciudadanos, no solo en cuanto a la legalidad de un acto aislado, sino también en cuanto a la legitimidad del proceso de toma de decisiones en su totalidad. Por otra parte, el riesgo de que surjan dudas en los ciudadanos de la Unión en cuanto a la legalidad de un acto adoptado por una institución por el hecho de que su Servicio Jurídico haya emitido un dictamen desfavorable respecto de ese acto no se concretaría la mayoría de las veces si la motivación de dicho acto fuera más detallada, de modo que quedaran patentes las razones por las que no fue seguido tal dictamen desfavorable. En lo que respecta a la alegación de que el Servicio Jurídico tendría que actuar con suma discreción y prudencia, no se ha respaldado por datos concretos y detallados. Además, en lo referente a la alegación de que el Servicio Jurídico podría verse obligado a defender ante los órganos jurisdiccionales de la Unión la legalidad de una decisión a propósito de la que había emitido un dictamen negativo, una alegación de carácter tan general no puede justificar una excepción a la transparencia prevista en el Reglamento n° 1049/2001 y, además, el Servicio Jurídico no hubiera podido encontrarse en una situación como la planteada en el apartado anterior, puesto que ya no cabía ningún recurso sobre la legalidad de la decisión en cuestión ante los órganos jurisdiccionales de la Unión.

decisión, y, por otra parte, que no existe un interés público superior que justifique la divulgación del documento[328].

> En la reforma, la Comisión pugna por añadir a los procedimientos judiciales los de arbitraje y solución de controversias. No formula ninguna propuesta respecto al asesoramiento jurídico (téngase en cuenta que su propuesta es anterior a la sentencia del TJ en el asunto Turco; tras dicha sentencia, el servicio jurídico del Consejo postula firmemente la necesidad de garantizar la confidencialidad del asesoramiento jurídico interno).

> El Parlamento, por el contrario, en coherencia con su postura de conjunto respecto a la transparencia del proceso legislativo, pretendía excluir inicialmente "el asesoramiento jurídico en el marco de los procedimientos de adopción de actos legislativos o de actos no legislativos de aplicación general". En su segunda propuesta va más allá y limita la excepción a "el asesoramiento jurídico relativo a procedimientos judiciales", lo que justifica en que en su sentencia Turco, el TJUE afirmó que la divulgación del asesoramiento jurídico fuera de los procedimientos judiciales en las iniciativas legislativas incrementa la transparencia y apertura del proceso legislativo y refuerza los derechos democráticos de los ciudadanos.

> Las Delegaciones tienen dos aproximaciones diferentes. Un amplio número de ellas considera que estas excepciones deberían pertenecer al primer grupo, y no someterse, pues, al test de ponderación con el interés público, mientras que otras apoyan el mantenimiento de la actual redacción.

2.5. El objetivo de las actividades de inspección, investigación y auditoría

Todo Derecho regulador del acceso a la información pública tiene necesidad de limitar el acceso a información sobre las actividades de

---

[328] STG de 12 de marzo de 2019, T-798/17, *Fabio de Masi y Yanis Varoufakis* contra Banco Central Europeo, y casación mediante STJUE de 17 de diciembre de 2020, C-342/19 P, *Fabio de Masi y Yanis Varoufakis* contra Banco Central Europeo. Los demandantes pedían acceso al asesoramiento jurídico externo del Banco Central Europeo respecto a la provisión urgente de liquidez concedida por el Banco central griego a bancos griegos. El TG consideró que dar la información socavaría la posibilidad de un debate efectivo, informal y confidencial y la independencia de los miembros del consejo de gobierno del BCE, con efectos sobre la posibilidad de existencia de un espacio de reflexión, incluso si se trata de procedimientos ya concluidos. Las Conclusiones del Abogado General Pikamäe consideraban que debía darse la información porque habían transcurrido ya años desde la resolución. El TJUE siguió al TG.

vigilancia, investigación, inspección, control, auditoría y sanción antes, durante y, en ocasiones, incluso con posterioridad a que tengan lugar, si el conocimiento puede poner en riesgo su objetivo. Así se prevé también, como sabemos, en el Convenio 205.

En el Derecho de la Unión Europea, la excepción relativa a las actividades de inspección e investigación ya estaba presente en el Código de Conducta, y el Reglamento 1049/2001 le añadió la de auditoría. Otro cambio introducido fue la precisión de que, para que entre en juego la excepción, la divulgación debe afectar al "objetivo" de dichas actividades, acogiendo así la jurisprudencia dictada durante la vigencia del Código de Conducta que excluía que cualquier información relacionada con ellas estuviera *per se* amparada por la excepción.

Se trata de una de las excepciones más invocadas por la Comisión. La jurisprudencia es muy abundante[329].

---

[329] STG de 5 de marzo de 1997, T-105/95, *WWF UK (World Wide Fund for Nature)*; STG de 14 de octubre de 1999, T-309/9, *Bavarian Lager Company Ltd* (casación, STJUE de 29 de junio de 2010, , C-28/08 P, Comisión contra *Bavarian Lager)*; STG de 12 de octubre de 2000, T-123/99, *JT's Corporation* contra Comisión; STG de 11 de diciembre de 2001, T-191/99, *David Petrie* y otros contra Comisión; STG de 6 de julio de 2006, T-391/03 y T-70/04, *Yves Franchet* y *Daniel Byk* contra Comisión; STG de 14 de diciembre de 2006, T-237/02, *Technische Glaswerke Ilmenau GMBH* contra Comisión (casación, STJUE de 29 de junio de 2010, C-139/07, Comisión contra *Technische Glaswerke Ilmenau)*; STG de 12 de septiembre de 2007, T-36/04, *Association de la presse internationale ASBL (API)* (casación, STJUE de 21 de septiembre de 2010, C-514/07 P, Reino de Suecia contra *Association de la presse internationale ASBL* y Comisión, C-528/07 P, *Association de la presse internationale ASBL* contra Comisión, C-532/07 P, Comisión contra *Association de la presse internationale ASBL*); STG de 30 de enero de 2008, T-380/04, *Ioannis Terezakis* contra Comisión; STG de 9 de junio de 2010, T-237/05, *Éditions Odile Jacob SAS* (casación, STJUE de 28 de junio de 2012, C-404/10 P, Comisión Europea contra *Éditions Odile Jacobs SAS)*; STG de 7 de julio de 2010, *Agrofert Holding* contra Comisión (casación, STJUE de 28 de junio de 2012, C-477/10 P, Comisión Europea contra *Agrofert Holding a. s.*); STG de 10 de diciembre de 2010, T-494/08 a T-500/08 y T-509/08, *Ryanair Ltd* contra Comisión; STG de 24 de mayo de 2011, T-250/08, *Edward William Batchelor* contra Comisión; STG de 7 de junio de 2011, T-471/08, *Ciarán Toland* contra Comisión; STG de 9 de septiembre de 2011, T-29/08, *Liga para Protecçao da Natureza (LPN)* contra Comisión (casación, STJUE de 14 de noviembre de 2013, C-514/11 P y C-605/11 P, *Liga para a Protecção da Natureza* (LPN) contra Comisión); STG de 15 de diciembre de 2011, T-437/08, *CDC Hydrogene Peroxide Cartel Damage Claims* contra Comisión; STG de 22 de mayo de 2012,

T-344/08, *EnBW Energie Baden-Württenberg AG* contra Comisión (casación, STJUE de 27 de febrero de 2014, C-365/12 P, Comisión Europea contra *EnBW Energie Baden-Württemberg AG*); STG de 13 de septiembre de 2013, T-111/11, *ClientEarth* contra Comisión (casación, STJUE de 16 de julio de 2015, C-612/13 P, *ClientEarth* contra Comisión); STG de 13 de septiembre de 2013, T-380/08, Reino de los Países Bajos contra Comisión; STG de 20 de marzo de 2014, T-181/10, *Reagens SpA* contra Comisión; STG de 21 de mayo de 2014, T-447/11, *Lian Catini* contra Comisión; STG de 25 de septiembre de 2014, T-306/12, *Darius Nicolai Spirlea y Mihaela Spirlea* contra Comisión (casación, STJUE de 1 de mayo de 2017, C-562/14 P, Suecia contra Comisión); STG de 25 de septiembre de 2014, T-669/11, *Darius Nicolai Spirlea y Mihaela Spirlea* contra Comisión; STG de 7 de octubre de 2014, T-534/11, *Schenker AG* contra Comisión; STG de 25 de marzo de 2015, T-456/13, *Sea Handling SpA* contra Comisión (casación, STJUE de 14 de julio de 2016, C-271/15 P, *Sea Handling* contra Comisión); STG de 16 de abril de 2015, T-402/12, *Carl Schlyter* contra Comisión; STG de 12 de mayo de 2015, T-480/11; *Technion-Israel Institute of Technology, Technion Research & Development Foundation Ltd* contra Comisión; STG de 12 de mayo de 2015, T-623/13, Unión de Almacenistas de Hierros de España contra Comisión; STG de 7 de julio de 2015, T-677/13, *Axa Versicherung AG* contra Comisión; STG de 26 de mayo de 2016, T-110/15, *International Management Group* contra Comisión; STG de 23 de enero de 2017, T-727/15, *Association Justice & Environment, z. s.* contra Comisión; STG de 28 de marzo de 2017, T-210/15, *Deutsche Telekom AG* contra Comisión; STG de 5 de abril de 2017, T-344/15, República Francesa contra Comisión; STG de 27 de abril de 2017, T-375/15, *Germanwings GmbH* contra Oficina de Propiedad Intelectual de la Unión Europea; STG de 7 de septiembre de 2017, T-451/15, *AlzChem AG* contra Comisión (casación, STJUE de 13 de marzo de 2019, C-666/17, AlzChem AG contra Comisión); STG de 5 de febrero de 2018, T-611/15; *Edeka-Handelsgesellschaft Hessenring mbH* contra Comisión; STG de 19 de septiembre de 2018, T-39/17, *Chambre de commerce et d'industrie métropolitaine Bretagne-Ouest (port de Brest)* contra Comisión; ATG de 10 de julio de 2018, T-514/15, *Izba Gospodarcza Producentów i Operatorów Urzadzen Rozrywkowych* contra Comisión (casación, STJUE de 30 de abril de 2020, C-560/18 P, *Izba Gospodarcza Producentów i Operatorów Urzadzen Rozrywkowych* contra Comisión); STG de 4 de octubre de 2018, T-128/14, *Daimler AG* contra Comisión; STG de 9 de octubre de 2018, T-632/17, *Eva Erdosi Galcsikné* contra Comisión; STG de 9 de octubre de 2018, T-633/17, *Robert Sárossy* contra Comisión; STG de 9 de octubre de 2018, T-634/17, *Anikó Pint* contra Comisión (casación, ATJUE de 21 de mayo de 2019, *Anikó Pint* contra Comisión, C-770/18 P); STG de 5 de diciembre de 2018, T-312/17, *Liam Campbell* contra Comisión; STG de 5 de diciembre de 2018, T-152/17, *Loreto Sumner* contra Comisión; STG de 11 de diciembre de 2018, T-440/17, y T-441/07, *Arca Capital bohemia a.s.* contra Comisión; STG de 12 de febrero de 2019, T-134/17, *Hércules Club de Fútbol, S. A. D.* contra Comisión (casación, ATJUE de 6 de noviembre de 2019, C-332/19 P, Hércules Club de Fútbol, S.A.D. contra Comisión); STG de 14 de mayo de 2019, T-751/17,

Una cuestión debatida es el propio concepto de "actividad de investigación". La jurisprudencia ha optado por una interpretación muy amplia y antiformalista. Destaca que se trata de "un concepto autónomo del Derecho de la Unión, que debe interpretarse atendiendo en particular a su significado habitual y al contexto en que se sitúa", de tal forma que "queda subsumido en dicha actividad un procedimiento estructurado y formalizado de la Comisión cuyo objetivo es la recogida y el análisis de información con el fin de que dicha institución pueda adoptar una postura en el marco del ejercicio de sus funciones con arreglo a los Tratados UE y FUE. El fin de ese procedimiento no tiene por qué ser detectar si se han cometido infracciones o irregularidades o sancionarlas. Puede incluirse asimismo en el concepto de "investigación" la actividad mediante la que la Comisión pretende constatar hechos con el fin de evaluar una situación determinada. Para calificar un procedimiento de «investigación" tampoco es imprescindible que la postura adoptada por la Comisión en cumplimiento de sus funciones revista forma de decisión, a efectos del artículo 288 TFUE, párrafo cuarto. Entre otros, puede darse a dicha postura forma de informe o recomendación."[330] La interpretación es, pues, muy amplia.

---

[330] *Commune de Fessenheim, Communauté de comunes Pays Rhin-Brisach, Conseil departamental du Haut-Rhin* y *Conseil regional Grand Est Alsace Champagne-Ardenne Lorraine* contra Comisión; STG de 12 de diciembre de 2019, T-692/18, *Marco Montanari* contra Servicio europeo de acción exterior; STG de 28 de mayo de 2020, T-649/17, *ViaSat, Inc.* contra Comisión; STG de 30 de enero de 2020, T-168/17, *CBA Spielapparate- und Restaurantbetrieb* contra Comisión; STG de 2 de marzo de 2022, T-134/20, *Huhtamaki Sàrl* contra Comisión; STG de 1 de septiembre de 2021, T-517/19, *Andrea Homoki* contra Comisión; STG de 12 de diciembre de 2019, T-692/18, *Marco Montanari* contra Servicio europeo de acción exterior; STG de 29 de septiembre de 2021, T-619/18, *TUI fly* contra Comisión (casación, ATJUE de 19 de mayo de 2022, C-764/21 P, *TUI fly GmbH* contra Comisión); STG de 2 de marzo de 2022, T-134/20, *Huhtamaki Sàrl* contra Comisión. STJUE de 7 de septiembre de 2017, C-331/15 P, Francia contra *Schlyter*. En este caso, el TJUE consideró que se incluía en las actividades de investigación los procedimientos de notificación de proyectos de reglamentos técnicos por parte de los Estados miembros y la emisión por la Comisión de dictámenes circunstanciados sobre esos proyectos, frente a la interpretación contraria en la STG de 16 de abril de 2015, T-402/12, *Carl Schlyter* contra Comisión, para la que las actividades de investigación se refieren "tanto al conjunto de indagaciones realizadas por una autoridad competente para determinar si se ha cometido una infracción como al procedimiento mediante el cual una administración reúne información y

Como ocurre con el resto de las excepciones, la jurisprudencia exige, para justificar la denegación, que la difusión pueda efectivamente perjudicar el desarrollo de estas actividades (su "objetivo"). Se requiere, en principio, como es la regla general en materia de excepciones, una argumentación por parte de la institución en cuestión suficiente e individualizada para cada documento del perjuicio real, no hipotético, que supondría su difusión, sin la cual, la decisión es nula por falta de motivación[331].

En principio –y salvo en los casos en que estos procedimientos involucran información atinente a los intereses comerciales de las empresas, como vimos y como enseguida recordaremos en relación los procedimientos relacionados con el Derecho de la competencia– esta excepción tiene un alcance limitado en el tiempo, esto es, es aplicable solo mientras el procedimiento aún se encuentre en fase de inspección, investigación o auditoría y aunque el procedimiento de investigación haya concluido[332], o, en su caso, mientras el asunto esté pendiente de

---

verifica algunos hechos antes de adoptar una resolución", lo que no incluiría este tipo de procedimientos. El Abogado General Wathelet tampoco los consideraba incluidos en esta categoría de actividades. Este mismo concepto se retoma en la STG de 4 de octubre de 2018, T-128/14, *Daimler AG* contra Comisión.

[331] Bajo la vigencia del Código de conducta, por ejemplo, STG de 12 de octubre de 2000, T-123/99, *JT's Corporation* contra Comisión. Ya vigente el Reglamento 1049/2001, por ejemplo, STG de 20 de marzo de 2014, T-181/10, *Reagens SpA* contra Comisión; STG de 12 de diciembre de 2019, T-692/18, *Marco Montanari* contra Servicio europeo de acción exterior.

[332] La STJUE de 7 de septiembre de 2017, C-331/15 P, Francia contra *Carl Schlyter*, considera que el objetivo del procedimiento establecido por la Directiva 98/34/ CE del Parlamento Europeo y del Consejo, de 22 de junio de 1998, por la que se establece un procedimiento de información en materia de las normas y reglamentaciones técnicas y, concretamente, de los dictámenes circunstanciados emitidos por la Comisión en el marco de dichos procedimientos es evitar la adopción por el legislador nacional de un reglamento técnico que obstaculice la libre circulación de mercancías o de servicios o la libertad de establecimiento de los operadores de servicios en el marco del mercado interior. La divulgación *a posteriori* de un dictamen circunstanciado en el que haya advertido de que algunos aspectos del proyecto de reglamento técnico notificado por un Estado miembro podrían crear obstáculos no supone necesariamente un perjuicio para el objetivo de dicho procedimiento. Por el contrario, el sistema establecido por la Directiva 98/34 impone una exigencia de transparencia, ya que el fin perseguido es permitir que los operadores económicos aprovechen mejor las ventajas del mercado interior gracias a la publicación periódica de los títulos de las reglamentaciones técnicas en proyecto de los Estados miembros, de tal manera que dichos operadores puedan

resolución judicial[333]. Ahora bien, la jurisprudencia destaca que no puede admitirse que los diferentes documentos referidos a estas actividades estén amparados por la excepción hasta que se hayan decidido las medidas que deben adoptarse a raíz de dichos procedimientos, pues ello equivaldría a supeditar el acceso a los citados documentos a un acontecimiento aleatorio, futuro y eventualmente lejano, dependiente de la celeridad y de la diligencia de las diferentes autoridades, lo que le ha llevado a reputar que si ha pasado un plazo razonable desde la actividad de inspección, investigación o auditoría sin que se hayan seguido actuaciones para la adopción de medidas sancionatorias o de otro tipo resultantes de las mencionadas actividades, la excepción no es aplicable[334].

Ahora bien, las reglas generales antes apuntadas han de complementarse con el amplio reconocimiento que ha tenido en la jurisprudencia

---

dar a conocer su apreciación sobre la repercusión de las mismas y desempeñar un papel activo y contribuir mediante su opinión al funcionamiento del sistema. Además, el artículo 8, apartado 4, de la Directiva indica al respecto que la información facilitada en virtud de ese artículo no será confidencial, a menos que lo pida explícitamente, aportando la motivación oportuna, el Estado miembro autor de la notificación. Por lo que respecta a los dictámenes circunstanciados emitidos por la Comisión o por un Estado miembro de acuerdo con el artículo 9, apartado 2, de la Directiva, ninguna disposición de esta prevé que sean confidenciales. Por lo tanto, procede considerar que la exigencia de transparencia que subyace a la Directiva 98/34 se aplica con carácter general a dichos dictámenes circunstanciados. La posibilidad de que los operadores conozcan no solo el reglamento técnico proyectado por el Estado miembro autor de la notificación sino también la postura expresada sobre el mismo en sus dictámenes circunstanciados por la Comisión y por los demás Estados miembros contribuye, en principio, a la consecución del objetivo de evitar que se adopten reglamentos técnicos que sean incompatibles con el Derecho de la Unión. Ello no excluye que en función de la circunstancia de cada caso la Comisión pueda ampararse en la excepción que analizamos cuando pueda probar que el acceso a este dictamen supone un perjuicio concreto y efectivo para el objetivo de evitar que se adopte un reglamento técnico que sea incompatible con el Derecho de la Unión. No se había justificado que concurriera esta circunstancia en el caso de autos. Siguió en esta apreciación efectuada en la instancia por la STG de 16 de abril de 2015, T-402/12, *Carl Schlyter*, asumida también en las Conclusiones del Abogado general Wathelet.

[333] Por ejemplo, SSTG de 12 de mayo de 2015, T-480/11, *Technion-Israel Institute of Technology, Technion Research & Development Foundation Ltd* contra Comisión o de 28 de mayo de 2020, T-649/17, *ViaSat, Inc.* contra Comisión.

[334] SSTG de 6 de julio de 2006, T-391/03 y T-70/04, *Yves Franchet y Daniel Byk* contra Comisión; de 7 de junio de 2011, T-471/08, *Ciarán Toland* contra Comisión; o de 5 de abril de 2017, T-344/15, *República Francesa* contra Comisión.

el juego de presunciones de daño respecto de la excepción que ahora analizamos, basadas en la necesidad de no comprometer la efectividad de estas actividades y apoyada suplementariamente en que, en la mayoría de los casos, la normativa reguladora de diferentes tipos de actividades de inspección, investigación y auditoría expresamente prevén la confidencialidad o un régimen de acceso reducido a la información obrante en los expedientes.

Por el momento, pueden enumerarse los siguientes casos:

A/ *Documentos relativos al control por la Comisión del cumplimiento por los Estados del Derecho de la Unión.* Como es sabido, los particulares pueden ser denunciantes, pero no parte en el procedimiento administrativo ni en el proceso judicial. Esta falta de legitimación les ha llevado a intentar jugar un papel fiscalizador a través de las solicitudes de documentación que contenga información acerca de los pasos seguidos por la Comisión, desde la inspección, hasta la posible apertura de diligencias, la elaboración de su dictamen motivado y la ulterior presentación de recurso por incumplimiento, así como sobre las respuestas y justificaciones aportadas por el Estado en cuestión. La jurisprudencia ha reconocido una presunción de daño en un eventual acceso por terceros a estos expedientes a un procedimiento por incumplimiento en su fase pre-contenciosa[335]. Además, esa finalidad de "monitorear" la labor de la Comisión no ha sido considerada un interés público superior, de tal modo que prevalece la excepción respecto al conjunto de documentos que se genera por la Comisión y el Estado en cuestión[336],

---

[335]   Ya bajo el Código de conducta, el TG (entonces Tribunal de Primera Instancia) venía denegando el acceso si el procedimiento estaba en curso, pero sin llegar a reconocer como tal la presunción (SSTG de 5 de marzo de 1997, T-105/95, *WWF UK (World Wide Fund for Nature)* y de 11 de diciembre de 2001, T-191/99, *David Petrie* y otros contra Comisión.

[336]   La primera vez que se reconoció esta presunción fue en el asunto *Liga para a Protecção da Natureza (LPN).* Una ONG ambiental solicitaba acceso a los documentos contenidos en el expediente de un procedimiento por incumplimiento por incumplimiento en tramitación contra la República Portuguesa, en relación con un proyecto de construcción de un embalse que podría incumplir dos Directivas ambientales, según una denuncia interpuesta por la propia demandante. La STJUE de 14 de noviembre de 2013, C-514/11 P y C-605/11 P, *Liga para a Protecção da Natureza (LPN)* contra Comisión, ratifica la solución adoptada en la instancia por la STG de 9 de septiembre de 2011, T-29/08, *Liga para a Protecção da*

incluso los documentos producidos con anterioridad al inicio del procedimiento, si se incorporan al expediente de investigación[337], lo

---

Natureza (LPN) contra Comisión. Al tratarse de materia ambiental, conforme al artículo 6.1 del Reglamento 1367/2006, esta excepción se interpreta de forma estricta "con excepción de las investigaciones, en particular aquellas relativas a posibles incumplimientos del Derecho comunitario". Considera que ello es así porque "el procedimiento por incumplimiento presenta características que son comparables a las de un procedimiento de control de las ayudas otorgadas por el Estado, y tampoco prevé el derecho del particular a consultar el expediente, ni siquiera cuando el procedimiento se haya iniciado en virtud de una denuncia del propio particular. En sus normas internas de procedimiento relativas a las medidas administrativas en favor del denunciante, la Comisión se limita a prever que este último será informado acerca de las decisiones adoptadas y de la propuesta de archivar el expediente sin ulterior trámite. Por otra parte, según reiterada jurisprudencia, en el marco de un procedimiento por incumplimiento el denunciante no tiene derecho a exigir a la Comisión que defina su postura en un sentido determinado ni tampoco a recurrir contra la negativa de dicha institución a iniciar un procedimiento por incumplimiento contra un Estado miembro. A este respecto, es irrelevante que el denunciante actúe para defender un interés personal o un interés público. En efecto, incumbe a la Comisión, cuando considera que un Estado miembro ha incumplido sus obligaciones, apreciar la oportunidad de actuar contra dicho Estado, especificar las disposiciones que este haya podido infringir y elegir el momento en que inicia en su contra el procedimiento por incumplimiento. Por lo demás, el dictamen motivado de la Comisión delimita el objeto del recurso por incumplimiento que pudiera interponerse posteriormente. Además, de reiterada jurisprudencia resulta que la finalidad del procedimiento administrativo previo es dar al Estado miembro interesado la oportunidad, por una parte, de cumplir sus obligaciones derivadas del Derecho de la Unión y, por otra, de formular adecuadamente las alegaciones que, en su defensa, estime pertinentes frente a las imputaciones de la Comisión. Por otro lado, la divulgación durante la fase administrativa previa de los documentos correspondientes a un procedimiento por incumplimiento podría dar lugar a que se modificara la naturaleza y el desarrollo de dicho procedimiento, habida cuenta de que, en tales circunstancias, podría resultar más difícil todavía que se iniciara un proceso de negociación y se llegara a un acuerdo entre la Comisión y el Estado miembro involucrado que pusiera fin al incumplimiento reprochado, a fin de hacer posible la observancia del Derecho de la Unión y de evitar un recurso judicial." En el mismo sentido, STG de 23 de enero de 2017, T-727/15, *Association Justice & Environment, z. s.* contra Comisión, en la que una organización no gubernamental ambiental pide información sobre un procedimiento por incumplimiento de la República checa de legislación ambiental europea. La salvedad del artículo 6.1 del Reglamento 1367/2006 se toma como justificación de la exclusión en estos casos de la concurrencia de un interés público superior.

337   En el asunto *AlzChem AG*, se solicita acceso a algunos documentos pertenecientes a un expediente de investigación de ayudas de Estado. El demandante argumentaba

que abarca también los informes que hayan podido encargarse a terceros para detectar los posibles incumplimientos, si han dado origen al inicio del procedimiento[338]. Tampoco la finalidad de utilizar los documentos para su posterior utilización judicial por el demandante se considera un interés público superior, documentos a los que en su caso podrá acceder el tribunal nacional ante el que se plantee una

---

que la presunción solo se aplica cuando se pide el acceso al conjunto de documentos, pero no cuando se solicita acceso a unos documentos concretos y poco numerosos. La STG de 7 de septiembre de 2017, T-451/15, *AlzChem AG* contra Comisión, descartó este argumento. En el mismo sentido se pronunció la STJUE de 13 de marzo de 2019, C-666/17 P, *AlzChem AG* contra Comisión, que aclara que la presunción abarca también los documentos preexistentes al inicio del procedimiento que pueden integrarse en el expediente.

[338] En el asunto *ClientEarth*, esta organización no gubernamental solicitó acceso a los documentos sobre transposición de Directivas en materia de medio ambiente por los diversos Estados encargados por la Comisión a una consultora privada. La demandante consideraba que su solicitud no se refería a una "actividad de investigación", dado que se trataba de un estudio realizado por un tercero. La STG de 13 de septiembre de 2013, T-111/11, *ClientEarth* contra Comisión, consideró que sí les era aplicable una presunción de daño. Recurrida en casación, el Abogado General Cruz Villalón consideró que era dudoso que los estudios litigiosos puedan comprometer, en su conjunto y de manera indiferenciada, el objetivo de la protección de las actividades de investigación de la Comisión. Consideraba que tanto por su objeto (examen de la transposición de determinadas Directivas) como por su autor (una consultora externa) los estudios litigiosos no podían contener, en ningún sentido, una información "sensible" y comprometedora para la Comisión, pese a que se tratara de información obtenida por cuenta de ella. Además, era información referida al grado de cumplimiento por los Estados miembros de su obligación de transponer determinadas Directivas en materia medioambiental, es decir, a una cuestión que, en gran medida, y por definición, ha de ser del dominio público y, en cuanto tal, accesible a cualquier particular. La STJUE de 16 de julio de 2015, C-612/13 P, *ClientEarth* contra Comisión, consideró que algunos de los estudios habían llevado a la iniciación de la fase administrativa de un procedimiento por incumplimiento en la fecha de presentación de la solicitud, sin que el tipo de documento o su autoría tuviera influencia en el análisis a realizar, de modo que, como estimó el TG, su divulgación habría podido generar presiones externas aptas para afectar al desarrollo de esas negociaciones en un ambiente de confianza mutua y para perjudicar por tanto la protección del objetivo de las actividades de investigación de la Comisión. Aplica la presunción de daño, exceptuando los estudios no tenidos en cuenta para el inicio del procedimiento, y no considera concurrente un interés público superior.

demanda[339]. La presunción juega cuando en el momento de adoptarse la decisión sobre acceso impugnada ese mismo procedimiento no ha sido aún archivado por la Comisión ni trasladado al TJUE; si, por el contrario, el procedimiento no se ha iniciado, o bien ha concluido, no puede invocarse esta presunción[340]. A estos procedimientos por incumplimiento se les ha asimilado, con el efecto de presumir también el daño, el procedimiento *EU Pilot*, que, como es sabido, se introdujeron en 2008 y tienen por objeto resolver posibles infracciones del Derecho de la Unión de manera eficaz evitando, en la medida de lo posible, la incoación formal de un procedimiento por incumplimiento con arreglo al artículo 258 TFUE. Se formalizaron así los intercambios de información que tradicionalmente se producen entre la Comisión y los Estados miembros en la fase informal de una investigación relativos a posibles infracciones del Derecho de la Unión y, al responder a la misma lógica, se presume también que acceder a los documentos generados en relación con estos procedimientos supone un daño para las actividades de investigación, sin que tampoco se haya considerado nunca la concurrencia de un interés público superior[341]. Ahora bien,

---

[339]　SSTG de 5 de diciembre de 2018, T-312/17, *Liam Campbell* contra Comisión, o de 5 de diciembre de 2018, T-152/17, *Loreto Sumner* contra Comisión, en relación con un procedimiento por incumplimiento en la trasposición por la República de Lituania de una directiva sobre interpretación y traducción en el marco de procesos penales.

[340]　En el Asunto *Association de la presse internationale ASBL (API)*. Se trata de una asociación de prensa que solicita acceder a información sobre actuaciones de investigación de incumplimientos de Estado en el sector de la aviación civil. La STG de 12 de septiembre de 2007, T-36/04, *Association de la presse internationale ASBL* contra Comisión, consideró que podía denegarse en bloque la documentación con amparo en la excepción de actividades de investigación y que esta exclusión se justifica hasta tanto no se dicta sentencia que intima al cumplimiento de la previa sentencia que declara la infracción. La STJUE de 21 de septiembre de 2010, C-514/07 P, Reino de Suecia contra *Association de la presse internationale ASBL* y Comisión, C-528/07 P, *Association de la presse internationale ASBL* contra Comisión, C-532/07 P, Comisión contra *Association de la presse internationale ASBL*, por el contrario, estima que no se puede presumir que la divulgación de los escritos procesales presentados en un procedimiento en el que se haya dictado una sentencia por incumplimiento perjudique las actividades de investigación que puedan dar lugar al inicio de un procedimiento para solicitar el cumplimiento de dicha sentencia.

[341]　El TJUE la ha reconocido por primera vez en la STJUE de 1 de mayo de 2017, C-562/14 P, Suecia contra Comisión, que resuelve un recurso de casación frente a

el TG ha descartado que sean asimilables por analogía a estos procedimientos, a los efectos de extender la presunción de daño, cualesquiera otros en que la Comisión autoriza a los Estados la aplicación de excepciones previstas en la normativa europea. El TJUE aún no ha tenido que pronunciarse al respecto[342].

---

la STG de 25 de septiembre de 2014, T-306/12, *Darius Nicolai Spirlea* y *Mihaela Spirlea* contra Comisión. Los demandantes eran los padres de un menor fallecido supuestamente a causa de un tratamiento terapéutico a base de células madre autólogas llevado a cabo en una clínica en Alemania. Tras el fallecimiento pusieron una denuncia ante la Dirección General de Salud de la Comisión, alegando que la clínica había podido ejercer su actividad por inacción de las autoridades alemanas que este modo infringieron normativa de la Unión Europea. La Comisión inició un procedimiento *EU Pilot*, y solicitó información a Alemania. Los demandantes solicitaron acceder a los documentos derivados de la tramitación de su denuncia, y la solicitud fue denegada. El TJUE afirma la presunción de daño. Por el contrario, para la Abogada General Sharpston, la presunción no era de aplicación dado que cuando se denegó el acceso la Comisión ya había comunicado a los demandantes que no iba a abrir recurso por incumplimiento y prevalecía ya el interés público en la divulgación. Aplican también esta presunción respecto de este tipo de procedimientos las SSTG de 9 de octubre de 2018, T-634/17, *Anikó Pint* contra Comisión, T-632/17, *Eva Erdosi Galcsikné* contra Comisión y T-633/17, *Robert Sárossy* contra Comisión, en relación con un posible incumplimiento por la República de Hungría de normativa europea sobre protección de consumidores. El ATJUE de 21 de mayo de 2019, *Anikó Pint* contra Comisión, C-770/18 P, que sigue a su Abogado General Pitruzzella, confirma la primera de ellas.

[342] En la STG de 4 de octubre de 2018, T-128/14, *Daimler AG* contra Comisión, esta empresa de fabricación de automóviles pide acceso a la documentación sobre un procedimiento que le afecta directamente relacionado con la aplicación de la normativa europea que permite a un Estado denegar, con autorización de la Comisión, la matriculación de vehículos que presentan riesgos graves para la seguridad vial u originan serios perjuicios para el medio ambiente o la salud pública. Si bien considera que el control de la Comisión sobre la aplicación de esta normativa entra en el concepto amplio de "actividad de investigación", constata que la mencionada normativa no prevé un régimen exclusivo de acceso por los Estados y que la Comisión no ha justificado por qué sería necesario reconocer una presunción de daño con la consiguiente imposibilidad de acceso a los documentos por terceros para garantizar el correcto funcionamiento del procedimiento en cuestión. Estima que no pueden asimilarse a los procedimientos *EU Pilot* ni a un procedimiento por incumplimiento, si no han dado origen precisamente a este tipo de procedimientos y se han incorporado a su expediente. Además, a diferencia de estos procedimientos, la normativa de aplicación en este caso sí prevé que los afectados sean consultados, de tal forma que es parte implicada en dicho procedimiento, a diferencia del eventual denunciante en los procedimientos por incumplimiento.

B/ *Documentos relacionados con prácticas que afectan a la libre competencia*. En estos casos, al estar en juego también la excepción de los "intereses comerciales", como vimos al estudiar esa excepción, *supra*, la presunción se aplica con independencia de que haya finalizado o no el procedimiento, y se pida acceso al expediente completo o solo a algunos documentos. Al respecto se ha planteado si la presunción de daño se extiende también al propio índice del expediente, cuando es lo único que se solicita, y la respuesta ha sido que el criterio es cualitativo y no cuantitativo[343]. La presunción se aplica al conjunto de los documentos integrantes del expediente, pero ello no impide que el solicitante pueda demostrar que la divulgación de un determinado documento es compatible con la protección del objetivo de estas actividades[344]. Por lo demás, tampoco en estos casos se considera que monitorizar la acción de la Comisión o el empleo de la información obtenida para la defensa en juicio sean intereses públicos superiores. De este modo, se ha afirmado la presunción de daño en relación con los expedientes administrativos correspondiente a un procedimiento de control de las ayudas de Estado, en que se considera, además, que no

---

[343] STG de 5 de febrero de 2018, T-611/15; *Edeka-Handelsgesellschaft Hessenring mbH* contra Comisión: "Ciertamente, el índice es un documento con características particulares, en el sentido de que carece de contenido propio, ya que se limita a resumir el contenido del expediente. No obstante, en primer término, es un documento organizador del expediente del procedimiento controvertido, que, por lo tanto, forma parte del conjunto de documentos relativo al mismo. En segundo término, es un documento que establece la relación de todos los documentos que figuran en el expediente, les pone título y los identifica. En tercer término, dado que el índice remite a todos y cada uno de los documentos del expediente, es un documento que refleja el conjunto de documentos del expediente y determinada información relativa al contenido de dichos documentos. Por último, como alega la Comisión, el índice permite ver todas las actuaciones realizadas por la Comisión en el procedimiento en materia de prácticas colusorias. Por consiguiente, el índice del expediente en materia de prácticas colusorias puede contener información pertinente y precisa acerca del contenido del expediente." Contrástese con un caso en que el expediente ya estaba terminado, y, por ello, el TG considera que ha de facilitarse el índice, en la STG de 15 de diciembre de 2011, T-437/08, *CDC Hydrogene Peroxide Cartel Damage Claims* contra Comisión.

[344] Así, en la STG de 2 de marzo de 2022, T-134/20, *Huhtamaki Sàrl* contra Comisión, en que se pedían concretos documentos integrantes de un expediente de ayudas de Estado, el TG anula la negativa a facilitar algunos de ellos referidos a una versión no confidencial de un determinado documento.

es un interés público superior el del afectado beneficiario de las ayudas
que precise la información para su posterior defensa[345]. También el de

---

[345] Desde la STJUE de 29 de junio de 2010, C-139/07, Comisión contra *Technis-che Glaswerke Ilmenau*. Se trata de una solicitud de acceso a la totalidad del
expediente de investigación de posibles ayudas de Estado a una empresa y a
la documentación aportada por otras empresas del sector (en este caso, del vi-
drio), planteada por una empresa competidora. La sentencia de instancia (STG
de 14 de diciembre de 2006, T-237/02, *Technische Glaswerke Ilmenau GMBH*
contra Comisión) descartó la posibilidad de una apreciación por categorías de
documentos –salvo en los casos excepcionales en que determinadas categorías
de ellos incurren manifiestamente en una excepción– o, *ad maiorem*, basada en
un principio general de confidencialidad de las actuaciones investigadoras para
garantizar la cooperación y el diálogo entre la Comisión. La Abogada General
Kokott consideró que podía partirse del principio según el cual la categoría de
documentos integrada por la correspondencia entre la Comisión y un Estado
miembro o por los documentos internos de la Comisión entra globalmente en
esta excepción, si bien la excepción no puede extenderse en el tiempo más allá
del momento en que la decisión de la Comisión que pone fin al procedimiento
por incumplimiento ha sido adoptada y es irrecurrible. Además, la excepción no
afecta a la documentación generada en las comunicaciones entre la Comisión y
terceros que hayan remitido información al procedimiento, ya que la Comisión
no negocia con ellos, a diferencia de lo que ocurre con los Estados, e incluso si
dichos terceros pueden temer las consecuencias de la divulgación de la información, es el precio a pagar por haber decidido participar en el procedimiento y, de
este modo, influir en su resultado; es esta regla la que permite el control mutuo
entre las empresas afectadas. El TJUE consideró que es necesario interpretar la
excepción de conformidad con el Reglamento que regula el procedimiento de
investigación de ayudas de Estado, que solo prevé el acceso a la documentación
por parte de los Estados –que son los sujetos pasivos de dicho procedimiento–
pero no por parte de los demás interesados, de modo que existe una presunción
general de que la divulgación de los documentos del expediente administrativo
perjudica, en principio, a la protección del objetivo de las actividades de investigación. Para llegar a esta conclusión concede relevancia al dato de que, a
diferencia de los casos en los que las instituciones comunitarias actúan en su
condición de legislador, en los que debe autorizarse un acceso más amplio a los
documentos a tenor del sexto considerando del Reglamento n° 1049/2001, en
estos casos se trata del ejercicio de funciones administrativas. En el asunto *Sea
Handling SpA*, una sociedad afectada por una decisión en materia de control
de ayudas de Estado solicita acceso a la denuncia y a la correspondencia de la
Comisión con el denunciante. La STG de 25 de marzo de 2015, T-456/13, *Sea
Handling SpA* contra Comisión, aplica la presunción. La STJUE de 14 de julio
2016, C-271/15 P, *Sea Handling SpA* contra Comisión, afirma que la presunción
se aplica con independencia del número de documentos que se soliciten y lo
preciso que sean, y no solo si se pide el acceso a todo el expediente, y considera

los documentos intercambiados entre la Comisión y los interesados o terceros en el marco de un procedimiento de control de las operaciones de concentración entre empresas[346]. O el de los documentos

---

que aunque el procedimiento ya hubiera finalizado, la decisión había sido objeto de impugnación judicial, de modo que, en función de la sentencia que se dictara, la Comisión podría de retomar sus actividades para adoptar en su caso una nueva decisión. En el asunto Hércules Club de Fútbol, S.A.D., un club de fútbol que ha recibido una ayuda pública pide acceso a la documentación del procedimiento iniciado. La STG de 12 de febrero de 2019, T-134/17, Hércules Club de Fútbol, S.A.D. contra Comisión, considera que rige la presunción, que actúa con independencia de que el procedimiento afecte al solicitante directa e individualmente y de que se alegue que el expediente incurre en errores, y que el interés del solicitante en garantizar su derecho de defensa y su derecho a la tutela judicial efectiva en el marco del asunto relativo a la constatación por parte de la Comisión de la incompatibilidad con el mercado interior de la ayuda estatal otorgada no es un interés público superior que pueda prevalecer. La solución fue ratificada por el ATJUE de 6 de noviembre de 2019, C-332/19 P, Hércules Club de Fútbol, S.A.D. contra Comisión, que sigue a su Abogado General Szpunar. Aplican también esta presunción las SSTG de 10 de diciembre de 2010, T-494/08 a T-500/08 y T-509/08, *Ryanair Ltd* contra Comisión; de 27 de abril de 2017, T-375/15, *Germanwings GmbH* contra Oficina de Propiedad Intelectual de la Unión Europea; de 19 de septiembre de 2018, T-39/17, *Chambre de commerce et d'industrie métropolitaine Bretagne-Ouest (port de Brest)* contra Comisión; de 11 de diciembre de 2018, T-440/17, y T-441/07, *Arca Capital bohemia a.s.* contra Comisión; de 14 de mayo de 2019, T-751/17, *Commune de Fessenheim, Communauté de comunes Pays Rhin-Brisach, Conseil departamental du Haut-Rhin y Conseil regional Grand Est Alsace Champagne-Ardenne Lorraine* contra Comisión; de 30 de enero de 2020, T-168/17, *CBA Spielapparate- und Restaurantbetrieb* contra Comisión; de 29 de septiembre de 2021, T-619/18, *TUI fly* contra Comisión (casación, ATJUE de 19 de mayo de 2022, C-764/21 P, *TUI fly GmbH* contra Comisión); de 2 de marzo de 2022, T-134/20, *Huhtamaki Sàrl* contra Comisión

[346] SSTJUE 28 de junio de 2012, C-477/10 P, Comisión Europea contra *Agrofert Holding a. s.* y C-404/10 P, Comisión Europea contra *Éditions Odile Jacobs SAS*. Se trataba de accionistas minoritarios que se entendían perjudicados por la autorización por parte de la Comisión de operaciones de concentración empresarial, que solicitaban acceso al expediente. El TJUE considera que es necesario interpretar las excepciones de la normativa sobre acceso y las normativas sectoriales de forma conjunta para lograr una aplicación coherente de ambas. Se trata de actividades de la Comisión que encajan en el concepto de "actividad de inspección, investigación y auditoría" y que implica la obtención de informaciones comerciales sensibles relativas a las estrategias comerciales de las empresas interesadas, a sus volúmenes de ventas, a sus cuotas de mercado o a sus relaciones comerciales, por lo que ambas excepciones están estrechamente ligadas. Si bien es cierto

de procedimientos sancionadores por infracción de las normas sobre competencia por concertación de precios[347]. El TG también la ha re-

---

que el derecho de consultar el expediente administrativo y el derecho de acceso a los documentos, en virtud del Reglamento 1049/2001, se distinguen jurídicamente, "no es menos cierto que conducen a una situación comparable desde un punto de vista funcional", ya que "con independencia de la base jurídica sobre la que se concede, el acceso al expediente permite a los interesados obtener las observaciones y documentos presentados a la Comisión". En estas condiciones, un acceso generalizado pondría en peligro el equilibrio entre la obligación de las empresas de comunicar a la Comisión informaciones comerciales eventualmente sensibles, para que pueda llevar a cabo su actividad de control, y la garantía de la protección reforzada inherente, en virtud del secreto profesional y del secreto empresarial, a las informaciones así comunicadas a la Comisión. Se alteraría de este modo el régimen instaurado por la normativa sectorial. En estos casos, la protección que brinda la presunción se extiende también a los procedimientos concluidos, dado que el perjuicio para el interés comercial puede subsistir y la perspectiva de divulgación podría minorar la disposición futura de las empresas a colaborar.

[347]   Por primera vez, en el asunto *EnBW Energie Baden-Württemberg AG*. La demandante era una empresa distribuidora de energía perjudicada por un cártel declarado y sancionado por la Comisión, que pedía acceso al expediente, exceptuando los documentos exclusivamente relacionados con la estructura de las empresas, su identificación y los redactados en japonés. La STG de 22 de mayo de 2012, T-344/08, *EnBW Energie Baden-Württemberg AG* contra Comisión, consideró que solo se puede excluir en este caso por categorías recurriendo a una presunción cuando el procedimiento está en curso y solo respecto de los documentos obtenidos en las inspecciones y anuló por falta de motivación la denegación respecto de los demás. La STJUE de 27 de febrero de 2014, C-365/12 P, Comisión Europea contra *EnBW Energie Baden-Württemberg AG* contra Comisión, destacó que en este caso se solicitaba el acceso al conjunto de los documentos, que la decisión de la Comisión había sido objeto de recurso que aún seguía pendiente cuando se realizó la solicitud y que los documentos guardaban relación con una actividad de investigación y que podían contener informaciones comerciales sensibles, relativa en particular a las estrategias comerciales de las empresas implicadas, a los importes de sus ventas, a sus cuotas de mercado o a sus relaciones comerciales, de modo que el acceso a los documentos del citado procedimiento puede perjudicar a la protección de los intereses comerciales de las mencionadas empresas. En consecuencia, las excepciones relativas a la protección de los intereses comerciales y la de los objetivos de las actividades de investigación estaban, en tal procedimiento, estrechamente relacionadas. El TJUE afirmó, en contra de lo estimado por el TG, que en este caso también es aplicable una presunción general al conjunto de los documentos, y subrayó que la normativa que regula estos procedimientos limita a las partes y a los denunciantes el acceso y de forma restringida. Un acceso generalizado con fundamento

conocido en relación con los documentos transmitidos por parte de las autoridades nacionales de competencia a la Comisión en el marco de la cooperación en esa materia, sin que el TJUE se haya aún pronunciado[348].

C/ Documentos relacionados con la actividad de investigación de la Oficina europea de Lucha contra el Fraude, presunción por ahora reconocida por el TG, sin que el TJUE haya debido pronunciarse, que está en línea con la restricción de acceso a estos expedientes prevista en su propia normativa reguladora y que juega mientras están abiertas las investigaciones y una vez finalizadas, hasta que pasa un tiempo razonable para que la autoridad competente decida si emprende un

---

en el Reglamento 1049/2001, a este tipo de expedientes podría poner en peligro el equilibrio entre la obligación de las empresas interesadas de comunicar a la Comisión informaciones comerciales eventualmente sensibles, para permitir que esta compruebe la existencia de un cartel y aprecie su compatibilidad con el referido artículo, por un lado, y, por otro, la garantía de la protección reforzada inherente, en virtud del secreto profesional y del secreto empresarial, a las informaciones así comunicadas a la Comisión. Otros supuestos de este tipo, en las SSTG de 13 de septiembre de 2013, T-380/08, Reino de los Países Bajos contra Comisión; de 7 de octubre de 2014, T-534/11, *Schenker AG* contra Comisión; de 7 de julio de 2015, T-677/13, *Axa Versicherung AG* contra Comisión, o de 28 de marzo de 2017, T-210/15, *Deutsche Telekom AG* contra Comisión.

348   El artículo 11.4 del Reglamento (CE) n.º 1/2003 del Consejo, de 16 de diciembre de 2002, relativo a la aplicación de las normas sobre competencia previstas en los artículos [101 TFUE] y [102 TFUE], dispone: "A más tardar 30 días antes de la adopción de una decisión por la que se ordene la cesación de una infracción, por la que se acepten compromisos o por la que se retire la cobertura de un reglamento de exención por categorías, las autoridades competentes de los Estados miembros informarán de ello a la Comisión. A tal efecto, le proporcionarán una exposición resumida del asunto y el texto de la decisión prevista o, en ausencia de ésta, cualquier otro documento en el que se indique la línea de acción propuesta. Esta información podrá ponerse también a disposición de las autoridades de competencia de los demás Estados miembros. A instancias de la Comisión, la autoridad de competencia encargada del asunto deberá poner a disposición de la Comisión otros documentos que se hallen en su poder y que sean necesarios para evaluar el asunto. La información facilitada a la Comisión podrá ponerse a disposición de las autoridades de competencia de los demás Estados miembros. Las autoridades nacionales de competencia podrán asimismo intercambiarse la información necesaria para evaluar el asunto que estén instruyendo al amparo de los artículos 81 u 82 del Tratado." Reconoce esta presunción la STG de 12 de mayo de 2015, T-623/13, Unión de Almacenistas de Hierros de España contra Comisión.

procedimiento sancionador[349], y que de nuevo prevalece frente al interés para ejercitar acciones por parte de los afectados, pero que no es de aplicación cuando ya ha transcurrido ese período o se ha descartado formalmente la existencia de infracción[350].

> La Comisión considera que el acceso a documentos relacionados con el ejercicio de los poderes de investigación debe excluirse hasta que la decisión relevante no pueda ser objeto de recurso de anulación o hasta que concluya la investigación, de modo que en la fase de investigación solo se aplicarían las normas específicas en esta materia, ya que en efecto los Reglamentos que regulan procedimientos de competencia y defensa comercial y procedimientos previstos en los Reglamentos sobre obstáculos al comercio, contienen disposiciones relativas a derechos preferenciales de acceso de las partes interesadas y disposiciones sobre la publicidad[351].

---

[349]　SSTG de 6 de julio de 2006, T-391/03 y T-70/04, *Yves Franchet y Daniel Byk* contra Comisión; de 30 de enero de 2008, T-380/04, *Ioannis Terezakis* contra Comisión; de 21 de mayo de 2014, T-447/11, *Lian Catini* contra Comisión (que descarta la procedencia del acceso sin entrar en si existe o no una presunción); de 26 de mayo de 2016, T-110/15, *International Management Group* contra Comisión. Como afirma esta última sentencia, "[...] En resumen, el marco normativo aplicable a la OLAF excluye, en principio, que las personas afectadas tengan derecho de acceso al expediente de la OLAF. Únicamente si las autoridades destinatarias del informe final tienen intención de adoptar actos lesivos contra las personas afectadas deberían tales autoridades, de conformidad con las normas de procedimiento aplicables, conceder acceso al informe final de la OLAF para permitir a dichas personas ejercitar su derecho de defensa. Por consiguiente, conceder el acceso a los expedientes de la OLAF o a los informes finales de la OLAF al público en general alteraría gravemente el régimen establecido por el Reglamento n.º 883/2013. Se desprende de las consideraciones precedentes que, a efectos de interpretar la excepción prevista en el artículo 4, apartado 2, tercer guion, del Reglamento n.º 1049/2001, debe reconocerse que existe una presunción general de que la divulgación de los documentos del expediente administrativo, en principio, perjudicaría a la protección de los objetivos de las actividades de investigación de la OLAF. Por lo tanto, el interés particular que puede alegar un solicitante de acceso a documentos que le afectan personalmente no puede, por lo general, ser decisivo ni para apreciar la existencia de un interés público superior ni para contrapesar los intereses."

[350]　STG de 1 de septiembre de 2021, T-517/19, *Andrea Homoki* contra Comisión.

[351]　Véanse los artículos 27, 28 y 30 del Reglamento 1/2003 (competencia), el artículo 6, apartado 7, el artículo 14, apartado 2, del Reglamento (CE) n° 384/96 (antidumping), el artículo 11, apartado 7, el artículo 24, apartado 2, del Reglamento (CE) n° 2026/97 (antisubvenciones), el artículo 6, apartado 2, del Reglamento (CE) n° 3285/94 (salvaguardia), y el artículo 5, apartado 2, del Reglamento (CE) n° 519/94 (salvaguardia contra países no miembros de la OMC).

Estas normas, entiende, se desvirtuarían si se concediera un mayor acceso al público en virtud del Reglamento (CE) n° 1049/2001. Además, considera que la información obtenida de personas físicas o jurídicas en el curso de dichas investigaciones debería mantenerse protegida después de que la decisión relevante se convierta en definitiva³⁵². Sin embargo, no ha formulado propuesta de modificación de esta excepción por parte de la Comisión y del Parlamento, pero sí por algunas Delegaciones, que pugnan por la introducción de una excepción específica para los documentos en el marco de procedimientos de infracción, incluidos los de la etapa anterior al litigio. Otras Delegaciones se oponen.

2.6. El proceso de toma de decisiones

En la regulación del derecho de acceso se plantea si ha de vedarse del conocimiento público toda la información referida a procesos de toma de decisiones en curso o solo la documentación más instrumental o "interna" en ellos contenida. La cuestión es trascendente y enlaza con el propio sentido de la transparencia: si se trata, tan solo, de un instrumento ciudadano para exigir una rendición de cuentas *a posteriori*, o si, además, está al servicio de la participación de los ciudadanos en el debate de los asuntos presentes. Como puede intuirse, las autoridades públicas aceptan de mejor grado lo primero que lo segundo, dado que tomar decisiones bajo el escrutinio público y compartiendo con los ciudadanos la misma información que ellas poseen, argumentan a menudo, les supone una "presión" que les impide deliberar "en libertad". Lo cierto es que muchos Derechos nacionales y el propio Convenio 205, como analizamos en la primera parte de este trabajo, la contemplan.

Como indicamos, *supra*, el Código de Conducta previó como excepción la protección del secreto de las deliberaciones, sometida a un criterio de ponderación con el interés público³⁵³.

El Reglamento 1049/2001 prevé la denegación del acceso a un documento elaborado por una institución para su uso interno o recibido por ella, relacionado con un asunto sobre el que la institución

---

352   Esta posición, en su Informe de 2004.
353   Ya desde su primera sentencia, y por relación al Código de Conducta, el TG aclaró que no basta una mera invocación de la confidencialidad de las deliberaciones del Consejo (STG de 19 de octubre de 1995, T-194/94, *John Carvel y Guardian Newspapers Ltd* contra Consejo).

no haya tomado todavía una decisión, o que contenga opiniones para
uso interno, en el marco de deliberaciones o consultas previas en el
seno de la institución, incluso después de adoptada la decisión, si su
divulgación perjudicara gravemente el proceso de toma de decisiones de la institución, salvo que dicha divulgación revista un interés
público superior. Las "acotaciones" a esta excepción (el acceso solo
puede denegarse cuando se pueda causar un perjuicio *grave* y, nótese,
incluso en ese caso puede prevalecer un *interés público superior* en la
divulgación) supusieron una apuesta por la transparencia por parte
del legislador europeo, ya que la redacción es el resultado de un debate en el que la Comisión pretendió sin éxito excluir del derecho de
acceso los textos de uso interno, como los documentos de reflexión
o de debate y las opiniones de los servicios, así como los mensajes
informales, para conferir a las instituciones un espacio de reflexión
(*space to think*). Esta exclusión, en esos términos, no se acogió, y se
trocó por la redacción que acabamos de reseñar[354].

Su interpretación ha dado origen a una significativa jurisprudencia[355].

---

[354] Artículo 3, letra a), de la Propuesta de Reglamento del Parlamento Europeo y del
Consejo relativo al acceso del público a los documentos del Parlamento Europeo, del Consejo y de la Comisión. Da cuenta de ello la Abogada General Kokott
en sus Conclusiones al asunto C-506/08 P, Reino de Suecia contra *MyTravel
Group plc* y Comisión.

[355] STG de 18 de diciembre de 2008, T-144/05, *Pablo Muñiz* contra Comisión; STG
de 9 de septiembre de 2008, T-403/05, *MyTravel Group pic* contra Comisión
(casación, STJUE de 21 de julio de 2011, C-506/08 P, Reino de Suecia contra *MyTravel Group plc* y Comisión); STG de 11 de marzo de 2009, T-121/05
y T-166/05, *Borax Europe Ltd* contra Comisión; STG de 9 de junio de 2010,
T-237/05, *Éditions Odile Jacob SAS* contra Comisión (casación, STJUE de 28
de junio de 2012, C-404/10 P, Comisión Europea contra *Éditions Odile Jacobs
SAS*); STG de 7 de julio de 2010, *Agrofert Holding* contra Comisión (casación,
STJUE de 28 de junio de 2012, C-477/10 P, Comisión Europea contra *Agrofert
Holding a. s.*); STG de 22 de marzo de 2011, T-233/09, *Access Info Europe*
contra Consejo (casación, STJUE de 17 de octubre de 2013, C-280/11 P, *Access
Info Europe* contra Consejo); STG de 24 de mayo de 2011, T-250/08, *Edward
William Batchelor* contra Comisión; STG de 7 de junio de 2011, T-471/08, *Cia-
rán Toland* contra Comisión; STG de 22 de mayo de 2012, T-344/08, *EnBW
Energie Baden-Württenberg AG* contra Comisión (casación, STJUE de 27 de
febrero de 2014, C-365/12 P, Comisión Europea contra *EnBW Energie Baden-
Württemberg AG*); STG de 22 de mayo de 2012, T-300/10, *Internationaler*

Han de puntualizarse cuáles son los presupuestos para que juegue la excepción que ahora analizamos.

En primer lugar, la excepción se refiere a los documentos relacionados con el "proceso de toma de decisiones", que, como ha aclarado la jurisprudencia, no pueden equipararse con todo documento obrante en un procedimiento administrativo, pues de lo contrario esta excepción cegaría el acceso a buena parte de la información, sino a los que han de valorarse para la adopción de la decisión[356].

Hilfsfonds Ev contra Comisión; STG de 15 de enero de 2013, T-392/07, *Guido Strack* contra Comisión (casación, STJUE de 2 de octubre de 2014, C-127/13 P, *Guido Strack* contra Comisión); STG de 25 de octubre de 2013, T-561/12, *Jürgen Beninca* contra Comisión; STG de 9 de septiembre de 2014, T-516/11, *Master Card, Inc., MasterCard International, Inc.,* y *MasterCard Europe* contra Comisión; STG de 11 de diciembre de 2014, T-476/12, *Saint-Gobain Glass Deutschland GmbH* contra Comisión (casación, STJUE de 13 de julio de 2017, C-60/15 P, *Saint-Gobain Glass Deutschland GmbH* contra Comisión); STG de 11 de junio de 2015, T-496/13, *Colin Boyd McCullough* contra Centro europeo para el desarrollo de la formación profesional; STG de 18 de septiembre de 2015, T-395/13, *Samuli Miettinen* contra Consejo; STG de 23 de septiembre de 2015, T-245/11, *ClientEarth, The International Chemical Secretariat* contra Agencia Europea de Sustancias y Mezclas Químicas; STG de 12 de noviembre de 2015, T-515/14 P y T-516/14 P, *Alexandrou* contra Comisión; STG de 13 de noviembre de 2015, T-424/14 y T-425/14, *ClientEarth* contra Comisión (casación, STJUE de 4 de septiembre de 2018, C-57/16 P, *ClientEarth* contra Comisión); STG de 25 de abril de 2016, T-221/08, *Guido Strack* contra Comisión; STG de 15 de septiembre de 2016, T-18/15, T-796/14 y T-800/14, *Philip Morris Ltd* contra Comisión; STG de 20 de septiembre de 2016, T-51/15, *Pesticide Action Network Europe (PAN Europe)* contra Comisión; STG de 21 de septiembre de 2016, T-363/14, *Secolux, Association pour le contrôle de la sécurité de la construction* contra Comisión; STG de 8 de febrero de 2018, T-74/16, *Pagkyprios organismos ageladotrofon (POA) Dimosia Ltd* contra Comisión; STG de 22 de marzo de 2018, T-540/15, *Emilio De Capitani* contra Parlamento; STG de 11 de julio de 2018, T-644/16, *ClientEarth* contra Comisión (casación, STJUE de 19 de marzo de 2020, C-612/18 P, *ClientEarth* contra Comisión); ATG de 20 de septiembre de 2018, T-421/17, *Päivi Leino-Sandeberg* contra Parlamento Europeo (casación, STJUE de 21 de enero de 2021, C-761/18 P, *Päivi Leino-Sandeberg* contra Parlamento Europeo); STG de 12 de diciembre de 2019, T-692/18, *Marco Montanari* contra Servicio europeo de acción exterior; STG de 23 de septiembre de 2020, T-596/18, ZL contra Oficina de la Propiedad Intelectual; STG de 21 de abril de 2021, T-252/19, *Laurent Pech* contra Consejo; STG de 8 de diciembre de 2021, T-247/20, *JP* contra Comisión; STG de 10 de febrero de 2022, T-488/18, *XC* contra Comisión.

[356] Así, en la STJUE de 13 de julio de 2017, C-60/15 P, *Saint-Gobain Glass Deutschland GmbH* contra Comisión (casación de la STG de 11 de diciembre de 2014,

En segundo lugar, la excepción no impide acceder a documentos provisionales, que no reflejan la decisión definitiva, ya que se refiere a acceder a documentos elaborados en el seno de un procedimiento de adopción de una decisión[357].

En tercer lugar, es importante distinguir entre "documento elaborado por una institución para su uso interno o recibido por ella, relacionado con un asunto sobre el que la institución no haya tomado todavía una decisión", de una parte, y "documento que contengan opiniones para uso interno, en el marco de deliberacio-

---

T-476/12, *Saint-Gobain Glass Deutschland GmbH* contra Comisión), se precisa que no se pueden equiparar los conceptos de proceso de toma de decisiones y procedimiento administrativo, porque ello "conduce a extender el ámbito de aplicación de la excepción al derecho de acceso previsto por esa disposición hasta el punto de permitir que una institución de la Unión deniegue el acceso a cualquier documento, incluidos los que contienen información medioambiental, en poder de aquélla cuando ese documento esté directamente relacionado con los asuntos tratados en el marco de un procedimiento administrativo pendiente ante esa institución. Pues bien, el concepto de «proceso de toma de decisiones» contemplado por la citada disposición debe entenderse referido a la adopción de la decisión sin cubrir la totalidad del procedimiento administrativo que condujo a aquélla. Esa interpretación resulta, en primer lugar, del propio tenor de la citada disposición, que se refiere a los documentos «[relacionados] con un asunto sobre el que la institución no [haya] tomado todavía una decisión». Además, esa interpretación responde a la exigencia de interpretar de manera estricta el artículo 4, apartado 3, primera frase, del Reglamento n.o 1049/2001 [...]".

[357] STJUE de 4 de septiembre de 2018, C-57/16 P, *ClientEarth* contra Comisión: "En cualquier caso, debe precisarse, por un lado, que el artículo 4, apartado 3, párrafo primero, del Reglamento n.o 1049/2001 tiene por objeto el acceso a documentos de uso interno o relacionados con un asunto sobre el que la institución aún no ha tomado una decisión. Sin embargo, dicha disposición, atendiendo a su tenor literal y al interés que protege, no excluye la posibilidad de solicitar el acceso a documentos de carácter provisional. Por otro lado, este carácter, *per se*, no puede demostrar, de manera general e independientemente de una evaluación individual y concreta de cada documento solicitado, que exista un riesgo de perjuicio grave para el proceso de toma de decisiones de la Comisión. En efecto, un perjuicio de este tipo depende de factores como el grado de acabado del documento de que se trate y la fase precisa en que se encuentra el proceso de toma de decisiones en el momento en que se deniega el acceso al documento, el contexto específico que rodea dicho proceso, así como las cuestiones que aún estén por debatir internamente en la institución de que se trate." En el mismo sentido, STG de 11 de junio de 2015, T-496/13, *Colin Boyd McCullough* contra Centro europeo para el desarrollo de la formación profesional, o STG de 22 de marzo de 2018, T-540/15, *Emilio De Capitani* contra Parlamento.

nes o consultas previas en el seno de la institución". De este modo, el Reglamento hace una distinción entre los documentos que contienen información, cuyo acceso solo puede denegarse hasta tanto la decisión no se haya adoptado, y aquellos que contienen opinión (utilizando la terminología clásica del Derecho de la información). Respecto de la "informaciones", no cabe denegar el acceso con base en esta excepción si el proceso de toma de decisión ha concluido; la Comisión ha defendido lo contrario, razonando a veces explícitamente que la consecuencia puede ser la autocensura y la huida de la forma escrita, pero la jurisprudencia ha salido al paso de esta objeción, que en realidad reproduce una pretensión de la Comisión que fue descartada, como vimos, en la elaboración del precepto, en que expresamente se consagró esta distinción, con la importante consecuencia de limitar en este caso la posible invocación de la excepción a los documentos obrantes en expedientes respecto de los cuales aún no se ha adoptado una decisión. Se preserva así una toma de decisión sin la "presión" del escrutinio externo, a cambio de permitir el acceso con toda a los datos manejados una vez ya adoptada la decisión –siempre que no concurra otra excepción–[358].

---

[358]   Así, en el asunto MyTravel Group plc se solicitaba acceso a los documentos generados por un Grupo de Trabajo creado por la Comisión para el estudio de la procedencia de recurrir en casación una sentencia del TG que anuló una decisión de la Comisión en relación con una operación de concentración de empresas en el sector de los viajes. La STG de 9 de septiembre de 2008, T-403/05, MyTravel Group pic contra Comisión, se mostró receptiva al argumento según el cual posibilitar el acceso a documentos para uso interno o recibidos por la institución cuando los procedimientos han terminado, conlleva un riesgo de autocensura y de elusión de la forma escrita por parte de los funcionarios y, con ello, una merma de la posibilidad de la institución en cuestión de obtener una opinión libre y completa de sus agentes y funcionarios y, por ende, de la libertad decisoria de la institución. La argumentación era que, si se conocían este tipo de documentos, pese a no recoger necesariamente la posición definitiva de la institución, en caso de mostrar discrepancias, pueden ser utilizadas para influir en la posición de los servicios de dicha institución a la hora de examinar asuntos similares que afecten al mismo sector de actividad. Recurrida la sentencia en casación, la Abogada General Kokott en sus Conclusiones el 3 de marzo de 2011, defendió de forma contundente y brillante esta distinción. Partió del segundo Considerando del Reglamento 1049/2001 la apertura permite garantizar, entre otras cosas, una mayor legitimidad y responsabilidad de la Administración para con los ciudadanos en un sistema democrático. En consecuencia, los ciudadanos de la Unión deben saber cómo y con qué motivos la Administración toma sus decisiones. Uno de los objetivos del Reglamento 1049/2001 es facilitar a los ciudadanos información

sobre las posturas que la institución de que se trate debatió internamente y después rehusó. De este modo, se brinda a los ciudadanos la posibilidad de formarse una opinión sobre la calidad de la actuación administrativa, en particular sobre el proceso de toma de decisiones, así como de participar en la discusión pública acerca de la actuación administrativa y, posiblemente, decantarse por una determinada orientación de cara a unas elecciones democráticas. En su opinión, una posible vía para evitar el acceso de los ciudadanos a la información relativa a la actuación administrativa sería impedir el nacimiento de dicha información o, al menos, la constancia escrita de la misma. No cabe duda de que existe el riesgo de que las instituciones o alguno de sus agentes recurran a estrategias de este tipo. No obstante, la interpretación de las disposiciones del Derecho de la Unión no puede basarse en el temor de que dichas disposiciones puedan ser eludidas. Si estos temores resultasen fundados, deberían adoptarse medidas para impedir dicha elusión. Con todo, aparte de los riesgos de autocensura y de uso de vías informales de deliberación, la transparencia también es un aliciente para preparar las decisiones cuidadosa y exhaustivamente y evitar así posteriores críticas. Si bien es cierto que puede producirse una mayor reserva en las deliberaciones, precisamente la posible divulgación posterior de las mismas puede llevar a que se adopten posturas más abiertas o críticas, puesto que resulta más difícil para la institución obviar sin argumentos convincentes un planteamiento bien fundado defendido por los colaboradores u otros servicios si se publica dicho planteamiento. El atractivo del uso de vías informales de deliberación tampoco es ilimitado. Al respecto, mencionaba en primer lugar el interés en proteger la calidad de la actuación administrativa, que podría sufrir un menoscabo si las deliberaciones no se plasmasen por escrito. Todos aquellos que desempeñan una función administrativa están, sin embargo, interesados en tomar decisiones cualitativamente buenas, ya que, de lo contrario, se cierne sobre ellos la amenaza de la crítica. Pero incluso al margen de la calidad de cada una de las decisiones, si no existe ninguna documentación que pueda facilitarse en caso de ser solicitada, también puede darse la impresión de que se quiere ocultar algo o, como mínimo, que la decisión no se preparó suficientemente. Y si lo único que existen son documentos sin atisbos de confrontación con otras opiniones, se suscita la duda acerca de la pericia de los asesores. Por lo tanto, la transparencia también puede contribuir a que la deliberación se formalice, se documente y, de este modo, resulte comprensible con el objeto de evitar las críticas y justificar las decisiones. Los intereses contrapuestos expuestos ponen de manifiesto que los riesgos de autocensura y de uso de vías informales de deliberación no pueden constituir un perjuicio grave razonablemente previsible del proceso de deliberación, sino que, en principio, solo tienen un carácter hipotético. Sin embargo, los perjuicios meramente hipotéticos no pueden fundamentar una excepción. Por lo tanto, se requieren argumentos concretos que permitan acreditar en el caso concreto la existencia de riesgos especiales, es decir, atípicos, derivados de la transparencia. Estos riesgos podrían existir, por ejemplo, cuando un grupo fuera particularmente polémico y los colaboradores afectados de la institución de la que se trate hubieran de temer inconvenientes concretos si sus opiniones se hiciesen públicas. No obstante, reconocía que los procedimientos administrativos en curso merecen un grado mayor de protección. Mientras no se adopte la decisión, se ve incrementado el riesgo de que el acceso a los

De este modo, solo respecto de los documentos que contengan opiniones para uso interno[359], por ser más sensibles, puede denegarse el acceso incluso con posterioridad a la adopción de la decisión con la

---

documentos internos del procedimiento de que se trate acarree consecuencias negativas, ya que la información puede ser utilizada por partes interesadas para influir sobre el procedimiento, lo que puede menoscabar especialmente la calidad de la decisión final. Por lo tanto, de manera semejante a lo que sucede durante los procedimientos judiciales, también debería garantizarse en los procedimientos administrativos que estos "se desarrollen serenamente". Debe evitarse que se ejerzan, aunque solo sea en la percepción del público, presiones externas sobre la actividad administrativa y que se perjudique la serenidad de los debates. El proceso de toma de decisiones merece una tutela claramente menor tras la adopción de la decisión. En efecto, mientras que el interés en la protección del proceso de toma de decisiones decrece una vez adoptada la decisión, el interés en la divulgación de la información relativa a dicho proceso aumenta. Faltando la transparencia durante un proceso de toma de decisiones, la responsabilidad de la Administración frente a los ciudadanos solo puede reafirmarse si se impone la transparencia al menos a posteriori. Además, consideraba que no resulta evidente cómo pueden utilizarse los documentos para ejercer una presión infundada en asuntos paralelos. En la medida en que estos documentos corroboren la decisión adoptada en el asunto original, únicamente pueden utilizarse para abogar por una práctica decisoria coherente. Con todo, los documentos carecerían de peso específico propio respecto a la decisión publicada. Si, por el contrario, los argumentos plasmados en los documentos internos divergen de la línea trazada por la decisión publicada, debería resultar sencillo rechazarlos remitiéndose a la decisión y a la motivación que la sustenta. Tales documentos solo sirven de medida de presión si contienen argumentos que en la decisión publicada no fueron rebatidos contundentemente. En el asunto de autos, consideraba que la decisión originaria adolecería de un vicio que, con pleno derecho, debería oponerse a la Comisión y no existiría motivo alguno que le permita seguir obviando argumentos de peso en ulteriores decisiones similares. Ciertamente, no puede descartarse la posibilidad de que existan asuntos específicos tan estrechamente vinculados que la divulgación de los documentos internos de uno de ellos podría perjudicar gravemente la decisión sobre el otro. Sin embargo, la Comisión no mencionaba en el caso de autos ningún indicio. En cuanto al interés público superior, podría pensarse que concurre en este caso, en que la decisión había sido objeto de anulación judicial con severas críticas, que indujo a la Comisión a llevar a cabo una investigación interna con el fin de extraer las oportunas enseñanzas de la sentencia y de determinar las modificaciones que procedía introducir en su práctica de toma de decisiones, lo que debió ser ponderado por la Comisión. La STJUE de 21 de julio de 2011, C-506/08 P, Reino de Suecia contra MyTravel Group plc y Comisión, acogió el enfoque arriba reseñado.

[359] No todo documento recibido por una institución es una "opinión" ni se enmarca en un proceso de deliberación o consulta "en el seno de la institución". No lo son, por ejemplo, los documentos remitidos por un Estado a la Comisión para analizar la compatibilidad de medidas nacionales con el Derecho de la Unión

que están relacionados. Ahora bien, en estos casos, el que el procedimiento esté o no concluido sí tiene un juego a la hora de determinar la posibilidad de un perjuicio grave, que es menor en el segundo caso, de tal modo que las razones que podrían justificar la negativa si aún no se hubiera adoptado la decisión pueden no bastar en una vez adoptada, si la institución no explica las razones específicas por las que estima que la finalización del procedimiento no excluye la posibilidad de perjuicio grave[360].

El perjuicio, además, ha de ser grave, lo que según la jurisprudencia ocurre cuando la divulgación del documento pertinente influya de una manera importante en el proceso de toma de decisiones. La apreciación de la gravedad depende de la totalidad de las circunstancias del caso, en particular, de los efectos negativos de esa divulgación en el proceso de toma de decisiones alegados por la institución[361]. Se trata de un elemento clave porque, a diferencia de otras excepciones, ha llevado al Juez europeo en muchas ocasiones a concluir que no concurre, dado que lo que plantean las instituciones son temores generales a las repercusiones del acceso en la libertad de expresión de los agentes, en que puedan ser sometidos a presiones en el futuro, en que el conocimiento puede frustrar negociaciones, en lo sensible de la materia, etc., que, como vimos, no se consideraron suficientes en el Reglamento 1049/2001 para prohibir con carácter general el acceso a documentos relacionados con el proceso de toma de decisión. De este modo, a falta de una prueba convincente y *ad casum* del perjuicio grave esperable, se desestima la concurrencia de la excepción[362].

Europea (STG de 24 de mayo de 2011, T-250/08, *Edward William Batchelor* contra Comisión).

[360] En la STG de 11 de junio de 2015, T-496/13, *Colin Boyd McCullough* contra Centro europeo para el desarrollo de la formación profesional, un ex-empleado pide acceso a las actas de las sesiones en las que se tomaron decisiones que le afectaron. El TG razona del modo consignado y considera que el argumento según el cual la difusión de las actas evitaría en el futuro que los miembros de órganos colegiados expresaran libremente sus puntos de vista, conduciéndoles a la autocensura, es meramente teórico y no justificado en el caso concreto.

[361] Desde su STG de 18 de diciembre de 2008, T-144/05, *Pablo Muñiz* contra Comisión.

[362] Así, la STG de 7 de junio de 2011, T-471/08, *Ciarán Toland* contra Parlamento, se solicita acceso a un informe de auditoría de las dietas de asistencia parlamentaria. El TG constata que era un informe para uso interno, que contenía propuestas sobre las que aún no se había adoptado una decisión sobre la reforma

En la aplicación de esta excepción, también se ha hecho una distinción entre el acceso a documentos relacionados con procedimientos administrativos y legislativos o relacionados con el medio ambiente. En el caso de los procedimientos legislativos la tendencia es a la prevalencia de la transparencia. El argumento, que ya hemos visto aplicado a otras excepciones, es el de que el acceso público a la integridad de los documentos del Consejo es el principio general, máxime

---

del estatuto de la asistencia parlamentaria. Ahora bien, el supuesto perjuicio se cifra en el temor de que algunos de los elementos del informe pudieran utilizarse para hacer fracasar el debate sobre la reforma, lo que es un argumento meramente hipotético. Tampoco es un argumento suficiente el que se trate de un tema "sensible" objeto de seguimiento por los medios de comunicación, ni la supuesta complejidad de la materia. En la STG de 22 de mayo de 2012, T-300/10, *Internationaler Hilfsfonds Ev* contra Comisión, una ONG pide acceso a información sobre un informe de auditoría y la posterior resolución de un contrato relacionado con un programa de ayuda humanitaria, cuando la decisión ya ha sido adoptada. El TG considera que no es atendible el argumento de que puede posibilitar conocer técnicas de auditoría empleadas –que por lo demás están estandarizadas – o someter en el futuro a los funcionarios a presión. En la STG de 9 de septiembre de 2014, T-516/11, *Master Card, Inc.*, *MasterCard International, Inc.*, y *MasterCard Europe* contra Comisión, se pide acceso a un estudio sobre el ventajas y desventajas de la utilización de tarjetas bancarias, y el TG subraya que no constituye un perjuicio grave el que la solicitud se refiera a documentos de un tercero que no ha dado su consentimiento ni el mero temor de que los comentarios que genere el conocimiento del documento puedan retrasar, perturbar o influenciar el trabajo de la Comisión o suponerle una presión externa, sin prueba en concreto, y de hecho ya se había llevado a cabo un procedimiento de consulta sobre el contenido del documento y de las medidas a adoptar. En la STG de 20 de septiembre de 2016, T-51/15, *Pesticide Action Network Europe (PAN Europe)* contra Comisión, una organización no gubernamental que lucha contra la autorización del empleo de sustancias que perturban el sistema endocrino, pide documentación relativa al proceso en curso para la determinación del listado de estas sustancias. La Comisión alegaba el riesgo de presión externa, por ser un tema sensible con mucha atención por organizaciones y representantes de intereses, pero el TG lo juzga una mera hipótesis no probada. También alegaba que la divulgación menguaría la posibilidad de alcanzar acuerdos internos, lo que de nuevo se juzga hipotético y en todo caso insuficiente para pareciar la existencia de un perjuicio grave. La STG de 12 de diciembre de 2019, T-692/18, *Marco Montanari* contra Servicio europeo de acción exterior, en que el solicitante de información había demandado por acoso a sus superiores y pedía acceso a documentos sobre mediación y al informe de sus resultados, que se le denegaron, descarta también que se haya acreditado el perjuicio grave para el proceso de toma de decisión.

en el marco de los procedimientos en que las instituciones actúan en calidad de legislador. De hecho, es más bien la ausencia de información y de debate la que es susceptible de generar dudas en el espíritu de los ciudadanos, no solo en cuanto a la legalidad de un acto aislado, sino también en cuanto a la legitimidad del proceso de toma de decisiones en su integridad. Se ha pronunciado así respecto de las posiciones defendidas por los Estados en el seno del Consejo[363]; respecto

---

[363] En el asunto *Access Info Europe*, esta ONG dedicada a impulsar la transparencia solicitaba información sobre la identidad de los Estados que habían presentado enmiendas en un procedimiento legislativo de reforma del propio Reglamento 1049/2001. Las instituciones argumentaban que se produciría una reducción del margen de maniobra de las delegaciones si se hiciera pública su toma de posición en los trabajos preparatorios, pues podría redundar en presiones por parte de la opinión pública que podrían coartar su libertad. Tanto el Tribunal General (STG de 22 de marzo de 2011, T-233/09, *Access Info Europe* contra Consejo) como el Abogado General Cruz Villalón estimaron que el principio de legitimidad democrática implica la responsabilidad por los actos propios, especialmente en el marco de un procedimiento legislativo. El Abogado General consideró, incluso, que podría decirse que en el procedimiento legislativo no hay documentos para uso interno, por lo que la ponderación entre el perjuicio grave y el interés público superior se ve hasta cierto punto "descompensada" en beneficio de este último. Además, no se trataba aquí de un documento de un servicio jurídico o de un órgano de carácter técnico o administrativo, sino de la posición de los Estados, de carácter político, por lo que, siguiendo al Tribunal General, el conocimiento de la postura de las delegaciones constituye un elemento de juicio mínimo e imprescindible para hacer posible la exigencia de responsabilidad política por parte de los destinatarios de la futura norma. Justamente por eso, el acceso a esa información sirve de manera inmediata a la satisfacción del fin último al que sirve el procedimiento legislativo, es decir, a la legitimación democrática de las normas que resultan de ese procedimiento. Consideraba que ciertamente el conocimiento de ese dato puede dificultar la estrategia negociadora de los miembros del Consejo y, en este sentido, perjudicar a la eficacia del procedimiento decisorio, pero en la actuación legislativa no puede ser un argumento determinante. Merece la pena reproducir sus contundentes palabras: "«Legislar» es, por definición, una actuación normativa que en una sociedad democrática solo puede desarrollarse a través de un procedimiento de carácter público y, en este sentido, «transparente». De otro modo sería imposible predicar de la «ley» la cualidad de ser expresión de la voluntad de quienes han de obedecerla, es decir, el fundamento mismo de su legitimidad como mandato incontestable. En una democracia representativa, y esta noción debe ser aplicable a la Unión, el procedimiento legislativo debe ser accesible al conocimiento de los ciudadanos, pues de otro modo no podrían exigir a sus representantes la responsabilidad política de la que se han hecho acreedores con su mandato electoral. En el contexto de ese procedimiento público la transpa-

de los dictámenes de los servicios jurídicos del Consejo recabados en
el procedimiento legislativo[364], pero también a los elaborados por la

---

rencia desempeña, pues, una función cualificada, distinta, en cierta medida, de la que
cumple en los procedimientos administrativos. Si en estos la transparencia sirve, muy
particularmente, al fin de la garantía de la sujeción de la Administración al imperio
de la ley, en el procedimiento legislativo sirve al de la legitimación de la ley misma y,
por tanto, con ella, a la del ordenamiento en su conjunto. Incluso podría decirse que
lo que el Consejo califica de grave perjuicio para su proceso de toma de decisiones
vendría a erigirse en la mejor garantía para el correcto desenvolvimiento del procedimiento legislativo en el que el Consejo está participando en el presente caso. En otras
palabras, es la limitación de la transparencia la que, en un caso como el de autos,
podría perjudicar al procedimiento que debe observarse para la reforma de un Reglamento como el nº 1049/2001. En la línea del razonamiento del Tribunal General,
puede replicarse al Consejo que los inconvenientes que la transparencia supone, en
términos de eficacia, para la negociación y adopción de decisiones acaso justifiquen
su sacrificio cuando el Consejo actúa como una institución intergubernamental y en
ejercicio de funciones de esa misma naturaleza, pero nunca cuando interviene en un
procedimiento legislativo. Si se quiere decir de otra manera, la transparencia puede
aparecer objetivamente como un inconveniente en el marco de una «negociación»
entre Estados, pero no así en el curso de una «deliberación» entre quienes han de
conformar el contenido de una norma «legislativa». Si en el primer caso el interés
prevalente puede ser, para cada Estado, el interés propio, en el segundo el interés
concernido está llamado a ser el de la Unión, es decir, un interés compartido, basado
en la realización de los principios que la fundamentan, entre ellos la democracia. Por
más que también en el ejercicio de las funciones legislativas la transparencia pueda
erigirse en un inconveniente, cabe decir que nunca fue sostenido que la democracia
hiciera más «fácil» la legislación si por fácil se entiende «sustraída al escrutinio público» en la medida en que el control de la opinión pública supone un serio condicionamiento para los protagonistas de la legislación." La STJUE de 17 de octubre de
2013, C-280/11 P, consideró que no se había probado que el riesgo de presión fuera
tan grande que las Delegaciones se habían visto impedidas, al conocerse la autoría
de cada propuesta, no presentar una propuesta que limitara la transparencia, ni se
había acreditado que hubiera impedido un debate sincero y exhaustivo, o la modificación de posturas para la obtención de acuerdos, ni había sido la difusión la causa
de la parálisis del procedimiento, sin que estas conclusiones quedaran modificadas
por referirse la información a un estadio inicial del proceso legislativo. Sobre este
asunto, ABAZI, V. y HILLEBRANDT, M., "The legal limits to confidential negotiations: Recent case law developments in Council transparency: Access Info Europe
and In't Veld", *Common Market Law Review,* 52(3), 2015, pp. 825-846.

[364] Así, en la STG de 18 de septiembre de 2015, T-395/13, *Samuli Miettinen* contra
Consejo, se pide acceso a un dictamen del servicio jurídico del Consejo sobre
una propuesta de directiva que se estaba tramitando. El Consejo alegaba que la
divulgación obstaculizaría el debate desviándolo hacia el contenido del dictamen
y dificultaría llegar a un acuerdo. El TG considera que se trata de una mera

Comisión en el marco de una evaluación de impacto previa al proceso legislativo *stricto sensu365*, o a las actas de grupos de expertos que

hipótesis, y que el Consejo no ha acreditado afectación o intentos de afectación al proceso de decisión en curso ni razones objetivas que permitan prever que se producirían en caso de divulgación, ni que el documento sea particularmente sensible o de amplio alcance. Los informes en que se analiza la base jurídica de una propuesta normativa versan sobre una cuestión esencial en los procesos legislativos, que no modifica el objeto de los debates, pero que constituye una parte esencial de los mismos. Debatir sobre la base jurídica no debilita, sino que, por el contrario, refuerza el proceso legislativo. Es precisamente la transparencia en materia de dictámenes jurídicos la que, al permitir que las divergencias entre diversos puntos de vista sean objeto de un debate abierto, lo que contribuye a conferir a las instituciones una mayor legitimidad a los ojos de los ciudadanos de la Unión y a aumentar su confianza. También con un presupuesto y solución similares, la STG de 21 de abril de 2021, T-252/19, *Laurent Pech* contra Consejo, en la que se solicita acceso al dictamen jurídico del Consejo que estudia la base jurídica de la propuesta de reglamento sobre protección del presupuesto en caso de graves infracciones del principio de Estado Derecho.

365 STJUE de 4 de septiembre de 2018, C-57/16 P, *ClientEarth* contra Comisión, que resuelve el recurso de casación contra la STG de 13 de noviembre de 2015, T-424 y T-425/14. El TG consideró que podía establecerse en estos casos una presunción de daño en tanto la Comisión no hubiera tomado su decisión respecto a una posible propuesta política, es decir, hasta que dicha institución decidiera bien adoptar una iniciativa, bien abandonarla, fuerza una propuesta legislativa o no. Y ello por la necesidad de salvaguardar el espacio de reflexión de la Comisión y su capacidad de ejercer su facultad de iniciativa con plena independencia y al servicio del interés general, y del riesgo de que la divulgación de documentos elaborados en el marco de una evaluación de impacto para un proceso legislativo en curso conlleve presiones o influencias externas que puedan afectar al desarrollo del proceso de toma decisiones de dicha institución. Para el TJUE, el propio Reglamento 1049/2001 prevé una mayor transparencia en las actuaciones legislativas, para facilitar la participación ciudadana, actuaciones legislativas que han de entenderse en sentido amplio, referido a "los documentos elaborados o recibidos en procedimientos de adopción de actos jurídicamente vinculantes para o en los Estados miembros". La elaboración por la Comisión de documentos de evaluación de impacto es previa al proceso legislativo *stricto sensu*, que no comienza formalmente hasta la presentación por la Comisión de la propuesta legislativa, pero la iniciativa legislativa corresponde a la Comisión, e incluye, por un lado, la de decidir si presentar, o no, una propuesta, salvo en los casos en que dicha institución está obligada a ello, y decidir sus términos, por lo que la Comisión es un actor esencial del proceso legislativo. Los informes de evaluación de impacto son claves al respecto, pues contienen, en particular, la presentación de diversas opciones políticas barajadas, estudios de impacto, ventajas e inconvenientes de todas estas opciones, así como una comparación de estas entre sí. Por

intervienen en una propuesta normativa[366] –pero no así cuando se trata de meros comentarios personales "críticos" con la actuación de los propios servicios de la institución, prevalece la reserva[367]–.

---

ello su divulgación puede incrementar la transparencia y la apertura del proceso legislativo en su conjunto, en particular, de sus fases preparatorias, de manera que también se fortalece el carácter democrático de la Unión, al permitir que sus ciudadanos controlen la información e intenten influir en dicho proceso. Además, en este caso, se refieren a información ambiental. Entrando ya a analizar el posible perjuicio, considera que el riesgo de presiones o de sobrerrepresentación y mayor influencia en el proceso legislativo de los que obtengan información por la vía del derecho de acceso puede ser conjurado por la Comisión sin necesidad de denegar el acceso.

[366] Así, en la STG de 11 de marzo de 2009, T-121/05 y T-166/05, *Borax Europe Ltd* contra Comisión, se pide acceso a las grabaciones de una reunión de grupo de expertos, en relación con un procedimiento normativo. El TG recuerda que el Reglamento 1049/2001 prevé una excepción para los dictámenes jurídicos, no para los científicos, y que en este caso la opinión fue recabada para aprobar una legislación. Por ello, las grabaciones deben en principio divulgarse incluso si pueden suscitar polémicas o disuadir a las personas que hacen aportaciones a aportar contribuciones al proceso de toma de decisiones. Ese riesgo es inherente al derecho de acceso, y no puede presumirse que la divulgación sea disuasoria ni que cause un grave perjuicio, como ocurriría en el caso en que la institución se viera en la imposibilidad de consultar a otros expertos. Tampoco cabe argüir que en caso de concederse el acceso las instituciones dejarán de grabar las reuniones y se perderá eficacia.

[367] En la STG de 15 de septiembre de 2016, T-18/15, T-796/14 y T-800/14, *Philip Morris Ltd* contra Comisión, esa empresa de comercialización de productos del tabaco pide acceso a documentos elaborados en el marco de trabajos preparatorios de la revisión de la directiva del tabaco. Se le da acceso parcial, pero se deniega a una parte que contenía reflexiones personales de un funcionario en el marco de la finalización del análisis de impacto de la revisión de la directiva, sin conexión con el contenido de la propuesta sino sobre los métodos internos de trabajo. El TG considera que las apreciaciones críticas del autor referidas a ciertos aspectos del comportamiento de otro servicio de la Comisión durante el proceso de adaptación de la propuesta de revisión de la directiva, como defendía la Comisión, habría supuesto un grave perjuicio para la toma de decisiones, porque impediría al personal formular este tipo de observaciones de manera independiente y sin ser influenciado de manera indebida por la perspectiva de una divulgación. En efecto, la posibilidad de expresarse de forma interna de forma independiente posibilita suscitar debates internos con el fin de mejorar el funcionamiento de la institución y contribuir al buen desarrollo del proceso de toma de decisiones. No puede decirse lo mismo de la parte del documento referidas a las etapas a seguir en la elaboración de la propuesta han de divulgarse.

Mención especial por su importancia merece lo relativo al acceso a la documentación generada en los llamados "trílogos" en que las tres instituciones negocian las propuestas normativas que siguen el procedimiento legislativo ordinario y que tienen un papel decisivo en la realidad de la práctica legislativa[368]. El TG ha descartado, contra lo

---

[368] Una pedagógica exposición de su funcionamiento se encuentra en la STG de 22 de marzo de 2018, T-540/15, *Emilio De Capitani* contra Parlamento, en la que un parlamentario pedía acceso a los cuadros con cuatro columnas (que describen la propuesta de la Comisión Europea, la orientación de la comisión parlamentaria, las enmiendas propuestas por los órganos internos del Consejo de la Unión Europea y, en su caso, los proyectos de compromiso propuestos) aportados a los diálogos tripartitos para los procedimientos de codecisión en curso. El Parlamento desestimó la solicitud por suponer una carga de trabajo excesiva, pero en su solicitud confirmatoria, el solicitante circunscribió los documentos solicitados a los cuadros con varias columnas elaborados en el marco de los diálogos tripartitos en curso en la fecha de la solicitud inicial relativos a los procedimientos legislativos ordinarios que tuvieran como base jurídica el título V del Tratado FUE («Espacio de libertad, seguridad y justicia») y el artículo 16 TFUE, que versa sobre la protección de los datos de carácter personal. Se le proporcionó el acceso íntegro a cinco de siete, y de los otros dos solo a tres de las cuatro columnas, pero no a la final. El TG comienza describiendo estos "trílogos": "[...] A este respecto, es preciso señalar que un diálogo tripartito es una reunión tripartita informal en la que participan representantes del Parlamento, del Consejo y de la Comisión. El objetivo de esos contactos es buscar rápidamente un acuerdo sobre un conjunto de enmiendas aceptables para el Parlamento y el Consejo, acuerdo que, a continuación, todavía debe ser aprobado por tales instituciones conforme a sus procedimientos internos respectivos. Las discusiones legislativas durante un diálogo tripartito pueden versar tanto sobre cuestiones políticas como sobre cuestiones jurídicas técnicas [...] Así, el procedimiento legislativo ordinario previsto en el artículo 294 TFUE conlleva tres etapas (primera lectura, segunda lectura y tercera lectura con conciliación), pero puede concluir en cada una de esas etapas si el Parlamento y el Consejo alcanzan un acuerdo. Si bien el procedimiento puede necesitar hasta tres lecturas, la utilización cada vez mayor de los diálogos tripartitos muestra que un acuerdo puede alcanzarse a menudo durante la primera lectura [...] Las reuniones de diálogo tripartito constituyen así una «procedimiento consolidado mediante el que se adopta la mayor parte de la legislación» y son consideradas, por lo tanto, por el propio Parlamento, «fases decisivas del proceso legislativo» (véase la Resolución del Parlamento de 28 de abril de 2016 sobre el acceso público a los documentos, apartados 22 y 26). En la vista, el Parlamento indicó que hoy en día entre el 70 y el 80 % de los actos legislativos de la Unión se adoptan tras un diálogo tripartito. Por consiguiente, es preciso reconocer que el recurso a los diálogos tripartitos ha dado muestras, a lo largo de los años, de vigor y de flexibilidad, en la medida en que ha contribuido a multiplicar considerablemente las posibilidades de acuerdo en las distintas fa-

que pretendían las instituciones, que se pueda establecer una presunción de daño respecto de la documentación que generan mientras el procedimiento legislativo está en curso, recalcando que nunca se ha reconocido una presunción en materia de procedimiento legislativo, sino solo administrativos y para concretos procedimientos, "mientras que la labor de los diálogos tripartitos cubre, por definición, toda la actividad legislativa." Y, a la hora de valorar si conceder el acceso íntegro a las propuestas, ante la alegación de que la publicidad total de la documentación incrementaría la presión pública sobre el ponente, los ponentes alternativos y los grupos políticos, ha puesto en valor la necesidad de publicidad del proceso legislativo para la participación democrática[369]. Además, se trata de documentación propositiva encaminada por su naturaleza a ser manejada en un proceso dinámico, y como tal ha de tomarse[370]. En cuanto a la posible pérdida de confianza

---

ses del procedimiento legislativo. Por otra parte, consta que las reuniones de los diálogos tripartitos se celebran a puerta cerrada y que los acuerdos alcanzados en ellas, que normalmente se reflejan en la cuarta columna de los cuadros de los diálogos tripartitos, son adoptados, posteriormente, por los colegisladores, por lo general, sin modificaciones sustanciales, como confirmó el Parlamento en su escrito de contestación y en la vista." "[...] procede concluir que los cuadros de los diálogos tripartitos forman parte del procedimiento legislativo."

[369] "[...] en un sistema basado en el principio de la legitimidad democrática, los colegisladores deben responder de sus actos frente al público. El ejercicio por los ciudadanos de sus derechos democráticos presupone la posibilidad de seguir en detalle el proceso de toma de decisiones en el seno de las instituciones que participan en los procedimientos legislativos y de tener acceso a toda la información pertinente [...] Además, el artículo 10 TUE, apartado 3, establece que todo ciudadano tiene derecho a participar en la vida democrática de la Unión y que las decisiones serán tomadas de la forma más abierta y próxima posible a los ciudadanos. Por lo tanto, la manifestación de la opinión pública acerca de una u otra propuesta o acuerdo legislativo provisional celebrado en el marco de un diálogo tripartito y plasmado en la cuarta columna de los cuadros de los diálogos tripartitos forma parte del ejercicio de los derechos democráticos de los ciudadanos de la Unión, máxime si se tiene en cuenta que, por lo general [...] dichos acuerdos son adoptados posteriormente, por regla general, sin modificaciones sustanciales por los colegisladores" [...]

[370] "Por otra parte, el Tribunal ya ha tenido ocasión de declarar que, por su propia naturaleza, una propuesta se hace para ser discutida, y no está destinada a mantenerse inalterada tras esa discusión. La opinión pública es perfectamente capaz de comprender que el autor de una propuesta puede modificar su contenido posteriormente [...] Precisamente por las mismas razones, el autor de una solicitud de acceso a documentos de un diálogo tripartito en curso será

entre las instituciones de la Unión y al probable deterioro de la cooperación entre ellas y, en particular, con la Presidencia del Consejo, ha
recordado que la cooperación leal, y máxime en la actividad legislativa, es una obligación de las instituciones[371]. Y sobre la necesidad de
un espacio de reflexión, ha remachado que los "trílogos" se insertan
en procedimientos legislativos y en ellos, además, también hay lugar
para la oralidad[372]. Finalmente, ha descartado que la denegación pueda
ampararse en el hecho de que, una vez concluido el procedimiento legislativo, los documentos se hagan públicos, lo que llevaría al mismo
resultado de una presunción e iría en contra de la propia voluntad

plenamente consciente del carácter provisional de esa información. Asimismo,
será perfectamente capaz de comprender que, conforme al principio de que «nada está acordado hasta que todo esté acordado», la información que figura en
la cuarta columna está destinada a ser modificada durante las discusiones de
los diálogos tripartitos hasta que se alcance un acuerdo sobre el texto en su
conjunto."

[371] "[...] procede recordar que las instituciones de la Unión están obligadas a respetar el artículo 13 TUE, apartado 2, segunda frase, que enuncia que «las instituciones mantendrán entre sí una cooperación leal» [...] Dicha cooperación reviste
una especial importancia para la actividad legislativa de la Unión, la cual exige
un proceso de colaboración estrecha entre las instituciones interesadas. De este
modo, cuando la aplicación del procedimiento legislativo de la Unión se confía a
varias instituciones, estas están obligadas, en virtud de la obligación de cooperación leal enunciada también en el artículo 4 TUE, apartado 3, párrafo primero, a
actuar y cooperar de modo que ese procedimiento pueda recibir una aplicación
efectiva, lo que implica que cualquier deterioro de la confianza que se deben las
instituciones constituiría un incumplimiento de la citada obligación."

[372] "[...] es preciso señalar que los diálogos tripartitos se enmarcan en el procedimiento legislativo, como se ha señalado en el anterior apartado 75, y que estos
representan, en palabras del propio Parlamento, «una fase sustancial del procedimiento legislativo, y no un "espacio de reflexión" aparte» (Resolución del
Parlamento de 14 de septiembre de 2011 sobre el acceso del público a los documentos, apartado 29). Además, como el Parlamento indicó en la vista, al margen
de que se incluyan textos de compromiso en la cuarta columna de los cuadros de
los diálogos tripartitos, pueden mantenerse discusiones a tal efecto con ocasión
de las reuniones dedicadas a la preparación de dichos textos entre los distintos
actores, por lo que no se cuestiona la posibilidad de que se produzcan tales intercambios, máxime si se tiene en cuenta que, como se ha señalado en el anterior
apartado 86, el presente litigio no versa sobre la cuestión del acceso directo al
trabajo de los diálogos tripartitos, sino únicamente sobre la del acceso a los documentos elaborados en el marco de estos a raíz de una solicitud de acceso."

formalmente expresada del Parlamento de introducir la transparencia en el curso de los diálogos tripartitos[373].

---

[373] En cuanto al carácter temporal de la denegación, "que se apoya en el hecho de que, una vez concluido el trabajo de los diálogos tripartitos, podría acordarse, según los casos, un acceso íntegro a los cuadros de los diálogos tripartitos, procede señalar, antes de nada, que el trabajo de los diálogos tripartitos puede extenderse en el tiempo a períodos considerables y la inexistencia de informes detallados y uniformes y su publicidad variable no permiten atenuar la falta de transparencia del trabajo de los diálogos tripartitos en curso." Además, "el trabajo de los diálogos tripartitos constituye una fase decisiva del procedimiento legislativo, en la medida en que el acuerdo alcanzado gracias a ellos es adoptado, por regla general, sin modificaciones sustanciales por los colegisladores (véase el anterior apartado 72). Por esta razón, la denegación de acceso controvertida no puede ser válidamente justificada por su carácter temporal, sin efectuar mayores precisiones ni distinciones. En efecto, tal justificación global, aplicable a todos los diálogos tripartitos, produciría de facto los mismos efectos que una presunción general de no divulgación, cuya alegación ha sido, sin embargo, rechazada (véanse los anteriores apartados 76 a 84)." "El Tribunal señala asimismo que, en su Resolución de 11 de marzo de 2014 sobre el acceso público a los documentos, el Parlamento insta a la Comisión, al Consejo, y a él mismo, a que «velen por la mayor transparencia de los diálogos tripartitos informales, celebrando las reuniones en público y publicando automáticamente su documentación, incluidos los calendarios, órdenes del día, actas, expedientes examinados, enmiendas, decisiones adoptadas, información sobre las delegaciones de los Estados miembros y sus respectivas posiciones y actas, en un formato normalizado y fácilmente accesible en línea, sin perjuicio de las excepciones a que se refiere el artículo 4, apartado 1, del Reglamento n.o 1049/2001»." Sobre esta sentencia, véase RUGGE, G., "Trilogues and access to documents: De Capitani v. Parliament", *Common Market Law Review*, vol. .56, num. 1, 2019, pp. 237-258. Una continuación del asunto tuvo lugar cuando una profesora universitaria pidió la misma información Aunque el eurodiputado había colgado la información en internet no desistió de su demanda, aduciendo que como investigadora precisaba fuentes auténticas y no una versión colgada en internet por un particular, anotada y subrayada, pero el TG consideró que la negativa del Parlamento fue puntual y coyuntural y que por tanto no procedía continuar con el proceso para evitar que la ilegalidad se repitiera en el futuro (ATG de 20 de septiembre de 2018, T-421/17, *Päivi Leino-Sandeberg* contra Parlamento Europeo). Recurrido en casación, la STJUE de 21 de enero de 2021, C-761/18 P, *Päivi Leino-Sandeberg* contra Parlamento Europeo, sí consideró que el litigio conservaba su objeto. Para el TJUE, conforme a la normativa, la institución puede limitarse a informar dónde se puede obtener la información, pero "en cambio, no puede considerarse que la institución de que se trate ha cumplido su obligación de facilitar el acceso a un documento por el mero hecho de que ese documento haya sido divulgado por un tercero y el solicitante haya tenido conocimiento de él." En este caso, conserva un interés a una versión

También la publicidad es la tendencia cuando la información tiene relación con el acceso a la información ambiental, caso en el cual la propia normativa de acceso a la información ambiental prevé la prevalencia del interés público cuando se trata de facilitar el conocimiento de las emisiones al ambiente[374].

Por lo demás, la excepción que ahora estudiamos está en ocasiones conectada con la relativa a las actividades de investigación, que ya analizamos, y, como vimos, la jurisprudencia ha afirmado que puede establecerse una presunción general de perjuicio grave al proceso de toma de decisiones en el caso de una actividad de este tipo también por la divulgación de notas internas o en opiniones para uso interno cuando la decisión a la que se refieren no es aún firme y hay un recurso judicial contra ella pendiente, por lo que la institución podría, en función del resultado del procedimiento jurisdiccional, reanudar sus actividades de investigación[375].

---

autenticada del documento, que garantice que la institución es su autora y que ese documento expresa su posición oficial. En sentido también afirmativo se pronunciaba el Abogado general Bobek, que subrayaba que la denegación se basó en un argumento que puede volver a ser utilizado, y con una probabilidad razonable al mismo solicitante, puesto que estaba haciendo un estudio al respecto.

[374] Así, en la STJUE de 13 de julio de 2017, C-60/15 P, *Saint-Gobain Glass Deutschland GmbH* contra Comisión, que resuelve un recurso de casación contra la STG de 11 de diciembre de 2014, T-476/12, *Saint-Gobain Glass Deutschland GmbH* contra Comisión. El supuesto es la solicitud a la Comisión de información transmitida por Alemania acerca de las emisiones de dióxido de carbono de una empresa la eficacia de las instalaciones y los derechos de emisión anuales asignados, obtenida en relación con un procedimiento en curso de asignación de derechos de emisión. Alemania se opuso a la divulgación conforme al artículo 4.5 Reglamento 1049/2001, alegando esta excepción. El TJUE recuerda que en este caso es de aplicación el Reglamento 1367/2006, en materia ambiental, de cuyo artículo 6.1 se desprende que la excepción en este caso debe interpretarse de manera estricta, teniendo en cuenta el interés público que reviste la divulgación si la información solicitada se refiere a emisiones al medio ambiente.

[375] Así, en materia de reglas de competencia, SSTJUE de 28 de junio de 2012, C-404/10 P, Comisión Europea contra *Éditions Odile Jacobs SAS* y C-477/10 P, Comisión Europea contra *Agrofert Holding a. s.* y de 27 de febrero de 2014, C-365/12 P, Comisión Europea contra *EnBW Energie Baden-Württemberg AG*, siguiendo las Conclusiones de su Abogado General Cruz Villalón, y STG de 25 de octubre de 2013, T-561/12, *Jürgen Beninca* contra Comisión. En la STG de 25 de abril de 2016, T-221/08, *Guido Strack* contra Comisión, se pide acceso a un informe de la Oficina Europea de Lucha contra el Fraude y, aunque el proceso

Junto a ello, hay que constatar que en materia de selección del personal, el TG ha reconocido una presunción de daño al procedimiento de toma de decisiones en relación con el acceso a las deliberaciones y evaluaciones o a los cuestionarios, que se extiende más allá de la finalización de las pruebas y se engarza con el secreto previsto en la normativa especial reguladora, si bien no parece acomodarse a los presupuestos legales de la excepción, al no tratarse, o no en todos los casos, de "opiniones"[376], por lo que tal vez sería conveniente incluir una excepción específica en una futura reforma, tal y como vimos propone la Comisión.

> En su propuesta de reforma, justificada en razones de claridad, la Comisión propone una nueva redacción que elimina la referencia a los "documentos para su uso interno o recibido por ella" y le da una redacción más general, aludiendo sencillamente a los documentos cuya divulgación perjudique el proceso de toma de decisiones de las instituciones. Mantiene, sin embargo, la distinción entre el concepto de perjuicio y de perjuicio "grave", mientras que, en su Informe de 2004, la Comisión destacaba que es muy teórica y difícil de determinar de forma concreta. Por otra parte, el Reglamento solo contempla el proceso de toma de decisiones interno de cada institución y obvia el carácter interinstitucional de la toma de decisiones a nivel comunitario. Además, consideraba muy restrictivo el apartado 3 del artículo 4, cuya formulación no permite proteger determinados documentos preparatorios relativos a un acto ya adoptado por una institución y que contenga información cuya divulgación sería contraria al interés de dicha institución.

---

de investigación está terminado, el TG considera que la posibilidad de acceder a este tipo de informes dificultaría la misión de la OLAF, revelaría su metodología y la estrategia de instrucción, y perturbaría la disponibilidad de las personas que intervienen en estos procedimientos para colaborar en el futuro y, por ello, podrían en cuestión el funcionamiento correcto de estos procedimientos y la consecución de sus objetivos. Además, la normativa que los regula prevé una regla de confidencialidad. De ello se deduce una presunción de daño, en especial respecto a los documentos que contienen dictámenes destinados a la utilización interna en el marco de deliberaciones y de consultas preliminares en el seno de la OLAF.

[376] Así, respecto al acceso a los cuestionarios de respuestas múltiples que pueden reutilizarse en un futuro (SSTG de 12 de noviembre de 2015, T-515/14 P y T-516/14 P, *Alexandrou* contra Comisión; de 23 de septiembre de 2020, T-596/18, ZL contra Oficina de la Propiedad Intelectual; de 10 de febrero de 2022, T-488/18, XC contra Comisión) o a las actas del jurado y a la evaluación personal o comparativa de los candidatos (STG de 8 de diciembre de 2021, T-247/20, *JP* contra Comisión)

El Defensor del Pueblo europeo denuncia que la propuesta de la Comisión le permitiría, por ejemplo, excepcionar del acceso los documentos redactados con la finalidad de realizar consultas externas a un círculo limitado de personas. El Parlamento, por el contrario, suprime esta excepción.

El Parlamento elimina la distinción: "El acceso a documentos elaborados por una institución, órgano u organismo para uso interno o recibidos por la misma relacionados con un asunto sobre el que todavía no se haya pronunciado, se denegará únicamente si su divulgación perjudicara, debido a su contenido y las circunstancias objetivas de la situación, manifiesta y gravemente el proceso de toma de decisiones".

Las posturas se encuentran en esto, pues, claramente enfrentadas y se reproduce así un debate que ya tuvo lugar en el proceso de elaboración del Reglamento 1049/2001 y que recibe respuestas diversas en los Derechos Europeos.

IV. PROCEDIMENTO, MODALIDADES DE ACCESO Y GARANTÍAS

El acceso a la información solo es efectivo y sirve a los propósitos de profundización democrática y rendición de cuentas cuando el procedimiento para ejercer el derecho es asequible, sencillo, de duración breve y sin coste o con un coste que repercuta tan solo los de reproducción. Es así, como vimos, en el Convenio 205, y también en el Derecho de los Estados miembros[378].

El Código de Conducta establecía con detalle el procedimiento de ejercicio del derecho, dotado de una gran flexibilidad y celeridad, y sometía todas las decisiones en materia de acceso al control judicial.

El Reglamento 1049/2001 y su normativa de desarrollo profundizaron en esta lógica de eficacia y garantía.

1. PROCEDIMIENTO

El Reglamento acoge un principio anti-formalista, exigiendo solo que la solicitud esté formulada por escrito en una de las lenguas oficiales de la Comunidad, de manera lo suficientemente precisa para permitir que la institución identifique el documento de que se trate. Se admite expresamente el formato electrónico. Además, llama a las instituciones a ayudar e informar a los ciudadanos sobre cómo y

---

[378] En efecto, en unos países la solicitud debe presentarse por escrito y en otros se admite también la forma oral. Si la solicitud se presenta ante una autoridad incompetente, se prevé en unos casos que se informe al solicitante de la pertinente y en otros el reenvío directo a la misma. Si la solicitud es incompleta, es común la previsión de un plazo de subsanación de la solicitud con auxilio por parte de la propia Administración. La mayoría de los Estados exigen la descripción tan detallada como sea posible del asunto y si es posible, la especificación del documento. Casi todos los países establecen plazos máximos de resolución, más o menos breves –que oscilan mayoritariamente entre los veinte y los treinta días– unidos en una parte significativa de los casos a la previsión de que debe llevarse a cabo a la mayor prontitud posible. Está generalizada la posibilidad de ampliación de los plazos máximos en casos justificados.

dónde pueden presentar solicitudes de acceso a los documentos[379]. Al respecto, las tres instituciones precisaron en sus medidas de aplicación las modalidades para presentar una solicitud. Éstas pueden enviarse por correo postal, por fax o por correo electrónico[380], que es el medio más utilizado.

El Reglamento establece que el solicitante no debe justificar su solicitud. Nada se opone, sin embargo, a que las instituciones exijan una información útil mínima para la tramitación de las solicitudes, como el nombre y la dirección para el envío de documentos en papel y, en su caso, para la facturación, y que recaben otros datos de aportación voluntaria como el perfil profesional, con fines estadísticos, para evaluar los efectos prácticos del Reglamento, y así lo hacen en los formularios electrónicos disponibles en los sitios web de cada institución[381]. En todo caso, el envío del formulario no exige la acreditación de la identidad, de tal modo que en la práctica actúa como un sistema que admite las solicitudes anónimas. Al respecto, en el Derecho de los Estados miembros, y en el Derecho comparado en general, unos Estados exigen la consignación de la identidad y otros no. En realidad, en la medida en que se reconoce el derecho a todas las personas, en

---

[379] Artículo 6.4.
[380] Respecto al Parlamento, artículo 122.3, párrafo segundo, del Reglamento del Parlamento, *in fine*: "... dichos documentos podrán facilitarse previa solicitud por escrito de conformidad con el Reglamento (CE) n.º 1049/2001.". Para el Consejo, artículo 6 del Anexo II del Reglamento interno del Consejo: Dirección para el envío de solicitudes. "Las solicitudes de acceso a documentos del Consejo se dirigirán por escrito al Secretario General del Consejo, rue de la Loi 175, B-1048 Bruselas, o por correo electrónico a acces@consilium.europa.eu o por fax al número +32(0)2 281 63 61." En el caso de la Comisión, artículo 2.1 de las disposiciones relativas a la aplicación del Reglamento (CE) n° 1049/2001 del Parlamento europeo y el Consejo relativo al acceso del público a los documentos del Parlamento Europeo, el Consejo y la Comisión. Solicitudes de acceso. "Toda solicitud de acceso a un documento se enviará por correo, fax o correo electrónico a la Secretaría General de la Comisión, a la Dirección General o al Servicio competente. Las direcciones a las que deben enviarse las solicitudes aparecen publicadas en la guía práctica a que se refiere el artículo 8 de las presentes disposiciones."
[381] En el caso del Consejo, https://www.consilium.europa.eu/es/documents-publications/public-register/request-document-form/. En el de la Comisión, https://ec.europa.eu/transparency/regdoc/index.cfm?fuseaction=fmb&language=en. En el del Parlamento, https://www.europarl.europa.eu/forms/es/ask-ep.

que el acceso no se condiciona a la acreditación de interés alguno y en que la información recibida puede después divulgarse libremente, este requisito carece de mayor sentido, lo que explica que el Convenio 205 deje, como vimos, la cuestión abierta a los Estados partes, salvo cuando conocer la identidad sea esencial para tramitar la solicitud, y que, incluso en los Derechos en que se exige consignar la identidad del solicitante, este requisito no vaya acompañado por lo general de una exigencia de acreditación de su veracidad, como ocurre en la práctica de las instituciones, órganos y organismos de la Unión Europea.

En el caso de que la solicitud no sea suficientemente clara, las instituciones han de pedir al solicitante que la precise, ayudándole a hacerlo (por ejemplo, facilitando información sobre el uso de los registros públicos de documentos, lo que se prevé expresamente, tema este que abordamos en el siguiente capítulo)[382]. Muy a menudo, esta asistencia se efectúa mediante un intercambio de mensajes electrónicos. En caso necesario, un contacto telefónico con el solicitante permite aclarar la solicitud. En algunos casos, la institución elabora una lista de documentos susceptibles de interesar al solicitante, con el fin de permitirle determinar mejor aquellos que desea obtener. Por último, en otros casos, informa al solicitante de los sitios que existen en Internet donde podrá encontrar una serie de informaciones que le permitirán concretar su solicitud. Estas previsiones se compadecen, como puede observarse, con lo previsto en el Convenio 205. Solo si pese a todos esos esfuerzos sigue siendo imposible concretar qué documentos se requieren puede rechazarse la solicitud por este motivo, lo que de nuevo está en plena sintonía con el Convenio 205.

Recibida la solicitud por la institución competente, la institución en cuestión debe acusar recibo –en la práctica, salvo si la respuesta puede enviarse a vuelta de correo–.

La tramitación debe hacerse "con prontitud", en un plazo máximo de quince días laborables a partir del registro de la solicitud, ampliables al doble, con carácter excepcional, "por ejemplo, en el caso de que la solicitud se refiera a un documento de gran extensión o a un gran número de documentos", previa comunicación motivada al

---

[382]   Artículo 6.2.

solicitante que ha de ser previa a la finalización del plazo inicial [383]. Este breve plazo, que, nótese, es un máximo, se sitúa en la banda inferior respecto a los contemplados en la legislación de los Estados miembros.

En este sentido, la jurisprudencia ha resaltado que el derecho de acceso se puede ejercer respecto de un documento singular o de múltiples documentos, también cuando se trate de un conjunto voluminoso, lo que no es, en sí, una causa que permita a la institución en cuestión eludir el examen para cada documento y satisfacer el derecho del solicitante, sino, en su caso, ampliar el plazo si no es posible resolver en el general previsto en el Reglamento 1049/2001. Solo una solicitud a un número de documentos muy elevado o la complejidad por razón de la naturaleza de los documentos –circunstancias que deberá acreditar la institución en cuestión– pueden llevar excepcionalmente a constatar que el análisis de cada documento conllevaría una carga administrativa irrazonable y, en este caso, está obligada a tratar de llegar a un arreglo con el solicitante, para poder conocer el interés en acceder a los documentos y la forma de compatibilizarlo con el interés de una buena administración en la forma más favorable al derecho de acceso.

En efecto, a diferencia de algunas legislaciones nacionales[384] y del Convenio 205, el Reglamento no contiene disposiciones relativas a

---

[383] Como apunta la Comisión en su Informe de 2004, en algunos casos, las instituciones han debido prolongar el plazo de respuesta de quince días laborables, ya que la solicitud no podía tramitarse en este plazo. Este problema afecta principalmente a la Comisión, que recibe numerosas solicitudes amplias o complejas. La prolongación del plazo se debe en general a los siguientes problemas: –la búsqueda y la localización de los documentos (sobre todo cuando se trata de documentos antiguos); –la identificación de los documentos solicitados cuando las solicitudes son amplias y poco precisas; –la disponibilidad limitada de las personas con los conocimientos adecuados para determinar el perjuicio que causaría la divulgación de los documentos solicitados; la necesidad de consultar a los terceros autores; –la traducción de las solicitudes y las respuestas.

[384] El análisis de la Comisión pone de manifiesto que en determinados países puede rechazarse una solicitud claramente irrazonable, como en Suecia, Suiza o Reino Unido; Austria, cuando la información es accesible por otros medios; Bélgica y Francia, cuando la solicitud se refiere a un número excesivo de documentos y tiene por única finalidad la de perturbar el funcionamiento de la autoridad en cuestión; Bulgaria, cuando la misma información le ha sido facilitada al mismo

las solicitudes irrazonables, abusivas, repetitivas o manifiestamente infundadas[385]. La norma prevé que la institución pueda tratar de llegar a un arreglo amistoso y equitativo con el solicitante[386]. Ahora bien, la formulación es ambigua, pues no prevé en qué consista dicho arreglo ni qué ocurre si no se logra. En otras palabras, en el caso de solicitudes a un volumen muy considerable de documentos, ¿debe denegarse de plano la solicitud, sustituirse el análisis de cada documento por un análisis por categorías?[387]. La jurisprudencia lleva a cabo un

---

solicitante en el período de seis meses inmediatamente anterior a la nueva solicitud; Croacia, cuando se exige un interés particular para acceder a determinada información y no se facilita; Hungría e Irlanda, cuando la solicitud es frívola o maliciosa. Se han añadido otras razones como la vaguedad de la información solicitada (Islandia), la intención vejatoria (Portugal y Austria), la no indicación de ninguna de las razones legalmente previstas para solicitar información (Estonia). Cuando una solicitud se deniega alegando su carácter irrazonable, la decisión es susceptible de recurso, mayoritariamente, ante un tribunal administrativo, pero en otros casos ante la autoridad de control del acceso a la información pública (ombudsman, comisionado de la información, comité de acceso a los documentos), a veces, previo recurso administrativo, como en Reino Unido). En España, la Ley 19/2013 contempla entre las causas de inadmisión de las solicitudes las "que sean manifiestamente repetitivas o tengan un carácter un carácter abusivo no justificado con la finalidad de transparencia de esta Ley."

385 La Comisión, en su Informe de 2004 admitía que una definición de este tipo de solicitud es arriesgada, pero apuntaba que convendría evitar que la carga administrativa desproporcionada generada por algunas solicitudes penalizase a los ciudadanos que formulan de buena fe solicitudes de acceso a documentos que responden a una verdadera necesidad de información. La posibilidad de facturar los gastos de copia y envío tiene, a su juicio y en su experiencia, un efecto disuasorio limitado, por lo que convendría afinar el concepto de proporcionalidad, ya consagrado por la jurisprudencia cuando se trata de conceder un acceso parcial aislando las partes de los documentos a las que no se aplican las excepciones. Y, en efecto, la Comisión ha invocado en ocasiones el principio de proporcionalidad respondiendo al solicitante que la tramitación de su petición supondría una sobrecarga administrativa que afectaría al principio de buena administración (por analogía con el acceso parcial), en el caso de solicitudes que ha juzgado desproporcionadas, lo que ha obligado al juez comunitario a pronunciarse.

386 Artículo 6.3.

387 El Informe de 2004 de la Comisión ponía de relieve que algunas solicitudes de acceso son vagas, en particular, cuando se refieren a "todos los documentos relativos" a un ámbito de actividades o a un tema determinado. Un gran número de solicitudes (principalmente dirigidas a la Comisión) son por otra parte muy extensas, en particular, las que se refieren a expedientes enteros (por ejemplo, en asuntos de ayudas estatales o de competencia). La Comisión estima que es

análisis *ad casum* presidido por las ideas de que solo de manera muy excepcional puede omitirse el análisis documento por documento y llegarse a una denegación en bloque[388]. En algunas ocasiones, ante

---

difícil tramitar estas solicitudes, en la medida en que el Reglamento prevé únicamente la posibilidad de prolongar el plazo de respuesta, de invitar al solicitante a que concrete su solicitud si es demasiado imprecisa y no permite identificar los documentos contemplados, o de encontrar una solución equitativa cuando la solicitud se refiere a un documento muy largo o a un gran número de documentos. Considera que puede encontrarse una solución equitativa, por ejemplo, limitando la solicitud en el tiempo, o también es posible invitar al solicitante a que acuda a consultar los expedientes *in situ*. No obstante, reconoce que estas soluciones no son siempre suficientes. Por su parte, el mismo Informe pone de relieve que el Parlamento es la única institución que conserva de manera sistemática los registros sonoros o audiovisuales – principalmente de las reuniones de sus comisiones y sus sesiones plenarias– y reciben un número creciente de solicitudes de acceso a estos registros, que son a menudo muy voluminosos. En los casos en que a estos registros solo puede accederse parcialmente, el borrado de las partes cubiertas por una excepción al derecho de acceso genera una carga de trabajo muy importante.

[388] En la STG de 13 de abril de 2005, T-2/03, *Verein für Konsumenteninformation* contra Comisión, se trataba de una solicitud de acceso a un expediente sancionador por prácticas contrarias a la competencia por parte de bancos austríacos, presentada por una asociación de defensa de los consumidores para utilizar dicha información en los litigios que la enfrentaban a los bancos en sus tribunales nacionales. La Comisión descartó la posibilidad de acceso parcial, alegando que el examen detallado de cada documento que sería necesario para ello supondría una carga de trabajo excesiva y desproporcionada. El TG analiza al respecto si es de aplicación la excepción contemplada en el artículo 6.3 y considera que la falta de acuerdo no permite a la institución limitar el alcance del examen que debe normalmente realizar a raíz de una solicitud de acceso. Sin embargo, no descarta que la solicitud de acceso a un número de documentos manifiestamente irrazonable pueda llevar a ponderar el interés del público en acceder a los documentos y el interés de una buena administración que está presente en el artículo 6.3. Se trata de una posibilidad excepcional, por muy diversas razones: el examen concreto e individual es uno de los deberes esenciales de la institución; el acceso constituye la regla y la denegación la excepción; las excepciones deben interpretarse de forma estricta; el principio de buena administración exige precisamente un examen detenido y singular; la ponderación de la carga de trabajo que conlleva el ejercicio del derecho de acceso, por una lado, y del interés del solicitante, por otro, no es en principio pertinente para limitar el alcance de dicho derecho, que no exige interés alguno, y se prevé expresamente que la solicitud puede referirse a un gran número de documento, al prever la ampliación de plazos; la carga de trabajo no depende solo del número de documentos o su volumen, sino también de su naturaleza, de la profundidad con que deba realizarse el examen: "En consecuen-

cia, una excepción a la obligación de efectuar un examen concreto e individual resultará admisible con carácter extraordinario y únicamente cuando la carga administrativa provocada por tal examen se revelara extremadamente gravosa, excediendo así de los límites de los que puede exigirse razonablemente [...] Además, en la medida en que el derecho de acceso a los documentos que obran en poder de las instituciones constituye la regla general, será a la institución que invoque una excepción vinculada al carácter irrazonable de la tarea derivada de la solicitud a quien incumbirá la carga de la prueba de su envergadura. Finalmente, una vez que la institución haya acreditado el carácter irrazonable de la carga administrativa necesaria para el examen concreto e individual de los documentos a que se refiere la solicitud, está obligada a tratar de llegar a un arreglo con el solicitante al objeto, por una parte, de conocer o instarle a precisar su interés en la obtención de los documentos controvertidos y, por otra parte, de considerar concretamente las opciones de que dispone para adoptar una medida menos gravosa que el examen concreto e individual de los documentos. Dado que el derecho de acceso a los documentos constituye la regla general, la institución tiene, en este contexto, la obligación de primar la opción que, sin conformar en sí misma una tarea que exceda de los límites de lo que puede exigirse razonablemente, sea la más favorable al derecho de acceso del solicitante. De lo anterior se deduce que la institución solo podrá eximirse del examen concreto e individual tras haber estudiado realmente todas las demás opciones posibles y haber explicado de forma detallada, en su decisión, los motivos por los cuales dichas opciones implican, a su vez, una carga de trabajo irrazonable." En el caso concreto, consideró no solo el volumen físico de los documentos requeridos (47.000 páginas), sino sobre todo la naturaleza del expediente, ya que los documentos estaban en orden cronológico no clasificados aún en el registro, con abundante información que requería análisis concreto en relación a la protección de intereses comerciales, y documentos elaborados por terceros, con la consiguiente necesidad de consultarles. Por tanto, existían indicios de la necesidad de una ingente carga de trabajo. Ahora bien, sin entrar en si excedería de lo razonable, no se adujeron por la Comisión los motivos por los que las opciones alternativas a un examen concreto e individual de cada uno de los documentos –como, por ejemplo, facilitarles los documentos más relevantes– constituirían, igualmente, una carga de trabajo irrazonable, por lo que estimó el recurso. Los mismos principios en las SSTG de 10 de septiembre de 2008, T-42/05, *Rhiannon Williams* contra Comisión; de 22 de mayo de 2012, T-344/08, *EnBW Energie Baden-Württemberg AG* contra Comisión; o de 2 de julio de 2015, T-214/13, *Rainer Typke* contra Comisión. Esta última fue impugnada en casación y en sus Conclusiones a la STJUE de 11 de enero de 2017, C-491/15 P, *Rainer Typke* contra Comisión, el Abogado General Bobek señala: "En segundo lugar, el tamaño del documento es irrelevante para su clasificación como «documento». Sin embargo, puede afectar a la forma en que se concede el acceso. Ello se desprende del artículo 6, apartado 3, y del artículo 10, apartado 1, del Reglamento n.o 1049/2001. La primera de estas disposiciones prevé que, en el caso de una solicitud de un documento de gran extensión o de un gran número de documentos, la institución podrá tratar de llegar a un arreglo

una denegación basada en el artículo 6.3, el solicitante opta por restringir en su solicitud confirmatoria el espectro de los documentos solicitados, lo que ha sido admitido tanto por la Comisión como por los tribunales[389].

La jurisprudencia considera que si el solicitante muestra una actitud carente de toda cooperación y rechaza pura y simplemente la propuesta de arreglo equitativo de la institución de que se trate, sin designar qué documentos considera prioritarios ni abrirse a otras propuestas, a fin de conciliar el interés de una buena administración con el del acceso del público a los documentos solicitados, la institución puede alegar una carga de trabajo excesiva para negarse a examinar de manera concreta e individual todos los documentos solicitados sin estar obligada, a falta de otras posibles opciones, a indicar de forma

---

amistoso y equitativo con el solicitante. La segunda disposición establece una serie de modalidades de acceso a los documentos, como la consulta *in situ* (que cabría aplicar al caso de documentos extensos o sensibles) [...] En tercer lugar, la carga administrativa que supone conceder acceso a los documentos puede ser también un factor que deba considerarse. Las instituciones han de garantizar que se conceda algún tipo de acceso a los «documentos» cubiertos por el Reglamento n.o 1049/2001, salvo que, en circunstancias verdaderamente excepcionales, la carga de trabajo que ello entrañe sea desproporcionada. Las instituciones pueden ponderar el interés del solicitante de acceso a los documentos y la carga de trabajo que se derivaría de la tramitación de su solicitud, con miras a salvaguardar el interés de una buena administración."

[389] STG de 22 de marzo de 2018, T-540/15, *Emilio De Capitani* contra Parlamento, en la que un parlamentario pedía acceso a los cuadros con cuatro columnas (que describen la propuesta de la Comisión Europea, la orientación de la comisión parlamentaria, las enmiendas propuestas por los órganos internos del Consejo de la Unión Europea y, en su caso, los proyectos de compromiso propuestos) aportados a los diálogos tripartitos para los procedimientos de codecisión en curso. El Parlamento desestimó la solicitud por suponer una carga de trabajo excesiva, pero en su solicitud confirmatoria, el solicitante circunscribió los documentos solicitados a los cuadros con varias columnas elaborados en el marco de los diálogos tripartitos en curso en la fecha de la solicitud inicial relativos a los procedimientos legislativos ordinarios que tuvieran como base jurídica el título V del Tratado FUE («Espacio de libertad, seguridad y justicia») y el artículo 16 TFUE, que versa sobre la protección de los datos de carácter personal. Se le proporcionó el acceso íntegro a cinco de siete, y de los otros dos solo a tres de las cuatro columnas pero no a la final.

pormenorizada, en su decisión, las razones por las que esas otras opciones también hubieran supuesto una carga de trabajo excesiva[390]. Lo que no cabe, en todo caso, ante una solicitud que exige un gran volumen de trabajo para la institución, es extender los plazos más allá del general y del previsto legalmente de posible ampliación, como ha planteado la Comisión tratando de ampararse en la previsión del artículo 6.3 del Reglamento 1049/2001, e imponer esa "sobreampliación" a los solicitantes. Los plazos son de orden público y no constituyen un elemento discrecional para las partes o para el juez, pues se establecen para garantizar la claridad y la seguridad de las situaciones jurídicas. De este modo, el anuncio por la institución en cuestión de su intención de resolver en un plazo mayor no impide que juegue la ficción de la denegación tácita ni el consiguiente inicio del plazo de recurso judicial, que no quedaría reabierto con una resolución extemporánea. De este modo, los solicitantes deben computar el inicio del plazo para recurrir desde la finalización del plazo, ampliado o no, de resolución de la solicitud confirmatoria o afrontan una declaración de inadmisión[391]. Y ello, aunque la institución hubiera renunciado a

---

[390] STG de 6 de diciembre de 2012, T-167/10, *Evropaiki Dynamiki-Proigmena Systimata Tilepiloinonion Pliroforikis kai Tilematikis AE* contra Comisión.

[391] En el ATG de 13 de noviembre de 2012, T-278/11, *ClientEarth, Friends of the Earth Europe, Stichting FERN* y *Stichting Corporate Europe Observatory* contra Comisión, la Comisión había prorrogado el plazo tanto en la solicitud inicial como en la confirmatoria y pese a ello había informado en la segunda que no podría resolver en el plazo ampliado, y que respondería en el plazo más breve posible. Los solicitantes pidieron una fecha orientativa, pero, pasada dicha fecha, siguieron sin recibir los documentos. Volvieron a requerir la entrega y la Comisión les dio nueva fecha orientativa. Los solicitantes pusieron de manifiesto que ya se había excedido en sesenta y ocho días del plazo máximo para la solicitud confirmatoria y en cincuenta y tres si se contaba con el plazo ampliado, e impugnaron la denegación presunta. Aún pasaron cinco meses hasta recibir una respuesta a la solicitud confirmatoria. El TG aplicó la doctrina antes sintetizada y consideró que el plazo para interponer el recurso comenzó a computar desde la finalización del plazo ampliado para resolver la solicitud confirmatoria y declaró la inadmisibilidad manifiesta del recurso. En la STG de 15 de enero de 2013, T-392/07, *Guido Strack* contra Comisión, el solicitante pedía acceso a la identidad de los funcionarios públicos involucrados en un caso de posible corrupción, y la Comisión lo denegó por protección de la intimidad y la integridad. Ante la propuesta por el solicitante de que se cambiaran los nombres por código para así poder acceder a la información, la Comisión estimó que era una carga excesiva e

alegar la expiración del plazo de recurso, o aunque pudiese considerarse que una alegación tal no sería viable por mala fe (*venire contra
factum proprium*)[392].

---

innecesaria. La Abogada General Kokott consideró que codificar todos los nombres habría exigido un esfuerzo desproporcionado. La STJUE de 2 de octubre de
2014, C-127/13 P, *Guido Strack* contra Comisión, siguiendo a su Abogada General Kokott, establece: "En virtud del principio de proporcionalidad, en casos
particulares en los que la extensión de los documentos a los se solicita acceso o la
de los pasajes que deban censurarse supongan un trabajo administrativo inadecuado, las instituciones pueden ponderar, por una parte, el interés del solicitante
de acceso y, por otra, la carga de trabajo que se derivaría de la tramitación de la
solicitud de acceso, para salvaguardar el interés de una buena administración. De
este modo, en circunstancias excepcionales una institución podría denegar el acceso a determinados documentos basándose en que la carga de trabajo vinculada
a su divulgación sería desproporcionada con respecto a los objetivos indicados
en la solicitud de acceso a esos documentos. Sin embargo, la invocación del
principio de proporcionalidad no puede permitir modificar los plazos previstos
por el Reglamento n° 1049/2001 sin crear una situación de inseguridad jurídica."

[392] Como subraya la Abogada General Kokott en sus Conclusiones a la STJUE de
2 de octubre de 2014, C-127/13 P, *Guido Strack* contra Comisión. Estima por
ello que el solicitante puede rechazar la ampliación de los plazos más allá de la
prevista legalmente: "En el estado actual del Derecho de la Unión y de la jurisprudencia aplicable, un solicitante prudente deberá insistir en el cumplimiento
de los plazos, si es que no descarta de antemano una ulterior acción judicial. No
obstante, se ha de estar de acuerdo con la Comisión en que tramitar en plazo
las solicitudes de gran extensión puede entrañar grandes dificultades. En efecto,
habida cuenta de las demás funciones de las instituciones y de los medios de que
disponen, puede ser objetivamente irrazonable sustraer personal de las demás
funciones para poder cumplir los plazos. Pero el Tribunal de Justicia no puede hacer frente a este problema permitiendo *retroactivamente* a una institución
oponerse a una resolución tácita y al inicio del plazo de recurso. Tal desviación
del tenor literal del artículo 8, apartado 3, del reglamento n° 1049/2001 sería
incompatible con los objetivos de los plazos de recurso, que, como se ha expuesto, persiguen garantizar la claridad y la seguridad de las situaciones jurídicas."
Como propuesta de solución para el futuro, plantea lo siguiente: "En caso de
que el Tribunal de Justicia quiera ir un paso más allá y ponerse en la posición del
legislador para posibilitar, no obstante, la consideración del principio de proporcionalidad en el establecimiento de los plazos de tramitación, podría hacerlo, a
lo sumo, en forma de recomendaciones para el futuro, que otorgasen a la Comisión y a los solicitantes afectados la necesaria claridad jurídica. A este respecto
se ha de estar con la Comisión en que el artículo 6, apartado 3, del Reglamento
n° 1049/2001 puede interpretarse en el sentido de que la solución adecuada allí
prevista, en casos excepcionales, puede incluir la suspensión de los plazos de recurso por ampliación de los plazos de tramitación. De esta manera, en esos casos

La posible limitación de las llamadas "solicitudes excesivas" es un tema controvertido y que, una vez más, enfrenta a los mismos actores con dos concepciones –una más restrictiva; otra más amplia– acerca del alcance del derecho de acceso y de la consiguiente obligación de transparencia.

---

el plazo de recurso se pondría a disposición de los interesados. Pero el artículo 6, apartado 3, del Reglamento n° 1049/2001 no puede facultar a las instituciones para apartarse unilateral e ilimitadamente de los plazos establecidos por el legislador. Tal como muestra la referencia al arreglo informal con el solicitante que hace la citada resolución, a la solución adecuada debe llegarse por lo general de mutuo acuerdo. En el presente caso no se aprecia que exista acuerdo alguno sobre los plazos ni parece que la Comisión se haya esforzado realmente por llegar a una solución pactada. Simplemente se limitó a anunciar que no podía cumplir los plazos, y tal anuncio no puede considerarse suficiente, ya que suprime, sin plantear unos nuevos, los plazos establecidos por el Reglamento n° 1049/2001. La institución debería más bien hacer lo posible por cumplir tanto el principio de proporcionalidad como los objetivos del Reglamento n° 1049/2001. Si, en vista de las circunstancias del caso concreto, los plazos establecidos en los artículos 7 y 8 no le parecen proporcionados, debe proponer al solicitante un nuevo plazo razonable. Además, el solicitante tiene derecho a que dicho nuevo plazo sea suficientemente motivado, pues las mismas ampliaciones previstas en los artículos 7, apartado 3, y 8, apartado 2, del Reglamento n° 1049/2001 llevan aparejada tal obligación de motivación. Por lo tanto, la institución debe exponer las razones para su propuesta de plazo. En el presente caso, además, se podrían haber ofrecido envíos parciales menores de los documentos solicitados, algunos de ellos más temprano, en lugar de dos grandes envíos relacionados con los años 2005/2006 y 2007 respectivamente, que no se entregaron hasta el año 2008. Por último, la institución debe comprometerse de la forma más vinculante posible a no invocar en ningún caso la expiración de los plazos de recurso que se derivan de los plazos de tramitación, sino a apoyar al solicitante, al menos en ese punto, en una ulterior actuación ante los tribunales de la Unión. Si un solicitante rechazase sin causa justificada tal razonable propuesta, se podría plantear no presumir la denegación tácita de la solicitud al concluir los plazos previstos. Sin embargo, el criterio de lo que es razonable indica también que en ese caso se estaría renunciando totalmente a la seguridad jurídica que otorgan los claros plazos establecidos en el Reglamento n° 1049/2001. Sería difícil predecir cuándo se puede hablar de una denegación tácita y cuándo no. Por eso, frente a tal forma de proceder serían precisas sustanciales cautelas. Preferiblemente, habría de ser el legislador de la Unión quien adoptase una nueva normativa adecuada. Solo a título incidental cabe señalar a este respecto que, con arreglo al artículo 3 del Reglamento (CE) n° 1367/2006, los plazos del Reglamento n° 1049/2001 son aplicables también al acceso a la información medioambiental (que no es objeto del presente procedimiento) a efectos del Convenio de Aarhus. Pero el artículo 4, apartado 2, del Convenio dispone plazos aún más breves que los hoy expresamente establecidos en el Reglamento n° 1049/2001: se trata de plazos de un mes, o dos como máximo, para la resolución administrativa definitiva."

En efecto, como resultado de la consulta pública a que dio origen el Libro Verde, la Comisión constató que un grupo de Estados miembros y el sector privado apoyan medidas específicas que establecen excepciones a las normas comunes en el caso de las solicitudes excesivas, que deberían basarse en criterios objetivos; por el contrario, el Defensor del Pueblo, una mayoría significativa de Estados miembros y las ONG se oponen a la existencia de normas específicas sobre solicitudes excesivas. Por ello, en la reforma en curso, la Comisión no propone ninguna disposición que permita rechazar las solicitudes que se consideren excesivas, pero sí la capacidad de solicitar aclaraciones en los casos en que los documentos solicitados no sean fáciles de identificar, otorgándoles el mismo tratamiento que a las solicitudes imprecisas y, añadiendo en ambos casos que los plazos de tramitación comienzan su cómputo solo cuando la institución reciba las aclaraciones solicitadas y el calificativo de "práctico" al de equitativo referido al posible acuerdo en su propuesta de reforma.

El Parlamento, por su parte, pretende delimitar el plazo para solicitar la aclaración de solicitudes, fijándolo en quince días laborables.

Las Delegaciones apoyan mayoritariamente la propuesta de la Comisión.

En los casos de documentos de terceros[393] –cuyo régimen sustantivo se analizó *supra*–, las tres instituciones han previsto en sus normas internas un procedimiento de consulta por escrito (en general por correo electrónico y por plazo de cinco días). Cuando se trata de documentos originarios de los Estados miembros, las solicitudes de consulta se dirigen a los miembros del Grupo de información del Consejo[394]. Por otra parte, las instituciones se comprometieron a consultarse de manera sistemática en caso de solicitudes de acceso a documentos originarios de otra institución[395].

---

[393] El tercero puede ser también un organismo internacional, como en el caso de la STG de 3 de octubre de 2012, T-63/10, *Ivan Jurasinovic* contra Consejo, el Tribunal Penal Internacional.

[394] En el Informe de la Comisión de 2004 se constata que por regla general, los terceros respetan unos plazos de respuesta razonables, pero se advierte que la consulta de los terceros autores genera sin embargo una carga administrativa importante, especialmente en el caso de solicitudes voluminosas relativas a expedientes completos que contienen numerosos documentos originarios de varios autores, por lo que debería estar prevista explícitamente como un motivo de prolongación del plazo de respuesta.

[395] A tal efecto, concluyeron un *"memorándum de acuerdo"*, firmado el 9 de julio de 2002 por los representantes de los tres Secretarios Generales. En el Informe de la Comisión de 2004 se considera que este *memorándum* ha funcionado muy bien

Si la solicitud afecta a terceros, se les dará un trámite de audiencia, salvo que se entienda claramente aplicable una excepción[396]. La institución está obligada a resolver motivadamente dentro del plazo (en su caso, ampliado), o bien autorizando o facilitando directamente el acceso, o bien denegándolo total o parcialmente. El Reglamento no contiene una previsión expresa, que sí se encuentra en algunas legislaciones nacionales y, como vimos, en el Convenio 205, conforme a la cual puede no revelarse la existencia o no de información en los casos en que por ese solo dato se afectaría uno de los bienes, intereses o derechos protegidos con las restricciones al derecho, pero no parece que una respuesta así no quepa en una interpretación finalista.

Contra la negativa total o parcial a la solicitud inicial, o ante la ausencia de resolución en plazo –que juega como un silencio negativo– cabe plantear solicitud confirmatoria, que hace las veces de recurso administrativo interno, y respecto de la que se prevén los mismos plazos e idéntica posibilidad de ampliación. La decisión que resuelva la solicitud inicial debe informar al solicitante de esta posibilidad y del plazo para interponerla, que es de quince días laborables a partir de la recepción de la respuesta de la institución. Las solicitudes confirmatorias son examinadas por una instancia diferente de la que tomó la decisión inicial[397].

---

en la práctica hasta ahora, y las respuestas a la consulta son habitualmente muy rápidas.

[396] Por ejemplo, SSTG de 23 de septiembre de 2015, T-245/11, *ClientEarth, The International Chemical Secretariat* contra Agencia Europea de Sustancias y Mezclas Químicas o de 28 de marzo de 2017, T-210/15, *Deutsche Telekom AG* contra Comisión.

[397] Conforme a sus respectivos Reglamentos internos, en el Parlamento, conforme dispone el artículo 122.4 y 5: "La Mesa designará a los órganos responsables de la tramitación de las solicitudes iniciales (artículo 7 del Reglamento (CE) n.º 1049/2001) y de la adopción de decisiones sobre las solicitudes confirmatorias (artículo 8 de dicho Reglamento) y sobre las solicitudes sobre documentos sensibles (artículo 9 de dicho Reglamento). Uno de los vicepresidentes será responsable de la supervisión de la tramitación de las solicitudes de acceso a los documentos". En el Consejo, las decisiones iniciales son tomadas también por la Secretaría General. El poder de decisión sobre las solicitudes confirmatorias corresponde al Consejo. Normalmente, las decisiones se adoptan por mayoría simple a propuesta del Grupo de información y del Coreper. La Comisión opera de

La jurisprudencia ha aclarado que la respuesta a la solicitud inicial constituye solo una primera toma de posición. Solo la respuesta a la solicitud confirmatoria tiene naturaleza de decisión y remplaza íntegramente la toma de posición precedente, es susceptible de producir efectos jurídicos que puedan afectar los intereses del solicitante y, de este modo, ser objeto de queja ante el Defensor del Pueblo y/o recurso de anulación[398].

---

manera más descentralizada, debido al tamaño de sus servicios y a las responsabilidades propias de cada Dirección General. Las decisiones iniciales son adoptadas por los Directores Generales y Jefes de Servicio. Se designa a un funcionario para que tramite las solicitudes de acceso y coordine la posición de su Dirección General o su Servicio. A esos efectos, cada Dirección General o servicio nombra para esta tarea al menos a un experto jurista, que actúa como coordinador del acceso a los documentos. Dependiendo del tamaño del servicio y del número de solicitudes recibidas, los coordinadores suelen estar asistidos por personal de apoyo y se ocupan de coordinar los borradores de las respuestas con las unidades encargadas de los ámbitos políticos correspondientes. Un equipo específico de la Unidad de Transparencia, Gestión de Documentos y Acceso a los Documentos de la Secretaría General se ocupa de las solicitudes confirmatorias, y proporciona orientación horizontal, formación y asesoramiento a todas las Direcciones Generales y servicios, en colaboración con el Servicio Jurídico. También es responsable de un sistema de gestión a través de un portal electrónico en línea (EASE), consta de dos partes: un portal web en el que los ciudadanos puedan presentar y obtener una visión general de sus solicitudes, comunicarse con la Comisión y buscar documentos ya divulgados y un nuevo sistema de gestión de casos que permite al personal registrar, asignar y tramitar las solicitudes. Las respuestas a las solicitudes iniciales se comunican para información a la Secretaría General. El Secretario General decide, por delegación de poder del Órgano colegiado, acerca de las solicitudes confirmatorias. Las solicitudes confirmatorias se comunican para información a la Dirección General o al Servicio que haya respondido a la solicitud inicial. La Secretaría General garantiza la correcta coordinación y la aplicación uniforme de estas normas por las Direcciones Generales y Servicios de la Comisión y facilitarán a tal efecto todas las orientaciones y directrices necesarias. Con el fin de garantizar la independencia de la OLAF en materia de investigaciones, el poder de decisión se delega al Director General de esta Oficina cuando los documentos solicitados se refieren a sus actividades de investigación. Las solicitudes iniciales relativas a documentos de la Secretaría General y la OLAF se tramitan a nivel de Directores, con el fin de mantener la posibilidad de un nuevo examen independiente de las solicitudes por el Secretario General o por el Director General de la OLAF.

[398] STG de 6 de julio de 2006, T-391/03 y T-70/04, *Yves Franchet* y *Daniel Byk* contra Comisión.

La jurisprudencia ha afirmado que el establecimiento de un procedimiento en dos fases tiene por objeto permitir, por una parte, una tramitación rápida y fácil de las solicitudes de acceso a los documentos de las instituciones y, por otra parte, de manera prioritaria, un arreglo amistoso de las diferencias que puedan surgir eventualmente. Dicho procedimiento, en la medida en que establece la presentación de una solicitud confirmatoria, permite en particular a la institución de que se trate reconsiderar su postura antes de adoptar una decisión definitiva denegatoria que pueda ser objeto de un recurso ante los tribunales de la Unión. Tal procedimiento permite tramitar con mayor prontitud las solicitudes iniciales y, en consecuencia, responder en mayor medida a las expectativas del solicitante, permitiendo al mismo tiempo a la institución adoptar una postura detallada antes de denegar definitivamente el acceso a los documentos solicitados, especialmente si el solicitante reitera su solicitud de divulgación de dichos documentos a pesar de una negativa motivada por parte de dicha institución[399]. Además, ha aclarado que la institución siempre puede proceder a una resolución de las solicitudes, iniciales o confirmatorias, aunque sea de forma extemporánea; en el caso de que el retraso provoque daños han de ventilarse por la vía del recurso de indemnización[400].

La Comisión juzgaba en su Informe de 2004 que el sistema de toma de decisiones a dos niveles (solicitudes iniciales y confirmatorias) funciona bien. Ofrece al solicitante una vía de recurso sencilla, sin trámites, así como una garantía de que su solicitud será reexaminada por una instancia distinta a la que decretó la denegación inicial. Esto se deduce, en particular, del elevado número de decisiones iniciales modificadas en la fase de solicitud confirmatoria401. Sin embargo, habida cuenta de la longitud del proceso de decisión relativo a las solicitudes confirmatorias, el plazo de respuesta de quince días es en general insuficiente. Esta última observación la ha retomado en su propuesta de reforma, en el que considera el plazo no solo insuficiente, sino casi imposible de cumplir, ya que la tramitación de solicitudes confirmatorias requiere más tiempo porque este tipo de solicitudes conduce a una decisión formal de la institución sujeta a

---

[399] STJUE de 26 de enero de 2010, C-362/08 P, *Internationaler Hilfsfond* contra Comisión.

[400] Por ejemplo, SSTG de 19 de enero de 2010, T-355/04 y T-446/04, *Co-Frutta Soc. coop.* contra Comisión o de 28 de marzo de 2017, T-210/15, *Deutsche Telekom AG* contra Comisión

[401] *Vid. infra.*

estrictas normas de procedimiento, por lo que propone prorrogar el plazo límite para tramitar las solicitudes confirmatorias hasta 30 días laborables, con la posibilidad de nueva prórroga de 15 días laborables.

Las organizaciones no gubernamentales y el Parlamento prefieren mantener el plazo de quince días.

El Parlamento además propone precisar que solo cabe una ampliación del plazo en la tramitación de las solicitudes iniciales y confirmatorias. También, que en las decisiones denegatorias ha de aclararse si posteriormente cabrá la posibilidad de acceso parcial o total al documento, y, en su caso, en qué fecha. Y que cada institución, órgano y organismo ha de nombrar a una persona responsable de verificar el cumplimiento de los plazos. Además, precisa que la ausencia e respuesta en plazo a una solicitud confirmatoria se considerará una respuesta denegatoria "definitiva", por lo que ya no cabría una resolución expresa posterior. Por último, introduce un artículo según el cual, si después de que se la hayan transmitido los documentos, el solicitante solicita el acceso a otros documentos, la petición se tratará como una nueva solicitud.

La mayor parte de las Delegaciones apoyan la ampliación del plazo y una minoría, prefiere, al igual que el Parlamento, su mantenimiento.

2. MODALIDADES DE ACCESO

El acceso efectivo está presidido por un principio de máxima facilidad, acogido como sabemos en el Convenio 205, y presente en los Derechos de los Estados miembros, en cuya práctica totalidad cabe la consulta *in situ* y la expedición de copias, a elección del solicitante, siempre que no dañen al documento. La Administración puede exigir una tarifa por la copia que, en la mayoría de los países, no puede exceder de los costes de tramitación y producción de copia. En general, la denegación de la solicitud requiere forma escrita y se exige la motivación[402].

---

[402] En la mayor parte de los Derechos nacionales las solicitudes pueden hacerse oralmente o por escrito, si bien algunos exigen esta última forma (Portugal, Bélgica, Reino Unido, y, en relación con los documentos oficiales, Lituania). Hay discrepancias en cuanto a los datos que han de incorporarse a las solicitudes. Solo Finlandia admite explícitamente una solicitud anónima. En la mayoría de los países es posible exigir el pago de una cantidad que no exceda de los costes reales. Casi todos los países establecen un plazo límite para resolver las solicitu-

El Reglamento prevé la mayor facilidad posible para la realización del acceso, si la decisión ha sido total o parcialmente estimatoria. Se efectúa mediante consulta *in situ*, bien mediante entrega de una copia, que, en caso de estar disponible, podrá ser una copia electrónica, según la preferencia del solicitante. La consulta *in situ*, las copias de menos de 20 páginas de formato DIN A4 y el acceso directo por medios electrónicos o a través del registro serán gratuitos[403]. Los documentos se proporcionarán en la versión y formato existentes (incluidos los formatos

des, que varían desde los cinco días laborales (Estonia) hasta las ocho semanas (Austria), pero que de media oscila entre los veinte (como Reino Unido o Suiza) y los treinta días (Francia, Italia, Alemania). En Suecia no se prevé plazo alguno, disponiéndose que la información se facilite en plazo más breve posible. Está muy extendida la previsión de la posibilidad, en casos justificados, de prolongación de este plazo por un período determinado (únicamente Austria no fija un plazo límite para la misma). Además, casi la mitad de los Derechos prevé junto a este plazo fijo máximo que la solicitud debe responderse tan pronto como sea posible. En Hungría se establece un plazo distinto para la respuesta denegatoria (ocho días) o para la estimatoria, incluyendo el acceso efectivo (quince días). También es común la previsión procedimental de los supuestos de solicitudes enviadas a una autoridad incompetente, con dos tendencias regulatorias: o se informa al solicitante del error y de la autoridad competente (p. ej., República Checa o Letonia) o se reenvía de oficio la solicitud a la autoridad competente (p. ej., Estonia, Países Bajos o Eslovaquia), informando, por lo general, al solicitante. Cuando las solicitudes son incompletas o imprecisas, algunos Derechos obligan a la autoridad pública a solicitar información o precisiones adicionales (p. ej., República Checa, Eslovaquia). Determinadas regulaciones nacionales precisan la obligación de asistencia de las autoridades públicas a los ciudadanos para el ejercicio de su derecho (p. ej., Estonia, Reino Unido). En diversos países (entre ellos, Italia, Alemania o Suiza) se establecen previsiones para dar entrada en el procedimiento a los terceros afectados presentando y notificándole la decisión final. *Vid.* El examen de H. KRANENBORG y W. VOERMANS, *op. cit.*, pp. 19-21. En España, la solicitud puede presentarse "por cualquier medio" que permita la constancia de una serie de extremos, la motivación es opcional, y en caso de dirigirse la solicitud a un órgano que no disponga de la información, este debe reenviarla al competente, si lo conoce, o inadmitirla, en caso contrario. Si hay terceros afectados identificados, hay que darles audiencia. Se contempla como particularidad que, si el autor de la información está también sometido a la normativa sobre transparencia, se le ha de trasladar la solicitud para que sea él el que resuelva ("regla de autor").

[403] Cuando el volumen de los documentos solicitados supere las veinte páginas, podrá exigirse al solicitante el pago de 0,10 euros por página, más los gastos de envío. Los gastos que se deriven de otro tipo de soportes se decidirán caso por caso, evitando que excedan de un importe razonable.

electrónicos y otros, como el *Braille*, la letra de gran tamaño o la cinta magnetofónica), de nuevo tomando plenamente en consideración la preferencia del solicitante.

De nuevo siguiendo un principio también consagrado en el Convenio 205, si la institución de que se trate ya ha divulgado el documento y este es de fácil acceso para el solicitante, podrá cumplir su obligación de facilitar el acceso a los documentos informando al solicitante sobre la forma de obtenerlos (en su caso, indicando la dirección del documento en el portal EUROPA).

Conforme señalaba la Comisión en su Informe 2004, la gran mayoría de los documentos se envían en forma electrónica, si bien los documentos más antiguos se envían generalmente en papel. En algunos casos en que el volumen de los documentos ha sido muy importante, se ha invitado al solicitante a que acuda a consultarlos *in situ*. En sus medidas de aplicación del Reglamento, las instituciones previeron un sistema de facturación facultativo para el suministro de documentos de más de 20 páginas. No obstante, la facultad de facturar, que compete a las Secretarías generales, apenas se utiliza, debido a lo engorroso del procedimiento y a que el coste de la facturación y la recaudación sería superior a los importes ingresados. En el caso de solicitudes muy voluminosas, el hecho de informar al solicitante de que la entrega de los documentos le será facturada puede tener un efecto disuasorio. Sin embargo, este efecto es limitado, ya que el factor de coste más importante, la investigación y el cotejo de los documentos, no puede facturarse. Estima que la facultad de facturar debería mantenerse, en particular, en los casos de solicitudes verdaderamente voluminosas, pero convendría simplificar el procedimiento de facturación y cobro.

En esto, de nuevo, se sigue la línea facilitadora del acceso trazada por la normativa, en unos casos, y la práctica, en otros, de los Estados miembros[404], así como lo establecido, como vimos, en el Convenio 205.

---

[404]   El acceso a la información, por lo general, implica la posibilidad de consulta directa del documento, obtención del original o de una copia o extracto del documento, sometidas en algunos países al requisito de que la indemnidad del documento en cuestión (p. ej., en Francia o en Grecia). La mayor parte de los Derechos no requieren que la información se transmita en una forma determinada. En el Reino Unido, la autoridad pública debe tomar en consideración la pre-

En la propuesta de reforma, el único cambio impulsado por la Comisión se refiere al añadido de un nuevo apartado que aclara que deberán respetarse las modalidades específicas de acceso establecidas, en su caso, por el Derecho nacional o el Derecho Comunitario. Esto sucede, en particular, cuando el acceso está sujeto al pago de un canon que es una fuente de ingresos para el organismo que crea los documentos, lo que a su vez conecta con la previsión del artículo 16 según la cual el Reglamento se aplicará sin perjuicio de las normas vigentes sobre los derechos de autor que puedan limitar el derecho de terceros a obtener copias de documentos o a reproducir o hacer uso de los documentos que se les faciliten[405], apoyada por la mayoría de las Delegaciones.

El Parlamento sí ha formulado una propuesta de añadido al apartado primero, conforme a la cual, "[...] en el caso de listados o documentos en formato electrónico basados en información contenida en sistemas de almacenamiento, tratamiento y recuperación electrónica, se podrán imputar asimismo al solicitante los gastos reales de la búsqueda y recuperación del documento o documentos. No se imputará ningún gasto adicional si la institución ya ha elaborado el documento o los documentos en cuestión. Se informará por adelantado al solicitante del importe y método de cálculo de todo coste." Propone, además, adicionar un apartado para garantizar el acceso sin discriminaciones por motivos de deficiencias visuales, lengua de trabajo o plataforma del sistema operativo o de carácter técnico, y eleva a 50 páginas la gratuidad en las copias.

---

ferencia del solicitante, siempre que sea razonablemente atendible. En Polonia, debe facilitarse en la forma elegida por el solicitante, salvo dificultades técnicas insalvables. En Suecia, la autoridad solo está obligada a transmitir información contenida en bases de datos mediante impresión. En general, las decisiones denegatorias deben transmitirse por escrito y algunos países establecen de forma expresa la obligación de motivación (p. ej., Francia, Italia, Eslovenia). En España, la -Ley 19/2013 prevé que el acceso se realice preferentemente por vía electrónica, salvo cuando no sea posible o el solicitante haya señalado expresamente otro medio. Cuando no pueda darse el acceso en el momento de la notificación de la resolución deberá otorgarse, en cualquier caso, en un plazo no superior a diez días. Si la información ya ha sido publicada, la resolución puede limitarse a indicar al solicitante cómo puede acceder a ella. El acceso, como regla, gratuito, pudiendo someterse a tasa la expedición de copias o la trasposición de la información aun formato diferente al original.

[405] Es el caso, p. ej., de los documentos emanados de la Oficina para la Armonización del Mercado Interno (Reglamento núm. 40/94 de 20 de diciembre de 1993, DO L 11, de 14 de enero de 1994, p. 1), o la Agencia Europea de Seguridad Aérea (Reglamento núm. 1592/2002, del Parlamento y el Consejo de 15 de julio de 2002, DO L 240/2002, p. 1).

3. GARANTÍAS

La garantía efectiva del derecho de acceso a la información presupone una respuesta independiente, en breve plazo, ágil y a ser posible gratuita a los recursos contra las decisiones de la autoridad pública, sin la cual las autoridades podrían prolongar el secreto hasta una fecha en la cual la divulgación perdería gran parte –si no toda– de su potencialidad para servir a la participación democrática y a la rendición de cuentas. Eso explica que la mayor parte de los Derechos nacionales hayan optado por la creación de autoridades administrativas independientes de transparencia y acceso a la información, que existen la mayoría de los Estados miembros y cuyas facultades son en unos casos sustitutivas de los recursos administrativos y en algún caso de los judiciales, y en otros acumulativas. En efecto, en el Derecho de los Estados europeos, se acogen tres tipos de recursos: administrativos "clásicos"; ante un Comité o Comisionado; y judiciales, ante los tribunales que conocen los asuntos administrativos. En la mayoría de ellos, existe una combinación de ellos. La mayoría de los países han creado una autoridad especializada, existiendo notables diferencias en su composición y funciones. En línea de tendencia, y con excepciones, las leyes más antiguas no previeron la existencia de estas autoridades[406], las de los años ochenta y noventa optaron por atribuir la competencia sobre acceso a información a una autoridad especializada y la competencia sobre protección de datos a otra[407], mientras que las más actuales han tendido a la unificación en una única autoridad de ambas competencias[408]. Estas autoridades independientes son en unos casos órganos unipersonales[409], en otros colegiados[410] y en otros conviven un órgano unipersonal y otro colegiado que actúa a modo de superior jerárquico[411]. En unos casos,

---

[406] Por ejemplo, Suecia.

[407] Así, Francia, Italia, Portugal o Bélgica.

[408] Es, por ejemplo, el caso de Alemania, Reino Unido, Suiza, Hungría, Irlanda, Eslovenia.

[409] Por ejemplo, en el caso alemán, elegido por mayoría absoluta del *Bundestag*.

[410] Así, *verbi gratia*, en Francia, Italia, o Portugal. La composición es heterogénea y los miembros no tienen dedicación exclusiva. Así, por ejemplo, las de Francia, Italia o Portugal están integradas por miembros de diversa procedencia y modo de elección (parlamentarios, magistrados, especialistas).

[411] Es el caso del Reino Unido o Suiza.

son de nombramiento gubernamental, y en otros, parlamentario. En cuanto al alcance de su poder de conocer reclamaciones individuales, hay división entre aquellas Autoridades cuyas decisiones son meras recomendaciones –tendencialmente, y por tanto con excepciones, las especializadas solo en acceso a la información–[412] y aquellas otras cuyas decisiones tienen fuerza de obligar, que, por tanto, pueden ser impugnadas judicialmente y contra cuyo incumplimiento la Autoridad de control puede demandas a la autoridad pública en cuyo poder se encuentra la información –por lo general, aquellas, más modernas, que han aunado competencias sobre acceso a la información y protección de datos[413]. Además, suman otras competencias como la de dictar recomendaciones, evacuar informes, promover la publicación activa de documento de relevancia para el público general, publicar informes periódicos o especiales sobre la aplicación de la normativa, recabar información para evaluar la práctica administrativa, proponer cambios normativos, etc.[414].

En contraste, en el Derecho de la Unión Europea no se prevé la existencia de una autoridad independiente en materia de acceso a la información, sino solo el control por el Defensor del Pueblo y por los tribunales.

La reclamación ante el Defensor del Pueblo Europeo solo está al alcance para los ciudadanos o residentes, o sociedades con domicilio en la Comunidad, en sintonía con lo dispuesto en el artículo 228.1

---

[412]   Es el caso francés, portugués o belga, por ejemplo.

[413]   Como en el caso alemán, británico, húngaro, irlandés, esloveno o italiano, tras la reforma de la ley en 2005.

[414]   En España, la Ley 19/2013 prevé una reclamación potestativa previa al recurso judicial ante el orden contencioso-administrativa y sustitutiva de los recursos administrativos ante una autoridad administrativa independiente cuyas resoluciones tienen fuerza ejecutiva y son impugnables ante los tribunales. Estas autoridades administrativas independientes –la estatal y las autonómicas– han asumido competencia solo sobre acceso a la información (salvo en el caso de Andalucía, que aúna la competencia con la de protección de datos) y responden a modelos diferentes en cuanto a su composición y modo de elección. En el caso estatal, el Consejo de Transparencia y Buen Gobierno tiene como órgano ejecutivo a su Presidente, elegido con respaldo de la mayoría absoluta del Congreso de los Diputados.

TFUE[415]. La resolución que deniega total o parcialmente el acceso a la información debe informar al solicitante acerca de las vías de recurso. Como puede comprobarse, la normativa comunitaria no prevé el caso en que un tercero afectado impugne la resolución por la que se concede el acceso, en contra de sus intereses, ni, por ende, los efectos suspensivos que pudiera tener dicha impugnación. En todo caso, como decisión que le afecta individual y directamente, ha de entenderse que es susceptible de impugnación conforme a las reglas generales que rigen el contencioso comunitario y de reclamación ante el Defensor del Pueblo. Las quejas ante el Defensor del Pueblo, que son escasas, acaban con una recomendación, primero, a la que la institución concernida responde en un informe aceptando total o parcialmente o no aceptando la recomendación del Defensor de dar publicidad a los documentos solicitados, que se traslada al reclamante, para que haga alegaciones si la institución no se acomoda plenamente a la recomendación, y, finalmente, en un dictamen del Defensor, en el que declara si ha habido o no mala administración, sin valor constrictivo[416].

---

[415] "El Parlamento Europeo elegirá a un Defensor del Pueblo Europeo, que estará facultado para recibir las reclamaciones de cualquier ciudadano de la Unión o de cualquier persona física o jurídica que resida o tenga su domicilio social en un Estado miembro, relativas a casos de mala administración en la acción de las instituciones, órganos u organismos de la Unión, con exclusión del Tribunal de Justicia de la Unión Europea en el ejercicio de sus funciones jurisdiccionales. Instruirá estas reclamaciones e informará al respecto [...]"

[416] Se plantea cuál es el encaje entre las atribuciones del Defensor del Pueblo y del Tribunal. El asunto de referencia es *Internationaler Hilfsfonds eV*. El supuesto es el de una ONG de ayuda humanitaria a la que se le retira una subvención de un programa de cofinanciación de ayuda médica en terceros países y solicita acceso al expediente, que les parcialmente denegado. La STG de 5 de junio de 2008, T-141/05, *Internationaler Hilfsfonds eV* contra Comisión, consideró que la queja ante el Defensor del Pueblo no interrumpe el plazo del recurso judicial y las instituciones no están obligadas a reexaminar su posición al hijo de una queja, pero, a la vez, que las dos vías no pueden ser seguidas en paralelo. Es decir, el Defensor debe poner fin a su examen y declarar inadmisible la queja si el ciudadano interpone simultáneamente un recurso ante el juez comunitario por los mismos hechos. Toca por ello al ciudadano apreciar cuál de las dos vías disponibles puede servir mejor a sus intereses. La decisión del Defensor, en fin, no sería un elemento nuevo distinto del acto atacado que reabra el plazo. El Abogado General Mengozzi, en sus Conclusiones al recurso de casación, considera que cuando hay una declaración de mala administración por el Defensor, basada en el fondo del asunto, hay un hecho nuevo sustancial y el solicitante puede pedir un nuevo re-

Las decisiones sobre acceso son recurribles en instancia ante el Tribunal General y en casación ante el Tribunal de Justicia de la Unión Europea.

Cabe solicitar medidas provisionales. Como es sabido, con carácter general, la concesión de medidas provisionales se condiciona a la superación de un triple test: el del *fumus boni iuris*, entendido como la existencia de una controversia jurídica importante, cuya solución no se evidencia de manera inmediata, sino que requiere un examen pormenorizado que debe ser efectuado por el juez de fondo; el de la urgencia de la adopción de la medida, en la que la regla es que los perjuicios de carácter económico, por regla general, si son cuantificables, son susceptibles de reparación *a posteriori*; y la ponderación de intereses, en que se tiene en cuenta si la adopción de la medida provisional condiciona el proceso ulterior o lo deja sin objeto. Aplicado este último criterio al acceso a los documentos, puede imaginarse que una medida que consista en la entrega de un documento sobre el que gira una solicitud implica, desde este último punto de vista, una pérdida del objeto del recurso, causando así un daño que será reparable o irreparable en función del tipo de perjuicio. Eso explica que cuando ha sido el solicitante al que se ha denegado la información el que ha pedido como medida cautelar su entrega, la respuesta haya sido negativa[417]. Y que la respuesta haya sido la contraria, la de conceder

---

examen, y en caso de obtener una nueva denegación, no pueda hablarse de acto meramente confirmatorio. En estos casos, la obligación de reexaminar la solicitud se basa en un principio general de Derecho administrativo. Así se garantiza el efecto útil de la constatación por el Defensor de un caso de mala administración, sin por ello privar a la institución correspondiente del necesario margen de apreciación. La STJUE de 26 de enero de 2010, C-362/08, *Internationaler Hilfsfonds eV* contra Comisión –un pronunciamiento bastante confuso– parece considerar que cuando un solicitante acude al Defensor del Pueblo, este atiende su queja pero la institución no se acomoda a la decisión del Defensor y deniega una nueva solicitud formulada con base en el dictamen del Defensor, no cabe hablar de acto confirmatorio y es posible accionar directamente ante el Tribunal sin necesidad de presentar una solicitud confirmatoria, ya que debe considerarse que el asunto ha sido estudiado a fondo y la postura de la institución es definitiva.

[417]   Así, AATG de 3 de marzo de 1998, T-610/97 R, *Hanne Norup Carlsen* y otros contra Consejo; de 20 de diciembre de 2001, T-213/01 R, *Österreichische Postsparkasse AG* contra Comisión; de 20 de diciembre de 2001, T-214/01, *Bank für Arbeit und Wirtschaft AG* contra Comisión; de 20 de marzo de 2018, T-134/17

la medida provisional consistente en impedir la entrega de información, cuando el recurrente es un tercero que ha puesto en manos de agencias europeas documentación cuya divulgación contiene secretos comerciales en materia de autorización de medicamentos u otras sustancias y la agencia ha resuelto conceder el acceso a un tercero[418], o un Estado que se ha opuesto a la entrega de documentación que ha transmitido a la Comisión, y esta ha resuelto por el contrario conceder el acceso al solicitante[419].

---

[418] R, Hércules Club de Fútbol, S.A.D. contra Comisión; de 12 de julio de 2018, T-250/18 R, *Régie autonome des transports parisiens (RATP)* contra Comisión. En este sentido, AATG de 25 de abril de 2013, T-44/13 R, *AbbVie, Inc.* y *AbbVie Ltd* contra Agencia Europea de Medicamentos (recurrido en casación, el ATJUE de 28 de noviembre de 2013, C-389 P(R), Agencia Europea de Medicamentos contra *AbbVie, Inc.* y *AbbVie Ltd*, estima el recurso por entender que es necesario un examen detallado del perjuicio grave e irreparable y analizar la posibilidad de conceder acceso parcial, y devuelve el asunto al TG); de 28 de noviembre de 2013, T-73/13, *InterMune UK Ltd, InterMune Inc.* y *InterMune International AG* contra Agencia Europea de Medicamentos (recurrido en casación, el ATJUE de 28 de noviembre de 2013, C-390/13 P(R), Agencia Europea de Medicamentos contra *InterMune UK Ltd, InterMune Inc.* y *InterMune International AG*, estima el recurso por entender que es necesario un examen detallado del perjuicio grave e irreparable y analizar la posibilidad de conceder acceso parcial, y devuelve al asunto al TG); de 25 de julio de 2014, T-189/14, *Deza* contra Agencia Europea de Sustancias y Preparados Químicos; de 1 de septiembre de 2015, T-235/15 R, *Pari Pharma GmbH* contra Agencia Europea de Medicamentos (recurrido en casación, el ATJUE de 17 de marzo de 2016, C-550/16 P (R), Agencia Europea de Medicamentos contra *Pari Pharma GmbH*, toma en consideración que las empresas implicadas llegaron a un acuerdo de transmisión de la información con cláusula de confidencialidad y para la utilización exclusiva en un determinado proceso); de 20 de julio de 2016, T-718/15, *PTC Therapeutics International Ltd* contra Agencia Europea de Medicamentos (recurrido en casación, fue confirmado por ATJUE de 1 de marzo de 2017, C-513/16 P (R), Agencia Europea de Medicamentos contra *PTC Therapeutics International Ltd*); de 20 de julio de 2016, T-729/15 R, MSD Animal Health Innovation GmbH y Intervet international BV contra Agencia Europea de Medicamentos (recurrido en casación, fue ratificado por ATJUE de 1 de marzo de 2017, C-512/16 P(R), Agencia Europea de Medicamentos contra *MSD Animal Health Innovation GmbH y Intervet international BV*).

[419] AATG de 1 de septiembre de 2015, T-344/15, Francia contra Comisión; de 25 de agosto de 2017, T-653/16 R, República de Malta contra Comisión, y de 8 de junio de 2022, T-104/22, Hungría contra Comisión.

Las facultades del Juez comunitario se limitan a examinar los documentos[420], incluso si son originarios de un Estado miembro que se ha opuesto al acceso[421], y a anular, en su caso, la decisión denegatoria, sin que se extienda a la posibilidad de dirigir a las instituciones o agencias órdenes conminatorias de proveer al acceso. Serán aquellas las que deban extraer las consecuencias necesarias del fallo, bien procediendo a una nueva denegación, pero esta vez con una motivación suficiente –que, en su caso, será susceptible de nuevo recurso, si ése fue el motivo de la anulación–; bien procediendo a facilitar el acceso, si es la única solución coherente con el fallo[422].

Si entre la denegación del acceso y la resolución del recurso judicial se ha dado difusión a los documentos solicitados, bien general a través de internet, bien particular al solicitante, como norma general el recurso deviene sin objeto porque ha habido una satisfacción extraprocesal, pero esta regla tiene una importante excepción, que por lo demás no es particular de la materia de acceso a la información, sino general: los casos en que se reconoce, no obstante, el interés en proseguir la tramitación del proceso judicial. A este respecto, de la jurisprudencia se desprende que un demandante sigue teniendo interés en solicitar la anulación de un acto de una institución de la Unión para evitar que la ilegalidad en que supuestamente incurre dicho acto se repita en el futuro. Este interés en ejercitar la acción se deriva del artículo 266 TFUE, párrafo primero, según el cual las instituciones de las que emane el acto anulado estarán obligadas a adoptar las medidas necesarias para la ejecución de la sentencia del Tribunal de Justicia. No obstante, tal interés en ejercitar la acción solo puede existir si la decisión denegatoria no ha sido formalmente revocada y la supuesta ilegalidad puede repetirse en el futuro, con independencia de las circunstancias del asunto en que el demandante interpuso recurso. Así

---

[420] En efecto, el Tribunal puede ordenar que se presenten los documentos solicitados, para que pueda examinarlos y apreciar así la forma en la que las instituciones examinaron sus solicitudes de acceso a dichos documentos, aunque se trata de una facultad que no siempre ha de ejercer, sino solo cuando lo estime necesario (así, STG de 7 de febrero de 2002, T 211/00, *Aldo Kuijer* contra Consejo).

[421] STJUE de 21 de junio de 2012, C-135/11 P, *IFAW Internationaler Tierschuitz-Fonds* contra Comisión.

[422] *Vid.*, entre otros, ATG de 27 de octubre de 1999, T-106/99, *Karl L. Meyer* contra Comisión.

ha sido estimado en diversas ocasiones, no por casualidad en casos en que se ventilan por primera vez cuestiones claves sobre la interpretación de la normativa sobre acceso[423].

---

[423] Por ejemplo, la STJUE de 4 de septiembre de 2018, C-57/16 P, *ClientEarth* contra Comisión, estimó que, pese a que la documentación se hizo pública una vez adoptada la decisión y dictada la sentencia de instancia, y antes de dictarse la sentencia de casación, persiste el interés en ejercitar la acción, ya que el interés de la demandante era precisamente obtenerlo antes, y se trata de ventilar si cabe aplicar en casos como el que plantea una presunción relativa a la excepción referente a la toma de decisiones, interpretación que es clave para afrontar conflictos similares en el futuro que pueden afectar a la demandante, como organización no gubernamental ambiental que puede volver a pedir este tipo de información. Y, en cuanto al fondo, descarta que pueda afirmarse la presunción que aplicó el TG. Se desmarca, en esto, de las Conclusiones de su Abogado General Bot. En la STG de 22 de marzo de 2018, T-540/15, *Emilio De Capitani* contra Parlamento, en la que, como sabemos, se pedía acceso a documentos relacionados con procedimientos de "trílogo", que habían sido posteriormente facilitados a otra persona y colgados en el registro de documentos una vez concluyeron los procedimientos legislativos. El Parlamento defendió que el recurso había perdido su objeto. Sin embargo, para el TG, se mantiene el interés en ejercitar la acción: "Así sucede en el presente asunto, ya que la ilegalidad alegada por el demandante se basa en una interpretación de una de las excepciones previstas por el Reglamento n.o 1049/2001 que el Parlamento puede claramente reiterar con ocasión de una nueva solicitud, máxime si se tiene en cuenta que una parte de las razones esgrimidas para denegar el acceso en la Decisión impugnada pueden aplicarse de manera transversal a cualquier solicitud de acceso al trabajo de los diálogos tripartitos en curso [...]. Por otra parte, tanto en la solicitud inicial como en la solicitud confirmatoria, el demandante solicitaba explícitamente que se le comunicaran un determinado número de documentos relativos a procedimientos legislativos en curso. Por consiguiente, la puesta a disposición del público de los documentos de que se trata después de la conclusión del procedimiento legislativo al que hacen referencia no colma plenamente las pretensiones del demandante, de modo que conserva un interés en solicitar la anulación de la Decisión impugnada." Sobre la misma documentación, la misma solución, pero un presupuesto diferente en la STJUE de 21 de enero de 2021, C-761/18 P, *Päivi Leino-Sandeberg* contra Parlamento Europeo, en la que la solicitante era una profesora universitaria que realizaba investigaciones sobre la transparencia en los diálogos tripartitos. El Parlamento le denegó el acceso y recurrió ante el TG. Cuando Emilio de Capitani obtuvo los documentos, los colgó en su blog público. El ATG de 20 de septiembre de 2018, T-421/17, *Päivi Leino-Sandeberg* contra Parlamento Europeo, consideró que la demandante había podido acceder así a la información y que el recurso había perdido su objeto, por lo que declaró su inadmisibilidad. Recurrida en casación, el TJUE tiene en cuenta que el Reglamento prevé como modalidades de acceso la consulta in situ o la entrega de una copia, o bien

El Parlamento barajó en el borrador de primer informe de cara a la re-
forma regular los efectos del dictamen del Defensor del Pueblo, siguiendo
la sugerencia de este que había puesto de relieve que los solicitantes se
enfrentan a una dificultad casi insalvable para cuestionar las negativas a
conceder el acceso basadas en el potencial daño para los intereses pro-
tegidos o para acreditar la existencia de un interés público superior. Esta
dificultad, léase cuasi imposibilidad, trae causa de la circunstancia de que,
al desconocer el contenido del documento en cuestión, los solicitantes no
pueden hacer alegaciones con conocimiento de causa. Por ello, postula
que los solicitantes puedan pedir su parecer antes de presentar la solicitud
confirmatoria. Si, una vez emitido el dictamen del Defensor del Pueblo Eu-
ropeo, la institución mantuviere la denegación total o parcial, el solicitante
podrá presentar, en el plazo de 15 días laborables como máximo a partir
de la recepción de la respuesta de la institución, una solicitud confirma-
toria a la institución con el fin de que esta reconsidere su postura. Ahora
bien, en el borrador de segundo Informe, esta propuesta desapareció y no
se retoma en la propuesta final.

---

la remisión sobre la forma de obtener el documento si ya lo ha divulgado y es de
fácil acceso. "En cambio, no puede considerarse que la institución de que se trate
ha cumplido su obligación de facilitar el acceso a un documento por el mero
hecho de que ese documento haya sido divulgado por un tercero y el solicitante
haya tenido conocimiento de él. En efecto, a diferencia de la situación en la que
la propia institución de que se trate ha divulgado un documento, permitiendo así
al solicitante tener conocimiento de él y hacer uso de él de manera legal a la vez
que se garantizan el carácter exhaustivo y la integridad de dicho documento, no
puede considerarse que un documento divulgado por un tercero constituya un
documento oficial ni que exprese la posición oficial de una institución a falta de
una aprobación unívoca de dicha institución conforme a la cual lo que ha sido
recabado emana en efecto de ella y expresa su posición oficial."

V. MEDIDAS COMPLEMENTARIAS

La normativa sobre acceso se aprobó en una coyuntura de críticas a la opacidad y a la tecnocracia comunitarias –si bien en esto es difícil distinguir lo coyuntural de lo estructural–. No es de extrañar que la normativa y la práctica de las instituciones hayan tratado de arbitrar medidas para favorecer la eficacia del Derecho, referidas a la información al público, a las prácticas internas, a la coordinación interinstitucional, a la autoevaluación de la realidad y efectividad del derecho de acceso, a la creación de registros de documentos, a la publicidad en el Diario Oficial de la Unión Europea o a la transparencia en al ámbito de la toma de decisiones legislativas[425].

En todo caso, también en esto el Derecho de la Unión sigue, tanto la línea del Convenio 205, que ya conocemos, como la tendencia en el Derecho de los Estados Miembros, ya que la inmensa mayoría de los países establecen medidas complementarias, que son de muy diversos tipos y alcance, entre ellas, la llevanza de un registro de documentos, también disponible en formato electrónico y accesible a través de Internet, en muchos casos con buena parte de los documentos *online*; la creación de guías para el ciudadano en que se explica con un lenguaje asequible en qué consiste y cómo puede ejercitarse el derecho; la elaboración de informes anuales sobre la aplicación de la ley por cada organismo; la asistencia a los ciudadanos en el ejercicio de su derecho, y el nombramientos de responsables de la información[426]. Además, la mayor parte de las normas reguladoras del acceso a la información dedican previsiones a la información activa, con diversa extensión. En muchos casos, se establecen categorías de documentos de publicación

425   Dejamos al margen de este estudio la regulación de los grupos de interés, que tiene sustancia para un estudio monográfico.
426   Así, por ejemplo, en Alemania se prevé que las autoridades elaboren y mantengan actualizados repertorios que identifiquen las fuentes de información disponibles y las finalidades de la información almacenada. En España, la Ley 19/2013 contempla el establecimiento de sistemas para integrar la gestión de las solicitudes de información de los ciudadanos en el funcionamiento de su organización interna, y dispone la creación a nivel estatal de unidades de información, modelo que han reproducido la mayoría de Comunidades Autónomas.

obligatoria –con mucha variedad al respecto, pero referidos a los temas de mayor conexión con la organización y actividad y gasto públicos–, que se lleva a cabo en boletines oficiales y/o a través de Internet, en este caso habitualmente por medio de los Registros de documentos. Hay en esto, en todo caso, una notable diversidad en cuanto al alcance de la obligación[427].

---

[427] El examen de H. KRANENBORG y W. VOERMANS, *op. cit.*, p. 24, pone de relieve que en muchas de las leyes nacionales se dedican previsiones a la divulgación activa de información. En algunos países, se enumeran documentos que deben publicarse (en especial, en países nórdicos occidentales como Países Bajos o Finlandia, o en países del Este recientemente incorporados a la Unión Europea, como Hungría o Lituania), con referencia en algunos casos a Internet (Eslovaquia, Eslovenia). En Francia se publican las directivas, las instrucciones, las circulares y las notas o respuestas ministeriales que comportan una interpretación del Derecho positivo o una descripción de los procedimientos administrativos. Además, pueden publicarse otros documentos administrativos. Los que están afectados por una excepción, salvo disposición legislativa en contrario, sólo una vez han sido objeto de tratamiento a fin de ocultar las menciones o hacer imposible la identificación de las personas que en ellos figuran y, de forma general, la consulta de datos personales. En Alemania, los planes organizativos y de archivo deben ser generalmente accesibles sin referencia a datos personales. Las autoridades deben hacer generalmente accesibles por vía telemática los directorios y planes. En Italia se publican las directivas, programas, instrucciones circulares y cualquier acto relativo a la organización, funciones, objetivos y procedimientos de la Administración pública o en los cuales se determina la interpretación de las normas jurídicas o se dictan disposiciones para su aplicación. También los Informes anuales de la Comisión y en general se da la máxima publicidad a todas las disposiciones de ejecución de la ley y todas las iniciativas encaminadas a precisar y hacer efectivo el derecho de acceso. Con las publicaciones si son integrales se entiende realizado el acceso. En Portugal la ley obliga a la divulgación, en especial en bases de datos electrónicas fácilmente accesibles al público a través de redes públicas de telecomunicaciones, de la siguiente información administrativa, a actualizar como mínimo semestralmente: todos los documentos, en especial, despachos normativos internos, circulares y orientaciones, que comporten un encuadramiento de la actividad administrativa. En España, la Ley 19/2013 prevé toda una serie de ítems de publicidad obligatoria, referidos a información institucional, organizativa y de planificación, de relevancia jurídica, económica, presupuestaria y estadística, que puede ampliarse por cada Administración.

1. TRANSPARENCIA E INFORMACIÓN AL PÚBLICO

El Reglamento 1049/2001 dispone que cada institución debe adoptar las medidas necesarias para informar al público de su derecho, con la cooperación de los Estados[428].

Entre las medidas más destacadas, se encuentran los portales o secciones de transparencia de las instituciones, a partir de los cuales puede encontrarse información sobre las políticas de transparencia, solicitarse documentos o accederse a los registros electrónicos de documentos, entre otras funcionalidades[429].

El potencial de la publicidad activa es difícil de exagerar y su ámbito de aplicación amplísimo. Al respecto, ante la jurisprudencia se ha planteado si las instituciones pueden publicar *motu proprio* información, sin una prescripción legal imperativa ni una base jurídica autónoma. La respuesta ha sido positiva, y es aplicable no solo a la actividad informativa general en forma de comunicados de prensa[430], sino incluso en relación con procedimientos en los que existen interesados, incluso sancionadores, con base en el principio de transparencia, sometido solo a las excepciones que hemos analizado, *supra*[431].

---

[428] Artículo 14.
[429] Pueden consultarse, para el Parlamento, https://www.europarl.europa.eu/at-your-service/es/transparency/public-access-to-documents. Para el Consejo, https://www.consilium.europa.eu/es/general-secretariat/corporate-policies/transparency/. Para la Comisión, https://ec.europa.eu/info/about-european-commission/service-standards-and-principles/transparency_en
[430] STG de 12 de septiembre de 2007, T-259/03, *Nikolau* contra Comisión: "[...] el hecho de informar por parte de una Administración al público de sus actividades, en especial mediante la publicación de comunicados de prensa, puede considerarse una actividad accesoria a su actividad administrativa principal. No necesita base jurídica autónoma."
[431] Así, en la STG de 30 de mayo de 2006, T-198/03, *Bank Austria Creditanstalt AG* contra Comisión, se enjuicia la publicación de una Decisión por la que se declara una infracción del artículo 81 TCE y se imponen multas. Los afectados habían solicitado la omisión de determinados pasajes. El TG considera que "[...] del principio de legalidad no puede deducirse que esté prohibido publicar los actos adoptados por las instituciones cuando dicha publicación no haya sido establecida expresamente por los tratados o por otro acto de alcance general. En el estado actual del Derecho Comunitario, una prohibición de esta índole sería incompatible con el artículo 1 UE, a tenor del cual, en el seno de la Unión Europea, "las decisiones serán tomadas de la forma más abierta [...] que sea posible". Este

Si se solicitan estos documentos ejerciendo el derecho de acceso, a la institución en cuestión le bastará como vimos con indicar al solicitante el *link* donde pueden obtenerse.

A veces, el ciudadano no desea obtener documentos concretos, sino información más general. En estos casos, las solicitudes son tramitadas por servicios de información tales como el "Correo del Ciudadano" del Parlamento, la unidad "Información del público" del Consejo o el servicio "EuropeDirect" de la Comisión. Debe destacarse la publicación, en papel y en formato electrónico disponible a través de la *web*, de guías para el ciudadano, que, en un lenguaje compren-

principio se refleja en el artículo 255 CE, que garantiza, con ciertas condiciones, el derecho de los ciudadanos a acceder a los documentos de las instituciones. También se expresa, en particular, en el artículo 254 CE, que supedita la entrada en vigor de determinados actos de las instituciones a su publicación, y por las numerosas disposiciones del Derecho Comunitario que, al igual que el artículo 21, apartado 1, del Reglamento nº 17, obligan a las instituciones a dar cuenta al público de sus actividades. De conformidad con este principio, y a falta de disposiciones que ordenen o prohíban explícitamente una publicación, la facultad de las instituciones de hacer públicos los actos que adoptan constituye la norma, para la que existen excepciones en la medida en que el Derecho Comunitario se oponga a la divulgación de dichos actos o de una parte de la información que contienen, en particular mediante las disposiciones que garantizan el respeto del secreto profesional [...] Para que la información esté amparada, por su propia naturaleza, por el secreto profesional, es necesario, en primer lugar, que solo la conozca un número restringido de personas. Además, debe tratarse de información cuya divulgación pueda causar un serio perjuicio a la persona que la ha proporcionado o a un tercero. Por último, es necesario que los intereses que la divulgación de la información puede lesionar sean objetivamente dignos de protección. La apreciación de la confidencialidad de una información requiere ponderar, pues, por una parte, los intereses legítimos que se oponen a su divulgación y, por otra, el interés general que exige que las actividades de las instituciones comunitarias se desarrollen de la forma más abierta posible [...] Por otro lado, el interés de una empresa a quien la Comisión ha impuesto una multa por infracción del Derecho de la competencia en que no se divulguen públicamente los detalles de la conducta constitutiva de infracción que se le imputa no merece ninguna protección particular, habida cuenta del interés del público en conocer con la mayor amplitud posible los motivos de cualquier acción de la Comisión, del interés de los operadores económicos en saber cuáles son las conductas por las que pueden ser sancionados y del interés de las personas perjudicadas por la infracción en conocer sus detalles, con el fin de poder hacer valer, en su caso, sus derechos frente a las empresas sancionadas, y considerando que la empresa dispone de la posibilidad de someter a control jurisdiccional tal decisión."

sible, con formato de pregunta respuesta, exponen el contenido de la normativa y el procedimiento y direcciones de contacto para ejercitar el derecho, o de listas de distribución de inscripción libre sobre cualquier ámbito documental.

Una vez más, estas previsiones se alinean con lo establecido en el Convenio 205, que, como vimos, impone la previsión de medidas complementarias para informar al público de su derecho de acceso y de las modalidades de su ejercicio, y prevé medidas de publicidad activa, esto es, la puesta a disposición de todas las personas, por su propia iniciativa y cuando lo estimen conveniente, de todos los documentos públicos en su poder con el objeto de promover la transparencia y la eficacia de la Administración y para fomentar la participación informada del público en materias del interés general.

En su propuesta cara a la reforma, el Parlamento incidía inicialmente en estos aspectos organizativos, apostando por imponer a los sujetos sometidos al Reglamento las siguientes obligaciones: organizar y conservar la información que obre en su poder de forma que se pueda garantizar al público el acceso a la información sin hacer esfuerzos adicionales; acordar normas y procedimientos de aplicación comunes para la presentación, clasificación, desclasificación, el registro y la difusión de los documentos; explicar claramente a los ciudadanos si durante las fases específicas del proceso de toma de decisiones, puede no permitirse el acceso directo a los documentos, y cuándo; informar a los ciudadanos, de forma objetiva y transparente, sobre su carta organizativa indicando el ámbito de actuación de sus unidades internas, el flujo de trabajo interno y los plazos indicativos de los procedimientos que inciden en su ámbito de competencias, así como los servicios a los que pueden dirigirse los ciudadanos para obtener apoyo, información o presentar recursos administrativos. Este punto ha desaparecido de la propuesta final. Sí ha mantenido la previsión de que las instituciones, los órganos y los organismos informen a los ciudadanos, de manera equitativa y transparente, sobre su plantilla de personal, indicando las competencias de sus unidades internas, el flujo de trabajo interno y los plazos indicativos de los procedimientos de su competencia, y los servicios a los que los ciudadanos pueden acudir para obtener apoyo, información o reparación administrativa. Añade la previsión de que la información relativa al presupuesto de la Unión Europea, a su aplicación y a los beneficiarios de fondos y subvenciones de la Unión Europea será pública y accesible a los ciudadanos a través de un sitio web y una base de datos específicos, que se puedan consultar sobre la base de la información antes mencionada, relacionada con la transparencia financiera de la Unión.

2. COMITÉ INTERINSTITUCIONAL

El Reglamento impele al establecimiento de buenas prácticas administrativas para facilitar el ejercicio del derecho de acceso y a la creación de un Comité interinstitucional encargado de su examen, de tratar los posibles conflictos y de examinar la evolución futura del acceso a del público a los documentos. Está compuesto por representantes de las tres instituciones[432]. Sus trabajos son preparados por los Secretarios Generales o sus representantes. Esta composición de alto nivel, tanto del propio Comité como del grupo preparatorio, no permite celebrar reuniones con una frecuencia regular. La Comisión considera que la vocación del Comité interinstitucional es discutir las cuestiones políticas que plantea la aplicación del Reglamento.

Ahora bien, resulta que la aplicación del Reglamento suscita numerosas cuestiones técnicas o jurídicas que no pueden plantearse a los mandatarios políticos sin haber sido examinadas detenidamente por los servicios encargados de la aplicación del Reglamento. La coordinación en estos servicios operativos se hizo inicialmente sobre una base puntual. Por ello, y ante la escasa regularidad de las reuniones del Comité, se creó un foro de intercambio sobre cuestiones de carácter jurídico entre los servicios de las instituciones encargados de la aplicación del Reglamento que debería reunirse una vez al año al menos con carácter político en mayo, tras la adopción de los informes anuales, y además cuando fuera necesario.

En esta misma línea, cabe recordar que el Convenio 205, como ya analizamos en la primera parte de este trabajo, creó una estructura institucional, integrada por el Grupo de especialistas sobre acceso a los documentos oficiales, que se reúne al menos una vez al año para monitorizar la ejecución del Convenio y un Grupo consultivo integrado por un representante de cada Estado parte del Convenio, ejerciendo las tareas de Secretariado de ambos el del propio Consejo de Europa, y previéndose la obligatoriedad de las Partes de emitir un informe sobre las medidas de ejecución al año de la entrada en vigor del Convenio en su territorio y antes de cada reunión del Grupo

---

[432] El 122.8 del Reglamento interno del Parlamento prevé que los representantes del Parlamento sean designados por la Conferencia de Presidentes.

consultivo, así como de transmitir al Grupo de especialistas cualquier información que requiera para el ejercicio de sus funciones.

Cara a la reforma, el Parlamento planteaba inicialmente añadir a las competencias del Comité interinstitucional las de intercambiar las mejores prácticas, detectar los obstáculos en materia de acceso y uso y las fuentes de datos no publicadas, promover la interoperabilidad, la reutilización y la fusión de registros, uniformizar la codificación de los documentos por medio de una organización europea de normalización y crear un portal único de la UE con objeto de garantizar el acceso a todos los documentos de la UE. La propuesta ha desaparecido de la propuesta final.

3. FORMACIÓN Y RESPONSABILIDAD DE LOS EMPLEADOS PÚBLICOS EN MATERIA INFORMATIVA

Para la aplicación cotidiana de la normativa, es necesaria la concienciación y formación de los empleados públicos. Las instituciones han organizado acciones de sensibilización, información y formación de su personal, en particular, mediante la publicación de guías internas o la organización de módulos de formación, o incluyendo un apartado específico en sus guías de obligaciones o códigos de conducta[433].

También el Convenio 205 prevé, como sabemos, este tipo de medidas.

No se ha creado formalmente la figura del "responsable de información". El Parlamento la introduce en su propuesta, que apuesta por que cada unidad administrativa dentro de cada institución, órgano u organismo

---

[433] Así, por ejemplo, la Guía de las obligaciones de los funcionarios y agentes del Parlamento europeo (Código de buena conducta), aprobada por la Mesa el 7 de julio de 2008, bajo el rótulo "*Transparencia administrativa*", fijó algunos principios como el de respuesta en el plazo menor posible a los escritos o reenvío de los dirigidos erróneamente, identificación del autor en los escritos, motivación de las resoluciones desfavorables, posibilidad de subsanación, etc. Además, dedica un apartado al acceso a los documentos, que insiste en el deber de los funcionarios y agentes de respetar escrupulosamente las normas dictadas por el Secretario General en materia de registro de documentos e inscripción de las referencias de los mismos en el registro de referencias del Parlamento Europeo y que da un plazo general de cinco días de respuesta al funcionario o agente al que el servicio responsable del registro consulte a propósito de una solicitud de acceso a un documento que recae en el ámbito de competencias.

designe un funcionario responsable de la información que será respon-
sable de garantizar el cumplimiento de las disposiciones del Reglamento
y las buenas prácticas administrativas dentro de la unidad en cuestión.
Dicho responsable determinaría qué información sería conveniente ofre-
cer al público con relación a la aplicación del Reglamento y a las buenas
prácticas y aseguraría que dicha información se difunda de forma ade-
cuada. Además, evaluaría si las diferentes unidades ejercen buenas prác-
ticas y podría redirigir a otra dirección general a la persona que solicita
la información si la información en cuestión no incide en su ámbito de
competencias sino en el de otra unidad de la misma institución, órgano u
organismo, siempre que esté en posesión de dicha información. El primer
Informe también preveía que pudiera consultar al Defensor del Pueblo Eu-
ropeo en relación con la correcta y coherente aplicación del Reglamento,
pero esta facultad se eliminó en la propuesta final.

A ello ha añadido un también novedoso artículo, denominado "princi-
pio de buena administración abierta", en sintonía con previsiones similares
en diversos Derechos estatales, que prevé se establezcan sanciones en
caso de incumplimiento de las obligaciones contenidas en el Reglamento,
de conformidad con las disposiciones fijadas en el Estatuto de los funcio-
narios de la Unión Europea, el Régimen aplicable a otros agentes de las
Comunidades Europeas y los Reglamentos de las instituciones, los órganos
y los organismos.

4. LOS REGISTROS DE DOCUMENTOS

El Reglamento 1049/2001 prevé que, sin perjuicio de las propias excepciones previstas en el Reglamento y al régimen especial de los documentos sensibles, los documentos serán accesibles al público, bien previa solicitud por escrito, o bien directamente en forma electrónica o a través de un registro. En particular, se debe facilitar el acceso directo a los documentos elaborados o recibidos en el marco de un procedimiento legislativo[434].

El Reglamento prevé la puesta a disposición del público de un registro electrónico de documentos como medio de garantizar a los ciudadanos el ejercicio efectivo del derecho. El Registro ha de especificar, para cada documento, un número de referencia (incluida, si procede, la referencia interinstitucional), el asunto a que se refiere y/o

---

[434] Artículo 2.4.

una breve descripción de su contenido, así como la fecha de recepción o elaboración del documento y de su inclusión en el registro, siempre de manera que no supongan un perjuicio para la protección de los intereses que justifican las excepciones al derecho de acceso[435]. De este modo, se permite la localización de la documentación por los ciudadanos y la gestión documental por las propias instituciones[436].

Una cuestión clave es la relativa indeterminación acerca de qué documentos deben obrar en el registro. Si atendemos al dictado literal del precepto, parece que afecta a toda la documentación (*ubi lex non distinguit nec nos distinguere debemus*). Sin embargo, ciertamente parecía casi imposible que los Registros estuvieran operativos en 2002 e incluyeran todos los documentos, de cualquier género –recuérdese el concepto omnicomprensivo de documento– anteriores y posteriores a esa fecha[437]. De este modo, las instituciones, como puede comprobarse en el Informe de la Comisión de 2004, entendieron que el Reglamento no obliga a las instituciones a disponer de un registro que cubra la totalidad de los documentos que reciben o que producen, habida cuenta el amplio concepto de documento, pero sí debían ser exhaustivos respecto de su ámbito documental: una vez determinadas

---

[435] Artículo 11. El Reglamento puso como fecha límite para la operatividad de los Registros el 3 de junio de 2002. El Consejo disponía ya de un registro público en Internet antes de la entrada en vigor del Reglamento 1049/2001, creado por Decisión de 19 de marzo de 1998 (Doc. 6423/1/98 REV 1) y que entró en servicio el 1 de enero de 1999. El 19 de julio se aprobó el Informe sobre su funcionamiento (Doc. 9862/99). De acuerdo con las disposiciones del mismo, el Parlamento y la Comisión abrieron sus registros el mismo 3 de junio de 2002.

[436] De acuerdo con el artículo 8 de las Disposiciones relativas a la aplicación del Reglamento (CE) nº 1049/2001 del Parlamento europeo y el Consejo relativo al acceso del público a los documentos del Parlamento Europeo, el Consejo y la Comisión aprobadas por la Comisión, la cobertura de su registro aparecerá indicada en la página principal del sitio EUROPA. El registro contendrá el título del documento (en las lenguas en que esté disponible), la signatura y demás referencias útiles, así como una indicación de su autor y la fecha de su creación o adopción. Una página de ayuda (en todas las lenguas oficiales) informará al público de la forma en que es posible obtener el documento. Si el documento está publicado, se incluirá un enlace con el texto íntegro.

[437] En el caso de los documentos sensibles, como se dijo, solo se incluirán en un registro con el consentimiento del emisor. El informe anual que debe presentar cada institución deberá mencionar el número de documentos sensibles no inscritos en el registro.

las familias de documentos que abarca la cobertura del registro, todos los documentos pertenecientes a estas familias deberán estar registrados. Así, se ha producido, y se sigue produciendo, una inclusión de documentos progresiva y por categorías. En efecto, la cobertura de estos registros, y especialmente el de la Comisión, está destinada a ampliarse progresivamente. Inicialmente, las instituciones favorecieron la inclusión de los documentos legislativos, que son documentos, como veremos, cuya accesibilidad directa es prioritaria con arreglo al apartado 2 del artículo 12 del Reglamento[438]. Además, el sitio de cada

---

[438]   De este modo, como relataba el Informe de la Comisión de 2004, a esa fecha el *Parlamento* había definido una amplia cobertura de su registro, que cubre no solo los documentos vinculados a los trabajos parlamentarios, sino también la correspondencia enviada a la institución y a su presidente. Inicialmente, el registro contenía las referencias de los documentos más recientes, y posteriormente se fueron incluyendo los más antiguos. El Parlamento tenía ya entonces la intención de ampliar el registro a los documentos administrativos. El registro del *Consejo* cubría todos los documentos "estándar", es decir, los documentos vinculados a los trabajos del Consejo que se presentan a uno de sus órganos (grupos de trabajo, Coreper y formaciones del Consejo). Habida cuenta de la gran cantidad de documentos que maneja y de su organización descentralizada, la *Comisión* optó inicialmente por un registro de los documentos registrados y divulgados por la Secretaría de la Secretaría General y vinculados a la actividad legislativa y reglamentaria de la institución. Esta cobertura incluía los órdenes del día y las actas verbales de las reuniones de la Comisión, así como los documentos de las series COM, C y SEC. Este registro se añade al registro de la correspondencia del presidente, así como a otras fuentes de información existentes. Fue completado recientemente con el registro público de los documentos relativos a los comités que asisten a la Comisión en el ejercicio de las competencias de ejecución ("comitología"), transmitido al Parlamento en el marco de su "derecho de inspección". La entrada en servicio de los registros generó un aumento del número de solicitudes de acceso, pero este efecto se observa principalmente en el *Parlamento* y en el *Consejo*. En el *Parlamento* y en el *Consejo*, la gran mayoría de las solicitudes de acceso derivan de la consulta de los registros. La práctica totalidad de las solicitudes dirigidas al Parlamento se introducen por medio del formulario electrónico asociado al registro. En la *Comisión*, apenas una escasa parte de las solicitudes se refiere a documentos identificados a partir de los dos registros, el de los documentos COM, C y SEC y el de la correspondencia del presidente. La mayoría de las solicitudes se refieren a expedientes (de infracción, de ayudas estatales, de concentraciones) y no a documentos específicos. Además, las solicitudes dirigidas a la Comisión no se refieren en general a la actividad legislativa, sino a las misiones de control de la aplicación del Derecho Comunitario. La experiencia del Parlamento y el Consejo muestra que los registros permiten formular solicitudes

una de las tres instituciones contiene vínculos hacia los registros de las otras instituciones.

En el Derecho de la Unión Europea, como sucede en los Derechos estatales, un elemento fundamental para la publicidad activa son los registros públicos a los que acabamos de aludir. En efecto, junto a la virtud de dar a conocer de qué información se dispone, sus efectos favorecedores del conocimiento de la información pública se multiplican si se tiene en cuenta que una parte sustancial de los documentos que constan en los registros son directamente accesibles en su texto íntegro, a través de un hipervínculo[439]. Es el llamado "acceso directo". En este último supuesto, el acceso a la información no precisa de solicitud, y es con mucho la vía más utilizada para acceder a los documentos en poder de las instituciones.

En todo caso, la inclusión de un documento en el Registro no implica el derecho de acceso a los documentos. En efecto, por una parte, el hecho de que los documentos estén mencionados en el registro no los hace automáticamente accesibles al público y, por otra parte, los documentos no recogidos en el registro podrán ser objeto de solicitudes de acceso al igual que los que sí figuran en él. Por eso, cuando no cabe el acceso directo a través del registro, el registro debe indicar, en la medida de lo posible, donde están localizados los documentos[440].

---

más precisas y contribuyen por tanto a reducir la carga administrativa de la identificación y búsqueda de los documentos.

[439] Ya el Informe de la Comisión de 2004 apuntaba que en esa fecha las tres instituciones habían definido, en sus reglamentos internos, las categorías de documentos que, en la medida de lo posible, son directamente accesibles por vía electrónica (en particular, mediante la creación de vínculos entre las referencias recogidas en el registro y los textos íntegros) o bien solicitándolas de nuevo automáticamente. Gran parte de los documentos que figuran en los registros de las tres instituciones estaba ya accesible en su texto íntegro. Consideraba que a medida que se va ampliando la cobertura de los registros, el número de documentos accesibles de oficio debía aumentar considerablemente.

[440] El Reglamento interno del Parlamento dispone en su artículo 122 que: "La Mesa establecerá normas para garantizar que todos los documentos del Parlamento quedan registrados" y que "El Parlamento creará un sitio web de registro público de sus documentos. Los documentos legislativos y algunas otras categorías de documentos serán directamente accesibles, de conformidad con el Reglamento (CE) n.o 1049/2001, por medio del sitio web del registro público del Parlamento. En la medida de lo posible, se incluirán en el sitio web del registro público del

También en este apartado, el Derecho de la Unión Europea cumple con los parámetros establecidos en el Convenio 205, que establece, como sabemos, la obligación de los sujetos obligados de proporcionar información sobre las materias o las actividades de su competencia; de gestionar eficazmente sus documentos de forma que los haga fácilmente accesible; y de seguir procedimientos claros y preestablecidos para la conservación y la destrucción de sus documentos.

En su sugerencia inicial de reforma, el Parlamento recomendó crear un punto de acceso único para la legislación preparatoria, una interfaz común a los registros de las instituciones y normas comunes sobre el archivo de documentos.

La Comisión reconoce que los ciudadanos valoran favorablemente una política de divulgación más proactiva, y se declara favorable a facilitar el acceso, ampliando el alcance de los registros de la Comisión y caminando hacia una mayor armonización entre los diferentes registros estar más armonizados, pero es partidaria de llevarlo a la práctica sin modificar el Reglamento. Sí apoya la supresión de la relativización de la obligación de dar acceso directo a los documentos relacionados con actos legislativos o de aplicación general, eliminando la expresión "en la medida de lo posible".

El Parlamento mantuvo en su intención de reformar en este punto el Reglamento y proponía inicialmente una regulación común de los aspectos básicos, conforme a la cual, sin perjuicio de las normas internas de las instituciones, el registro o sistema de registros (en caso de registros múltiples para la misma institución) de cada institución contendrá, en particular, referencias a: los documentos entrantes y salientes, así como al correo oficial de la institución cuando esté en el ámbito objetivo de aplicación del Reglamento 1049/2001, los órdenes del día y resúmenes de las reuniones y los documentos elaborados antes de las reuniones para su distribución, así como otros documentos distribuidos durante las reuniones. Además, pretendía poner un plazo límite a la aprobación de normas internas de

---

Parlamento referencias a otros documentos del Parlamento. Las categorías de documentos que sean directamente accesibles a través del sitio web del registro público del Parlamento figurarán en una lista adoptada por la Mesa que se publicará en el sitio web del registro público del Parlamento. Esta lista no restringirá el acceso a los documentos no incluidos en las categorías que figuren en ella; dichos documentos podrán facilitarse previa solicitud por escrito de conformidad con el Reglamento (CE) n.º 1049/2001." En el caso del Reglamento interno del Consejo, su –Anexo I establece qué documentos son objeto de acceso directo a través del Registro, incluyendo, principalmente, los relacionados con las sesiones del Consejo en los procedimientos legislativos y documentación anexa y los documentos objeto de publicación oficial.

cada institución relativas al registro de documentos y a su entrada en funcionamiento. Junto a ello, proponía extender imperativamente el acceso directo a todos los documentos (eliminando así su condicionamiento a la "medida de los posible") en forma electrónica o a través de un registro, de conformidad con las normas vigentes de la institución en cuestión, así como la obligatoriedad del establecimiento por las instituciones de una interfaz común (de "registro interconectado conjunto" hablaba el borrador de segundo Informe) para sus registros de documentos, y la garantía, en particular, de un punto de acceso único para los documentos elaborados o recibidos en el curso de procedimientos de adopción de actos legislativos de la UE o de actos no legislativos de aplicación general. Sin embargo, la propuesta final prescinde de todo ello y se refiere solo a que las instituciones han de adoptar con carácter inmediato las medidas necesarias para la creación de un interfaz común a los registros institucionales a fin de garantizar la coordinación entre los mismos.

5. INFORMES ANUALES: DATOS ESTADÍSTICOS

Un instrumento fundamental para la evaluación y seguimiento son los Informes que cada institución ha de publicar anualmente[441], y otro, más general, que se encargó a la Comisión antes de 31 de enero de 2004[442].

Un análisis sistemático de los datos anuales publicados por cada institución en sus respectivos Informes anuales permite constatar lo siguiente, por vía de síntesis:

-La evolución del *número de solicitudes iniciales* ha sido diferente en las instituciones. Respecto del Parlamento se duplicó en la primera década, llegando en 2011 a situarse en torno a las 1.250 solicitudes, una década más tarde ha descendido a menos de la mitad, unas 500

---

[441] El artículo 122.6 y 7 del Reglamento interno del Parlamento dispone: "La Mesa adoptará el informe anual a que se refiere el artículo 17, apartado 1, del Reglamento (CE) n.º 1049/2001. La comisión competente del Parlamento examinará periódicamente la transparencia de las actividades del Parlamento y someterá al Pleno un informe con sus conclusiones y recomendaciones. La comisión competente también podrá examinar y evaluar los informes adoptados por otras instituciones y agencias de conformidad con el artículo 17 del Reglamento (CE) n.º 1049/2001."

[442] Artículo 17.

solicitudes, sin duda debido al aumento de la publicidad de la divulgación de oficio de información[443]. En el caso del Consejo se ha mantenido relativamente estable, en el entorno de las 2.000, solicitudes[444]. En el de la Comisión, sin embargo, ha ido aumentando notablemente, sobrepasando las 5.000 en 2011 y las 8.000 una década más tarde[445].

- El número de *solicitudes confirmatorias* frente a una denegación total o parcial de solicitudes iniciales es muy bajo, de entorno al 1-2% en el caso del Parlamento y del Consejo, y 3-4% en el de la Comisión.

- En cuanto al *sentido de la respuesta*, el porcentaje de respuestas positivas en las solicitudes iniciales se sitúa en niveles altos, si se incluyen acceso total y parcial, situándose las denegaciones totales en el entorno del 10%, y del 5% en el caso del Parlamento[446]. Las solicitudes confirmatorias se rechazan aproximadamente en la mitad de los casos.

- Sobre la *proveniencia de las solicitudes* –conocida en los casos en que el solicitante voluntariamente la consigna merced al tipo de formulario empleado, ya que no es necesario motivar la solicitud ni acreditar un interés específico–, el sector mayoritario es el académico, la mayoría de ellas relacionada con los procesos de adopción de actos legislativos, seguidos en porcentajes más o menos similares por periodistas, organizaciones no gubernamentales, despachos de abogados, consultores y grupos de presión. Esto enlaza con la distribución geográfica de las solicitudes. Las solicitudes mayoritarias proceden de Bruselas (salvo en el caso del Parlamento, en el que la distribución está mucho más repartida), como consecuencia del establecimiento allí de las instituciones, las Delegaciones y numerosas oficinas de *lobbies* y despachos de abogados, siguiendo por lo demás un orden sustancialmente proporcional a la población de los diferentes Estados

---

[443] En 2021 fueron 499 solicitudes de acceso, 150 referidas a documentos no divulgados previamente.
[444] En 2021 fueron 2.083.
[445] En 2020 (último informe disponible a fecha de cierre de este trabajo) fueron 8.001.
[446] En 2021, en el caso del Parlamento, la tasa de respuestas positiva, muy mayoritariamente con acceso total, fue del 95%. En el caso del Consejo, en 2021, del 88,3% (83,3% de acceso total y 5% parcial). En el de la Comisión, en 2020, del 81% (51% de acceso total y 30% parcial).

miembros, si bien con un porcentaje menor respecto de los Estados del Este, y con en torno al 10% de solicitudes procedentes de terceros países.

- Sobre las *materias objeto de solicitudes de información*, divergen en función de la institución y en el tiempo. En el caso del Parlamento, los ámbitos más solicitados actualmente son los referidos a las negociaciones legislativas interinstitucionales ("trílogos"), que en 2021 acapararon un tercio de las solicitudes y va en aumento, solicitados básicamente por académicos y organizaciones no gubernamentales, y los relativos a las dietas, gastos y reuniones de los diputados. En el caso del Consejo, los asuntos objeto de mayor atención son los de justicia y asuntos de interior, política económica y monetaria y política exterior y de seguridad común. En el ámbito de actividades de la Comisión los asuntos que generan más interés son los institucionales, seguidos de todo tipo de materias atribuidas a sus diferentes Direcciones Generales.

- Hay divergencia en la proporción de recurrencia de las *excepciones invocadas* por las instituciones. Las decisiones negativas del Parlamento se apoyaban mayoritariamente en la excepción de protección del proceso de toma de decisiones hasta que, como vimos, la jurisprudencia consideró que prevalece el interés público superior en el acceso a los documentos emanados de los "trílogos", de modo que actualmente la más aplicada es la privacidad, en relación con las dietas, gastos y reuniones de los diputados, teniendo en cuenta que mucha información al respecto es objeto de publicidad de oficio, de modo que la restante que se solicita en el ejercicio del derecho de acceso a menudo se considera incursa en esta excepción. En el caso del Consejo, predominan la relativa al proceso de toma de decisiones, las relaciones internacionales y la seguridad pública. Respecto de la Comisión, la excepción actualmente más aplicada es, con gran diferencia, la relativa a la privacidad, que alcanza casi la mitad de las denegaciones, por la necesidad de ocultar en los documentos la identidad del personal no directivo o de los representantes de terceras partes[447].

- El volumen de documentos contenidos en los *Registros electrónicos de documentos* ha aumentado progresivamente. Muchos de los

---

[447] En 2020 motivó el 44,1% de las denegaciones.

documentos son directamente accesibles por Internet, variando el porcentaje en función de la institución, correspondiendo el más alto al Parlamento. Eso hace que la inmensa mayoría de los accesos a documentos se produzca actualmente por vía directa, sin previa solicitud y que, incluso, de las solicitudes que se formulan muchas se refieran a documentos ya publicados, con lo que basta a la institución con remitir al ciudadano al enlace correspondiente.

6. LA AMPLIACIÓN DEL OBJETO DE LA PUBLICIDAD EN EL DIARIO OFICIAL DE LA UNIÓN EUROPEA

El Reglamento previó que fuera publicada en el Diario Oficial toda una serie de documentos más allá de los previstos en los apartados 1 y 2 del artículo 254 TCE (actual artículo 297 TFUE), sobre los que hasta su entrada en vigor no existía dicha obligación, en unos casos necesariamente (relacionados con la actividad pre-legislativa y con la actividad convencional de la Unión y de los Estados en el marco europeo)[448] y en otros en la medida de lo posible (atinentes a actos programáticos o no vinculantes)[449], a lo que hay que añadir que cada institución puede establecer, en su Reglamento interno, los demás documentos que se publicarán en el Diario Oficial. De este modo, la consecuencia fue que una gran parte de los documentos para cuyo

---

[448] Artículo 13. Se trata de los siguientes documentos: a) las propuestas de la Comisión; b) las posiciones comunes adoptadas por el Consejo conforme a los procedimientos previstos en los artículos 251 y 252 TCE, así como sus exposiciones de motivos, y las posiciones del Parlamento Europeo en dichos procedimientos; c) las decisiones marco y las decisiones mencionadas en el apartado 2 del artículo 34 del Tratado UE; d) los convenios celebrados por el Consejo con arreglo al apartado 2 del artículo 34 del Tratado UE; e) los convenios firmados entre Estados miembros sobre la base del artículo 293 del Tratado CE; f) los acuerdos internacionales celebrados por la Comunidad o de conformidad con el artículo 24 del Tratado UE.

[449] En concreto, los siguientes documentos: a) las iniciativas que presente al Consejo un Estado miembro en virtud de lo dispuesto en el apartado 1 del artículo 67 del Tratado CE o en el apartado 2 del artículo 34 del Tratado UE; b) las posiciones comunes contempladas en el apartado 2 del artículo 34 del Tratado UE; c) las directivas distintas de las contempladas en los apartados 1 y 2 del artículo 254 del Tratado CE, las decisiones distintas de las contempladas en el apartado 1 del artículo 254 del Tratado CE, las recomendaciones y los dictámenes

acceso con anterioridad había que cursar una solicitud comenzaron a estar disponibles con carácter general para el público, a través del Diario Oficial que, a su vez, es objeto de publicación electrónica.

El precepto, por lo demás, se cuida de precisar que la publicación se producirá sin perjuicio de la aplicación, en su caso, de las excepciones o del régimen de los documentos sensibles.

7. LA TRANSPARENCIA EN RELACIÓN CON EL PROCESO DE APROBACIÓN DE NORMAS

La importancia de la transparencia alcanza su cumbre en el proceso legislativo, en el que se conforman las decisiones fundamentales de la vida social. No resulta extraño que, junto a la normativa reguladora de la publicidad de dicho proceso extramuros de la regulación del derecho de acceso a la información, el artículo 255 TCE (actual artículo 15.3 TFUE), subráyase expresamente la obligación del Parlamento y el Consejo de garantizar la publicidad de los documentos relativos a los procedimientos legislativos en las condiciones establecidas por el Reglamento general de desarrollo del derecho (Reglamento 1049/2001) y en los reglamentos internos de desarrollo del mismo.

El Reglamento 1049/2001 acogió esta idea, tanto en su exposición de motivos como en su parte dispositiva. En efecto, dispone en el considerando decimosexto que "se debe proporcionar un mayor acceso a los documentos en los casos en que las instituciones actúen en su capacidad legislativa, incluso por delegación de poderes, al mismo tiempo que se preserva la eficacia de su procedimiento de toma de decisiones. Se debe dar acceso directo a dichos documentos en la mayor medida posible". En su artículo 12.2, se refiere al acceso directo a dichos documentos, disponiendo que "[...] en particular, se debería facilitar el acceso directo a los documentos legislativos, es decir, documentos elaborados o recibidos en el marco de los procedimientos de adopción de actos jurídicamente vinculantes para o en los Estados miembros, sin perjuicio de lo dispuesto en los artículos 4 y 9 [esto es, las excepciones y el régimen de los documentos sensibles]". Y, también como vimos, al hablar de dichas excepciones y en particular las referidas a intereses públicos relacionados con la política exterior, la defensa o la seguridad, sometidas en todo caso a la ponderación con el "interés público superior" en la transparencia, la jurisprudencia ha considerado que, en la ponderación entre bienes protegidos por las excepciones y el interés público superior, allí donde cabe, la transparencia tiene especial relevancia. Además, también acabamos de ver como dispuso la publicación en el Diario Oficial, adicionalmente a la regulada en otras normas, de una serie de documentos la mayoría de los cuales, como vimos, se refieren a dicho procedimiento legislativo, complementado además por los Reglamentos internos de cada institución.

A resultas de todo ello, la transparencia del procedimiento legislativo es muy notable, y tiene lugar mayoritariamente sin necesidad de solicitud previa[450]. En efecto:

- El Reglamento interno del Parlamento contiene muy diversas medidas de publicidad y transparencia: así, referidas la transparencia de los intereses económicos de los parlamentarios, sus agendas y el uso de las dietas[451]; a la publicidad de las decisiones de la Mesa y de la

---

[450] Ya en su Informe de 2004 la Comisión destacaba que la excepción relativa a la protección del procedimiento de toma de decisiones de la Comisión es alegada más para proteger la toma de decisiones de alcance individual que el procedimiento legislativo, ya que, en el ámbito legislativo, hay una tendencia a hacer públicos cada vez más documentos sin esperar una solicitud de acceso. Además, las Direcciones Generales de la Comisión han desarrollado sus páginas en Internet sobre las políticas específicas, haciendo así públicos un número considerable de documentos.

[451] En el artículo 11 se prevé la regulación en un código de conducta de la transparencia de los intereses económicos de los parlamentarios; se impele a los parlamentarios a reunirse solo con los representantes de intereses que estén inscritos en el Registro de transparencia establecido mediante el Acuerdo entre el Parlamento Europeo y la Comisión Europea (Acuerdo de 16 de abril de 2014 entre el Parlamento Europeo y la Comisión Europea relativo al Registro de transparencia sobre organizaciones y personas que trabajan por cuenta propia que participan en la elaboración y aplicación de las políticas de la Unión Europea); y se les recomienda publicar una lista completa de las reuniones y una justificación del uso de las dietas. El artículo 4 del Anexo I, referido al Código de conducta de los diputados al Parlamento europeo en materia de intereses económicos y conflictos de intereses obliga a los diputados, por razones de transparencia, a presentar al presidente, bajo su responsabilidad personal, una declaración de intereses económicos antes del final del primer período parcial de sesiones siguiente a las elecciones al Parlamento Europeo (o en un plazo de 30 días después de entrar en funciones en el curso de una legislatura).

Conferencia de Presidentes[452]; a la publicidad de las peticiones[453]; Y, las más relevante, las englobadas bajo los rótulos "De la transparencia de los trabajos"[454] y "De la publicidad de los trabajos"[455]. Bajo el primero, "De la transparencia de los trabajos", se prevé la publicidad de las sesiones plenarias y como regla general de las sesiones de las comisiones, y se regula el acceso público a los documentos conforme a lo dispuesto en el Reglamento 1049/2001, al respecto del que se prevé que en todo caso los documentos legislativos sean directamente accesibles por medio del sitio web del registro público del Parlamento[456]. Bajo el segundo, "De la publicidad de los trabajos", se regula la publicación en el DOUE de las actas de cada sesión, con la lista de documentos en que se basen los debates y las decisiones[457], así como de los textos aprobados[458], y se prevé la retransmisión y grabación audiovisual de los debates, que se archivan en una videoteca en la web desde la que pueden consultarse durante el resto de la legislatura y durante la legislatura siguiente[459].

---

[452] En el artículo 32 se prevé que sus actas sean accesibles al público, salvo que la Mesa o la Conferencia de Presidentes, de manera excepcional, acuerden otra cosa respecto de determinados puntos de las actas para mantener su carácter confidencial, a reserva de lo dispuesto en materia de excepciones en el Reglamento 1049/2001. También se establece la publicación de las preguntas y respuestas formuladas por los diputados sobre el ejercicio por parte de la Mesa, de la Conferencia de Presidentes y de los Cuestores de sus respectivas funciones, en el sitio web del Parlamento en el plazo de treinta días a partir de su presentación.

[453] Conforme al artículo 226.12: "Las peticiones, una vez inscritas en el registro, se convertirán en documentos públicos, y el nombre de los peticionarios, los eventuales co-peticionarios y personas que se asocien a la petición, así como el contenido de las mismas, podrán ser publicados por el Parlamento en aras de la transparencia. Los peticionarios, los co-peticionarios y las personas que se asocien a las peticiones serán informados al respecto" De acuerdo con el artículo 229.2: "El título y el texto resumido de las peticiones registradas, así como las opiniones emitidas y las decisiones más importantes adoptadas en relación con su examen, se pondrán a disposición del público en el Portal de Peticiones del sitio web del Parlamento."

[454] Artículos 121 a 123.

[455] Artículos 202 a 205.

[456] Artículo 122.

[457] Artículos 202 y 204.

[458] Artículo 203.

[459] Artículo 205.

- El Reglamento del Consejo y su Anexo II fueron reformados para adecuarlos al Tratado de Lisboa[460]. En efecto, los artículos 16.8 TUE[461] y 15.2 TFUE[462] estipulan que las sesiones del Consejo sean públicas cuando este delibere y vote sobre un proyecto de acto legislativo, lo que ha ampliado el acceso a los documentos, ya que los relativos a puntos debatidos en sesiones públicas se hacen públicos y accesibles automáticamente, al colocarse en el sitio Internet del Consejo en las lenguas oficiales de la UE. De este modo, el Reglamento prevé la publicidad en Internet de sus sesiones –que incluye la retransmisión en directo y posterior puesta a disposición de las grabaciones– y de los documentos y actas relacionados con el procedimiento legislativo interno[463], o la fiscalización de los procedimientos legislativos nacionales relacionados con la aplicación del Derecho de la Unión Europea[464]. Además, establece qué documentos son objeto de publicación en el DOUE, la mayoría de los cuales están relacionados con el procedimiento legislativo interno, o relacionado con los procedimientos administrativos nacionales[465]. Al Coreper se le atribuye

---

[460] Decisión 2009/937/UE por la que se aprueba el Reglamento interno del Consejo.

[461] "El Consejo se reunirá en público cuando delibere y vote sobre un proyecto de acto legislativo. Con este fin, cada sesión del Consejo se dividirá en dos partes, dedicadas respectivamente a las deliberaciones sobre los actos legislativos de la Unión y a las actividades no legislativas".

[462] "Las sesiones del Parlamento Europeo serán públicas, así como las del Consejo en las que este delibere y vote sobre un proyecto de acto legislativo."

[463] Artículo 7.

[464] Artículo 8.

[465] Artículo 17. Publicación de los actos en el Diario Oficial. "1. Se publicarán en el Diario Oficial de la Unión Europea (denominado en lo sucesivo el «Diario Oficial»), por mediación del Secretario General: a) los actos a que se refiere el artículo 297, apartado 1, y apartado 2, párrafo segundo, del TFUE; b) las posiciones en primera lectura adoptadas por el Consejo según el procedimiento legislativo ordinario, así como su exposición de motivos; c) las iniciativas presentadas al Consejo de acuerdo con el artículo 76 del TFUE para la adopción de un acto legislativo; d) los acuerdos internacionales celebrados por la Unión. Se consignará en el Diario Oficial la entrada en vigor de estos acuerdos; e) los acuerdos internacionales celebrados por la Unión en el ámbito de la Política Exterior y de Seguridad Común, a menos que el Consejo decida lo contrario basándose en los artículos 4 y 9 del Reglamento (CE) n° 1049/2001 del Parlamento Europeo y del Consejo, de 30 de mayo de 2001, relativo al acceso del público a los documentos del Parlamento Europeo, del Consejo y de la Comisión. Se consignará en el Diario Oficial la entrada en vigor de los acuerdos publicados en el Diario

la competencia para adoptar las decisiones sobre publicidad de las sesiones, documentos y actas y sobre publicación en el Diario Oficial, en aquellos supuestos en que el Reglamento interno da un margen de apreciación[466]. Además, se prepara una lista mensual sucinta de todos los actos legislativos adoptados, que incluye información sobre los resultados de las votaciones, norma de votación aplicable y declaraciones relativas a los actos legislativos que se han hecho constar en el acta del Consejo, que también se publica[467]. Se trata, pues, del nivel de publicidad más alto, que no alcanza del mismo modo al resto de actuaciones del Consejo[468].

Oficial. 2. Excepto decisión contraria del Consejo o del Coreper se publican en el Diario Oficial, por mediación del Secretario General: a) las iniciativas presentadas al Consejo de acuerdo con el artículo 76 del TFUE en casos distintos de los mencionados en el apartado 1, letra c); b) las directivas y las decisiones citadas al artículo 297, apartado 2, párrafo tercero, del TFUE, las recomendaciones y los dictámenes, con excepción de las decisiones citadas al apartado 3 del presente artículo. 3. El Consejo o el Coreper decidirán, caso por caso y por unanimidad, si procede publicar en el Diario Oficial, por mediación del Secretario General, las decisiones contempladas en el artículo 25 del TUE. 4. El Consejo o el Coreper decidirán, caso por caso y teniendo en cuenta la posible publicación del acto de base, si procede publicar en el Diario Oficial, por mediación del Secretario General: a) las decisiones de aplicación de las decisiones contempladas en el artículo 25 del TUE; b) las decisiones adoptadas de conformidad con el artículo 31, apartado 2, guiones primero y segundo, del TUE; d) los demás actos del Consejo tales como las conclusiones o las resoluciones. 5. Cuando un acuerdo celebrado entre la Unión o la Comunidad Europea de la Energía Atómica y uno o varios Estados u organizaciones internacionales cree un órgano competente para tomar decisiones, el Consejo decidirá, en el momento de la celebración de este acuerdo, si procede publicar en el Diario Oficial las decisiones que tome dicho órgano."

[466] Artículo 19.7.

[467]

[468] En principio, las deliberaciones del Consejo no son públicas. No obstante, las deliberaciones del Consejo sobre actos que deben adoptarse con arreglo al procedimiento legislativo ordinario están abiertas al público en las condiciones siguientes: cuando la Comisión presenta sus propuestas legislativas más importantes y se celebra el consiguiente debate en el Consejo; la votación sobre actos legislativos, así como las deliberaciones finales del Consejo previas a la votación y las explicaciones de voto correspondientes. Por otro lado, el Consejo de Asuntos Generales, en su sesión de Asuntos Generales, celebra una vez al año un debate público sobre el programa operativo del Consejo o, si procede, de la Comisión. Estas sesiones públicas se difunden también por medios audiovisuales. Una vez al año, como mínimo, el Consejo debe celebrar un debate público sobre las nuevas propuestas legislativas importantes. Los resultados de las votaciones,

- Las Disposiciones relativas a la aplicación del Reglamento (CE) n° 1049/2001 del Parlamento europeo y el Consejo relativo al acceso del público a los documentos del Parlamento Europeo, el Consejo y la Comisión aprobadas por la Comisión establecen asimismo un listado de documentos directamente accesibles por el público –aplicable solo a los redactados o recibidos tras la fecha de aplicación del Reglamento– que se facilitarán automáticamente previa petición y, en la medida de lo posible, directamente por vía electrónica[469]. Se

---

las explicaciones y declaraciones correspondientes se publican cuando: el Consejo actúa en su capacidad legislativa; se adoptan posiciones comunes; se reúne el Comité de Conciliación; el Consejo celebra un convenio en el ámbito de la cooperación policial y judicial en materia penal. Además, los resultados de las votaciones solamente se hacen públicos cuando: el Consejo actúa en el ámbito de la política exterior y de seguridad común y el Consejo o el Coreper lo deciden por unanimidad; el Consejo adopta una posición común en el ámbito de la cooperación policial y judicial en materia penal, por decisión unánime del Consejo o del Coreper; el Consejo o el Coreper así lo deciden para los otros casos. Todos los actos del Consejo no son públicos. Se publican en el Diario Oficial:los reglamentos, directivas y decisiones; las posiciones comunes del Consejo y su exposición de motivos; las decisiones marco y las decisiones adoptadas por unanimidad en el ámbito de la cooperación policial y judicial en materia penal; los convenios cuya adopción se recomienda a los Estados miembros, con arreglo a sus normas constitucionales respectivas, en el ámbito de la cooperación policial y judicial en materia penal; su entrada en vigor se menciona también en el DO; los convenios firmados entre Estados miembros; los acuerdos internacionales celebrados por la Comunidad; su entrada en vigor debe mencionarse en el DOUE; los acuerdos internacionales celebrados en el marco de la PESC con mención de la fecha de entrada en vigor. Excepto decisión contraria del Consejo o del Coreper, se publican en el DOUE: las iniciativas presentadas por un Estado miembro al Consejo en el ámbito de la cooperación policial y judicial en materia penal; las posiciones comunes en el ámbito de la cooperación policial y judicial en materia penal; las directivas y decisiones que no hayan sido adoptadas por el procedimiento de codecisión, así como las recomendaciones y dictámenes. En el caso de las estrategias comunes, acciones comunes y posiciones comunes en el ámbito de la política exterior y de seguridad común, el Consejo o el Coreper deciden en cada caso y por unanimidad si procede publicarlas en el DO. Se decide también en cada caso particular la publicación: de las medidas de aplicación de acciones comunes en el ámbito de la PESC; de las acciones comunes, posiciones comunes o cualquier otra decisión adoptada sobre la base de una estrategia común; de las posibles medidas de aplicación de decisiones y posibles medidas de aplicación de convenios en el ámbito de la cooperación policial y judicial en materia penal; de los otros actos del Consejo como, por ejemplo, decisiones sui géneris o resoluciones.

[469] Artículo 9.

refiere a los órdenes del día y actas ordinarias de las reuniones de la Comisión, una vez aprobadas y a los textos adoptados destinados a su publicación oficial, o a los documentos ya divulgados por su autor o con su consentimiento o al responder a una solicitud anterior. Además, abre la posibilidad –que no obligación– de divulgación por vía electrónica –de nuevo, si es posible– de otra serie de documentos "en la medida en que sea evidente que no puede aplicárseles ninguna de las excepciones previstas en el artículo 4 del Reglamento (CE) n° 1049/2001" y "siempre que no reflejen opiniones o posiciones individuales", todos ellos una vez que las decisiones con las que se relaciones han sido definitivamente adoptadas: a) Tras la aprobación de una propuesta de acto del Consejo o del Parlamento Europeo y el Consejo, los documentos preparatorios de estas propuestas sometidos al Colegio durante el proceso de adopción; b) Tras la adopción de un acto por la Comisión en virtud de los poderes de ejecución que le son conferidos, los documentos preparatorios de estos actos sometidos al Colegio durante el proceso de adopción; c) Tras la adopción por la Comisión de un acto en virtud de sus propios poderes, así como de una comunicación, de un informe o de un documento de trabajo, los documentos preparatorios de estos documentos sometidos al Colegio durante el proceso de adopción.

Es de resaltar, asimismo, la aprobación en 2020 por el Coreper de la iniciativa *Strengthening legislative transparency* (*Reforzar la transparencia legislativa*), conforme a la cual se prevé la divulgación de toda una serie de documentos relacionados con el procedimiento de aprobación de normas, que incluye, entre otros, los borradores de documentos elaborados para los "trílogos", que contienen las posiciones iniciales (no las propuestas de compromiso)[470].

> *En su propuesta de reforma, la Comisión apoya la supresión de la relativización de la obligación de dar acceso directo a los documentos relacionados con actos legislativos o de aplicación general, eliminando "en la medida de lo posible". No obstante, la propuesta del Parlamento intenta ir aún más allá, y ello por varias vías. Por una parte, pretende la inaplicabilidad de las excepciones a los documentos transmitidos en el marco de los procedimientos de adopción de actos legislativos o no legislativos de*

---

[470] Doc. 9493/20.

carácter general y la imposibilidad de clasificar documentos relativos a procedimientos legislativos.

El Parlamento propone, además, una regulación específica de la transparencia legislativa, que en gran medida no hace sino sintetizar principios acogidos en el Tratado y en el Protocolo 1, en la jurisprudencia y en el propio Reglamento 1049/2001. Acoge el principio general del máximo acceso posible a las actividades de las instituciones cuando actúan en su capacidad legislativa. Los documentos relativos a sus programas legislativos, consultas preliminares a la sociedad civil, evaluaciones de impacto y todo otro documento preparatorio vinculado al procedimiento legislativo será fácilmente accesible en un sitio interinstitucional y se publicará en una serie especial electrónica del Diario Oficial de la Unión Europea.–Durante el procedimiento legislativo, cada institución u organismo asociado al proceso de toma de decisiones publicará sus documentos preparatorios y toda la información conexa, incluidos los dictámenes jurídicos, en una serie especial del Diario Oficial de la Unión Europea, así como en un sitio Internet común, reproduciendo el ciclo del procedimiento en cuestión. El borrador de segundo Informe precisaba algo que desapareció en la propuesta final: "Esto incluye también los órdenes del día del Consejo, incluso cuando actúa a nivel de Grupo de Trabajo. El mismo tratamiento se ha de aplicar a la Comisión y al Parlamento." Una vez adoptados, los actos legislativos se publicarán en el Diario Oficial de la Unión Europea.

CONCLUSIÓN

El recorrido por el Derecho del Consejo de Europa, el de la Unión Europea y, de forma sintética, el de los Estados europeos, nos ha permitido comprobar que hay las cuestiones relativas al derecho de acceso a la información pública son comunes y se resuelven de una forma notablemente similar.

Así, las tendencias podrían sintetizarse en las siguientes:

-La titularidad del derecho de acceso es por lo común universal, *de iure* y/o *de facto*, lo que es coherente con la innecesariedad de motivación de las solicitudes o de acreditar interés específico alguno, ya que no se trata de un derecho instrumental, sino de un derecho al servicio de la posibilidad de cualquier ciudadano de escrutar el ejercicio del poder público, y, por ende, de una profundización democrática.

-Como mínimo común a los Derechos estudiados, están obligados por la normativa sobre acceso las autoridades gubernamentales y administrativas y los sujetos que realice tareas administrativas, sea otro poder público o sea un particular, rigiéndose en todo caso los demás poderes públicos por normas específicas que garantizan la publicidad de sus actuaciones. A este respecto, la aplicación en el Derecho de la Unión Europea de la normativa general de acceso también al Parlamento europeo en su actividad legislativa es una relativa singularidad.

-El derecho de acceso puede ejercerse respecto de todo documento existente en poder de los sujetos obligados, incluyendo aquellos que se pueden confeccionar mediante tratamientos informáticos simples, siendo el debate actual si los solicitantes deben adaptarse a las posibilidades que dan las aplicaciones existentes o si son estas las que deben hacerlo a la vista de las solicitudes más frecuentes de los ciudadanos.

-En todos los sistemas jurídicos analizados hay límites al derecho de acceso, que entroncan, o bien con la protección de intereses públicos (la seguridad nacional, la defensa, las relaciones exteriores, la seguridad pública, los intereses económicos, financieros o monetarios, el medio ambiente), o bien con derechos individuales (el

respeto a la vida privada o al secreto comercial y la propiedad intelectual e industrial), o bien con la reserva a las autoridades públicas,
incluidos los tribunales, de un espacio para tomar decisiones sin
estar sometidas al escrutinio público hasta su adopción (lo que se
formula de formas diferentes y desglosadas en diversas limitaciones
en los sistemas analizados). En el caso de los intereses públicos, la
tendencia es, sin duda, a dejar un elevado margen de apreciación a
las autoridades para la apreciación del posible perjuicio en la divulgación, y la cuestión más controvertida es si una vez constatado, ha
de ponderarse, no obstante, con el interés del conocimiento público
de la información –como parece apuntar el TEDH– o si no cabe
siquiera ponderación alguna –solución acogida en la normativa de
la Unión Europea–. En los Derechos estatales encontramos ambas
soluciones y el tema enlaza con el de las relaciones entre la normativa sobre secretos oficiales y la normativa de acceso a la información
pública. En el supuesto de los derechos individuales, la tendencia, en
el caso de la privacidad, es la de considerar que el conocimiento de
cualquier dato personal supone una injerencia que es necesario ponderar con el interés público de la divulgación, para lo cual la balanza
se inclina por la reserva si el dato personal pertenece al círculo de
lo íntimo (creencias, salud, infracciones cometidas en el pasado…) y
por la publicidad si se refiere a aspectos profesionales; en el caso de
los intereses económicos, se protege el núcleo del secreto comercial
para garantizar la libre y leal competencia. Finalmente, los límites
relacionados con la reserva a las autoridades de un "espacio para
pensar" son, sin duda, los más delicados, porque tienen la tendencia
a interpretarse, no como el análisis sobre si en el caso concreto conocer por anticipado determinada información puede frustrar una
actuación pública –por ejemplo, la persecución de una infracción–,
sino como una exclusión en bloque del conocimiento por terceros de
información relacionada con temas sobre los que no se ha tomado
aún una decisión. Al respecto, la proliferación de presunciones de
daño en la jurisprudencia de la Unión Europea es significativa, y la
tendencia se da también en muchos Derechos estatales, y ello plantea, al menos, tres reflexiones: la primera, si esta aproximación "en
bloque" es compatible con un derecho de acceso que solo admite las
restricciones estrictamente necesarias –como expresamente puntualiza el Derecho de la Unión, cuando pueda frustrarse "el objetivo"

de este tipo de actividades–; la segunda, si a un derecho fundamental –reconocido como tal tanto en el sistema del Consejo de Europa como en el de la Unión Europea –puede oponerse como límite una consideración de "eficacia" o, incluso de "comodidad"; y la tercera, si siendo esta la aproximación, convendría no seguir afirmando que el derecho de acceso es un cauce para fomentar la involucración y participación ciudadana en la gestión de los asuntos públicos.

-El procedimiento de acceso a la información está presidido por las notas de la informalidad, la agilidad y la gratuidad, dado que o tiene ese carácter o el derecho pierde toda su eficacia como elemento de escrutinio ciudadano. Aunque las solicitudes no han de ser motivadas, lo cierto es que cuando concurre un límite y hay que ponderar, conocer el interés público que hay detrás de la solicitud y, en su caso, el perjuicio que puede suponer a un tercero resulta capital, lo que explica que estas argumentaciones se incorporen a la motivación de la decisión final y a su control.

-La efectividad del derecho de acceso no depende solo, claro está, de su regulación legal. Toda una serie de medidas complementarias son necesarias a estos efectos, y se prevén tanto en la normativa del Consejo de Europa, como en la de la Unión Europea y en los Derechos estatales: información al público, grupos de coordinación, formación de empleados públicos y registros de documentos, estos últimos capitales para tener conocimiento de la información existente y localizarla y que, cuando incorporan el acceso a texto completo, constituyen sin duda la forma más eficaz de transmisión de la información, para lo que se exige una gestión documental rigurosa, que sea plenamente conocedora, también, de los límites a la transparencia.

Puede decirse, en fin, que el derecho de acceso a la información pública goza de una regulación en gran medida común.

Siendo así, cabe plantearnos, como conclusión, si existen elementos de fricción entre el sistema del Consejo de Europa y el de la Unión Europea.

Lo primero que hay que advertir al respecto es que no hay un "único" Derecho del Consejo de Europa, como hemos visto, sino una jurisprudencia del TEDH alumbrada recientemente en torno a

las relaciones entre derecho de acceso y libertad de información, por
una parte, y el Convenio 205, por otra.

El TEDH ha llevado a cabo una interpretación de la libertad de
información "actualizada" que tiene en cuenta que el derecho de
acceso a la información cuenta con un reconocimiento casi universal en el Derecho internacional y comparado, incluido en el Derecho nacional de la práctica totalidad de los Estados parte. Falto de
un reconocimiento autónomo en el Convenio Europeo de Derechos
Humanos –lo que se explica sin duda por la fecha de su aprobación–, ha procedido de una forma similar a lo ocurrido en otros
sistemas jurídicos nacionales veteranos: anudando este derecho a
la libertad de información. Este enfoque, de hecho y como hemos
visto, coincide con el de los documentos emanados del Consejo de
Europa en forma de Recomendaciones o Convenio, que enlazan de
modo expreso el derecho de acceso a la información pública con la
libertad de expresión consagrada en el artículo 10 CEDH. Esta es,
pues, la solución que se ha alcanzado a la vista de la inexistencia
de un precepto autónomo que consagre el derecho de acceso, a diferencia de lo que ocurre en un sistema de derechos fundamentales
más reciente como la Carta de Derechos Fundamentales de la Unión
Europea, como hemos visto.

La integración "con matices" del derecho de acceso a la información en la libertad de información ha conllevado algunos "lastres".
Resulta cuestionable la afirmación del TEDH de que "el artículo 10
no confiere al individuo un derecho de acceso a las informaciones
en poder de una autoridad pública, ni obliga al Estado a comunicárselas". En primer lugar, por cuanto se compatibiliza con el reconocimiento del derecho "cuando la divulgación de informaciones
se haya ordenado por una decisión judicial ejecutiva" o "cuando
la normativa nacional dispone la publicación *motu proprio* de la
información", siendo así que se trata de decisiones nacionales que
no tendrían que condicionar el ámbito de aplicación del artículo 10
CEDH. Y, más en general, por cuanto a la vez se afirma que la obligación de los Estados de facilitar información puede nacer cuando
el acceso a la información sea determinante para el ejercicio por el
individuo de su libertad de expresión, en particular la libertad de recibir y de comunicar informaciones. Y ello ocurriría, notablemente,
cuando se trata de información de relevancia pública disponible y en

poder monopolístico de las autoridades públicas y solicitada por una serie de sujetos ("perros guardianes") que desempeñan a estos fines un papel esencial en la difusión de información a la sociedad. De este modo, el derecho de acceso sería instrumental para la libertad de información, pues sin él los "perros guardianes" no pueden difundir información ni los ciudadanos recibirla. Ahora bien, el razonamiento, por lo demás de gran peso, obvia algunos datos. Por de pronto, que la información en poder de las autoridades públicas lo es en casi todos los casos, y no por tanto excepcionalmente, en monopolio y que, por la propia naturaleza de las actividades de las autoridades públicas y la necesidad de su escrutinio, la regla y no la excepción es su interés público. También, la dificultad de seguir manteniendo una distinción entre "perros guardianes" y otros sujetos en el mundo de *Twitter* y *Facebook*. Además, obvia que en la generalidad de los instrumentos internacionales y nacionales, en los que se apoya el propio Tribunal de Estrasburgo para esta interpretación "evolutiva" y "adaptada a los tiempos actuales" del artículo 10 del CEDH, el derecho de acceso se reconoce a todos los ciudadanos por igual, y no solo a los "mediadores profesionales" de la información, y que no se condiciona a una previa motivación del interés público de la información ni a un compromiso de posterior difusión. Ello es así, como hemos visto, en los textos "constitucionales" y "legales" de la Unión Europea y en los Derechos de los Estados parte. Es más, como hemos visto, los propios instrumentos normativos aprobados por el Consejo de Europea en forma de recomendación o de convenio siguen esta lógica. Resulta significativo que el Convenio 205, abierto a firma en 2009 y por ello previo a la formulación general de esta doctrina jurisprudencial, afirma que "[p]ese a que el Tribunal Europeo de Derechos Humanos no ha reconocido un derecho general de acceso a los documentos o informaciones públicas, la reciente jurisprudencia del Tribunal sugiere que bajo determinadas circunstancias el artículo 10 del Convenio puede comportar un derecho de acceso a documentos en poder de autoridades públicas [...] El Convenio del Consejo de Europa de acceso a los documentos públicos se presenta como el primer instrumento internacional vinculante que reconoce un derecho general de acceso a los documentos públicos en poder de las autoridades públicas."

Otro problema dogmático que se plantea es el siguiente: el TEDH viene a asumir que la aplicación de los límites al derecho de acceso ha de ser siempre objeto de una ponderación. Sin embargo, como hemos visto, no es esta una regla sin excepción en los Derechos de los Estados parte. En muchos de ellos conviven límites relativos, sometidos al doble criterio del perjuicio y de la ponderación, con límites imperativos, esto es, sometidos solo al criterio del perjuicio, de tal modo que, en caso de que dar la información puede causarles un perjuicio, ha de denegarse el acceso, lo que sucede en especial en casos de límites que salvaguardan intereses públicos como la defensa, las relaciones internacionales o la seguridad nacional. El propio Convenio 205, como hemos analizado, lo admite de forma genérica. Es también el caso de la normativa de la Unión Europea, respecto de este tipo de límites. De esta forma, la aplicación sin excepción del juicio ponderativo –incluso si se reconoce un amplio margen de apreciación a los Estados en su apreciación– puede dar origen a no pocas colisiones de enjundia, muy en especial en relación con la información clasificada.

En fin, y al margen de lo señalado, resulta evidente que la jurisprudencia analizada, aún en pleno desarrollo, va a ser crucial en la dogmática del derecho de acceso, y marcará la interpretación de la normativa nacional en los Estados parte del CEDH y sin duda será analizada con el máximo interés por las instituciones de la Unión Europea, incluido por su Tribunal, en todos los aspectos claves del derecho de acceso.

Por su parte, el Convenio 205 no parece presentar ninguna contradicción con el reconocimiento del derecho de acceso en los Tratados ni con el Reglamento 1049/2001.

En el Derecho de la Unión Europea, nos encontramos con todo un trenzado normativo, de naturaleza constitucional, legislativa y reglamentaria. El reconocimiento del derecho de acceso en el Derecho de la Unión Europea en el Tratado y en la Carta de Derechos Fundamentales de la Unión Europea se ha vinculado con el principio de democracia. Se configura, en la actualidad, como un derecho fundamental autónomo, independiente de la libertad de expresión y del derecho general a recibir información, asociado a la ciudadanía europea. Resulta destacable que la consagración de este derecho ha venido de la mano de exhaustivos estudios de Derecho comparado, tanto a nivel legislativo como judicial, que han puesto de manifiesto que se trata de un derecho reconocido en los Estados miembros, a menudo con carácter constitucional y en los demás casos con respaldo legal. Es esta pertenencia al acervo jurídico de los Estados miembros la que ha llevado a su consagración como derecho fundamental europeo.

El derecho de acceso a los documentos públicos fue regulado en el Reglamento 1049/2001, que no es una norma de principios, sino equivalente en su complitud y detalle al estándar medio de normas nacionales. Desde su entrada en vigor, se ha producido una destacable jurisprudencia que ha precisado el alcance de sus determinaciones.

La reforma "en curso "del Reglamento 1049/2001 –en realidad, en un bloqueo que no parece tener un final próximo– se planteó por la Comisión como una mera revisión parcial, para adaptar el Reglamento a la evolución normativa y jurisprudencial en la materia y, en algunos puntos, para excluir del derecho acceso algunas informaciones hasta entonces incluidas. Sin embargo, se encontró con la oposición del Parlamento, que pretende ir mucho más allá, operando una auténtica reforma integral de la normativa que la situaría en una línea muy avanzada en el arco de regulaciones sobre la materia. En el Consejo, se reproduce la división que ya se constatara en el proceso de elaboración del Reglamento 1049/2001, con la novedad de la incorporación al debate y decisión de los nuevos Estados del Este de Europa, que, salidos de regímenes comunistas, han ido aprobando leyes avanzadas en materia de acceso a la información. Además, cabe constatar que se ha generado una corriente crítica de calado que considera la propuesta de la Comisión una suerte de "contrarreforma", tanto por parte de actores civiles como por el propio Defensor del Pueblo Europeo. Uno de los temas donde las posiciones son más opuestas en el acercamiento a las excepciones. El Parlamento pugna por la transformación de todas las excepciones en relativas y la consiguiente posibilidad de ponderación. Como hemos visto, el TEDH, por aplicación de la dogmática del CEDH, exige en todo caso un test de ponderación, si bien reconoce un amplio margen de apreciación en el caso de conflicto con intereses públicos como la seguridad, la defensa o las relaciones internacionales. El Convenio 205, por su parte, dispone que las excepciones deben ser como regla general relativas y solo excepcionalmente imperativas. Este es el modelo al que responde a día de hoy el Reglamento 1049/2001.

Estamos convencidos, en fin, de que nos encontramos ante una regulación del derecho de acceso a la información en gran medida común en Europa, y que la labor del TEDH, la progresiva extensión en la firma y ratificación del Convenio 205, y el acercamiento de legislaciones e interpretaciones judiciales que suele acompañar al desarrollo del Derecho de la Unión Europea –y que tan importante es, por lo demás, para resolver el espinoso tema del acceso por terceros a documentos originarios de los Estados y en poder de las instituciones y viceversa– irá marcando la continuación del camino.

ANEXOS

I. NORMATIVA BÁSICA

1. *Consejo de Europa*

A) Artículo 10 del Convenio Europeo de Derechos Humanos

Libertad de expresión

1. Toda persona tiene derecho a la libertad de expresión. Este derecho comprende la libertad de opinión y la libertad de recibir o de comunicar informaciones o ideas sin que pueda haber injerencia de autoridades públicas y sin consideración de fronteras. El presente artículo no impide que los Estados sometan las empresas de radiodifusión, de cinematografía o de televisión a un régimen de autorización previa.

2. El ejercicio de estas libertades, que entrañan deberes y responsabilidades, podrá ser sometido a ciertas formalidades, condiciones, restricciones o sanciones, previstas por la ley, que constituyan medidas necesarias, en una sociedad democrática, para la seguridad nacional, la integridad territorial o la seguridad pública, la defensa del orden y la prevención del delito, la protección de la salud o de la moral, la protección de la reputación o de los derechos ajenos, para impedir la divulgación de informaciones confidenciales o para garantizar la autoridad y la imparcialidad del poder judicial.

B) Convenio núm. 205, de 18 de junio de 2009, sobre acceso a los documentos oficiales (Council of Europe Convention on Access to Official Documents)

Preamble

The member States of the Council of Europe and the other signatories hereto,

Considering that the aim of the Council of Europe is to achieve greater unity between its members for the purpose of safeguarding and realising the ideals and principles which are their common heritage;

Bearing in mind, in particular, Article 19 of the Universal Declaration of Human Rights, Articles 6, 8 and 10 of the Convention for the Protection of Human Rights and Fundamental Freedoms, the United Nations Convention on Access to Information, Public Participation in Decision-making and Access to Justice in Environmental Matters (Aarhus, 25 June 1998) and the Convention for the Protection of Individuals with regard to Automatic Processing of Personal Data of 28 January 1981 (ETS No. 108);

Bearing in mind also the Declaration of the Committee of Ministers of the Council of Europe on the freedom of expression and information, adopted on 29 April 1982, as well as recommendations of the Committee of Ministers to member States No. R (81) 19 on the access to information held by public authorities, No. R (91) 10 on the communication to third parties of personal data held by public bodies, No. R (97) 18 concerning the protection of personal data collected and processed for statistical purposes, No. R (2000) 13 on a European policy on access to archives and Rec(2002)2 on access to official documents;

Considering the importance in a pluralistic, democratic society of transparency of public authorities;

Considering that exercise of a right to access to official documents:

    i   provides a source of information for the public;

    ii helps the public to form an opinion on the state of society and on public authorities; iii   fosters the integrity, efficiency, effectiveness and accountability of public authorities, so helping affirm their legitimacy;

Considering, therefore, that all official documents are in principle public and can be withheld subject only to the protection of other rights and legitimate interests,

Have agreed as follows:

Section I

Article 1 – General provisions

1 The principles set out hereafter should be understood without prejudice to those domestic laws and regulations and to international treaties which recognise a wider right of access to official documents.

2 For the purposes of this Convention:

    a

    i   "public authorities" means:

1   government and administration at national, regional and local level;
2   legislative bodies and judicial authorities insofar as they perform administrative functions according to national law;
3   natural or legal persons insofar as they exercise administrative authority.

> ii   Each Party may, at the time of signature or when depositing its instrument of ratification, acceptance, approval or accession, by a declaration addressed to the Secretary General of the Council of Europe, declare that the definition of "public authorities" also includes one or more of the following:

1   legislative bodies as regards their other activities;
2   judicial authorities as regards their other activities;
3   natural or legal persons insofar as they perform public functions or operate with public funds, according to national law.

> b   "official documents" means all information recorded in any form, drawn up or received and held by public authorities.

Article 2 – Right of access to official documents

1   Each Party shall guarantee the right of everyone, without discrimination on any ground, to have access, on request, to official documents held by public authorities.
2   Each Party shall take the necessary measures in its domestic law to give effect to the provisions for access to official documents set out in this Convention.
3   These measures shall be taken at the latest at the time of entry into force of this Convention in respect of that Party.

Article 3 – Possible limitations to access to official documents

1   Each Party may limit the right of access to official documents. Limitations shall be set down precisely in law, be necessary in a democratic society and be proportionate to the aim of protecting:

> a   national security, defence and international relations;
> b   public safety;
> c   the prevention, investigation and prosecution of criminal activities;
> d   disciplinary investigations;

e inspection, control and supervision by public authorities;

f privacy and other legitimate private interests;

g commercial and other economic interests;

h the economic, monetary and exchange rate policies of the State;

i the equality of parties in court proceedings and the effective administration of justice;

j environment; or

k the deliberations within or between public authorities concerning the examination of a matter.

Concerned States may, at the time of signature or when depositing their instrument of ratification, acceptance, approval or accession, by a declaration addressed to the Secretary General of the Council of Europe, declare that communication with the reigning Family and its Household or the Head of State shall also be included among the possible limitations.

2 Access to information contained in an official document may be refused if its disclosure would or would be likely to harm any of the interests mentioned in paragraph 1, unless there is an overriding public interest in disclosure.

3 The Parties shall consider setting time limits beyond which the limitations mentioned in paragraph 1 would no longer apply.

Article 4 – Requests for access to official documents

1 An applicant for an official document shall not be obliged to give reasons for having access to the official document.

2 Parties may give applicants the right to remain anonymous except when disclosure of identity is essential in order to process the request.

3 Formalities for requests shall not exceed what is essential in order to process the request.

Article 5 – Processing of requests for access to official documents

1 The public authority shall help the applicant, as far as reasonably possible, to identify the requested official document.

2 A request for access to an official document shall be dealt with by any public authority holding the document. If the public authority does not hold the requested official document or if it is not authorised to process that request, it shall, wherever possible, refer the application or the applicant to the competent public authority.

3 Requests for access to official documents shall be dealt with on an equal basis.

4 A request for access to an official document shall be dealt with promptly. The decision shall be reached, communicated and executed as soon as possible or within a reasonable time limit which has been specified beforehand.

5 A request for access to an official document may be refused:

i if, despite the assistance from the public authority, the request remains too vague to allow the official document to be identified; or

ii if the request is manifestly unreasonable.

6 A public authority refusing access to an official document wholly or in part shall give the reasons for the refusal. The applicant has the right to receive on request a written justification from this public authority for the refusal.

Article 6 – Forms of access to official documents

1 When access to an official document is granted, the applicant has the right to choose whether to inspect the original or a copy, or to receive a copy of it in any available form or format of his or her choice unless the preference expressed is unreasonable.

2 If a limitation applies to some of the information in an official document, the public authority should nevertheless grant access to the remainder of the information it contains. Any omissions should be clearly indicated. However, if the partial version of the document is misleading or meaningless, or if it poses a manifestly unreasonable burden for the authority to release the remainder of the document, such access may be refused.

3 The public authority may give access to an official document by referring the applicant to easily accessible alternative sources.

Article 7 – Charges for access to official documents

1 Inspection of official documents on the premises of a public authority shall be free of charge. This does not prevent Parties from laying down charges for services in this respect provided by archives and museums.

2 A fee may be charged to the applicant for a copy of the official document, which should be reasonable and not exceed the actual costs of reproduction and delivery of the document. Tariffs of charges shall be published.

Article 8 – Review procedure

1   An applicant whose request for an official document has been denied, expressly or impliedly, whether in part or in full, shall have access to a review procedure before a court or another independent and impartial body established by law.

2   An applicant shall always have access to an expeditious and inexpensive review procedure, involving either reconsideration by a public authority or review in accordance with paragraph 1.

Article 9 – Complementary measures

The Parties shall inform the public about its right of access to official documents and how that right may be exercised. They shall also take appropriate measures to:

    a   educate public authorities in their duties and obligations with respect to the implementation of this right;

    b   provide information on the matters or activities for which they are responsible;

    c   manage their documents efficiently so that they are easily accessible; and

    d   apply clear and established rules for the preservation and destruction of their documents.

Article 10 – Documents made public at the initiative of the public authorities

At its own initiative and where appropriate, a public authority shall take the necessary measures to make public official documents which it holds in the interest of promoting the transparency and efficiency of public administration and to encourage informed participation by the public in matters of general interest.

Section II

Article 11 – Group of Specialists on Access to Official Documents

1   A Group of Specialists on Access to Official Documents shall meet at least once a year with a view to monitoring the implementation of this Convention by the Parties, notably:

    a   reporting on the adequacy of the measures in law and practice taken by the Parties to give effect to the provisions set out in this Convention;

b i expressing opinions on any question concerning the application of this Convention;

    ii making proposals to facilitate or improve the effective use and implementation of this Convention, including the identification of any problems;

    iii exchanging information and reporting on significant legal, policy or technological developments;

    iv making proposals to the Consultation of Parties for the amendment of this Convention;

    v formulating its opinion on any proposal for the amendment of this Convention made in accordance with Article 19.

2 The Group of Specialists may request information and opinions from civil society.

3 The Group of Specialists shall consist of a minimum of 10 and a maximum of 15 members. The members are elected by the Consultation of Parties for a period of four years, renewable once, from a list of experts, each Party proposing two experts. They shall be chosen from among persons of the highest integrity recognised for their competence in the field of access to official documents. A maximum of one member may be elected from the list proposed by each Party.

4 The members of the Group of Specialists shall sit in their individual capacity, be independent and impartial in the exercise of their functions and shall not receive any instructions from governments.

5 The election procedure of the members of the Group of Specialists shall be determined by the Committee of Ministers, after consulting with and obtaining the unanimous consent of the Parties to the Convention, within a period of one year following the entry into force of this Convention. The Group of Specialists shall adopt its own rules of procedure.

Article 12 – Consultation of the Parties

1 The Consultation of the Parties shall be composed of one representative per Party.

2 The Consultation of the Parties shall take place with a view to:

    a considering the reports, opinions and proposals of the Group of Specialists;

    b making proposals and recommendations to the Parties;

   c making proposals for the amendment of this Convention in accordance with Article 19;

   d formulating its opinion on any proposal for the amendment of this Convention made in accordance with Article 19.

3 The Consultation of the Parties shall be convened by the Secretary General of the Council of Europe within one year after the entry into force of this Convention in order to elect the members of the Group of Specialists. It shall subsequently meet at least once every 4 years and in any case, when the majority of the Parties, the Committee of Ministers or the Secretary General of the Council of Europe requests its convocation. The Consultation of the Parties shall adopt its own rules of procedure.

4 After each meeting, the Consultation of the Parties shall submit to the Committee of Ministers an activity report.

Article 13 – Secretariat

The Consultation of the Parties and the Group of Specialists shall be assisted by the Secretariat of the Council of Europe in carrying out their functions pursuant to this Section.

Article 14 – Reporting

1 Within a period of one year following the entry into force of this Convention in respect of a Contracting Party, the latter shall transmit to the Group of Specialists a report containing full information on the legislative and other measures taken to give effect to the provisions of this Convention.

2 Thereafter, each Party shall transmit to the Group of Specialists before each meeting of the Consultation of the Parties an update of the information mentioned in paragraph 1.

3 Each Party shall also transmit to the Group of Specialists any information that it requests to fulfil its tasks.

Article 15 – Publication

The reports submitted by Parties to the Group of Specialists, the reports, proposals and opinions of the Group of Specialists and the activity reports of the Consultation of the Parties shall be made public.

Section III

Article 16 – Signature and entry into force of the Convention

1 This Convention shall be open for signature by the member States of the Council of Europe.

2 This Convention is subject to ratification, acceptance or approval. Instruments of ratification, acceptance or approval shall be deposited with the Secretary General of the Council of Europe.

3 This Convention shall enter into force on the first day of the month following the expiration of a period of three months after the date on which 10 member States of the Council of Europe have expressed their consent to be bound by the Convention in accordance with the provisions of paragraph 2.

4 In respect of any Signatory State which subsequently expresses its consent to be bound by it, the Convention shall enter into force on the first day of the month following the expiration of a period of three months after the date of the expression of its consent to be bound by the Convention in accordance with the provisions of paragraph 2.

Article 17 – Accession to the Convention

1 After the entry into force of this Convention, the Committee of Ministers of the Council of Europe may, after consulting the Parties to this Convention and obtaining their unanimous consent, invite any State which is not a member of the Council of Europe or any international organisation to accede to this Convention. The decision shall be taken by the majority provided for in Article 20.d of the Statute of the Council of Europe and by unanimous vote of the representatives of the Parties entitled to sit on the Committee of Ministers.

2 In respect of any State or international organisation acceding to the Convention under paragraph 1 above, the Convention shall enter into force on the first day of the month following the expiration of a period of three months after the date of deposit of the instrument of accession with the Secretary General of the Council of Europe.

Article 18 – Territorial application

1 Any State may at the time of signature or when depositing its instrument of ratification, acceptance, approval or accession, specify the territory or territories to which this Convention shall apply.

2 Any State may, at any later date, by a declaration addressed to the Secretary General of the Council of Europe, extend the application of this Convention to any other territory specified in the declaration for whose international relations it is responsible. In respect of such territory the Convention shall enter into force on the first day of the month following the expiration of a period of three months after the date of receipt of such declaration by the Secretary General.

3   Any declaration made under the two preceding paragraphs may, in respect of any territory specified in such declaration, be withdrawn by a notification addressed to the Secretary General. The withdrawal shall become effective on the first day of the month following the expiration of a period of three months after the date of receipt of such notification by the Secretary General.

Article 19 – Amendments to the Convention

1   Amendments to this Convention may be proposed by any Party, the Committee of Ministers of the Council of Europe, the Group of Specialists or the Consultation of the Parties.

2   Any proposal for amendment shall be communicated by the Secretary General of the Council of Europe to the Parties.

3   Any amendment shall be communicated to the Consultation of the Parties, which, after having consulted the Group of Specialists, shall submit to the Committee of Ministers its opinion on the proposed amendment.

4   The Committee of Ministers shall consider the proposed amendment and any opinion submitted by the Consultation of the Parties and may approve the amendment.

5   The text of any amendment approved by the Committee of Ministers in accordance with paragraph 4 shall be forwarded to the Parties for acceptance.

6   Any amendment approved in accordance with paragraph 4 shall come into force on the first day of the month following the expiration of a period of one month after the date on which all Parties have informed the Secretary General that they have accepted it.

Article 20 – Declarations

Any Party may, at the time of the signature or when depositing its instrument of ratification, acceptance, approval or accession, make one or more of the declarations provided for in Articles 1.2, 3.1 and 18. It shall notify any changes to this information to the Secretary General of the Council of Europe.

Article 21 – Denunciation

1   Any Party may at any time denounce this Convention by means of a notification addressed to the Secretary General of the Council of Europe.

2 Such denunciation shall become effective on the first day of the month following the expiration of a period of six months after the date of receipt of the notification by the Secretary General.

Article 22 – Notification

The Secretary General of the Council of Europe shall notify the member States of the Council of Europe and any State and international organisation which has acceded or been invited to accede to this Convention of:

a any signature;

b the deposit of any instrument of ratification, acceptance, approval or accession;

c any date of entry into force of this Convention in accordance with Articles 16 and 17;

d any declaration made under Articles 1.2, 3.1 and 18;

e any other act, notification or communication relating to this Convention.

In witness whereof the undersigned, being duly authorised thereto, have signed this Convention.

Done at Tromsø, this 18th day of June 2009, in English and French, both texts being equally authentic, in a single copy which shall be deposited in the archives of the Council of Europe. The Secretary General of the Council of Europe shall transmit certified copies to each member State of the Council of Europe and to any State and international organisation invited to accede to this Convention.

C) Memoria explicativa del Convenio núm. 205 (Explanatory report)

I. Introduction

(i) The present Council of Europe Convention is the first binding international legal instrument to recognise a general right of access to official documents held by public authorities. For many years, international cooperation had been pursued within the Organisation in order that a right of access to official documents, which finds its origins in the 1950 European Convention on Human Rights, become a reality throughout Europe.

(ii) The first political and legal expression of this was in Recommendation No. R (81) 19 of the Committee of Ministers to member States on access to information held by public authorities, followed one year later by the Declaration of the Committee of Ministers on freedom of expression and information. Other legal instruments had been elaborated (1) until, in 2002, the Committee of Ministers adopted its Recommendation Rec(2002)2 on access to public documents, which was the principal source of inspiration for the present Convention.

(iii) The Steering Committee for Human Rights (CDDH), instructed by the Committee of Ministers of the Council of Europe to draft the present Convention, was guided by the concern to identify, amongst the various national legal systems, a core of basic obligatory provisions reflecting what was already accepted in the legislation of a number of countries and that, at the same time, could be accepted by States that did not have such legislation. The Parties to the present Convention undertake to implement rigorously this minimum core of basic provisions, and in order to assist them in achieving this goal an international monitoring mechanism is envisaged in the Convention. The spirit behind this is, of course, to encourage the Parties to equip themselves with, maintain and reinforce domestic provisions that allow a more extensive right of access, provided that the minimum core is nonetheless implemented.

(iv) These considerations were brought to the fore throughout the discussions. Of course, the approach consisting of elaboration of an instrument bringing together the best practices existing in the field of access to public documents was also debated at length. The drafters of the Convention, however, considered that such an approach would lead to an instrument that would be difficult to implement by many countries. The compromise solution therefore consisted of elaborating an instrument capable of being accepted by the greatest number of Council of Europe member States and constituting a genuine starting point for an effective right of access to official documents in the European region.

(v) It remains finally to point out that the present Convention contains no specific provision relating to reservations, which signifies that these are only possible if they comply with the provisions of the Vienna Convention on the Law of Treaties, according to which reservations may not be incompatible with the object and purpose of the treaty.

II. Commentary on the provisions of the Convention

Preamble

1. Transparency of public authorities is a key feature of good governance and an indicator of whether or not a society is genuinely democratic and pluralist, opposed to all forms of corruption, capable of criticising those who govern it, and open to enlightened participation of citizens in matters of public interest. The right of access to official documents is also essential to the self-development of people and to the exercise of fundamental human rights. It also strengthens public authorities' legitimacy in the eyes of the public, and its confidence in them. Considering this, national legal systems should recognise and properly enforce a right of access for everyone to official documents produced or held by the public authorities.

2. The right of access to official documents was first developed in the Nordic European States and spread, little by little to many other West European countries. Development really took off in the 1990's with legislation in the new democracies of Eastern and Central Europe. Longer established democracies also adopted new legislations (2). Constitutions, national laws and jurisprudence across Europe now recognise a right of access to official documents. The right of access to official documents has also been increasingly recognised at the international level. Although the European Court of Human Rights has not recognised a general right of access to official documents or information, the recent case law of the Court (3) suggests that under certain circumstances Article 10 of the Convention may imply a right of access to documents held by public bodies. In addition, the Court has recognised a positive obligation to provide, both proactively and upon request, information related to the enjoyment and protection of other Convention rights such as the right to respect for private and family life (4). The right to a fair trial as granted by Article 6 of the European Convention on Human Rights gives the parties to court proceedings a right to have access to documents held by the court and of relevance to their case. The acceptance of the right in other international fora is also increasing. For instance, in September 2006, the Inter-American Court of Human Rights ruled that Article 13 of the American Convention on Human Rights which protects the rights of freedom of expression and information, guarantees a general right of access to state-held information (5). The Convention of the Council of Europe on Access to Official Documents comes as the first international binding instrument that recognises a general right of access to official documents held by public authorities.

3. Work has been undertaken in other international bodies. This has culminated, inter alia, in the 1998 United Nations Convention on Access to Information, Public Participation in Decision-making and Access to Justice

in Environmental Matters (6), and Regulation (EC) No 1049/2001 of the European Parliament and the Council regarding public access to European Parliament, Council and Commission documents.

4. These achievements have been accompanied by a growing awareness at national level, both in civil society and among public authorities, of the value of access to information and the need to safeguard access to official documents. The general trend in the Council of Europe member States is still firmly geared towards reaffirming a body of rules to protect freedom of information and grant a right of access to official documents, which is also inscribed in some national Constitutions.

Section I

Article 1 – General provisions

Paragraph 1

5. Nothing in this instrument prohibits a Party to the Convention from adopting, maintaining or reinforcing domestic standards providing for greater access to official documents than that set out in this Convention. On the contrary, as this Convention is intended to set minimum standards, wider access to official documents is encouraged. Furthermore, nothing in the Convention is intended to justify the lowering of existing standards in national laws and practices if they are higher than those in the Convention.

6. No provision of the Convention may be interpreted as restricting access to documents which must be made available under other international obligations. For instance, the European Convention on Human Rights recognises the basic principle of the publicity of judgments and the Aarhus Convention grants a wider right of access to environmental information.

Paragraph 2

7. Article 1 paragraph 2 defines the scope of application of the Convention.

Sub-paragraph a

8. For the purposes of this Convention, the term "public authorities" covers administrative authorities at national, regional and local level (for example, central government, town councils and other municipal bodies, the police, public health and education authorities, public records offices, etc.). The term "public authorities" covers legislative bodies and judicial authorities as well, insofar as they perform administrative functions, as defined by national law. Natural or legal persons are also covered insofar as they exercise administrative authority.

9. In order to enhance openness, Parties to this Convention may broaden the ambit of the Convention. Several Parties to the Convention have already extended the access to the legislative bodies and judicial authorities in one or more legislative acts. Thus, by means of a declaration when signing or ratifying the Convention, they can include legislative bodies and judicial authorities as regards all their activities.

10. The drafters of the Convention foresaw that the Convention could also include, if the Parties so wished, natural or legal persons insofar as they perform public functions or operate with public funds, according to national law. This obviously implies that national law be in conformity with the international obligations stemming notably from the European Convention on Human Rights. The drafters recognised that there was no common definition of these notions and that examples were very different from one country to the other, often due to historical reasons. Nevertheless, whilst recognising that all depends on each Party's interpretation of what is considered a public function, Parties are invited to extend the scope of the Convention to bodies exercising public functions.

Sub-paragraph b

11. Paragraph 2, sub-paragraph b also specifies the scope of the Convention by defining the notion of "official documents" for the purposes of this Convention. It is a very wide definition: "official documents" are considered to be any information drafted or received and held by public authorities that is recorded on any sort of physical medium whatever be its form or format (written texts, information recorded on a sound or audiovisual tape, photographs, e-mails, information stored in electronic format such as electronic databases, etc.).

12. While it is usually easy to define the notion concerning paper documents, it is more difficult to define what is a document when the information is stored electronically in data bases. Parties to the Convention must have a margin of appreciation in deciding how this notion can be defined. In some Parties to the Convention access will be given to specific information as specified by the applicant if this information is easily retrievable by existing means. In some Parties, compilations in data bases of information that logically belong together are seen as a document.

13. A clear distinction should be made between documents received by public officials in the course of their duties and those received by them as private persons and which are not connected to their duties. This last category of documents falls outside the definition of official documents in the Convention.

14. The right of access is limited to existing documents. The Convention does not oblige Parties to create new documents upon requests for information, although some Parties recognise this wider duty to some extent. The concept also includes information physically held by a legal or natural person on behalf of a public authority by reason of agreements concluded between the public authority and that person.

15. Official documents transferred to archives remain under the scope of this Convention.

16. Documents containing personal data are covered by the scope of this Convention. The Convention for the Protection of Individuals with regard to Automatic Processing of Personal Data of 28 January 1981 (ETS No. 108) does not in principle prohibit access of third parties to official documents containing personal data. However, when access to such documents is granted, the use of personal data contained therein is governed by Convention No. 108.

Article 2 – Right of access to official documents

Paragraph 1

17. The Convention gives "everyone" the right to have access to official documents, irrespective of their motives and intentions. While the provisions of the Convention are of particular importance to journalists, as they provide them with the necessary tools to carry out their role as watchdog over the proper functioning of public institutions–a crucial role in a democratic society which has been fully recognised by the case-law of the European Court of Human Rights–the Convention does not make any distinction between them and other individuals.

18. The right of access applies to both natural and legal persons without any discrimination, including on the basis of nationality, and even to foreigners living outside the territory of a Party to the Convention.

19. This Convention lays down a right of access to official documents. As regards the use of information received, which is not regulated in the Convention, generally requestors are free to use the information for any lawful purpose. This includes disseminating the information and, for example, publishing it. Such use may for example be determined by laws such as those regulating intellectual property or data protection or transposed by the Directive 2003/98/EC of the European Parliament and of the Council of 17 November 2003 on the re-use of public sector information.

Paragraph 2

20. Each Party shall take the necessary measures in its domestic law to give effect to the provisions set out in this Convention. These measures will include adopting access to official documents legislation and may necessitate amending and adding to existing laws. But often specific rules in other laws may be needed too. Also internal rules regarding the handling of requests or making documents public at the own initiative of the public body or the training of public officers on access to official documents are covered by this provision.

Article 3 – Possible limitations to access to official documents

Paragraph 1

21. Under this Convention, limitations on the right of access to official documents are only permitted in order to protect certain interests laid down in a list in Article 3, paragraph 1. As the basic principle is the right of access to documents, any limitation of this right must be specifically prescribed by law, necessary in a democratic society and proportionate to the aim of protecting other legitimate rights and interests.

22. The list of limitations in Article 3, paragraph 1 is exhaustive. The limitations apply to the content of the document and the nature of the information. It does not, of course, prevent national legislation from reducing the number of reasons for limitation or from formulating the limitations more narrowly, with a view to granting wider access to official documents. Respecting the spirit of this Convention means provision of the widest possible access to official documents and not hindering such access by a misapplication of the limitations laid down in Article 3.

Sub-paragraph a

23. Parties to the Convention may limit access to official documents with the aim of protecting national security, defence and international relations. The notion of national security should be used with restraint. It should not be misused in order to protect information that might reveal the breach of human rights, corruption within public authorities, administrative errors, or information which is simply embarrassing for public officials or public authorities.

Sub-paragraph b

24. Sub-paragraph b provides that Parties to the Convention may limit access to official documents with the aim of protecting public safety,

for example by prohibiting the disclosure of documents concerning the security systems of buildings and communications etc.

Sub-paragraph c

25. Parties to the Convention may limit access to official documents with the aim of assuring the prevention, investigation and prosecution of criminal activities. Access to such documents could, for example, be prejudicial to investigations, lead to evasion of justice or evidence being destroyed.

Sub-paragraph d

26. Sub-paragraph d aims at allowing Parties to the Convention to restrict access to official documents in order to preserve public authorities' capacity to carry out disciplinary investigations within their administrations.

Sub-paragraph e

27. Sub-paragraph e provides for the possibility of limiting access to some documents with a view to protecting the proper conduct and conclusion of public authorities' activities as regards supervision, investigation and control (inspections or audits of other organisations, on individuals or internally). On-going tax inspections may be given as examples, as well as school and university examinations, labour inspections, inspections by social services and health and environmental authorities.

Sub-paragraph f

28. Parties to the Convention may set limitations to protect private life and other legitimate private interests. Official documents can contain information of a personal or private nature which is protected, for example criminal records or medical files. It should be remembered that Article 8 of the European Convention on Human Rights guarantees the right of respect to private and family life. These interests may take precedence over the interest in making the information in the document in question available.

Sub-paragraph g

29. Sub-paragraph g provides that Parties to the Convention may establish limitations to protect commercial and other economic interests, private or public. The main purpose of this exception is to prevent undue harm to competitive or bargaining positions. An example of information that may be covered is information that amounts to "trade secrets", which pertain to competition or production procedures, trade strategies, lists of clients, etc. It may also be information that public authorities use

to prepare collective bargaining in which they take part or data for tax purposes collected from individuals and legal persons.

Sub-paragraph h

30. The possible limitations under sub-paragraph h concern the protection of financial and other economic policies, as well as monetary and exchange-rate policies of the State. For example, such protection may be needed where a change of interest rates is being considered or for market-sensitive financial information.

Sub-paragraph i

31. Sub-paragraph i is intended to protect the equality of parties in court proceedings and the proper functioning of justice. This limitation aims at ensuring the equality of parties in court proceedings before domestic as well as international courts of law and may, for example, authorise a public authority to refuse access to documents drawn up or received (for example from its solicitor) with respect to court proceedings in which it is a party. It derives from Article 6 of the European Convention on Human Rights, which guarantees the right to a fair trial. Documents that are not created in contemplation of court proceedings as such cannot be refused under this limitation.

Sub-paragraph j

32. The possible limitations provided for in sub-paragraph j concern the possibility of limiting the dissemination of information on the environment and are meant to allow public authorities to carry out effective policies in the area of environmental protection.

33. Such a limitation might, for example, be the prohibition of disclosure of information about the location of threatened animals or plant species, in order to protect them. This limitation is based on Article 4, paragraph 4(h) of the above mentioned Aarhus Convention.

Sub-paragraph k

34. Sub-paragraph k provides for the possibility of limiting access to official documents with the aim of protecting confidentiality of proceedings within or between public authorities concerning the examination of a matter. The word "matter" is wide enough to cover all kinds of issues dealt with by the public authorities, that is, individual cases as well as procedures for political decision-making. It should be noted that, even if the aim of the Convention is to encourage public participation in decision-making, the purpose of this limitation is to preserve the quality of the decision-making process by allowing a certain free "space to think".

35. Article 3 gives Parties to the Convention that are monarchies the possibility to declare that communication with the Royal Family and the Royal Household shall also be included among the possible limitations. The reason being that the (members of the) reigning Family and its Household or the Head of State may have a special constitutional position which is not covered by any of the other limitations.

Paragraph 2

36. Paragraph 2 of Article 3 expresses two important principles, the "harm-test" principle and the principle of balancing the interest of public access to official documents against the interest protected by the limitation.

37. If public access to an official document does not cause any harm to one of the interests listed in paragraph 1, there should be no limitations on access to that document. If public access to a document might cause harm to one of these interests, the document should still be released if the public interest in having access to the document overrides the protected interest.

38. The "harm test" and the "balancing of interests" may be carried out for each individual case or by the legislature through the way in which the limitations are formulated. Legislation could for example set down varying requirements for carrying out harm tests. These requirements could take the form of a presumption for or against the release of the requested document or an unconditional exemption for extremely sensitive information. When such requirements are set down in legislation, the public authority should make sure whether the requirements in the statutory exceptions are fulfilled when they receive a request for access to such an official document. Absolute statutory exceptions should be kept to a minimum.

39. The outcome of the "harm-test" is closely connected with the lapse of time. For some limitations, certain events inevitably lead to the cessation of that limitation. In other instances, the passage of time may reduce the damage of release of the information.

Paragraph 3

40. This paragraph refers to Parties' duty to consider setting maximum time limits for limitations on the right of access to official documents. Access can never be refused after the expiration of any time-limit laid down in law.

Article 4 – Requests for access to official documents

Paragraph 1

41. The person requesting an official document is not obliged to state the reasons why he or she wishes to have access to it.

Paragraph 2

42. The present Convention does not require Parties to the Convention to grant applicants a right to submit requests anonymously, but encourages this by including an optional obligation in this respect. In the countries where such a right exists, it has been deemed unnecessary to require the applicant's identity when there at the same time is no obligation for the applicant to declare any reasons for the request.

Paragraph 3

43. Paragraph 3 encourages Parties to the Convention to keep formalities to a minimum. Each Party is free to lay down its own procedures, but the aim is to have as few and simple as possible. Moreover, for every formality, there must be a valid need. In some countries, requests must be in written form (fax, letter, e-mail). In others, they may be made orally (at the office of the public authority concerned or by telephone) and written procedures only apply when a partial or total denial of access is considered.

Article 5 – Processing of requests for access to official documents

Paragraph 1

44. Under paragraph 1, the public authority must make reasonable efforts to help the applicant identify the relevant official document. This means that the applicant is not obliged to have identified the requested document beforehand. The applicant should formulate the request with sufficient clarity to enable a trained public officer to identify the requested document. It is the public authority which has the responsibility for keeping its documents in good order and indexed, so as to be able to identify them. Public registers of documents are of great help for these purposes, both for the public and the authorities themselves.

45. The authority does have a certain margin of appreciation to determine to what extent it is reasonable to provide help. Such assistance is particularly important if the applicant is disabled, illiterate or a foreigner with little or no knowledge of the language.

46. It should be mentioned that the right of individuals to access a specific document begins with the right to be told by the public authority whether or not it possesses the document. In some cases, however, where the protection of other rights and interests prohibits the disclosure, the authority will not reveal the existence of the document if this would lead to the disclosure of information which should remain confidential.

Paragraph 2

47. Paragraph 2 states that a request for access to an official document must be dealt with by any public authority holding the document. This means i.a. that a document that has been reproduced in several copies that are held by various authorities can be requested from any such authority. If the public authority does not hold the document or if it is not authorised to process the request, paragraph 2 requires it, wherever possible, to refer the application or the applicant to the competent public authority.

Paragraph 3

48. Paragraph 3 provides that requests for access to official documents must be dealt with on an equal basis. As a rule, requests should be dealt with in order of receipt. No distinction in this respect should be made on the basis of the nature of the request or the status of the requestor.

Paragraph 4

49. A prompt response to request is at the core of the right of access to official documents. In many countries, the law stipulates a maximum time limit for reaching a decision, notifying the applicant and, if the decision on access is favourable, making the document available. In a small number of countries that have a long and strong tradition of openness, however, the only rule is that requests should be dealt with immediately. Those countries fear that having a set maximum time limit might have the unintended effect of delaying the processing of the request towards a maximum time limit or reducing authorities' willingness to deal with complicated requests.

50. In many countries, good practice includes informing the applicant of any delay in the process of the request.

51. It goes without saying that the fact of imposing a maximum time limit should not encourage the public authorities to wait until that time limit has been reached before releasing the requested document. The faster the document is made available, the more the spirit of the Convention is respected.

Paragraph 5

52. From paragraph 5 follows that a public authority may refuse to deal with a request for access to an official document on two grounds: either because, despite assistance from the public authority, the request remains too vague to allow the document to be identified or because the request is manifestly unreasonable (for example, if the

request requires a disproportionate amount of searching or examination). Where the request is clearly vexatious (for example, one of many requests intended to hinder a department's work, repeated requests for the same document within a very short space of time by the same applicant), it might be refused.

Paragraph 6

53. Paragraph 6 requires the public authority to give reasons for refusing access to official documents. A minimum requirement in this respect is to state the legal basis for refusal by reference to the relevant provisions in law as well as an explanation of how these provisions apply.

Article 6 – Forms of access to official documents

Paragraph 1

54. There are various forms of access to official documents: inspection of the original, provision of a copy of the document, or both. Under paragraph 1, it is for the applicant to indicate which type of access he or she prefers. The public authority should accommodate such preferences whenever possible. However, this may be impractical or impossible in some cases. For instance:

– An authority may be justified in refusing to provide a copy of the document if, for example, the technical facilities are not available (for audio, video or electronic copies), or if this would entail unreasonable additional costs, or if, according to national legislation, intellectual property rights might be infringed.

– It may also be justified in refusing direct access to the original version document if it is physically fragile or in poor condition. In such cases, the authorities shall provide a copy of the document.

55. The public authorities should enable as far as possible consultation of a document by providing reasonable opening hours and physical facilities.

56. As a good practice in many countries, where the applicant who received the document is unable of obtaining a basic understanding of its content, the public authorities are invited to help him or her as far as it is possible and reasonable. This is in keeping with the wishes expressed by the Committee of Ministers in its Recommendation No. R (93) 1 on effective access to the law and to justice for the very poor. Help with comprehension, however, does not imply an obligation to translate the documents or to provide highly specialised technical or legal explanations.

Paragraph 2

57. If a limitation only applies to some of the information in a document, the rest of the document should normally be released. It should be clearly indicated where and how much information has been deleted. Whenever possible, the limitation justifying each deletion should also be indicated in the decision.

58. As regards paper documents, deletions could be made on a copy, deleting or blacking out the parts to which the limitation applies. If the original document is electronic, a new document or a paper copy should be provided, giving a clear indication of which parts have been deleted (for example, by leaving the relevant sections blank).

59. If the redacted version of the requested document is misleading or meaningless, Parties to the Convention may allow for refusal of the whole document. This possibility is intended to be interpreted in a restrictive way. Whether the remainder of information is meaningless or misleading or not must be assessed with restraint and respect for the applicant. If some of the information contained in the document in question is not disclosed some countries oblige their authorities to provide a summary of the document, although this is not an obligation under the Convention.

Paragraph 3

60. Paragraph 3 states that access may also be granted by referring the applicant to easily accessible alternative sources. For example, if a document is published on the internet and is easily accessible to a specific applicant, the public authorities may refer him or her to this alternative source. In any event, whether a document is "easily accessible" must be assessed on a case-by-case basis: for example, not everyone may have access to internet. "Accessible" also encompasses affordability; it may not be in accordance with this paragraph, for example, to refer somebody to purchase an expensive publication.

Article 7 – Charges for access to official documents

Paragraph 1

61. In principle, on-site consultation should be free of charge. However, the public archival authorities and museums may charge the applicant for the cost of the services they supply.

Paragraph 2

62. In the case of copies, the cost of access may be charged to the applicant, but also in accordance with the self-cost principle and be reasonable; the public authorities should not make any profit.

63. This does not preclude public authorities from producing publications for commercial purposes and selling them on the market at competitive prices.

Article 8 – Review procedure

Paragraph 1

64. Paragraph 1 states that an applicant whose request has been denied, expressly or impliedly, whether in part or in full, shall have access to a review procedure before a court or another independent and impartial body established by law. This review body must be able, either itself to overturn decisions taken by public authorities which it considers do not comply with the legislation in force, or to request the public authority in question to reconsider its position. At the same time, the possibility of other legal and disciplinary actions against public authorities which have committed a serious breach of their obligations under the present Convention must not be excluded.

65. The term "denied" should be broadly understood and embraces, for instance, the refusal, express or implied, in full or in part of a request for a document on the grounds of an exemption listed in Article 3. When national law establishes time-limits for responding to requests, the applicant should have the right to appeal against administrative silence.

Paragraph 2

66. Paragraph 2 states that the applicant shall always have access to an expeditious and inexpensive review procedure. In some national systems, an internal review procedure is a compulsory intermediary step before a court of appeal or other independent complaints procedure. In some Parties to the Convention, it is also possible to complain about refusals or malpractice in this field to an ombudsman or a mediation body.

67. When a public authority refuses access to a document, it should indicate in the decision the possibilities of appealing.

Article 9 – Complementary measures

68. Article 9 states that the Parties must take appropriate measures to inform the public about its rights, for example, by publishing documents electronically or by setting up documentation centres. The public authorities may, inter alia, create contact points within the various administrative departments to inform the public and facilitate access to the documents for which those departments are responsible. That

means creating and up dating lists or registers of the documents in their possession.

69. Such information and referral tasks may also be entrusted to the independent body responsible for monitoring or supervising access to official documents.

70. It is necessary that Parties to the Convention provide for measures to set up effective systems for the management and storage of the public authorities' documents. This includes rules and practices as regards archiving and destruction of official documents. A basic rule as regards destruction should be that it should not be allowed as long as there may be a public interest in the document and never during the processing of a request for it.

Article 10 – Documents made public at the initiative of the public authorities

71. Any policy which seeks to make official documents of general interest public without the need for individual requests must ensure that citizens are able to form an opinion on the authorities that govern them and to become involved in the decision-making process. National rules on proactive publication are thus encouraged.

72. In some countries, public authorities are required by law to publish, on their own initiative, information about their structures, staff, budget, activities, rules, policies, decisions, delegation of authority, information about the right of access and how to request official documents, as well as any other information of public interest. This is done on a regular basis and in formats including the use of new information technologies (for example web pages accessible to the public) and in reading rooms or public libraries, in order to ensure easy, widespread access.

73. One criterion which public authorities may use to determine which documents should be published proactively is if a document, or a particular kind of document, is frequently requested.

Section II

74. Section II of the Convention contains provisions establishing a monitoring system which aims at ensuring the effective implementation of the Convention by the Parties and developing the right of access to official documents. Two monitoring bodies are created through the Convention: The Group of Specialists on Access to Official Documents is a technical body, composed of independent and highly qualified experts in the area of access to official docu-

ments. Then there is a more political body, the Consultation of the Parties, composed of one representative per Party.

Article 11 – Group of Specialists on Access to Official Documents

75. Article 11 contains provisions on the functioning of the monitoring procedures by the Group of Specialists.

Paragraph 1

76. Paragraph 1 a) obliges the Group of Specialists to present reports on the adequacy of the measures in law and practice taken by the Parties to give effect to the provisions set out in the Convention.

77. Paragraph 1 b) enumerates a list of means by which the Group of Specialists monitors the effective implementation of the Convention by the Parties. The Group of Specialists can thus express opinions, make proposals, exchange information and report on significant developments, make proposals to the Consultation of Parties for the amendment of the Convention and formulate its opinion on any proposal for the amendment of the Convention made in accordance with Article 19.

Paragraph 2

78. Paragraph 2 provides the Group of Specialists with a possibility to request information and opinions from civil society. What is foreseen is that the non governmental organizations and other representatives of civil society will continue their engagement in issues related to access to official documents and be willing to provide useful experiences for the Group of Specialists.

Paragraph 3

79. Paragraph 3 establishes that the Group of Specialists consist of a minimum of 10 members and a maximum of 15 members, who are elected by the Consultation of the Parties. This paragraph specifies the regularity of their elections and the competences they have to possess.

Paragraph 4

80. Paragraph 4 underlines that the members of the Group of Specialists shall be independent and impartial, which means among other things that they shall not represent or act on behalf of any government.

Paragraph 5

81. Paragraph 5 indicates that the procedure for the election of the members of the Group of Specialists shall be determined by the Committee of Ministers. The Parties themselves will then be in charge of electing the members of the Group of Specialists. Before deciding

on the election procedure, the Committee of Ministers shall consult with and obtain the unanimous consent of all Parties. This requirement recognises that all Parties to the Convention are able to determine such a procedure and are on an equal footing.

Article 12 – Consultation of the Parties

Paragraph 1

82. Article 12 sets up the second body of the monitoring system: the "Consultation of the Parties".

Paragraph 2

83. Paragraph 2 enumerates the aims of the Consultation of the Parties, which consist in considering the reports, opinions and proposals of the Group of Specialists, making proposals and recommendations to the Parties, making proposals for the amendment of this Convention in accordance with Article 19 and formulating its opinion on any proposal for the amendment of this Convention made in accordance with Article 19.

Paragraph 3

84. The setting up of the Consultation of the Parties will ensure equal participation of all the Parties in the decision-making process and in the monitoring procedure of the Convention and aims at strengthening cooperation between the Parties and between them and the Group of Specialists in order to ensure the proper and effective implementation of the Convention.

Article 13 – Secretariat

85. The Secretariat of the Council of Europe assists the Group of Specialists and the Consultation of the Parties with practical arrangements as well as expertise in the field of the right of access to official documents in carrying out their functions pursuant to the monitoring system.

Article 14 – Reporting

86. Article 14 deals with different reports on implementation of the Convention and other issues related to access to official documents that must be given regularly and on request by the Parties to the Group of Specialists.

Paragraph 1

87. Paragraph 1 concerns the first report that must be given by the Parties to the Group of Specialists within a year of the entry into force of this Convention. This report shall contain full information on the

legislative and other measures taken to give effect to the provisions of this Convention.

Paragraph 2

88. Paragraph 2 deals with the following reports that shall be transmitted to the Group of Specialists before the meeting of the Consultation of the Parties. These reports are an update of the information mentioned in paragraph 1. They should be transmitted to the Group of Specialists within a period fixed in the rules of procedure adopted by the latter.

Paragraph 3

89. Paragraph 3 specifies that the Group of Specialists can request from each Party all information that it deems necessary to fulfil its tasks. This right for the Group of Specialists gives them a possibility to gather information in any area of access to official documents that it decides to investigate closer.

Article 15 – Publication

90. All the documentation mentioned in Article 15 shall be made public. This shall be done through publication of the documentation on the Council of Europe's web site.

Section III

91. With some exceptions, the provisions in Article 16 to 22 are essentially based on the Model Final Clauses for Conventions and Agreements concluded within the Council of Europe, which the Committee of Ministers approved at the Deputies' 315th meeting, in February 1980.

92. The Convention is open for signature by Council of Europe member States. Once the Convention enters into force, in accordance with paragraph 3, other States may be invited to accede to the Convention in accordance with Article 17 paragraph 1.

Article 16 – Signature and entry into force of the Convention

93. Article 16 paragraph 3 sets the number of ratifications, acceptances or approvals required for the Convention's entry into force at 10. The number is not so high, however, as to unnecessarily delay the Convention's entry into force.

Article 17 – Accession to the Convention

94. After consulting the Parties and obtaining their unanimous consent, the Committee of Ministers may invite any other State or any international organisation to accede to it. This decision requires the two-thirds majority provided for in Article 20.d of the Statute of the

Council of Europe and the unanimous vote of the Parties to this Convention.

Article 18 – Territorial application

Paragraph 1

95. Article 18 paragraph 1 specifies the territories to which the Convention applies.

Paragraph 2

96. Article 18 paragraph 2 is concerned with extension of application of the Convention to territories stated in the declaration.

Article 19 – Amendments to the Convention

Paragraph 1

97. Paragraph 1 provides that amendments may be proposed by any Party, the Committee of Ministers, the Group of Specialists or the Consultation of the Parties provided for in Article 12, in accordance with standard Council of Europe treaty-making procedures.

98. This procedure provides therefore for a form of consultation that the Committee of Ministers should carry out before proceeding to the formal adoption of any amendment. This is the mandatory consultation of the Parties to the Convention including non-member Parties. This consultation is justified in so far as non-member Parties are concerned because they do not sit in the Committee of Ministers and therefore it is necessary to provide them with some form of participation in the adoption procedure. This procedure takes place in the framework of the Consultation of the Parties which gives an opinion in pursuance of Article 12.

99. The Committee of Ministers may then approve the proposed amendment. Although it is not explicitly mentioned, it is understood that the Committee of Ministers would approve the amendment in accordance with the majority provided for in Article 20.d of the Statute of the Council of Europe, that is a two-thirds majority of the representatives casting a vote and of a majority of the representatives entitled to sit on the Committee (paragraph 4). The involvement of the Committee of Ministers, which includes representatives of all member States of the Council of Europe – not all of which may be Contracting parties to the Convention – was questioned by some delegations during the drafting of this Convention. In this respect, it should be recalled that this procedure, which is common to all Council of Europe Con-

ventions containing explicit provisions on their amendment, aims at reaffirming the link between the Convention and the Organisation under whose aegis it was elaborated and adopted. Council of Europe Conventions – and the amendments thereto – are in fact prepared and negotiated within the institutional framework of the Organisation, and are a fundamental instrument to pursue its objectives: the Statute of the Council of Europe after stating the aim of the Organisation, provides in Article 1, paragraph b that "This aim shall be pursued through the organs of the Council by discussion of questions of common concern and by agreements and common action in economic, social, cultural, scientific, legal and administrative matters and in the maintenance and further realisation of human rights and fundamental freedoms." Thus, the negotiation would culminate in a decision of the Committee of Ministers establishing *ne varietur* the text of the proposed treaty or amendment. In the case of amendments, the entry into force is subject to their acceptance by all the Parties, who therefore maintain their right to decide to be bound or not by the proposed amendment.

100. The amendment would then be submitted to the Parties for acceptance (paragraph 5).

101. Once accepted by all the Parties, the amendment enters into force on the first day of the month following the expiration of a period of one month following notification of acceptance by the last Party (paragraph 6).

102. In accordance with standard Council of Europe practice and in keeping with the role of the Secretary General as depositary of Council of Europe Conventions, the Secretary General receives proposed amendments (paragraph 2), communicates them to the Parties for information (paragraph 3) and for acceptance once adopted by the Committee of Ministers (paragraph 5) and receives notification of acceptance by the Parties and notifies them of the entry into force of the amendments (paragraph 6).

Article 20 – Declarations

103. Article 20 contains provisions allowing Parties to the Convention to make declarations regarding particular Articles or to specify how certain Articles will apply.

Article 21 – Denunciation

104. In accordance with the United Nations Vienna Convention on the Law of Treaties, Article 21 allows any Party to denounce the Convention.

Article 22 – Notification

105. Article 22 lists the notifications that, as the depositary of the Convention, the Secretary General of the Council of Europe is required to make, and it also lays down the entities to receive such notifications.

Notes

(1) Recommendations No. R (91) 10 on the communication to third parties of personal data held by public bodies, No. R (97) 18 concerning the protection of personal data collected and processed for statistical purposes, Rec(2000)10 on codes of conduct for public officials, Rec(2000)13 on a European policy on access to archives and Rec(2007)7 on good administration.

(2) An OSCE study had been made in this sphere: Access to information by the media in the OSCE region: trends and recommendations–Summary of preliminary results of the survey. The preliminary conclusions of the study, which covers 56 countries and was carried out by the Office of the OSCE Representative on Freedom of the Media (ORFM), were published on 30 April 2007 (see www. osce.org/fom).

(3) Sdružení Jihočeské Matky v. Czech Republic, application nº19101/03, decision on admissibility of 10 July 2006.

(4) See in particular judgments of the European Court of Human Rights dated 7 July 1989 in the case of Gaskin v. United Kingdom (application No 10454/83) and 19 February 1998 in the case Guerra and others v. Italy (application No 14967/89).

(5) Case of Claude Reyes and others v. Chile, see http://www.corteidh. or.cr/casos.cfm?idCaso=245.

(6) Hereafter, the Aarhus Convention.

2. Unión Europea

A) Artículo 42 de la Carta de los Derechos Fundamentales de la Unión Europea

Todo ciudadano de la Unión o toda persona física o jurídica que resida o tenga su domicilio social en un Estado miembro tiene derecho a acceder a los documentos del Parlamento Europeo, del Consejo y de la Comisión.

B) Artículo 6 del Tratado de la Unión Europea

1. La Unión reconoce los derechos, libertades y principios enunciados en la Carta de los Derechos Fundamentales de la Unión Europea de 7 de diciembre de 2000, tal como fue adaptada el 12 de diciembre de 2007 en Estrasburgo, la cual tendrá el mismo valor jurídico que los Tratados. Las disposiciones de la Carta no ampliarán en modo alguno las competencias de la Unión tal como se definen en los Tratados. Los derechos, libertades y principios enunciados en la Carta se interpretarán con arreglo a las disposiciones generales del título VII de la Carta por las que se rige su interpretación y aplicación y teniendo debidamente en cuenta las explicaciones a que se hace referencia en la Carta, que indican las fuentes de dichas disposiciones.

2 La Unión se adherirá al Convenio Europeo para la Protección de los Derechos Humanos y de las Libertades Fundamentales. Esta adhesión no modificará las competencias de la Unión que se definen en los Tratados.

3. Los derechos fundamentales que garantiza el Convenio Europeo para la Protección de los Derechos Humanos y de las Libertades Fundamentales y los que son fruto de las tradiciones constitucionales comunes a los Estados miembros formarán parte del Derecho de la Unión como principios generales.

C) Artículo 15 del Tratado de Funcionamiento de la Unión Europea

1. A fin de fomentar una buena gobernanza y de garantizar la participación de la sociedad civil, las instituciones, órganos y organismos de la Unión actuarán con el mayor respeto posible al principio de apertura.

2. Las sesiones del Parlamento Europeo serán públicas, así como las del Consejo en las que este delibere y vote sobre un proyecto de acto legislativo.

3. Todo ciudadano de la Unión, así como toda persona física o jurídica que resida o tenga su domicilio social en un Estado miembro, tendrá derecho a acceder a los documentos de las instituciones, órganos y organismos de la Unión, cualquiera que sea su soporte, con arreglo a los principios y las condiciones que se establecerán de conformidad con el presente apartado.

El Parlamento Europeo y Consejo, con arreglo al procedimiento legislativo ordinario, determinarán mediante reglamentos los principios generales y los límites, por motivos de interés público o privado, que regulan el ejercicio de este derecho de acceso a los documentos.

Cada una de las instituciones, órganos u organismos garantizará la transparencia de sus trabajos y elaborará en su reglamento interno disposiciones específicas sobre el acceso a sus documentos, de conformidad con los reglamentos contemplados en el párrafo segundo.

El Tribunal de Justicia de la Unión Europea, el Banco Central Europeo y el Banco Europeo de Inversiones solo estarán sujetos al presente apartado cuando ejerzan funciones administrativas.

El Parlamento Europeo y el Consejo garantizarán la publicidad de los documentos relativos a los procedimientos legislativos en las condiciones establecidas por los reglamentos contemplados en el párrafo segundo."

D) Reglamento (CE) núm. 1049/2001, de 30 de mayo de 2001, relativo al acceso del público a los documentos del Parlamento Europeo, del Consejo y de la Comisión

Reglamento (CE) no 1049/2001 del Parlamento Europeo y del Consejo de 30 de mayo de 2001 relativo al acceso del público a los documentos del Parlamento Europeo, del Consejo y de la Comisión

EL PARLAMENTO EUROPEO Y EL CONSEJO DE LA UNIÓN EUROPEA,

Visto el Tratado constitutivo de la Comunidad Europea, y en particular, el apartado 2 de su artículo 255,

Vista la propuesta de la Comisión(1),

De conformidad con el procedimiento establecido en el artículo 251 del Tratado(2),

Considerando lo siguiente:

(1) El Tratado de la Unión Europea introduce el concepto de apertura en el párrafo segundo de su artículo 1, en virtud del cual el presente Tratado constituye una nueva etapa en el proceso creador de una unión cada vez más estrecha entre los pueblos de Europa, en la cual las decisiones serán tomadas de la forma más abierta y próxima a los ciudadanos que sea posible.

(2) La apertura permite garantizar una mayor participación de los ciudadanos en el proceso de toma de decisiones, así como una mayor legitimidad, eficacia y responsabilidad de la administración para con los ciudadanos en un sistema democrático. La apertura contribuye a reforzar los principios de democracia y respeto de los derechos fundamentales contemplados en el artículo 6 del Tratado UE y en la Carta de los Derechos Fundamentales de la Unión Europea.

(3) En las conclusiones de las reuniones del Consejo Europeo de Birmingham, de Edimburgo y de Copenhague se subrayó la necesidad de garantizar una mayor transparencia en el trabajo de las instituciones de la Unión. El presente Reglamento consolida las iniciativas ya adoptadas por las instituciones con vistas a aumentar la transparencia del proceso de toma de decisiones.

(4) El presente Reglamento tiene por objeto garantizar de la manera más completa posible el derecho de acceso del público a los documentos y determinar los principios generales y los límites que han de regularlo de conformidad con el apartado 2 del artículo 255 del Tratado CE.

(5) Habida cuenta de que el Tratado constitutivo de la Comunidad Europea del Carbón y del Acero y el Tratado constitutivo de la Comunidad Europea de la Energía Atómica no contienen disposiciones en materia de acceso a los documentos, el Parlamento Europeo, el Consejo y la Comisión, de conformidad con la Declaración n° 41 aneja al Acta final del Tratado de Amsterdam, deben inspirarse en el presente Reglamento en lo relacionado con los documentos relativos a las actividades a que se refieren ambos Tratados.

(6) Se debe proporcionar un mayor acceso a los documentos en los casos en que las instituciones actúen en su capacidad legislativa, incluso por delegación de poderes, al mismo tiempo que se preserva la eficacia de su procedimiento de toma de decisiones. Se debe dar acceso directo a dichos documentos en la mayor medida posible.

(7) De conformidad con el apartado 1 del artículo 28 y con el apartado 1 del artículo 41 del Tratado UE el derecho de acceso es asimismo de aplicación a los documentos referentes a la política exterior y de seguridad común y a la cooperación policial y judicial en materia penal. Cada institución debe respetar sus normas de seguridad.

(8) Con objeto de garantizar la plena aplicación del presente Reglamento a todas las actividades de la Unión, las agencias creadas por las instituciones deben aplicar los principios establecidos en el presente Reglamento.

(9) Por razón de su contenido altamente sensible, determinados documentos deben recibir un tratamiento especial. Las condiciones en las que el Parlamento Europeo será informado del contenido de dichos documentos deben establecerse mediante acuerdo interinstitucional.

(10) Con objeto de aumentar la apertura de las actividades de las instituciones, conviene que el Parlamento Europeo, el Consejo y la Comisión permitan el acceso no solamente a los documentos elaborados por las instituciones, sino también a los documentos por ellas recibidos. Al respecto, se recuerda que la Declaración n° 35 aneja al Acta final del Tratado de Amsterdam prevé que un Estado miembro podrá solicitar a la Comisión o al Consejo que no comunique a terceros un documento originario de dicho Estado sin su consentimiento previo.

(11) En principio, todos los documentos de las instituciones deben ser accesibles al público. No obstante, deben ser protegidos determinados intereses públicos y privados a través de excepciones. Conviene que, cuando sea necesario, las instituciones puedan proteger sus consultas y deliberaciones internas con el fin de salvaguardar su capacidad para ejercer sus funciones. Al evaluar las excepciones, las instituciones deben tener en cuenta los principios vigentes en la legislación comunitaria relativos a la protección de los datos personales, en todos los ámbitos de actividad de la Unión.

(12) Todas las normas relativas al acceso a los documentos de las instituciones deben ser conformes al presente Reglamento.

(13) Con objeto de garantizar el pleno respeto del derecho de acceso, debe aplicarse un procedimiento administrativo de dos fases, ofreciendo la posibilidad adicional de presentar recurso judicial o reclamación ante el Defensor del Pueblo Europeo.

(14) Conviene que cada institución adopte las medidas necesarias para informar al público de las nuevas disposiciones vigentes y para formar a su personal a asistir a los ciudadanos en el ejercicio de los derechos reconocidos en el presente Reglamento. Con objeto de facilitar a los ciudadanos el ejercicio de sus derechos, cada institución debe permitir el acceso a un registro de documentos.

(15) Aunque el presente Reglamento no tiene por objeto ni como efecto modificar las legislaciones nacionales en materia de acceso a los documentos, resulta no obstante evidente que, en virtud del principio de cooperación leal que preside las relaciones entre las instituciones y los Estados miembros, estos últimos deben velar por no obstaculizar la correcta aplicación del presente Reglamento y deben respetar las normas de seguridad de las instituciones.

(16) El presente Reglamento debe aplicarse sin perjuicio del derecho de acceso a los documentos de que gozan los Estados miembros, las autoridades judiciales o los órganos de investigación.

(17) En virtud del apartado 3 del artículo 255 del Tratado CE cada institución debe elaborar en su Reglamento interno disposiciones específicas sobre el acceso a sus documentos. En consecuencia, si es necesario, se debe modificar o derogar la Decisión 93/731/CE del Consejo, de 20 de diciembre de 1993, relativa al acceso del público a los documentos del Consejo(3), la Decisión 94/90/CECA, CE, Euratom de la Comisión, de 8 de febrero de 1994, sobre el acceso del público a los documentos de la Comisión(4), la Decisión 97/632/CE, CECA, Euratom del Parlamento Europeo, de 10 de julio de 1997, relativa al acceso del público a los documentos del Parlamento Europeo(5) y las normas de confidencialidad de los documentos de Schengen.

HAN ADOPTADO EL PRESENTE REGLAMENTO:

Artículo 1

Objeto

El objeto del presente Reglamento es:

a) definir los principios, condiciones y límites, por motivos de interés público o privado, por los que se rige el derecho de acceso a los documentos del Parlamento Europeo, del Consejo y de la Comisión (en lo sucesivo denominadas "las instituciones") al que se refiere el artículo 255 del Tratado CE, de modo que se garantice el acceso más amplio posible a los documentos;

b) establecer normas que garanticen el ejercicio más fácil posible de este derecho, y

c) promover buenas prácticas administrativas para el acceso a los documentos.

Artículo 2

Beneficiarios y ámbito de aplicación

1. Todo ciudadano de la Unión, así como toda persona física o jurídica que resida o tenga su domicilio social en un Estado miembro, tiene derecho a acceder a los documentos de las instituciones, con arreglo

a los principios, condiciones y límites que se definen en el presente Reglamento.

2. Con arreglo a los mismos principios, condiciones y límites, las instituciones podrán conceder el acceso a los documentos a toda persona física o jurídica que no resida ni tenga su domicilio social en un Estado miembro.

3. El presente Reglamento será de aplicación a todos los documentos que obren en poder de una institución; es decir, los documentos por ella elaborados o recibidos y que estén en su posesión, en todos los ámbitos de actividad de la Unión Europea.

4. Sin perjuicio de lo dispuesto en los artículos 4 y 9, los documentos serán accesibles al público, bien previa solicitud por escrito, o bien directamente en forma electrónica o a través de un registro. En particular, de conformidad con el artículo 12, se facilitará el acceso directo a los documentos elaborados o recibidos en el marco de un procedimiento legislativo.

5. Se aplicará a los documentos sensibles, tal como se definen en el apartado 1 del artículo 9, el tratamiento especial previsto en el mismo artículo.

6. El presente Reglamento se entenderá sin perjuicio de los derechos de acceso del público a los documentos que obren en poder de las instituciones como consecuencia de instrumentos de Derecho internacional o de actos de las instituciones que apliquen tales instrumentos.

Artículo 3

Definiciones

A efectos del presente Reglamento, se entenderá por:

a) "documento", todo contenido, sea cual fuere su soporte (escrito en versión papel o almacenado en forma electrónica, grabación sonora, visual o audiovisual) referentes a temas relativos a las políticas, acciones y decisiones que sean competencia de la institución;

b) "terceros", toda persona física o jurídica, o entidad, exterior a la institución de que se trate, incluidos los Estados miembros, las demás instituciones y órganos comunitarios o no comunitarios, y terceros países.

Artículo 4

Excepciones

1. Las instituciones denegarán el acceso a un documento cuya divulgación suponga un perjuicio para la protección de:

   a) el interés público, por lo que respecta a:
   - la seguridad pública,
   - la defensa y los asuntos militares,
   - las relaciones internacionales,
   - la política financiera, monetaria o económica de la Comunidad o de un Estado miembro;

   b) la intimidad y la integridad de la persona, en particular de conformidad con la legislación comunitaria sobre protección de los datos personales.

2. Las instituciones denegarán el acceso a un documento cuya divulgación suponga un perjuicio para la protección de:

   - los intereses comerciales de una persona física o jurídica, incluida la propiedad intelectual,
   - los procedimientos judiciales y el asesoramiento jurídico,
   - el objetivo de las actividades de inspección, investigación y auditoría,

   salvo que su divulgación revista un interés público superior.

3. Se denegará el acceso a un documento elaborado por una institución para su uso interno o recibido por ella, relacionado con un asunto sobre el que la institución no haya tomado todavía una decisión, si su divulgación perjudicara gravemente el proceso de toma de decisiones de la institución, salvo que dicha divulgación revista un interés público superior.

   Se denegará el acceso a un documento que contenga opiniones para uso interno, en el marco de deliberaciones o consultas previas en el seno de la institución, incluso después de adoptada la decisión, si la divulgación del documento perjudicara gravemente el proceso de toma de decisiones de la institución, salvo que dicha divulgación revista un interés público superior.

4. En el caso de documentos de terceros, la institución consultará a los terceros con el fin de verificar si son aplicables las excepciones previstas en los apartados 1 o 2, salvo que se deduzca con claridad que se ha de permitir o denegar la divulgación de los mismos.

5. Un Estado miembro podrá solicitar a una institución que no divulgue sin su consentimiento previo un documento originario de dicho Estado.

6. En el caso de que las excepciones previstas se apliquen únicamente a determinadas partes del documento solicitado, las demás partes se divulgarán.

7. Las excepciones, tal y como se hayan establecido en los apartados 1, 2 y 3 solo se aplicarán durante el período en que esté justificada la protección en función del contenido del documento. Podrán aplicarse las excepciones durante un período máximo de 30 años. En el caso de los documentos cubiertos por las excepciones relativas a la intimidad o a los intereses comerciales, así como en el caso de los documentos sensibles, las excepciones podrán seguir aplicándose después de dicho período, si fuere necesario.

Artículo 5

Documentos en los Estados miembros

Cuando un Estado miembro reciba una solicitud de un documento que obre en su poder y que tenga su origen en una institución, consultará a la institución de que se trate para tomar una decisión que no ponga en peligro la consecución de los objetivos del presente Reglamento, salvo que se deduzca con claridad que se ha de permitir o denegar la divulgación de dicho documento.

Alternativamente, el Estado miembro podrá remitir la solicitud a la institución.

Artículo 6

Solicitudes

1. Las solicitudes de acceso a un documento deberán formularse en cualquier forma escrita, incluido el formato electrónico, en una de las lenguas a que se refiere el artículo 314 del Tratado CE y de manera lo suficientemente precisa para permitir que la institución identifique el documento de que se trate. El solicitante no estará obligado a justificar su solicitud.

2. Si una solicitud no es lo suficientemente precisa, la institución pedirá al solicitante que aclare la solicitud, y le ayudará a hacerlo, por ejemplo, facilitando información sobre el uso de los registros públicos de documentos.

3. En el caso de una solicitud de un documento de gran extensión o de un gran número de documentos, la institución podrá tratar de llegar a un arreglo amistoso y equitativo con el solicitante.

4. Las instituciones ayudarán e informarán a los ciudadanos sobre cómo y dónde pueden presentar solicitudes de acceso a los documentos.

Artículo 7

Tramitación de las solicitudes iniciales

1. Las solicitudes de acceso a los documentos se tramitarán con prontitud. Se enviará un acuse de recibo al solicitante. En el plazo de 15 días laborables a partir del registro de la solicitud, la institución o bien autorizará el acceso al documento solicitado y facilitará dicho acceso con arreglo al artículo 10 dentro de ese plazo, o bien, mediante respuesta por escrito, expondrá los motivos de la denegación total o parcial e informará al solicitante de su derecho de presentar una solicitud confirmatoria conforme a lo dispuesto en el apartado 2 del presente artículo.

2. En caso de denegación total o parcial, el solicitante podrá presentar, en el plazo de 15 días laborables a partir de la recepción de la respuesta de la institución, una solicitud confirmatoria a la institución con el fin de que esta reconsidere su postura.

3. Con carácter excepcional, por ejemplo, en el caso de que la solicitud se refiera a un documento de gran extensión o a un gran número de documentos, el plazo previsto en el apartado 1 podrá ampliarse en 15 días laborables, siempre y cuando se informe previamente de ello al solicitante y se expliquen debidamente los motivos por los que se ha decidido ampliar el plazo.

4. La ausencia de respuesta de la institución en el plazo establecido dará derecho al solicitante a presentar una solicitud confirmatoria.

Artículo 8

Tramitación de las solicitudes confirmatorias

1. Las solicitudes confirmatorias se tramitarán con prontitud. En el plazo de 15 días laborables a partir del registro de la solicitud, la institución o bien autorizará el acceso al documento solicitado y facilitará dicho acceso con arreglo al artículo 10 dentro de ese mismo plazo, o bien, mediante respuesta por escrito, expondrá los motivos para la denegación total o parcial. En caso de denegación total o parcial deberá informar al solicitante de los recursos de que dispone, a saber, el recurso judicial contra la institución y/o la reclamación ante el Defensor del Pueblo Europeo, con arreglo a las condiciones previstas en los artículos 230 y 195 del Tratado CE, respectivamente.

2. Con carácter excepcional, por ejemplo, en el caso de que la solicitud se refiera a un documento de gran extensión o a un gran número de

documentos, el plazo previsto en el apartado 1 podrá ampliarse en 15 días laborables, siempre y cuando se informe previamente de ello al solicitante y se expliquen debidamente los motivos por los que se ha decidido ampliar el plazo.

3. La ausencia de respuesta de la institución en el plazo establecido se considerará una respuesta denegatoria y dará derecho al solicitante a interponer recurso judicial contra la institución y/o reclamar ante el Defensor del Pueblo Europeo, con arreglo a las disposiciones pertinentes del Tratado CE.

Artículo 9

Tramitación de documentos sensibles

1. Se entenderá por "documento sensible" todo documento que tenga su origen en las instituciones o en sus agencias, en los Estados miembros, en los terceros países o en organizaciones internacionales, clasificado como "TRÈS SECRET/TOP SECRET", "SECRET" o "CONFIDEN-TIEL", en virtud de las normas vigentes en la institución en cuestión que protegen intereses esenciales de la Unión Europea o de uno o varios Estados miembros en los ámbitos a que se refiere la letra a) del apartado 1 del artículo 4, en particular la seguridad pública, la defensa y los asuntos militares.

2. La tramitación de las solicitudes de acceso a documentos sensibles, de conformidad con los procedimientos establecidos en los artículos 7 y 8, estará a cargo únicamente de las personas autorizadas a conocer el contenido de dichos documentos. Asimismo, sin perjuicio de lo dispuesto en el apartado 2 del artículo 11, estas personas determinarán las referencias a los documentos sensibles que podrán figurar en el registro público.

3. Los documentos sensibles se incluirán en el registro o se divulgarán únicamente con el consentimiento del emisor.

4. La decisión de una institución de denegar el acceso a un documento sensible estará motivada de manera que no afecte a la protección de los intereses a que se refiere el artículo 4.

5. Los Estados miembros adoptarán las medidas adecuadas para garantizar que en la tramitación de las solicitudes relativas a los documentos sensibles se respeten los principios contemplados en el presente artículo y en el artículo 4.

6. Las normas relativas a los documentos sensibles establecidas por las instituciones se harán públicas.

7. La Comisión y el Consejo informarán al Parlamento Europeo sobre los documentos sensibles de conformidad con los acuerdos celebrados entre las instituciones.

Artículo 10

Acceso tras la presentación de una solicitud

1. El acceso a los documentos se efectuará, bien mediante consulta in situ, bien mediante entrega de una copia que, en caso de estar disponible, podrá ser una copia electrónica, según la preferencia del solicitante. Podrá requerirse al solicitante que corra con los gastos de realización y envío de las copias. Estos gastos no excederán el coste real de la realización y del envío de las copias. La consulta in situ, las copias de menos de 20 páginas de formato DIN A4 y el acceso directo por medios electrónicos o a través del registro serán gratuitos.

2. Si la institución de que se trate ya ha divulgado el documento y este es de fácil acceso, la institución podrá cumplir su obligación de facilitar el acceso a los documentos informando al solicitante sobre la forma de obtenerlo.

3. Los documentos se proporcionarán en la versión y formato existentes (incluidos los formatos electrónicos y otros, como el Braille, la letra de gran tamaño o la cinta magnetofónica), tomando plenamente en consideración la preferencia del solicitante.

Artículo 11

Registros

1. Para garantizar a los ciudadanos el ejercicio efectivo de los derechos reconocidos en el presente Reglamento, cada institución pondrá a disposición del público un registro de documentos. El acceso al registro se debería facilitar por medios electrónicos. Las referencias de los documentos se incluirán en el registro sin dilación.

2. El registro especificará, para cada documento, un número de referencia (incluida, si procede, la referencia interinstitucional), el asunto a que se refiere y/o una breve descripción de su contenido, así como la fecha de recepción o elaboración del documento y de su inclusión en el registro. Las referencias se harán de manera que no supongan un perjuicio para la protección de los intereses mencionados en el artículo 4.

3. Las instituciones adoptarán con carácter inmediato las medidas necesarias para la creación de un registro que será operativo a más tardar el 3 de junio de 2002.

Artículo 12

Acceso directo a través de medios electrónicos o de un registro

1. Las instituciones permitirán el acceso directo del público a los documentos, en la medida de lo posible, en forma electrónica o a través de un registro, de conformidad con las normas vigentes de la institución en cuestión.

2. En particular, se debería facilitar el acceso directo a los documentos legislativos, es decir, documentos elaborados o recibidos en el marco de los procedimientos de adopción de actos jurídicamente vinculantes para o en los Estados miembros, sin perjuicio de lo dispuesto en los artículos 4 y 9.

3. Siempre que sea posible, se debería facilitar el acceso directo a otros documentos, en particular los relativos a la elaboración de políticas o estrategias.

4. En caso de que no se facilite el acceso directo a través del registro, dicho registro indicará, en la medida de lo posible, dónde están localizados los documentos de que se trate.

Artículo 13

Publicación en el Diario Oficial

1. Además de los actos contemplados en los apartados 1 y 2 del artículo 254 del Tratado CE y en el párrafo primero del artículo 163 del Tratado Euratom y sin perjuicio de los artículos 4 y 9 del presente Reglamento, se publicarán en el Diario Oficial los siguientes documentos:

    a) las propuestas de la Comisión;

    b) las posiciones comunes adoptadas por el Consejo conforme a los procedimientos previstos en los artículos 251 y 252 del Tratado CE, así como sus exposiciones de motivos, y las posiciones del Parlamento Europeo en dichos procedimientos;

    c) las decisiones marco y las decisiones mencionadas en el apartado 2 del artículo 34 del Tratado UE;

    d) los convenios celebrados por el Consejo con arreglo al apartado 2 del artículo 34 del Tratado UE;

    e) los convenios firmados entre Estados miembros sobre la base del artículo 293 del Tratado CE;

    f) los acuerdos internacionales celebrados por la Comunidad o de conformidad con el artículo 24 del Tratado UE.

2. En la medida de lo posible, se publicarán en el Diario Oficial los siguientes documentos:

a) las iniciativas que presente al Consejo un Estado miembro en virtud de lo dispuesto en el apartado 1 del artículo 67 del Tratado CE o en el apartado 2 del artículo 34 del Tratado UE;

b) las posiciones comunes contempladas en el apartado 2 del artículo 34 del Tratado UE;

c) las directivas distintas de las contempladas en los apartados 1 y 2 del artículo 254 del Tratado CE, las decisiones distintas de las contempladas en el apartado 1 del artículo 254 del Tratado CE, las recomendaciones y los dictámenes

3. Cada institución podrá establecer, en su Reglamento interno, los demás documentos que se publicarán en el Diario Oficial.

Artículo 14

Información

1. Cada institución tomará las medidas necesarias para informar al público de los derechos reconocidos en el presente Reglamento.

2. Los Estados miembros cooperarán con las instituciones para facilitar información a los ciudadanos.

Artículo 15

Práctica administrativa en las instituciones

1. Las instituciones establecerán buenas prácticas administrativas para facilitar el ejercicio del derecho de acceso garantizado por el presente Reglamento.

2. Las instituciones crearán un Comité interinstitucional encargado de examinar las mejores prácticas, tratar los posibles conflictos y examinar la evolución futura del acceso del público a los documentos.

Artículo 16

Reproducción de documentos

El presente Reglamento se aplicará sin perjuicio de las normas vigentes sobre los derechos de autor que puedan limitar el derecho de terceros a reproducir o hacer uso de los documentos que se les faciliten.

Artículo 17

Informes

1. Cada institución publicará anualmente un informe relativo al año precedente en el que figure el número de casos en los que la institución denegó el acceso a los documentos, las razones de esas denegaciones y el número de documentos sensibles no incluidos en el registro.

2. A más tardar el 31 de enero de 2004, la Comisión publicará un informe sobre la aplicación de los principios contenidos en el presente Reglamento y formulará recomendaciones que incluyan, si procede, propuestas de revisión del presente Reglamento y un programa de acción con las medidas que deban adoptar las instituciones.

Artículo 18

Medidas de aplicación

1. Cada institución adaptará su Reglamento interno a las disposiciones del presente Reglamento. Las adaptaciones surtirán efecto el 3 de diciembre de 2001.

2. En un plazo de seis meses a partir de la entrada en vigor del presente Reglamento, la Comisión examinará la conformidad del Reglamento (CEE, Euratom) n° 354/83 del Consejo, de 1 de febrero de 1983, relativo a la apertura al público de los archivos históricos de la Comunidad Económica Europea y de la Comunidad Europea de la Energía Atómica(6) con el presente Reglamento, con el fin de garantizar la conservación y el archivo de los documentos en las mejores condiciones posibles.

3. En un plazo de seis meses a partir de la entrada en vigor del presente Reglamento, la Comisión examinará la conformidad de las normas vigentes sobre el acceso a los documentos con el presente Reglamento.

Artículo 19

Entrada en vigor

El presente Reglamento entrará en vigor a los tres días de su publicación en el Diario Oficial de las Comunidades Europeas.

Será aplicable a partir del 3 de diciembre de 2001.

El presente Reglamento será obligatorio en todos sus elementos y directamente aplicable en cada Estado miembro.

Hecho en Bruselas, el 30 de mayo de 2001.

Por el Parlamento

La Presidente

N. Fontaine

Por el Consejo

El Presidente

B. Lejon

(1) DO C 177 E de 27.6.2000, p. 70.

(2) Dictamen del Parlamento Europeo de 3 de mayo de 2001 (aún no publicado en el Diario Oficial) y Decisión del Consejo de 28 de mayo de 2001.

(3) DO L 340 de 31.12.1993, p. 43. Decisión cuya última modificación la constituye la Decisión 2000/527/CE (DO L 212 de 23.8.2000, p. 9).

(4) DO L 46 de 18.2.1994, p. 58. Decisión modificada por la Decisión 96/567/CE, CECA, Euratom (DO L 247 de 28.9.1996, p. 45).

(5) DO L 263 de 25.9.1997, p. 27.

(6) DO L 43 de 15.2.1983, p. 1.

E) Propuesta de reglamento del Parlamento Europeo y del Consejo relativo al acceso del público a los documentos del Parlamento Europeo, del Consejo y de la Comisión (propuesta de reforma de la Comisión)

ES

Bruselas, 30.4.2008

COM(2008) 229 final

2008/0090 (COD)

Propuesta de

REGLAMENTO DEL PARLAMENTO EUROPEO Y DEL CONSEJO

relativo al acceso del público a los documentos del Parlamento Europeo, del Consejo y de la Comisión

(presentada por la Comisión)

EXPOSICIÓN DE MOTIVOS

1. Antecedentes

1.1. Aplicación del derecho del público a acceder a los documentos

El artículo 255 del Tratado constitutivo de la Comunidad Europea, tal como ha sido modificado por el Tratado de Ámsterdam, garantiza a los

ciudadanos de la Unión, así como a toda persona física o jurídica que resida o tenga su domicilio social en un Estado miembro, el derecho a acceder
a los documentos del Parlamento Europeo, del Consejo y de la Comisión.
Los principios y límites que se aplican a este derecho de acceso han sido
establecidos en el Reglamento (CE) n° 1049/2001 [1], relativo al acceso
del público a los documentos del Parlamento Europeo, del Consejo y de
la Comisión, aplicable desde el 3 de diciembre de 2001.

En el informe sobre la aplicación del Reglamento publicado el 30 de enero
de 2004 la Comisión concluyó que el trabajo realizado era muy satisfactorio.
Por tanto, consideró que no sera necesario modificar el Reglamento a corto
plazo, ya que en cualquier caso debería revisarse tras la entrada en vigor del
Tratado por el que se establecerá la Constitución para Europa.

1.2. Motivos para revisar el Reglamento existente

El 9 de noviembre de 2005, la Comisión decidió lanzar la «Iniciativa
europea a favor de la transparencia» [2], un impulso para una mayor transparencia que incluye la revisión del Reglamento.

Por su parte, el Parlamento Europeo, en una resolución adoptada el 4 de
abril de 2006 [3], invitó a la Comisión a presentar propuestas para modificar
el Reglamento.

Entretanto, el 6 de septiembre de 2006, el Parlamento Europeo y el Consejo adoptaron un nuevo Reglamento relativo a la aplicación, a las instituciones y a los organismos comunitarios, de las disposiciones del Convenio de
Århus [4], que está relacionado con el Reglamento (CE) n° 1049/2001 en lo
que respecta al acceso a los documentos que contienen información sobre el
medio ambiente.

El Reglamento (CE) n° 1049/2001 se aplica desde hace seis años, periodo
en que las instituciones han adquirido experiencia en su aplicación. Además,
se ha creado una jurisprudencia y el Defensor del Pueblo Europeo ha resuelto
quejas al respecto. Por tanto, las instituciones están en condiciones de realizar
una nueva evaluación del funcionamiento del Reglamento y de modificarlo
en consecuencia.

La primera medida que se adoptó en el proceso de revisión fue la publicación el 18 de abril de 2007 por la Comisión del Libro Verde, que constituyó
la base de la consulta pública sobre este asunto [5]. El resultado de esta consulta se resume en un informe que se publicó en enero de 2008.

2. Cuestiones consideradas en el proceso de revisión

2.1. Resolución del Parlamento Europeo de 4 de abril de 2006

En su resolución de 4 de abril de 2006 anteriormente mencionada, el Parlamento formuló cinco recomendaciones que la Comisión ha tenido debidamente en cuenta al elaborar la presente propuesta.

2.1.1. Alcance de la base jurídica y objetivo del Reglamento

De acuerdo con el Parlamento, el preámbulo del Reglamento debe aclarar que el artículo 255 del Tratado CE constituye la base legal para la aplicación de los principios de apertura y proximidad, así como la base legal fundamental de la transparencia y la confidencialidad.

Dado que el artículo 255 se refiere al acceso del público a los documentos, la Comisión propone aclarar en consecuencia el objetivo del Reglamento en el artículo 1.

2.1.2. Plena transparencia legislativa

Todos los documentos preparatorios de los actos jurídicos deben ser directamente accesibles al público.

Esta recomendación se recoge y regula plenamente en el artículo 12.

2.1.3. Normas de confidencialidad

El Parlamento ha recomendado que el Reglamento establezca normas de clasificación de documentos y que se garantice el control parlamentario de la aplicación de dichas normas y del acceso a los documentos.

La clasificación de documentos no excluye de por sí el derecho de acceso del público. En conscuencia, la Comisión considera que las normas específicas de clasificación y manipulación de material reservado no deben establecerse en un Reglamento sobre el acceso del público.

2.1.4. Acceso a los documentos de los Estados miembros

El Parlamento deseaba limitar y definir mejor la capacidad de los Estados miembros para oponerse a la divulgación de sus documentos.

El nuevo artículo 5, apartado 2, que también tiene en cuenta una sentencia del Tribunal de Justicia en esta materia, establece que los Estados miembros deben explicar las razones que les lleven a pedir a una institución que no divulgue los documentos procedentes de ellos mismos.

2.1.5. Registros y normas de archivo

El Parlamento recomienda crear un punto de acceso único para la legislación preparatoria, una interfaz común a los registros de las instituciones y normas comunes sobre el archivo de documentos.

La Comisión está plenamente de acuerdo con esta recomendación. No obstante, puede ponerse en práctica sin modificar el Reglamento.

2.2. Resultados de la consulta pública

Las respuestas a las preguntas sometidas a consulta pública pueden resumirse como sigue [6]. En la presente propuesta, la Comisión ha tenido en cuenta las opiniones de la mayoría de los consultados sobre cada uno de los temas planteados en el Libro Verde.

2.2.1. Difusión activa

Los registros y los sitios web deberán ser de más fácil acceso y estar más armonizados. Se ampliará el alcance de los registros de la Comisión. Los ciudadanos valorarán favorablemente una política de divulgación más proactiva.

El artículo 12 se refiere a la transparencia activa de la legislación. El artículo 11 y el artículo 12 modificado constituyen la base legal adecuada para unos registros y sitios web más completos y de más fácil acceso.

2.2.2. Adaptación del Reglamento (CE) n° 1049/2001 al Convenio de Århus

La propuesta de adaptar el Reglamento a las disposiciones sobre el acceso a la información medioambiental (Reglamento (CE) n° 1367/2006 de aplicación del Convenio de Århus) recibió un amplio apoyo. Las reservas formuladas procedieron principalmente de las ONG medioambientales y de los sectores químico y biotecnológico.

La adaptación queda reflejada en el artículo 4, apartados 1 y 2, y en el artículo 5, apartado 2, modificados.

2.2.3. Protección de datos personales

La práctica actual de suprimir nombres y otros datos personales de los documentos objeto de divulgación se consideró demasiado restrictiva, especialmente cuando las personas ejercen funciones públicas. El Tribunal de Primera Instancia se ha pronunciado sobre este asunto (véase el punto 2.3.1. más adelante).

La disposición correspondiente se ha redactado en consecuencia en el nuevo artículo 4, apartado 5.

2.2.4. Protección de intereses comerciales

Las autoridades y el sector empresarial consideran que las normas actuales establecen el justo equilibrio. No obstante, los periodistas, las ONG y la mayoría de los ciudadanos individuales piden que se atienda más al interés de la divulgación.

Por tanto, la Comisión no propone modificar esta disposición.

2.2.5. Tratamiento de solicitudes excesivas

Una ligera mayoría de Estados miembros y el sector privado apoyan medidas específicas que establecen excepciones a las normas comunes en el caso de las solicitudes excesivas. Los Estados miembros insisten en que tales medidas han de basarse en criterios objetivos. El Defensor del Pueblo, una mayoría significativa de Estados miembros y las ONG se oponen a la existencia de normas específicas sobre solicitudes excesivas.

La Comisión no propone ninguna disposición que permita rechazar las solicitudes que se consideren excesivas. En cambio, se propone ampliar la capacidad de solicitar aclaraciones de conformidad con el artículo 6, apartado 2, en los casos en que los documentos solicitados no sean fáciles de identificar.

2.2.6. Concepto de «documento»

A este respecto, la opinión general es que debería mantenerse la definición amplia actualmente utilizada. Una aclaración relativa a las bases de datos, tal como propone el Libro Verde, sería conveniente.

El artículo 3, letra a), modificado, contiene una definición más concreta de «documento» que también incluye la información contenida en las bases de datos electrónicas.

2.2.7. Plazos de aplicación de las excepciones

La propuesta de definir los hechos antes de los cuales los documentos no serían accesibles no recibió gran apoyo. En cambio, se acogió favorablemente la difusión sistemática de los documentos después de determinados hechos específicos y mucho antes del plazo de 30 años que se exige para la apertura de los archivos. La experiencia ha mostrado, sin embargo, que se debe negar sistemáticamente el acceso a los documentos de los procedimientos judiciales o cuasijudiciales antes de la celebración de una audiencia pública o de la adopción de una decisión final. Esto también ha sido confirmado por la jurisprudencia (véase el punto 2.3.3).

La Comisión propone adaptar el artículo 2.

2.2.8. Ámbito de aplicación del Reglamento

Muchos de los consultados sobre el Libro Verde solicitaron la ampliación del ámbito de aplicación del Reglamento a todas las instituciones, organismos y agencias de la UE.

Esta ampliación no es posible en el marco del Tratado actual, pero se llevará a cabo tras la entrada en vigor del Tratado sobre el funcionamiento de la Unión.

2.2.9. Acceso a los documentos procedentes de los Estados miembros

Este asunto también fue planteado por algunos de los consultados y en la resolución del Parlamento (véase el punto 2.1.4 anterior). Desde entonces, el asunto ha sido aclarado por una sentencia del Tribunal de Justicia (véase el punto 2.3.2).

2.3. Jurisprudencia reciente

El Tribunal de Primera Instancia y el Tribunal de Justicia se han pronunciado en una serie de sentencias sobre determinadas cuestiones importantes relativas a la aplicación del Reglamento que son objeto de la presente propuesta.

2.3.1. Acceso a los datos personales

En su sentencia de 8 de noviembre de 2007 en el asunto Bavarian Lager [7], el Tribunal de Primera Instancia interpretó la excepción sobre la protección de datos personales y consideró la relación entre el Reglamento (CE) nº 1049/2001 y el Reglamento sobre protección de datos [8].

La relación entre los Reglamentos sobre el acceso del público y sobre la protección de datos personales se aclara en el nuevo artículo 4, apartado 5.

2.3.2. Acceso a los documentos procedentes de un Estado miembro

El 18 de diciembre de 2007 el Tribunal de Justicia anuló la sentencia del Tribunal de Primera Instancia de 30 de noviembre de 2004 en un asunto relativo al derecho de los Estados miembros a oponerse a la divulgación por las instituciones de los documentos procedentes de los Estados miembros [9].

La disposición existente en el artículo 4, apartado 5, se sustituye por el nuevo artículo 5, apartado 2.

2.3.3. Aplicabilidad de las excepciones antes y después de un hecho específico

En su sentencia de 13 de abril de 2005 en un asunto relativo al acceso a un fichero de cartel [10], el Tribunal de Primera Instancia dictaminó que, en principio, una institución que recibe una solicitud de acceso a documentos debe llevar a cabo una evaluación individual y concreta del contenido de los documentos mencionados en la solicitud. No obstante, dicha evaluación individual no será necesaria cuando, debido a las circunstancias particulares del asunto, los documentos solicitados estén manifiestamente incluidos en una excepción del derecho de acceso. En una sentencia reciente, el Tribunal ha considerado que la presentación de escritos en los órganos jurisdiccionales está incluida en la excepción prevista para proteger los procedimientos judiciales antes de la celebración de la audiencia [11].

Se han añadido nuevas disposiciones en el artículo 2, apartados 5 y 6.

3. Modificaciones propuestas del Reglamento (CE) nº 1049/2001

3.1. Objetivo y destinatarios del Reglamento–Artículos 1 y 2

Se modifica ligeramente la redacción del artículo 1, letra a), para aclarar que el objetivo del Reglamento es permitir el acceso del público a los documentos. Esto es coherente con la base jurídica y ha sido confirmado por la jurisprudencia del Tribunal de Primera Instancia [12].

El derecho de acceso se concederá a toda persona física o jurídica, independientemente de su nacionalidad o Estado de residencia. De este modo, el Reglamento es coherente con lo dispuesto en el Reglamento (CE) n° 1367/2006 sobre el acceso a la información en materia de medio ambiente [13]. Se modifica el artículo 2, apartado 1, en consecuencia y se deroga el artículo 2, apartado 2.

3.2. Alcance y definiciones – artículos 2 y 3

En el artículo 2, apartado 2, se especifica que el Reglamento se aplica a todos los documentos que obren en poder de una institución referentes a temas relativos a las políticas, acciones y decisiones que sean competencia de la institución. En el texto actual, este aspecto se recoge en la definición de «documento» que figura en el artículo 3, letra a). No obstante, esto está relacionado con el ámbito de aplicación del Reglamento más que con la definición del concepto de «documento».

En el artículo 2 se añade un nuevo apartado 5 que aclara que los documentos presentados en los órganos jurisdiccionales por partes distintas de las instituciones no entran en el ámbito de aplicación del Reglamento. Hay que señalar que el Tribunal de Justicia no disfruta del derecho de acceso del público reconocido por el artículo 255 del Tratado CE y que el Tratado de Lisboa le reconoce este derecho solo respecto de documentos relacionados con su acción administrativa.

El acceso a documentos relacionados con el ejercicio de los poderes de investigación de una institución debe excluirse hasta que la decisión relevante no pueda ser objeto de recurso de anulación o hasta que concluya la investigación. En la fase de investigación solo se aplicarán las normas específicas en esta materia. Los Reglamentos que regulan procedimientos de competencia y defensa comercial (antidumping, antisubvenciones y salvaguardia) y procedimientos previstos en los Reglamentos sobre obstáculos al comercio, contienen disposiciones relativas a derechos preferenciales de acceso de las partes interesadas y disposiciones sobre la publicidad [14]. Estas normas se desvirtuarían si se concediera un mayor acceso al público en virtud del Reglamento (CE) n° 1049/2001. La información obtenida de personas físicas o jurídicas en el curso de dichas investigaciones debería mantenerse protegida después de que la decisión relevante se convierta en definitiva.

Se mantiene la definición amplia del concepto de «documento» en el artículo 3, letra a). No obstante, un «documento» solo existe se se ha transmitido a sus destinatarios, ha circulado en la institución o ha sido registrado de alguna otra manera. Por otra parte, la definición de «documento» debe incluir los datos contenidos en los sistemas electrónicos siempre que estos puedan ser extraidos en forma legible.

3.3. Excepciones – artículo 4

La excepción dirigida a proteger el medio ambiente, establecida en el artículo 6, apartado 2, del Reglamento (CE) n° 1367/2006, se añade en el artículo 4, apartado 1, del Reglamento (CE) n° 1049/2001 con el fin de adaptar este Reglamento a las disposiciones derivadas del Convenio de Aarhus. Por razones de claridad, se sustituyen los guiones por letras.

También con el fin de adaptar el Reglamento al Convenio de Aarhus, la excepción prevista para proteger los intereses comerciales que figura en el artículo 4, apartado 2, no se aplicará a la información sobre emisiones relevante para la protección del medio ambiente. En consecuencia, la protección de los derechos de propiedad intelectual se menciona como una excepción aparte.

Se aclara el concepto de «procedimiento judicial», que incluye procedimientos de arbitraje y solución de controversias.

Se añade una nueva excepción para proteger los procedimientos de selección de personal o de partes contratantes. En estos sectores, el Estatuto de los funcionarios y el Reglamento financiero regulan la transparencia. Debe garantizarse el funcionamiento adecuado de los comités de selección y de evaluación.

Se modifica la letra del artículo 4, apartado 3, por razones de claridad, pero no se modifica su contenido.

El artículo 4, apartados 4 y 5, se trasladan al artículo 5, ya que contienen normas de procedimiento más que excepciones.

El artículo 4, apartado 1, letra b), relativo al acceso a los datos personales, se traslada al nuevo artículo 4, apartado 5, y se modifica su redacción para aclarar la relación entre los Reglamentos (CE) n° 1049/2001 y 45/2001 (protección de datos personales).

3.4. Consultas a terceros – artículo 5

El nuevo artículo 5, apartado 2, establece el procedimiento que debe seguirse para solicitar el acceso a documentos procedentes de un Estado miembro. Se deberá consultar al Estado miembro, salvo que se deduzca con claridad que se ha de permitir o denegar la divulgación de los documentos; si este aduce razones para no divulgar los documentos solicitados, tomando como base el Reglamento (CE) n° 1049/2001 o normas específicas o similares aplicables de su legislación nacional, la institución denegará el acceso a estos documentos. Esta nueva disposición tiene en cuenta la sentencia del Tribunal de Justicia en el asunto de recurso C-64/05 P (véase la sección 1.5.2 anterior).

3.5. Normas de procedimiento – artículos 6, 8 y 10

El artículo 6, apartado 2, se modifica para tener en cuenta los casos en que los documentos solicitados no son fáciles de identificar.

En el artículo 8, el plazo límite para tramitar las solicitudes confirmatorias se prorroga hasta 30 días laborables, con la posibilidad de nueva prórroga de 15 días laborables. La experiencia ha mostrado que es casi imposible tramitar una solicitud confirmatoria en 15 días laborables. La tramitación de solicitudes confirmatorias requiere más tiempo porque este tipo de solicitudes conduce a una decisión formal de la institución sujeta a estrictas normas de procedimiento.

En el artículo 10 se añade un nuevo apartado que aclara que deberán respetarse las modalidades específicas de acceso establecidas, en su caso, por el Derecho nacional o el Derecho Comunitario. Esto sucede, en particular, cuando el acceso está sujeto al pago de un cánon que es una fuente de ingresos para el organismo que crea los documentos.

3.6. Difusión activa – artículo 12

Esta disposición se ha redactado de nuevo para garantizar el acceso directo a documentos que forman parte de procedimientos de adopción de actos legislativos o de actos no legislativos de aplicación general de la UE. Las instituciones permitirán el acceso a tales documentos desde el principio, a menos que se aplique claramente una excepción del derecho de acceso del público.

1049/2001

2008/0090 (COD)

Propuesta de

REGLAMENTO DEL PARLAMENTO EUROPEO Y DEL CONSEJO

relativo al acceso del público a los documentos del Parlamento Europeo, del Consejo y de la Comisión

EL PARLAMENTO EUROPEO Y EL CONSEJO DE LA UNIÓN EUROPEA,

Visto el Tratado constitutivo de la Comunidad Europea, y en particular, el apartado 2 de su artículo 255,

Vista la propuesta de la Comisión [15],

De conformidad con el procedimiento establecido en el artículo 251 del Tratado [16],

Considerando lo siguiente:

(1) Debe introducirse una serie de modificaciones sustanciales en el Reglamento (CE) n° 1049/2001, de 30 de mayo de 2001, relativo al acceso del público a los documentos del Parlamento Europeo, del Consejo y de la Comisión [17]. En aras de una mayor claridad, conviene proceder a la refundición de dicho Reglamento.

(2) El Tratado de la Unión Europea introduce el concepto de apertura en el párrafo segundo de su artículo 1, en virtud del cual el presente Tratado constituye una nueva etapa en el proceso creador de una unión cada vez más estrecha entre los pueblos de Europa, en la cual las decisiones serán tomadas de la forma más abierta y próxima a los ciudadanos que sea posible.

(3) La apertura permite garantizar una mayor participación de los ciudadanos en el proceso de toma de decisiones, así como una mayor legitimidad, eficacia y responsabilidad de la administración para con los ciudadanos en un sistema democrático. La apertura contribuye a reforzar los principios de democracia y respeto de los derechos fundamentales contemplados en el artículo 6 del Tratado UE y en la Carta de los Derechos Fundamentales de la Unión Europea.

(4) Los principios generales y los límites basados en el interés público o privado que se aplican al derecho de acceso del público a los documentos han sido establecidos en el Reglamento (CE) n° 1049/2001, aplicable desde el 3 de diciembre de 2001 [18].

(5) La primera evaluación de la aplicación del Reglamento (CE) n° 1049/2001 se realizó en un informe publicado el 30 de enero de 2004 [19]. El 9 de noviembre de 2005, la Comisión decidió iniciar el proceso de revisión del Reglamento (CE) n° 1049/2001. En la resolución adoptada el 4 de abril de 2006, el Parlamento Europeo pidió a la Comisión que presentara una propuesta de modificación del Reglamento [20]. El 18 de abril de 2007, la Comisión publicó el Libro Verde sobre la revisión del Reglamento [21] e inició la consulta pública.

(6) El presente Reglamento tiene por objeto garantizar de la manera más completa posible el derecho de acceso del público a los documentos y determinar los principios generales y los límites que han de regularlo de conformidad con el apartado 2 del artículo 255 del Tratado CE.

(7) Habida cuenta de que el Tratado constitutivo de la Comunidad Europea de la Energía Atómica no contienen disposiciones en materia de acceso a los documentos, el Parlamento Europeo, el Consejo y la Comisión, de conformidad con la Declaración n° 41 aneja al Acta final del Tratado de Amsterdam, deben inspirarse en el presente Reglamen-

to en lo relacionado con los documentos relativos a las actividades a que se refiere dicho Tratado.

(8) De conformidad con el apartado 1 del artículo 28 y con el apartado 1 del artículo 41 del Tratado UE el derecho de acceso es asimismo de aplicación a los documentos referentes a la política exterior y de seguridad común y a la cooperación policial y judicial en materia penal. Cada institución debe respetar sus normas de seguridad.

(9) El 6 de septiembre de 2006, el Parlamento Europeo y el Consejo adoptaron el Reglamento (CE) n° 1367/2006 relativo a la aplicación, a las instituciones y a los organismos comunitarios, de las disposiciones del Convenio de Aarhus sobre el acceso a la información, la participación del público en la toma de dcisiones y el acceso a la justicia en materia de medio ambiente [22]. En lo que respecta al acceso a los documentos que contienen información medioambiental, el presente Reglamento debe ser coherente con el Reglamento (CE) n° 1367/2006.

(10) En lo que respecta a la divulgación de datos personales, debe establecerse una relación clara entre el presente Reglamento y el Reglamento (CE) n° 45/2001 relativo a la protección de las personas físicas en lo que respecta al tratamiento de datos personales por las instituciones y los organismos comunitarios y a la libre circulación de estos datos [23].

(11) Deben establecerse normas claras sobre la divulgación de documentos procedentes de los Estados miembros y de documentos de terceros que sean partes de procedimientos judiciales o que hayan obtenido las instituciones en virtud de los poderes específicos de investigación que les confiere el Derecho Comunitario.

(12) Se debe proporcionar un mayor acceso a los documentos en los casos en que las instituciones actúen en su capacidad legislativa, incluso por delegación de poderes, al mismo tiempo que se preserva la eficacia de su procedimiento de toma de decisiones. Se debe dar acceso directo a dichos documentos en la mayor medida posible.

(13) La transparencia del proceso legislativo es de máxima importancia para los ciudadanos. En consecuencia, las instituciones deben divulgar activamente los documentos que forman parte del proceso legislativo. La divulgación activa de documentos también debe fomentarse en otros ámbitos.

(14) Con objeto de garantizar la plena aplicación del presente Reglamento a todas las actividades de la Unión, las agencias creadas por las instituciones deben aplicar los principios establecidos en el presente Reglamento.

(15) Por razón de su contenido altamente sensible, determinados documentos deben recibir un tratamiento especial. Las condiciones en las que el Parlamento Europeo será informado del contenido de dichos documentos deben establecerse mediante acuerdo interinstitucional.

(16) Con objeto de aumentar la apertura de las actividades de las instituciones, conviene que el Parlamento Europeo, el Consejo y la Comisión permitan el acceso no solamente a los documentos elaborados por las instituciones, sino también a los documentos por ellas recibidos. Al respecto, se recuerda que la Declaración n° 35 aneja al Acta final del Tratado de Amsterdam prevé que un Estado miembro podrá solicitar a la Comisión o al Consejo que no comunique a terceros un documento originario de dicho Estado sin su consentimiento previo.

(17) En principio, todos los documentos de las instituciones deben ser accesibles al público. No obstante, deben ser protegidos determinados intereses públicos y privados a través de excepciones. Conviene que, cuando sea necesario, las instituciones puedan proteger sus consultas y deliberaciones internas con el fin de salvaguardar su capacidad para ejercer sus funciones. Al evaluar las excepciones, las instituciones deben tener en cuenta los principios vigentes en la legislación comunitaria relativos a la protección de los datos personales, en todos los ámbitos de actividad de la Unión.

(18) Todas las normas relativas al acceso a los documentos de las instituciones deben ser conformes al presente Reglamento.

(19) Con objeto de garantizar el pleno respeto del derecho de acceso, debe aplicarse un procedimiento administrativo de dos fases, ofreciendo la posibilidad adicional de presentar recurso judicial o reclamación ante el Defensor del Pueblo Europeo.

(20) Conviene que cada institución adopte las medidas necesarias para informar al público de las disposiciones vigentes y para formar a su personal a asistir a los ciudadanos en el ejercicio de los derechos reconocidos en el presente Reglamento. Con objeto de facilitar a los ciudadanos el ejercicio de sus derechos, cada institución debe permitir el acceso a un registro de documentos.

(21) Aunque el presente Reglamento no tiene por objeto ni como efecto modificar las legislaciones nacionales en materia de acceso a los documentos, resulta no obstante evidente que, en virtud del principio de cooperación leal que preside las relaciones entre las instituciones y los Estados miembros, estos últimos deben velar por no obstaculizar la correcta aplicación del presente Reglamento y deben respetar las normas de seguridad de las instituciones.

(22) El presente Reglamento debe aplicarse sin perjuicio del derecho de acceso a los documentos de que gozan los Estados miembros, las autoridades judiciales o los órganos de investigación.

(23) En virtud del apartado 3 del artículo 255 del Tratado CE cada institución debe elaborar en su Reglamento interno disposiciones específicas sobre el acceso a sus documentos.

HAN ADOPTADO EL PRESENTE REGLAMENTO:

Artículo 1

Objeto

El objeto del presente Reglamento es:

(a) definir los principios, condiciones y límites, por motivos de interés público o privado, por los que se rige el derecho de acceso a los documentos del Parlamento Europeo, del Consejo y de la Comisión (en lo sucesivo denominadas "las instituciones") al que se refiere el artículo 255 del Tratado CE, de modo que se conceda al público el acceso más amplio posible a tales documentos

(b) establecer normas que garanticen el ejercicio más fácil posible de este derecho

(c) promover buenas prácticas administrativas para el acceso a los documentos.

Artículo 2

Beneficiarios y ámbito de aplicación

1. Toda persona física o jurídica tendrá derecho a acceder a los documentos de las instituciones, con arreglo a los principios, condiciones y límites que se definen en el presente Reglamento.

2. El presente Reglamento será de aplicación a todos los documentos que obren en poder de una institución, a saber, los documentos por ella elaborados o recibidos y que estén en su posesión referentes a temas relativos a las políticas, acciones y decisiones que sean de su competencia, en todos los ámbitos de actividad de la Unión Europea.

3. Sin perjuicio de lo dispuesto en los artículos 4 y 9, los documentos serán accesibles al público, bien previa solicitud por escrito, o bien directamente en forma electrónica o a través de un registro. En particular, de conformidad con el artículo 12, se facilitará el acceso directo a los documentos elaborados o recibidos en el marco de un procedimiento legislativo.

4. Se aplicará a los documentos sensibles, tal como se definen en el apartado 1 del artículo 9, el tratamiento especial previsto en el mismo artículo.

5. El presente Reglamento no se aplicará a los documentos presentados en los órganos jurisdiccionales por partes distintas de las instituciones.

6. Sin perjuicio de los derechos de acceso específico de las partes interesadas reconocidos por el Derecho Comunitario, los documentos que forman parte del expediente administrativo de una investigación o del procedimiento de un acto de alcance individual no serán accesibles al público hasta la conclusión de la investigación o hasta que el acto se convierta en definitivo. Los documentos que contengan información recogida u obtenida de una persona física o jurídica por una institución en el marco de dicha investigación no serán accesibles al público.

7. El presente Reglamento se entenderá sin perjuicio de los derechos de acceso del público a los documentos que obren en poder de las instituciones como consecuencia de instrumentos de Derecho internacional o de actos de las instituciones que apliquen tales instrumentos.

Artículo 3

Definiciones

A efectos del presente Reglamento, se entenderá por:

(a) "documento" todo contenido, sea cual fuere su soporte (escrito en versión papel o almacenado en forma electrónica, grabación sonora, visual o audiovisual) elaborado por una institución y transmitido formalmente a uno o más destinatarios, o bien registrado o recibido de otro modo por una institución; los datos contenidos en sistemas de almacenamiento, tratamiento y recuperación electrónica son documentos si pueden extraerse en forma de listado o formato electrónico utilizando las herramientas disponibles para la explotación del sistema;

(b) "terceros", toda persona física o jurídica, o entidad, exterior a la institución de que se trate, incluidos los Estados miembros, las demás instituciones y órganos comunitarios o no comunitarios, y terceros países.

Artículo 4

Excepciones

1. Las instituciones denegarán el acceso a un documento cuya divulgación suponga un perjuicio para la protección del interés público, por lo que respecta a:

    (a) la seguridad pública, incluida la seguridad de las personas físicas o jurídicas;

(b) la defensa y los asuntos militares;

(c) las relaciones internacionales;

(d) la política financiera, monetaria o económica de la Comunidad o de un Estado miembro;

(e) el medio ambiente, como los lugares de reproducción de especies raras.

2. Las instituciones denegarán el acceso a un documento cuya divulgación suponga un perjuicio para la protección de:

(a) los intereses comerciales de una persona física o jurídica;

(b) los derechos de propiedad intelectual;

(c) el asesoramiento jurídico y los procedimientos judiciales, de arbitraje y solución de controversias;

(d) el objetivo de las actividades de inspección, investigación y auditoría;

(e) la objetividad e imparcialidad de los procedimientos de selección.

3. Se denegará el acceso a los siguientes documentos si su divulgación perjudicara gravemente el proceso de toma de decisiones de las instituciones:

(a) documentos relacionados con un asunto sobre el que la institución no haya tomado todavía una decisión;

(b) documentos que contengan que contenga opiniones para uso interno, en el marco de deliberaciones o consultas previas en el seno de las instituciones, incluso después de adoptada la decisión.

4. Las excepciones establecidas en los apartados (2) y (3) se aplicarán salvo que la divulgación revista un interés público superior. En lo que respecta al apartado 2, letra a), se considerará que la divulgación reviste un interés público superior cuando la información solicitada se refiera a emisiones al medio ambiente.

5. Se divulgarán los nombres, cargos y funciones de los titulares de cargos públicos, funcionarios y representantes de intereses relacionados con la actividad profesional salvo que, por circunstancias particulares, tal divulgación pueda perjudicar a las personas afectadas. Se divulgarán otros datos personales de conformidad con

las condiciones de tratamiento legal de tales datos establecidas en la legislación de la CE en materia de protección de las personas en lo que respecta al tratamiento de datos personales.

6. En el caso de que las excepciones previstas se apliquen únicamente a determinadas partes del documento solicitado, las demás partes se divulgarán.

7. Las excepciones, tal y como se han han establecido en el presente artículo solo se aplicarán durante el período en que esté justificada la protección en función del contenido del documento. Podrán aplicarse las excepciones durante un período máximo de 30 años. En el caso de los documentos cubiertos por las excepciones relativas a la protección de datos personales o a los intereses comerciales, así como en el caso de los documentos sensibles, las excepciones podrán seguir aplicándose después de dicho período, si fuere necesario.

Artículo 5

Consultas

1. En el caso de documentos de terceros, la institución consultará a los terceros con el fin de verificar si son aplicables las excepciones previstas en el artículo 4 salvo que se deduzca con claridad que se ha de permitir o denegar la divulgación de los mismos.

2. Cuando una solicitud se refiera a un documento procedente de un Estado miembro, distinto de los documentos transmitidos en el marco de los procedimientos de adopción de actos legislativos o no legislativos de carácter general, se consultará a las autoridades de dicho Estado miembro. La institución que posea el documento lo divulgará a menos que el Estado miembro aduzca razones para no hacerlo basadas en las excepciones previstas en el artículo 4 o en disposiciones específicas de su propia legislación que impidan la divulgación del documento en cuestión. La institución examinará las razones aducidas por el Estado miembro siempre que estén basadas en las excepciones previstas en el presente Reglamento.

3. Cuando un Estado miembro reciba una solicitud de un documento que obre en su poder y que tenga su origen en una institución, consultará a la institución de que se trate para tomar una decisión que no ponga en peligro los objetivos del presente Reglamento, salvo que se deduzca con claridad que se ha de permitir o denegar la divulgación de dicho documento. Alternativamente, el Estado miembro podrá remitir la solicitud a la institución.

Artículo 6

Solicitudes

1. Las solicitudes de acceso a un documento deberán formularse en cualquier forma escrita, incluido el formato electrónico, en una de las lenguas a que se refiere el artículo 314 del Tratado CE y de manera lo suficientemente precisa para permitir que la institución identifique el documento de que se trate. El solicitante no estará obligado a justificar su solicitud.

2. Si una solicitud no es lo suficientemente precisa o si los documentos solicitados no se pueden identificar la institución pedirá al solicitante que aclare la solicitud, y le ayudará a hacerlo, por ejemplo, facilitando información sobre el uso de los registros públicos de documentos. Los plazos previstos en los artículos 7 y 8 empezarán a correr cuando la institución reciba las aclaraciones solicitadas.

3. En el caso de una solicitud de un documento de gran extensión o de un gran número de documentos, la institución podrá tratar de llegar a un arreglo equitativo y práctico con el solicitante.

4. Las instituciones ayudarán e informarán a los ciudadanos sobre cómo y dónde pueden presentar solicitudes de acceso a los documentos.

Artículo 7

Tramitación de las solicitudes iniciales

1. Las solicitudes de acceso a los documentos se tramitarán con prontitud. Se enviará un acuse de recibo al solicitante. En el plazo de 15 días laborables a partir del registro de la solicitud, la institución o bien autorizará el acceso al documento solicitado y facilitará dicho acceso con arreglo al artículo 10 dentro de ese plazo, o bien, mediante respuesta por escrito, expondrá los motivos de la denegación total o parcial e informará al solicitante de su derecho de presentar una solicitud confirmatoria conforme a lo dispuesto en el apartado 4 del presente artículo.

2. Con carácter excepcional, por ejemplo, en el caso de que la solicitud se refiera a un documento de gran extensión o a un gran número de documentos, el plazo previsto en el apartado 1 podrá ampliarse en 15 días laborables, siempre y cuando se informe previamente de ello al solicitante y se expliquen debidamente los motivos por los que se ha decidido ampliar el plazo.

3. En caso de denegación total o parcial, el solicitante podrá presentar, en el plazo de 15 días laborables a partir de la recepción de la respuesta

de la institución, una solicitud confirmatoria a la institución con el fin de que esta reconsidere su postura.

4. La ausencia de respuesta de la institución en el plazo establecido dará derecho al solicitante a presentar una solicitud confirmatoria.

Artículo 8

Tramitación de las solicitudes confirmatorias

1. Las solicitudes confirmatorias se tramitarán con prontitud. En el plazo de 30 días laborables a partir del registro de la solicitud, la institución o bien autorizará el acceso al documento solicitado y facilitará dicho acceso con arreglo al artículo 10 dentro de ese mismo plazo, o bien, mediante respuesta por escrito, expondrá los motivos para la denegación total o parcial. En caso de denegación total o parcial deberá informar al solicitante de los recursos de que dispone.

2. Con carácter excepcional, por ejemplo, en el caso de que la solicitud se refiera a un documento de gran extensión o a un gran número de documentos, el plazo previsto en el apartado 1 podrá ampliarse en 15 días laborables, siempre y cuando se informe previamente de ello al solicitante y se expliquen debidamente los motivos por los que se ha decidido ampliar el plazo.

3. En caso de denegación total o parcial, el solicitante podrá recurrir ante el Tribunal de Primera Instancia contra la institución y/o presentar una reclamación ante el Defensor del Pueblo Europeo, con arreglo a las condiciones previstas en los artículos 230 y 195 del Tratado CE, respectivamente.

4. La ausencia de respuesta de la institución en el plazo establecido se considerará una respuesta denegatoria y dará derecho al solicitante a interponer recurso judicial contra la institución y/o reclamar ante el Defensor del Pueblo Europeo, con arreglo a las disposiciones pertinentes del Tratado CE.

Artículo 9

Tramitación de documentos sensibles

1. Se entenderá por "documento sensible" todo documento que tenga su origen en las instituciones o en sus agencias, en los Estados miembros, en los terceros países o en organizaciones internacionales, clasificado como "TRÈS SECRET/TOP SECRET", "SECRET" o "CONFIDEN-TIEL", en virtud de las normas vigentes en la institución en cuestión que protegen intereses esenciales de la Unión Europea o de uno o varios Estados miembros en los ámbitos a que se refiere la letra a) del

apartado 1 del artículo 4, en particular la seguridad pública, la defensa y los asuntos militares.

2. La tramitación de las solicitudes de acceso a documentos sensibles, de conformidad con los procedimientos establecidos en los artículos 7 y 8, estará a cargo únicamente de las personas autorizadas a conocer el contenido de dichos documentos. Asimismo, sin perjuicio de lo dispuesto en el apartado 2 del artículo 11, estas personas determinarán las referencias a los documentos sensibles que podrán figurar en el registro público.

3. Los documentos sensibles se incluirán en el registro o se divulgarán únicamente con el consentimiento del emisor.

4. La decisión de una institución de denegar el acceso a un documento sensible estará motivada de manera que no afecte a la protección de los intereses a que se refiere el artículo 4.

5. Los Estados miembros adoptarán las medidas adecuadas para garantizar que en la tramitación de las solicitudes relativas a los documentos sensibles se respeten los principios contemplados en el presente artículo y en el artículo 4.

6. Las normas relativas a los documentos sensibles establecidas por las instituciones se harán públicas.

7. La Comisión y el Consejo informarán al Parlamento Europeo sobre los documentos sensibles de conformidad con los acuerdos celebrados entre las instituciones.

Artículo 10

Acceso tras la presentación de una solicitud

1. El acceso a los documentos se efectuará, bien mediante consulta in situ, bien mediante entrega de una copia que, en caso de estar disponible, podrá ser una copia electrónica, según la preferencia del solicitante.

2. Si el documento es públicamente disponible y de fácil acceso para el solicitante, la institución podrá cumplir su obligación de facilitar el acceso a los documentos informando al solicitante sobre la forma de obtenerlo.

3. Los documentos se proporcionarán en la versión y formato existentes (incluidos los formatos electrónicos y otros, como el Braille, la letra de gran tamaño o la cinta magnetofónica), tomando plenamente en consideración la preferencia del solicitante.

4. Podrá requerirse al solicitante que corra con los gastos de realización y envío de las copias. Estos gastos no excederán el coste real de la realización y del envío de las copias. La consulta in situ, las copias

de menos de 20 páginas de formato DIN A4 y el acceso directo por medios electrónicos o a través del registro serán gratuitos.

5. El presente Reglamento no afectará a las modalidades específicas de acceso establecidas en el Derecho nacional o el Derecho Comunitario, como el pago de un canon.

Artículo 11
Registros

1. Para garantizar a los ciudadanos el ejercicio efectivo de los derechos reconocidos en el presente Reglamento, cada institución pondrá a disposición del público un registro de documentos. El acceso al registro se debería facilitar por medios electrónicos. Las referencias de los documentos se incluirán en el registro sin dilación.

2. El registro especificará, para cada documento, un número de referencia (incluida, si procede, la referencia interinstitucional), el asunto a que se refiere y/o una breve descripción de su contenido, así como la fecha de recepción o elaboración del documento y de su inclusión en el registro. Las referencias se harán de manera que no supongan un perjuicio para la protección de los intereses mencionados en el artículo 4.

3. Las instituciones adoptarán con carácter inmediato las medidas necesarias para la creación de un registro que será operativo a más tardar el 3 de junio de 2002.

Artículo 12
Acceso directo a los documentos

1. Se debería facilitar el acceso directo del público a los documentos elaborados o recibidos en el marco de los procedimientos de adopción de actos legislativos de la UE o de actos no legislativos de aplicación general, sin perjuicio de lo dispuesto en los artículos 4 y 9.

2. Siempre que sea posible, se deberá facilitar el acceso directo de forma electrónica a otros documentos, en particular los relativos a la elaboración de políticas o estrategias.

3. En caso de que no se facilite el acceso directo a través del registro, dicho registro indicará, en la medida de lo posible, dónde están localizados los documentos de que se trate.

4. Cada institución definirá en sus normas de procedimiento las otras categorías de documentos que serán directamente accesibles al público.

Artículo 13
Publicación en el Diario Oficial

1. Además de los actos contemplados en los apartados 1 y 2 del artículo 254 del Tratado CE y en el párrafo primero del artículo 163 del Tratado Euratom y sin perjuicio de los artículos 4 y 9 del presente Reglamento, se publicarán en el Diario Oficial los siguientes documentos:

(a) las propuestas de la Comisión;

(b) las posiciones comunes adoptadas por el Consejo conforme a los procedimientos previstos en los artículos 251 y 252 del Tratado CE, así como sus exposiciones de motivos, y las posiciones del Parlamento Europeo en dichos procedimientos;

(c) las decisiones marco y las decisiones mencionadas en el apartado 2 del artículo 34 del Tratado UE;

(d) los convenios celebrados por el Consejo con arreglo al apartado 2 del artículo 34 del Tratado UE;

(e) los convenios firmados entre Estados miembros sobre la base del artículo 293 del Tratado CE;

(f) los acuerdos internacionales celebrados por la Comunidad o de conformidad con el artículo 24 del Tratado UE.

2. En la medida de lo posible, se publicarán en el Diario Oficial los siguientes documentos:

(a) las iniciativas que presente al Consejo un Estado miembro en virtud de lo dispuesto en el apartado 1 del artículo 67 del Tratado CE o en el apartado 2 del artículo 34 del Tratado UE;

(b) las posiciones comunes contempladas en el apartado 2 del artículo 34 del Tratado UE;

(c) las directivas distintas de las contempladas en los apartados 1 y 2 del artículo 254 del Tratado CE, las decisiones distintas de las contempladas en el apartado 1 del artículo 254 del Tratado CE, las recomendaciones y los dictámenes

3. Cada institución podrá establecer, en su Reglamento interno, los demás documentos que se publicarán en el Diario Oficial.

Artículo 14

Información

1. Cada institución tomará las medidas necesarias para informar al público de los derechos reconocidos en el presente Reglamento.

2. Los Estados miembros cooperarán con las instituciones para facilitar información a los ciudadanos.

Artículo 15

Práctica administrativa en las instituciones

1. Las instituciones establecerán buenas prácticas administrativas para facilitar el ejercicio del derecho de acceso garantizado por el presente Reglamento.

2. Las instituciones crearán un Comité interinstitucional encargado de examinar las mejores prácticas, tratar los posibles conflictos y examinar la evolución futura del acceso del público a los documentos.

Artículo 16

Reproducción de documentos

El presente Reglamento se aplicará sin perjuicio de las normas vigentes sobre los derechos de autor que puedan limitar el derecho de terceros a obtener copias de documentos o a reproducir o hacer uso de los documentos que se les faciliten.

Artículo 17

Informes

Cada institución publicará anualmente un informe relativo al año precedente en el que figure el número de casos en los que la institución denegó el acceso a los documentos, las razones de esas denegaciones y el número de documentos sensibles no incluidos en el registro.

Artículo 18

Derogación

Queda derogado el Reglamento (CE) nº 1049/2001 con efectos a partir del [...].

Las referencias hechas al Reglamento derogado se entenderán hechas al presente Reglamento y se leerán con arreglo a la tabla de correspondencias que figura en el Anexo.

Artículo 19

Entrada en vigor

El presente Reglamento entrará en vigor el vigésimo día siguiente al de su publicación en el Diario Oficial de la Unión Europea .

El presente Reglamento será obligatorio en todos sus elementos y directamente aplicable en cada Estado miembro.

Hecho en Bruselas,

Por el Parlamento Europeo Por el Consejo
El Presidente El Presidente

Tabla de correspondencias
Reglamento 1049/2001 | El presente Reglamento |
Artículo 1 | Artículo 1 |
Artículo 2, apartado 1 | Artículo 2, apartado 1 |
Artículo 2, apartado 2 |–|
Artículo 2, apartado 3 | Artículo 2, apartado 2 |
Artículo 2, apartado 4 | Artículo 2, apartado 3 |
Artículo 2, apartado 5 | Artículo 2, apartado 4 |
| Artículo 2, apartado 5 |
- | Artículo 2, apartado 6 |
Artículo 2, apartado 6 | Artículo 2, apartado 7 |
Artículo 3 | Artículo 3 |
Artículo 4, apartado 1, letra a) | Artículo 4, apartado 1 |
Artículo 4, apartado 1, letra b) | Artículo 4, apartado 5 |
Artículo 4, apartado 2 | Artículo 4, apartado 2 |
Artículo 4, apartado 3 | Artículo 4, apartado 3 |
Artículo 4, apartado 4 | Artículo 5, apartado 1 |
Artículo 4, apartado 5 | Artículo 5, apartado 2 |
| Artículo 4, apartado 4 |
Artículo 4, apartado 6 | Artículo 4, apartado 6 |
Artículo 4, apartado 7 | Artículo 4, apartado 7 |
Artículo 5 | Artículo 5, apartado 3 |
Artículo 6 | Artículo 6 |
Artículo 7 | Artículo 7 |
Artículo 8 | Artículo 8 |
Artículo 9 | Artículo 9 |
Artículo 10 | Artículo 10 |
Artículo 11 | Artículo 11 |
Artículo 12 | Artículo 12 |

Artículo 13 | Artículo 13 |
Artículo 14 | Artículo 14 |
Artículo 15 | Artículo 15 |
Artículo 16 | Artículo 16 |
Artículo 17, apartado 1 | Artículo 17 |
Artículo 17, apartado 2 | |
Artículo 18 | |
| Artículo 18 |
| Artículo 19 |

| Anexo |

[1] DO L 145 de 31.5.2001, p. 43.

[2] Acta de la reunión de la Comisión n° 1721, de 9 de noviembre de 2005, punto 6; véanse también los documentos SEC (2005) 1300 y SEC(2005) 1301.

[3] P6-A 2006)052.

[4] Convenio de Aarhus sobre el acceso a la información, la participación del público en la toma de decisiones y el acceso a la justicia en materia de medio ambiente, celebrado en Århus, Dinamarca, el 25 de junio de 1998.

> - Reglamento (CE) n° 1367/2006 del Parlamento Europeo y del Consejo, de 6 de septiembre de 2006, relativo a la aplicación, a las instituciones y a los organismos comunitarios, de las disposiciones del Convenio de Århus (DO L 264, 25.9.2006, p. 13).

[5] Libro Verde–«Acceso del público a los documentos de las instituciones de la Comunidad Europea–Revisión»–COM (2007) 185.

[6] El informe completo sobre los resultados de la consulta se publicó el 16 de enero de 2008 en el documento de trabajo de la Comisión [SEC (2008) 29]; todas las contribuciones se enviaron a la siguiente dirección: http://ec.europa.eu/transparency/revision/index_en.htm

[7] Asunto 194/04, the Bavarian Lager Company Ltd c Comisión, aún no publicado.

[8] Reglamento (CE) n° 45/2001 del Parlamento Europeo y del Consejo, de 18 de diciembre de 2000, relativo a la protección de las personas físicas en lo que respecta al tratamiento de datos personales por las

instituciones y los organismos comunitarios y a la libre circulación de estos datos (DO L 8 de 12.1.2001, p. 1).

[9] Asunto C-64/05 P, Reino de Suecia contra la Comisión Europea, todavía no publicado, recurso contra la sentencia del TPI en el asunto T-168/02, International Fund for Animal Welfare contra la Comisión Europea [2004] Rec, p. II-4135.

[10] Asunto T-2/03, Verein für Konsumenteninformation v Commission, [2005] Rec. p. II-1121.

[11] Sentencia del TPI de 12 de septiembre de 2007, asunto T-36/04, Association de la Presse Internationale asbl contra Comisión, aún no publicada.

[12] Sentencia de 6 de julio de 2006, asuntos acumulados T-391/03 y T-70/04, Franchet and Byk c Comisión, Rec [2006], p. II-2023.

[13] Véase la nota 5.

[14] Véanse los artículos 27, 28 y 30 del Reglamento 1/2003 (competencia), el artículo 6, apartado 7, el artículo 14, apartado 2, del Reglamento (CE) n° 384/96 (antidumping), el artículo 11, apartado 7, el artículo 24, apartado 2, del Reglamento (CE) n° 2026/97 (antisubvenciones), el artículo 6, apartado 2, del Reglamento (CE) n° 3285/94 (salvaguardia), y el artículo 5, apartado 2, del Reglamento (CE) n° 519/94 (salvaguardia contra países no miembros de la OMC).

[15] DO L [...], [...], p. [...].

[16] DO L [...], [...], p. [...].

[18] DO L 145, 31.5.2001, p. 43.

[19] COM (2004) 45.

[20] [...]

[21] COM (2007) 185.

[22] DO L 264, 25.09.2006, p. 13.

[23] DO L 8, 12.1.2001, p. 1.

F) Propuesta de Reglamento del Parlamento Europeo y del Consejo por el que se modifica el Reglamento (CE) n° 1049/2001, sobre el acceso a los documentos del Parlamento Europeo, el Consejo y la Comisión, de 21 de marzo de 2011 (adaptación de la propuesta de la Comisión al Tratado de Lisboa)

EXPOSICIÓN DE MOTIVOS

1. La Comisión presentó una propuesta de refundición del Reglamento (CE) n° 1049/2001 el 30 de abril de 2008[471]. El Parlamento Europeo votó un informe con un gran número de modificaciones, pero decidió no emitir su voto sobre la resolución legislativa que le acompañaba. Como consecuencia de ello, no hay un dictamen del Parlamento Europeo en primera lectura.

2. Tras las elecciones europeas de junio de 2009, el recién elegido Parlamento reanudó su trabajo sobre la propuesta legislativa de conformidad con el artículo 214 de su Reglamento interno. En mayo de 2010 se distribuyó en el Parlamento Europeo un proyecto de informe modificado. La Comisión de Asuntos Constitucionales y la Comisión de Peticiones del Parlamento Europeo emitieron sus dictámenes sobre la propuesta de la Comisión el 30 de noviembre y el 1 de diciembre de 2010, respectivamente. La Comisión de Libertades Civiles aún no ha adoptado un proyecto de informe. No se ha fijado la fecha para la adopción del dictamen del Parlamento Europeo en primera lectura.

3. El Tratado de Lisboa entró en vigor el 1 de diciembre de 2009. La base legal para el acceso público a los documentos es ahora el artículo 15, apartado 3, de la versión consolidada del Tratado de Funcionamiento de la Unión Europea. Esta nueva disposición amplía el derecho de acceso del público a los documentos de todas las instituciones, órganos y organismos de la Unión. El Tribunal de Justicia de la Unión Europea, el Banco Central Europeo y el Banco Europeo de Inversiones sólo estarán sujetos a esta disposición cuando ejerzan sus funciones administrativas. El presente Reglamento solo se aplica directamente al Parlamento Europeo, al Consejo Europeo y a la Comisión. No obstante, su aplicación se ha ampliado a los organismos mediante una disposición específica en sus respectivos textos fundacionales. Además, una serie

---

[471] COM(2008) 229

de instituciones y organismos han adoptado textos voluntarios en los que se establecen normas sobre el acceso a sus documentos que son idénticos o similares al Reglamento (CE) n° 1049/2001.

4. Con vistas a incorporar esta ampliación del ámbito institucional del derecho de acceso público, la Comisión ha incluido su propuesta de 30 de abril de 2008 de refundición del Reglamento (CE) 1049/2001 en su Comunicación sobre las consecuencias de la entrada en vigor del Tratado de Lisboa sobre los procedimientos interinstitucionales de toma de decisiones en curso[472]. Por consiguiente, los colegisladores podrán incorporar este ajuste al nuevo Tratado durante el procedimiento legislativo ordinario en curso.

5. Más de un año después de la entrada en vigor del Tratado de Lisboa, sigue sin haber indicios de la adopción de un nuevo Reglamento sobre el acceso público a los documentos que sustituya al Reglamento (CE) n° 1049/2001. Los debates en el Parlamento Europeo y en el Consejo han puesto de manifiesto puntos de vista extremadamente divergentes sobre la modificación del Reglamento.

6. Aunque en la práctica, la mayoría de las instituciones, órganos y organismos de la Unión Europea aplican el Reglamento (CE) n° 1049/2001 o normas similares con carácter voluntario, en cumplimiento del Tratado, existe la obligación jurídica de ampliar el derecho de acceso a todos ellos.

7. Como quiera que la mayoría de las instituciones, órganos y organismos de la Unión aplican el Reglamento o normas similares, el ámbito institucional del Reglamento actual puede ampliarse a todos ellos, con los límites que establece el Tratado para el Tribunal de Justicia, el Banco Central Europeo y el Banco Europeo de Inversiones.

8. Por consiguiente, la Comisión considera que el Reglamento (CE) n° 1049/2001 deberá modificarse para ampliar su ámbito institucional en cumplimiento de la nueva base jurídica para el acceso a los documentos establecida en el artículo 15, apartado 3, del Tratado de Funcionamiento de la Unión Europea, sin más dilación. Esta modificación no prejuzga el procedimiento de refundición en curso del Reglamento 1049/2001 sobre la base de la propuesta de la Comisión, a partir de abril de 2008.

---

[472] COM(2009) 665

EL PARLAMENTO EUROPEO Y EL CONSEJO DE LA UNIÓN EU-
ROPEA,

Visto el Tratado de Funcionamiento de la Unión Europea y, en particular, su artículo 15, apartado 3,

Vista la propuesta de la Comisión Europea,

Previa transmisión de la propuesta a los parlamentos nacionales,

De conformidad con el procedimiento legislativo ordinario,

Considerando lo siguiente:

1. Los principios generales y los límites por motivos de interés público o
   privado, por los que se rige el derecho de acceso a los documentos fueron
   establecidos en el Reglamento (CE) nº 1049/2001 del Parlamento Europeo y del Consejo, de 30 de mayo de 2001, relativo al acceso del público
   a los documentos del Parlamento Europeo, del Consejo y de la Comisión
   [DO L 145 de 31.5.2001, p. 43], adoptado sobre la base del artículo 5,
   apartado 2, del Tratado constitutivo de la Comunidad Europea.

2. De conformidad con dicho artículo, el Reglamento (CE) nº 1049/2001
   únicamente regula el derecho de acceso público a los documentos del
   Parlamento Europeo, del Consejo y de la Comisión.

3. Tras la entrada en vigor del Tratado de Lisboa, el artículo 255 del
   Tratado constitutivo de la Comunidad Europea fue sustituido por el
   artículo 15, apartado 3, del Tratado de Funcionamiento de la Unión
   Europea.

4. La nueva disposición garantiza que todo ciudadano de la Unión, así
   como toda persona física o jurídica que resida o tenga su domicilio social en un Estado miembro, tendrá derecho a acceder a los documentos de las instituciones, órganos y organismos de la Unión, cualquiera
   que sea su soporte, con arreglo a los principios y las condiciones que
   se establecerán de conformidad con dicho apartado. No obstante, en
   lo que respecta al Tribunal de Justicia de la Unión Europea, el Banco
   Central Europeo y el Banco Europeo de Inversiones, el presente Reglamento solo se aplicará cuando ejerzan sus funciones administrativas.

5. Procede, por tanto, modificar en consecuencia el Reglamento (CE)
   nº 1049/2001.

HAN ADOPTADO EL PRESENTE REGLAMENTO:

Artículo 1

El Reglamento (CE) nº 1049/2001 queda modificado como sigue:

1. En el artículo 1, el texto de la letra a) se sustituye por el siguiente:

«a) definir los principios, condiciones y límites, por motivos de interés público o privado, por los que se rige el derecho de acceso a los documentos de las instituciones de la Unión Europea, definidos en el artículo 3, letra c), a que se refiere el artículo 15, apartado 3, del Tratado de funcionamiento de la Unión Europea, de modo que se garantice el acceso más amplio posible a los documentos,»

2. En el artículo 2, el apartado 3 se sustituye por el texto siguiente:

«3. El presente Reglamento será de aplicación a todos los documentos que obren en poder de una institución, tal y como se define en el artículo 3, letra c), es decir, los documentos por ella elaborados o recibidos y que estén en su posesión, en todos los ámbitos de actividad de la Unión Europea.» En lo que respecta al Tribunal de Justicia de la Unión Europea, el Banco Central Europeo y el Banco Europeo de Inversiones, el presente Reglamento solo se aplicará cuando ejerzan sus funciones administrativas.»

3. En el artículo 3 se añade la siguiente letra c):

«c) «instituciones, instituciones, órganos y organismos de la Unión Europea, incluido el Servicio Europeo de Acción Exterior.»

Artículo 2

El presente Reglamento entrará en vigor el tercer día siguiente al de su publicación en el *Diario Oficial de la Unión Europea.*

El presente Reglamento será obligatorio en todos sus elementos y directamente aplicable en cada Estado miembro.

G) Posición en primera lectura del Parlamento Europeo

Resolución legislativa del Parlamento Europeo, de 15 de diciembre de 2011, sobre la propuesta de Reglamento del Parlamento Europeo y del Consejo relativo al acceso del público a los documentos del Parlamento Europeo, del Consejo y de la Comisión (versión refundida) (COM(2008)0229 – C6-0184/2008 – 2008/0090(COD))

(2013/C 168 E/45)

(Procedimiento legislativo ordinario - refundición)

El Parlamento Europeo,

- Vista la propuesta de la Comisión al Parlamento Europeo y al Consejo (COM(2008)0229),
- Vistos el artículo 251, apartado 2 y el artículo 255, apartado 2, del Tratado CE, conforme a los cuales la Comisión presentó su propuesta inicial al Parlamento (C6-0184/2008),
- Vista la Comunicación de la Comisión al Parlamento Europeo y al Consejo titulada «Consecuencias de la entrada en vigor del Tratado de Lisboa sobre los procedimientos interinstitucionales de toma de decisiones en curso» (COM(2009)0665),
- Vistos el artículo 294, apartado 3, y el artículo 15 del Tratado de Funcionamiento de la Unión Europea,
- Vista la Carta de los Derechos Fundamentales de la Unión Europea y, en particular, sus artículos 41 y 42,
- Visto el Acuerdo interinstitucional, de 28 de noviembre de 2001, para un recurso más estructurado a la técnica de la refundición de los actos jurídicos[473],
- Vistos los artículos 87 y 55 de su Reglamento,
- Vistos el informe de la Comisión de Libertades Civiles, Justicia y Asuntos de Interior y las opiniones de la Comisión de Asuntos Constitucionales, de la Comisión de Peticiones y de la Comisión de Asuntos Jurídicos (A7-0426/2011),

Considerando que, según el grupo consultivo de los Servicios Jurídicos del Parlamento Europeo, del Consejo y de la Comisión, la propuesta en cuestión no contiene ninguna modificación de fondo aparte de las señaladas como tales en la propuesta, y que, en lo que se refiere a las disposiciones inalteradas de los textos existentes, la propuesta contiene una codificación pura y simple de las mismas, sin ninguna modificación de sus aspectos sustantivos;

1. Aprueba la Posición en primera lectura que figura a continuación, teniendo en cuenta las recomendaciones del grupo consultivo de los Servicios Jurídicos del Parlamento Europeo, del Consejo y de la Comisión;

2. Considera que el procedimiento 2011/0073(COD) ha caducado como consecuencia de la incorporación en el procedimiento 2008/0090(COD) del contenido de la propuesta de la Comisión (COM(2011)0137);

---

[473]   (1) DO C 77 de 28.3.2002, p. 1.

3. Pide a la Comisión que le consulte de nuevo, si se propone modificar sustancialmente su propuesta o sustituirla por otro texto;

4. Encarga a su Presidente que transmita la Posición del Parlamento al Consejo y a la Comisión.

P7_TC1-COD(2008)0090

Posición del Parlamento Europeo aprobada en primera lectura el 15 de diciembre de 2011 con vistas a la adopción del Reglamento (UE) no …/2012 del Parlamento Europeo y del Consejo por el que se definen los principios generales y los límites que regulan el derecho de acceso a los documentos de las instituciones, los órganos y los organismos de la Unión

EL PARLAMENTO EUROPEO Y EL CONSEJO DE LA UNIÓN EUROPEA,

Visto el Tratado de Funcionamiento de la Unión Europea, y en particular, su artículo 15, Vista la propuesta de la Comisión,

De conformidad con el procedimiento legislativo ordinario[474],

Considerando lo siguiente:

(1) Tras la entrada en vigor del Tratado de la Unión Europea en su versión modificada (TUE) y del Tratado de Funcionamiento de la Unión Europea (TFUE), el derecho de acceso a los documentos incluye a todas las instituciones, los órganos y los organismos de la Unión, incluido el Servicio Europeo de Acción Exterior, de manera que deben introducirse cambios sustanciales en el Reglamento (CE) no 1049/2001 del Parlamento Europeo y del Consejo, de 30 de mayo de 2001, relativo al acceso del público a los documentos del Parlamento Europeo, del Consejo y de la Comisión[475], habida cuenta de la experiencia en la aplicación inicial de dicho Reglamento, así como de la jurisprudencia pertinente del Tribunal de Justicia de la Unión Europea y del Tribunal Europeo de Derechos Humanos.

(2) El TUE introduce el concepto de apertura en el párrafo segundo de su artículo 1, en virtud del cual el presente Tratado constituye una nueva etapa en el proceso creador de una unión cada vez más estrecha entre los pueblos de Europa, en la cual las decisiones serán tomadas de la forma más abierta y próxima a los ciudadanos que sea posible.

---

[474] Posición del Parlamento Europeo de 15 de diciembre de 2011.
[475] DO L 145, 31.5.2001, p. 43.

(3) La apertura permite garantizar una mayor participación de los ciudadanos en el proceso de toma de decisiones, así como una mayor legitimidad, eficacia y responsabilidad de la administración para con los ciudadanos en un sistema democrático. La apertura contribuye a reforzar los principios de democracia, recogidos en los artículos 9 a 12 del TUE, así como el respeto de los derechos fundamentales contemplados en el artículo 6 del TUE y en la Carta de los Derechos Fundamentales de la Unión Europea (la Carta).

(3 bis) La transparencia también debe reforzar los principios de buena administración en las instituciones, los órganos y los organismos de la Unión, conforme a lo dispuesto en el artículo 41 de la Carta y en el artículo 298 del TFUE. Los procedimientos administrativos internos deben definirse en consecuencia y han de ponerse a disposición recursos financieros y humanos adecuados para poner en práctica el principio de apertura.

(3 ter) La apertura refuerza la confianza de los ciudadanos en las instituciones, los órganos y los organismos de la Unión, ya que contribuye a que conozcan el procedimiento de toma de decisiones de la Unión y sus respectivos derechos. La apertura conlleva también una mayor transparencia en la aplicación de los procedimientos administrativos y legislativos.

(3 quater) Al destacar la importancia normativa del principio de transparencia, el presente Reglamento refuerza la cultura de la Unión en lo que respecta al Estado de Derecho, y, por consiguiente, contribuye a la prevención de la delincuencial y del comportamiento delictivo.

(6) El presente Reglamento tiene por objeto garantizar de la manera más completa posible el derecho de acceso del público a los documentos y determinar los principios generales y las excepciones a dicho acceso por razones de interés público o privado aplicables a ese acceso, de conformidad con el artículo 15, apartado 3, del TFUE y con lo dispuesto en materia de apertura de las instituciones, los órganos y los organismos de la Unión en el artículo 15, apartado 1, del TFUE. Por tanto, cualesquiera otras normas sobre acceso a los documentos deben cumplir el presente Reglamento, con sujeción a las disposiciones especiales relacionadas exclusivamente con el Tribunal de Justicia de la Unión Europea, el Banco Central Europeo y el Banco Europeo de Inversiones en el ejercicio de funciones no administrativas.

(7) Habida cuenta de que el Tratado constitutivo de la Comunidad Europea de la Energía Atómica no contiene disposiciones en materia de acceso a los documentos, las instituciones, los órganos y los organismos de la Unión deben, tal como se recogió en la Declaración no41

aneja al Acta final del Tratado de Ámsterdam, inspirarse en el presente Reglamento en lo relacionado con los documentos relativos a las actividades a que se refiere dicho Tratado.

(9) El 6 de septiembre de 2006, el Parlamento Europeo y el Consejo adoptaron el Reglamento (CE) no 1367/2006 relativo a la aplicación, a las instituciones y a los organismos comunitarios, de las disposiciones del Convenio de Aarhus sobre el acceso a la información, la participación del público en la toma de decisiones y el acceso a la justicia en materia de medio ambiente[476]. En lo que respecta al acceso a los documentos que contienen información medioambiental, el presente Reglamento debe ser coherente con el Reglamento (CE) no 1367/2006.

(10) Las instituciones, los órganos y los organismos de la Unión deben tratar los datos personales con plena observancia de los derechos de los interesados, tal y como se contempla en el artículo 16 del TFUE, así como en el artículo 8 de la Carta, en la legislación pertinente de la Unión y la jurisprudencia del Tribunal de Justicia de la Unión Europea.

(11) Deben establecerse normas claras sobre la divulgación de documentos procedentes de los Estados miembros y de documentos de terceros que sean partes de procedimientos judiciales o que hayan obtenido las instituciones, los órganos y los organismos, en virtud de los poderes específicos de investigación que les confiere el Derecho de la Unión.

(12) De conformidad con el artículo 15, apartado 3, del TFUE, se debe proporcionar pleno acceso a los documentos en los casos en que, con arreglo a los Tratados, las instituciones actúen en su capacidad legislativa, incluso mediante poderes delegados de conformidad con el artículo 290 del TFUE y ejerciendo competencias de ejecución de conformidad con el artículo 291 del TFUE al adoptar medidas de ámbito general. En principio, debe facilitarse un acceso inmediato y directo del público en Internet a los documentos legislativos preparatorios y toda la información conexa sobre las diferentes etapas del procedimiento interinstitucional, como los documentos de grupos de trabajo del Consejo, los nombres y las posiciones de las delegaciones de los Estados miembros cuando actúen como miembros del Consejo y los documentos de diálogos tripartitos en primera lectura.

(12 bis) Los textos legislativos deben redactarse de forma clara y comprensible, y publicarse en el Diario Oficial de la Unión Europea.

---

[476] DO L 264, 25.9.2006, p. 13.

(12 ter) Las mejores prácticas en el proceso legislativo, la elaboración de modelos y técnicas compartidos por las instituciones, los órganos y los organismos han de ser objeto de un acuerdo entre el Parlamento Europeo, el Consejo y la Comisión, de conformidad con el artículo 295 del TFUE y con el presente Reglamento, y han de publicarse en el Diario Oficial de la Unión Europea con el fin de mejorar el principio de transparencia en el diseño y el principio de claridad jurídica de los documentos de la Unión.

(12 quater) Los documentos relativos a procedimientos no legislativos, como las medidas vinculantes o las medidas relativas a la organización interna, los actos administrativos o presupuestarios, o de carácter político (tales como conclusiones, recomendaciones o resoluciones) deben estar accesibles de forma fácil y, en la medida de lo posible, directa, de conformidad con el principio de buena administración recogido en el artículo 41 de la Carta.

(12 quinquies) La institución, el órgano o el organismo responsable debe facilitar a los ciudadanos, para cada categoría de documentos, el flujo de trabajo de los procedimientos internos que se han de seguir, las unidades que estarían a cargo, así como su ámbito de competencias, los plazos establecidos y la oficina de contacto. Las instituciones, los órganos y los organismos deben tener debidamente en cuenta las recomendaciones del Defensor del Pueblo Europeo. Deben ponerse de acuerdo, de conformidad con el artículo 295 del TFUE, sobre unas directrices comunes en cuanto a la forma en que cada unidad organizativa debe registrar los documentos internos, clasificarlos en caso de posible perjuicio a los intereses de la Unión y archivarlos para las necesidades temporales o históricas, de acuerdo con los principios establecidos en el presente Reglamento. Deben informar al público, de forma coherente y coordinada, de las medidas adoptadas para aplicar el presente Reglamento y formar a su personal para prestar asistencia a los ciudadanos en el ejercicio de sus derechos con arreglo al presente Reglamento.

(13) La transparencia del proceso legislativo es de máxima importancia para los ciudadanos. En consecuencia, las instituciones deben divulgar activamente los documentos que forman parte del proceso legislativo y mejorar su comunicación con los posibles solicitantes. Las instituciones, los órganos y los organismos de la Unión deben poner a disposición del público, por defecto, en sus páginas web, tantas categorías de documentos como sea posible. La divulgación activa de documentos también debe fomentarse en otros ámbitos.

(13 bis) Para mejorar la apertura y transparencia en el proceso legislativo, las instituciones, los órganos y los organismos deben alcanzar un acuerdo sobre un registro interinstitucional de grupos de

(16) Con objeto de aumentar la apertura de las actividades de las instituciones, los órganos y los organismos, conviene que permitan el acceso no solamente a los documentos elaborados por ellos, las instituciones, sino también a los documentos por ellos recibidos. Un Estado miembro podrá solicitar a las instituciones, los órganos y los organismos que no comuniquen a terceros ajenos a las instituciones, los órganos y los organismos un documento originario de dicho Estado sin su consentimiento previo.

(16 bis) El Tribunal de Justicia de la Unión Europea ha especificado que la obligación de consultar a los Estados miembros por lo que se refiere a las solicitudes de acceso a los documentos procedentes de dichos Estados no les da derecho de veto, o derecho a acogerse a la legislación o a las disposiciones nacionales, y que la institución, el órgano o el organismo que reciba una solicitud de este tipo sólo podrá denegar el acceso sobre la base de las excepciones previstas en el presente Reglamento[477].

(17) Todos los documentos de las instituciones deben ser accesibles al público. Se deben hacer excepciones a este principio para proteger determinados intereses públicos y privados, pero dichas excepciones deben regirse por un sistema transparente de normas y procedimientos, y el objetivo general debe ser la puesta en práctica del derecho fundamental de acceso de los ciudadanos. Conviene que, cuando sea necesario, las instituciones puedan proteger sus consultas y deliberaciones internas con el fin de salvaguardar su capacidad para ejercer sus funciones. Al evaluar las excepciones, las instituciones deben tener en cuenta los principios vigentes en la legislación de la Unión relativos a la protección de los datos personales, en todos los ámbitos de actividad de la Unión.

(18) Debido al hecho de que el presente Reglamento aplica directa mente el artículo 15 del TFUE, así como el artículo 42 de la Carta, los principios y límites definidos para el al acceso a los documentos deben prevalecer sobre cualquier norma, medida o práctica adoptada con arreglo a un fundamento jurídico distinto por una institución, un

---

[477] Sentencia de 18 de diciembre de 2007 en el Asunto C-64/05 P, Suecia/Comisión, Rec. 2007 p. I-11389.

órgano o un organismo y que establezca excepciones adicionales o más estrictas que las contempladas en el presente Reglamento.

(19) Con objeto de garantizar el pleno respeto del derecho de acceso, debe aplicarse un procedimiento administrativo de dos fases, ofreciendo la posibilidad adicional de presentar recurso judicial o reclamación ante el Defensor del Pueblo Europeo.

(20) Conviene que cada institución, órgano y organismo adopte las medidas necesarias para informar al público de las disposiciones vigentes y para formar a su personal a asistir a los ciudadanos en el ejercicio de los derechos reconocidos en el presente Reglamento. Con objeto de facilitar a los ciudadanos el ejercicio de sus derechos, cada institución, órgano y organismo debe permitir el acceso a un registro de documentos.

(21) Aunque el presente Reglamento no tiene por objeto ni como efecto modificar las legislaciones nacionales en materia de acceso a los documentos, resulta no obstante evidente que, en virtud del principio de cooperación leal que preside las relaciones entre las instituciones y los Estados miembros, estos últimos deben velar por no obstaculizar la correcta aplicación del presente Reglamento y deben respetar las normas de seguridad de las instituciones.

(23) En virtud del artículo 15, apartado 3, del TFUE y de los principios y las normas establecidos en el presente Reglamento, cada institución, órgano y organismo debe elaborar en su Reglamento interno disposiciones específicas sobre el acceso a sus documentos, al igual que a los documentos relativos a sus tareas administrativas.

HAN ADOPTADO EL PRESENTE REGLAMENTO:

Artículo 1

Objeto

El objeto del presente Reglamento es:

(a) definir, de conformidad con el artículo 15 del TFUE, los principios, condiciones y límites, por motivos de interés público o privado, por los que se rige el derecho de acceso a los documentos de las instituciones, los órganos y los organismos de la Unión, de modo que se conceda al público el acceso más amplio posible a tales documentos;

(b) establecer normas que garanticen el ejercicio más fácil posible de este derecho;

(c) promover prácticas administrativas buenas y transparentes con el fin de mejorar el para el acceso a los documentos, y, en particular, los objetivos generales de una mayor transparencia, responsabilidad y democracia.

Artículo 2

Beneficiarios

Toda persona física o jurídica o asociación de personas físicas o jurídicas tendrá derecho a acceder a los documentos de las instituciones, los órganos y los organismos de la Unión, con arreglo a los principios, condiciones y límites que se definen en el presente Reglamento.

Artículo 2 bis

Ámbito de aplicación

1. El presente Reglamento se aplicará a todos los documentos que obren en poder de una institución, un órgano o un organismo de la Unión, a saber, los documentos por ellos elaborados o recibidos y que obren en su posesión, en todos los ámbitos de actividad de la Unión. En lo que respecta al Tribunal de Justicia de la Unión Europea, el Banco Central Europeo y el Banco Europeo de Inversiones, el presente Reglamento solo se aplicará cuando ejerzan sus funciones administrativas.

2. Los documentos estarán accesibles al público en forma electrónica en el Diario Oficial de la Unión Europea, o en un registro oficial de una institución, un órgano o un organismo, o previa solicitud por escrito. Los documentos elaborados o recibidos en el curso de un procedimiento legislativo serán directamente accesibles de conformidad con el artículo 12.

3. El presente Reglamento se entenderá sin perjuicio del incremento de los derechos de acceso del público a los documentos que obren en poder de las instituciones, los órganos y los organismos que se deriven de instrumentos de Derecho internacional o de actos de las instituciones que apliquen tales instrumentos o de la legislación de los Estados miembros.

Artículo 3

Definiciones

A efectos del presente Reglamento, se entenderá por:

(a) "documento" todo contenido, sea cual fuere su soporte (escrito en versión papel o almacenado en forma electrónica, grabación sonora, visual o audiovisual) referente a asuntos relativos a las políticas, acciones y decisiones que entran en el ámbito de la responsabilidad de una institución, un órgano o un organismo de la Unión. Los datos contenidos en sistemas de almacenamiento, tratamiento y recuperación

electrónica, incluidos los sistemas externos utilizados para el trabajo
de la institución, los órganos y los organismos, constituyen un documento, en particular si pueden extraerse utilizando cualquier herramienta razonablemente disponible para la explotación del sistema
en cuestión. Una institución, un órgano o un organismo que quiera
crear un nuevo sistema de almacenamiento electrónico, o modificar
sustancialmente un sistema existente, deberá evaluar el impacto probable sobre el derecho de acceso, velar por que se garantice el derecho
de acceso como derecho fundamental, y actuar a fin de promover el
objetivo de transparencia. Las funciones para la recuperación de la
información almacenada en sistemas de almacenamiento electrónico
deberán adaptarse para satisfacer las solicitudes del público;

a bis) «documentos clasificados», los documentos que hayan sido
   total o parcialmente clasificados de conformidad con el artículo 3 bis, apartado 1;

a ter) «acto legislativo», los documentos elaborados o recibidos
   con ocasión de procedimientos legislativos para la adopción
   de actos legislativos, incluidas medidas de aplicación general
   en virtud de poderes delegados y de ejecución, y los actos de
   aplicación general que sean jurídicamente vinculantes en los
   Estados miembros o para estos;

a quater) «tarea administrativa», medidas relativas a cuestiones
   organizativas, administrativas o presupuestarias internas a una
   institución, un órgano o un organismo interesado;

a quinquies) «sistema de archivo», una herramienta o un procedimiento de las instituciones, los órganos y los organismos para
   la gestión estructurada del archivo de todos sus documentos
   que hagan referencia a un procedimiento en curso o recientemente concluido;

a sexies) «archivos históricos», la parte de los archivos de las instituciones, los órganos y los organismos que haya sido seleccionada, en los términos establecidos en la letra a), para su
   conservación permanente.

Una lista detallada de todas las categorías de actos cubiertos por las definiciones recogidas en las letras a) a quater) se publicará en el Diario
Oficial de la Unión Europea y en las páginas Internet de las instituciones, los órganos y los organismos, que también acordarán y publicarán sus criterios comunes de archivo;

(b) "terceros", toda persona física o jurídica, o entidad, exterior a la institución de que se trate, incluidos los Estados miembros, las demás instituciones y órganos comunitarios o no comunitarios de la Unión o de fuera de ella, y terceros países.

Artículo 3 bis
Procedimiento para la clasificación y desclasificación de documentos

1. Cuando existan razones de orden público, en virtud del artículo 4, apartado 1, y sin perjuicio del control parlamentario a nivel de la Unión y nacional, la institución, el órgano o el organismo clasificará un documento cuando su divulgación suponga un perjuicio para la protección de los intereses esenciales de la Unión Europea o de uno o varios de sus Estados miembros, en particular en materia de seguridad pública, defensa y asuntos militares. Un documento podrá ser objeto de clasificación parcial o total. Los documentos se clasificarán como sigue:

a) «EU TOP SECRET»: esta clasificación se aplicará únicamente a la información y al material cuya divulgación no autorizada pueda causar un perjuicio excepcionalmente grave a los intereses esenciales de la Unión o de un Estado miembro o varios;

b) «EU SECRET»: esta clasificación se aplicará únicamente a la información y al material cuya divulgación no autorizada pueda suponer un perjuicio grave para los intereses esenciales de la Unión o de un Estado miembro o varios;

c) «EU CONFIDENTIAL»: esta clasificación se aplicará a la información y al material cuya divulgación no autorizada pueda suponer un perjuicio para los intereses esenciales de la Unión o de un Estado miembro o varios;

d) «EU RESTRICTED»: esta clasificación se aplicará a la información y al material cuya divulgación no autorizada pueda resultar desventajosa para los intereses de la Unión o de un Estado miembro o varios.

2. Los documentos sólo se clasificarán cuando resulte necesario. Siempre que sea posible, los autores deberán especificar en los documentos clasificados una fecha o un plazo en los cuales o al final de los cuales el contenido podrá ser recalificado o desclasificado. En caso contrario, revisarán los documentos cada cinco años como mínimo, a fin de asegurar que la clasificación original sigue siendo necesaria. La clasificación se indicará de modo claro y correcto, y se mantendrá únicamente

mientras la información requiera protección. La responsabilidad de la clasificación de los documentos y de una recalificación o desclasificación posterior incumbirá exclusivamente a la institución, el órgano o el organismo que produjo o que recibió el documento clasificado de un tercero o de otra institución, órgano u organismo.

3. Sin perjuicio del derecho de acceso del resto de las instituciones, los órganos y los organismos de la Unión, los documentos clasificados se comunicarán a terceros con el consentimiento de su autor. Cuando participe más de una institución, un órgano o un organismo en el procesamiento de un documento clasificado, se concederá el mismo nivel de clasificación y deberá ponerse en marcha una mediación si tienen una apreciación diferente de la protección que se ha de conceder. No se clasificarán los documentos relativos a procedimientos legislativos; las medidas de aplicación se clasificarán antes de su adopción en la medida en que la clasificación sea necesaria y esté destinada a impedir efectos adversos sobre la propia medida. Los acuerdos internacionales relacionados con el intercambio de información confidencial celebrados en nombre de la Unión no darán derecho a un tercer país o una organización internacional a impedir el acceso del Parlamento Europeo a la información confidencial.

4. La tramitación de las solicitudes de acceso a documentos clasificados con arreglo a los procedimientos establecidos en los artículos 7 y 8 la efectuarán únicamente las personas que tienen derecho a conocer dichos documentos. Dichas personas evaluarán asimismo qué referencias a documentos clasificados pueden hacerse en el registro público.

5. Los documentos clasificados se harán constar en un registro de la institución, el órgano o el organismo, y se divulgarán con el consentimiento de su autor.

6. Una institución, un órgano o un organismo que decida denegar el acceso a un documento clasificado deberá justificar los motivos de su decisión de manera que no afecte a los intereses protegidos por las excepciones contempladas en el artículo 4, apartado 1.

7. Sin perjuicio del control parlamentario nacional, los Estados miembros adoptarán medidas adecua das para garantizar que en la tramitación de las solicitudes relativas a documentos clasificados de la Unión se respetan los principios contemplados en el presente Reglamento.

8. Se harán públicas las normas relativas a los documentos clasificados de las instituciones, los órganos y los organismos.

Artículo 4 Excepciones

1. Las instituciones, los órganos y organismos denegarán el acceso a un documento cuya divulgación suponga un perjuicio para la protección del interés público, por lo que respecta a:

(a) la seguridad pública interna de la Unión o de un Estado miembro o;

(b) la defensa y los asuntos militares;

(c) las relaciones internacionales;

(d) la política financiera, monetaria o económica de la Unión o de un Estado miembro;

(e) el medio ambiente, como los lugares de reproducción de especies raras.

2. Las instituciones, los órganos y los organismos denegarán el acceso a un documento cuya divulgación suponga un perjuicio para la protección de:

(a) los intereses comerciales de una persona física o jurídica;

(b) los derechos de propiedad intelectual;

(c) el asesoramiento jurídico y relativo a procedimientos judiciales, de arbitraje y solución de controversias;

(d) el objetivo de las actividades de inspección, investigación y auditoría;

(e) la objetividad e imparcialidad de los procedimientos de contratación pública hasta que la institución, el órgano o el organismo adjudicador haya tomado una decisión, o de los procedimientos de un órgano de selección destinados a la contratación de personal hasta que la autoridad facultada para proceder a los nombramientos haya tomado una decisión.

3. El acceso a documentos elaborados por una institución, órgano u organismo para uso interno o recibidos por la misma relacionados con un asunto sobre el que todavía no se haya pronunciado, se denegará únicamente si su divulgación perjudicara, debido a su contenido y las circunstancias objetivas de la situación, manifiesta y gravemente el proceso de toma de decisiones:

4. Cuando se trate de sopesar el interés público en la divulgación con arreglo a los apartados 1 y 3, se considerará que la divulgación reviste tal interés público superior cuando el documento solicitado se refiera

a la protección de derechos fundamentales y el Estado de Derecho, la correcta gestión de los fondos públicos o el derecho a vivir en un entorno saludable, incluidas las emisiones al medio ambiente. La institución, el órgano o el organismo que invoque una de esas excepciones habrá de realizar una evaluación objetiva e individual y demostrar que el riesgo que afecta al interés protegido es previsible y no meramente hipotético, y definirá la forma en que el acceso al documento puede socavar de forma específica y efectiva el interés protegido.

4 bis. Los documentos cuya divulgación supongan riesgo para la protección medioambiental, como los lugares de reproducción de especies raras, se divulgarán únicamente de conformidad con el Reglamento (CE) no1367/2006.

5. Los datos personales no se divulgarán si la divulgación perjudica la intimidad o la integridad de la persona en cuestión. No se considerará que se ha causado ese perjuicio:

— si los datos se refieren exclusivamente a la actividad profesional de la persona afectada salvo que, por circunstancias particulares, haya motivos para suponer que tal divulgación pueda perjudicar a dicha persona;

— si los datos se refieren exclusivamente a una persona pública, salvo que, por circunstancias particulares, haya motivos para suponer que tal divulgación pueda perjudicar a dicha persona o a otras personas relacionadas con ella;

— si los datos ya han sido publicados con el consentimiento de la persona afectada.

No obstante, se divulgarán los datos personales si un interés público superior exige su divulgación. En tal caso, la institución, el órgano o el organismo en cuestión estará obligado a especificar el interés público. Deberá asimismo explicar las razones por las que, en ese caso concreto, el interés público prevalece sobre el interés de la persona afectada.

Cuando una institución, un órgano o un organismo deniegue el acceso a un documento sobre la base del presente apartado, deberá considerar si es posible dar un acceso parcial a dicho documento.

6. En el caso de que las excepciones previstas se apliquen únicamente a determinadas partes del documento solicitado, las demás partes se divulgarán.

7. Las excepciones, tal y como se han establecido en el presente artículo sólo se aplicarán a los documentos transmitidos en el marco de los

procedimientos de adopción de actos legislativos o de actos delegados o de ejecución de aplicación general. Las excepciones tampoco se aplicarán a los documentos transmitidos a las instituciones, los órganos o los organismos por miembros de los grupos de interés y otras partes interesadas, con el fin de influir en las decisiones políticas. Las excepciones solo se aplicarán mientras el contenido del documento lo justifique y, en cualquier caso, durante un período máximo de 30 años.

7 bis. Una institución, un órgano o un organismo podrá conceder acceso privilegiado a los documentos contemplados en los apartados 1 a 3 a efectos de investigación. Si se concede el acceso privilegiado, la información solo se divulgará sujeta a restricciones adecuadas respecto de su utilización.

Artículo 5

Consulta a terceros

1. En el caso de documentos de terceros, la institución, el órgano o el organismo consultará a los terceros con el fin de verificar si son aplicables las excepciones previstas en el artículo 4 salvo que se deduzca con claridad que se ha de permitir o denegar la divulgación de los mismos.

2. Cuando una solicitud se refiera a un documento procedente de un Estado miembro, distinto de los documentos transmitidos en el marco de los procedimientos de adopción de actos legislativos o de actos delegados o de ejecución de aplicación general, se consultará a las autoridades de dicho Estado miembro cuando existan dudas sobre si el documento puede acogerse a una de las excepciones. La institución que posea el documento lo divulgará a menos que el Estado miembro aduzca razones para no hacerlo basadas en las excepciones previstas en el artículo 4 y adoptará una decisión sobre la base de su propio criterio sobre si las excepciones afectan al documento en cuestión.

3. Cuando un Estado miembro reciba una solicitud de un documento que obre en su poder y que tenga su origen en una institución, órgano u organismo, consultará a la institución, al órgano o al organismo de que se trate para tomar una decisión que no ponga en peligro los objetivos del presente Reglamento, salvo que se deduzca con claridad que se ha de permitir o denegar la divulgación de dicho documento. Alter nativamente, el Estado miembro podrá remitir la solicitud a la institución, al órgano o al organismo de que se trate.

Artículo 5 bis

Actos legislativos

1. En cumplimiento de los principios democráticos recogidos en los artículos 9 a 12 del TUE y de la jurisprudencia del Tribunal de Justicia de la Unión Europea, las instituciones, actuando en su capacidad legislativa, incluidos los poderes delegados y de ejecución, así como los Estados miembros actuando en su calidad de miembros del Consejo, concederán el mayor acceso posible a los documentos que se refieran a sus actividades.

2. Los documentos relativos a programas legislativos, consultas preliminares a la sociedad civil, evaluaciones de impacto y cualquier otro documento preparatorio vinculado a un procedimiento legislativo, así como los documentos relativos a la aplicación del Derecho y las políticas de la Unión vinculados a un procedimiento legislativo estarán accesibles en un sitio web interinstitucional de fácil manejo y coordinado y se publicarán en una serie especial electrónica del Diario Oficial de la Unión Europea.

3. Durante el procedimiento legislativo, cada institución, órgano u organismo asociado al proceso de toma de decisiones publicará sus documentos preparatorios y toda la información conexa, incluidos los dictámenes jurídicos, en una serie especial del Diario Oficial de la Unión Europea, así como en un sitio web común, reproduciendo el ciclo del procedimiento en cuestión.

4. Una vez adoptados, los actos legislativos se publicarán en el Diario Oficial de la Unión Europea, como prevé el artículo 13.

Artículo 6

Solicitudes

1. Las solicitudes de acceso a un documento deberán formularse en cualquier forma escrita, incluido el formato electrónico, en una de las lenguas a que se refiere el artículo 55, apartado 1, del TUE. El solicitante no estará obligado a justificar su solicitud.

2. Si una solicitud no es lo suficientemente precisa o si los documentos solicitados no se pueden identificar la institución, órgano u organismo de que se trate, pedirá al solicitante, en el plazo de 15 días laborables, que aclare la solicitud, y le ayudará a hacerlo, por ejemplo, facilitando información sobre el uso de los registros públicos de documentos. Los plazos previstos en los artículos 7 y 8 empezarán a correr cuando la institución, el órgano o el organismo reciba las aclaraciones solicitadas.

3. En el caso de una solicitud de un documento de gran extensión o de un gran número de documentos, la institución, el órgano o el organismo podrá tratar de llegar a un arreglo equitativo y práctico con el solicitante.

4. Las instituciones, los órganos y los organismos ayudarán e informarán a los ciudadanos sobre cómo y dónde pueden presentar solicitudes de acceso a los documentos.

Artículo 7

Tramitación de las solicitudes iniciales

1. Las solicitudes de acceso a los documentos se tramitarán con prontitud. Se enviará un acuse de recibo al solicitante. En el plazo de 15 días laborables a partir del registro de la solicitud, la institución, el órgano o el organismo de que se trate, o bien autorizará el acceso al documento solicitado y facilitará dicho acceso con arreglo al artículo 10 dentro de ese plazo, o bien, mediante respuesta por escrito, expondrá los motivos de la denegación total o parcial e informará al solicitante de su derecho de presentar una solicitud confirmatoria conforme a lo dispuesto en el apartado 4.

2. Con carácter excepcional, por ejemplo, en el caso de que la solicitud se refiera a un documento de gran extensión o a un gran número de documentos, el plazo previsto en el apartado 1 podrá ampliarse una sola vez en 15 días laborables como máximo, siempre y cuando se informe previamente de ello al solicitante y se expliquen debidamente los motivos por los que se ha decidido ampliar el plazo.

3. La institución, el órgano o el organismo notificará al solicitante si posteriormente cabrá la posibilidad de un acceso parcial o total al documento, y en su caso, en qué fecha.

El solicitante podrá presentar, en el plazo de 15 días laborables a partir de la recepción de la respuesta de la institución, órgano u organismo, una solicitud confirmatoria con el fin de que la institución, el órgano o el organismo reconsidere su postura.

4. La ausencia de respuesta de la institución, el órgano o el organismo en el plazo establecido dará derecho al solicitante a presentar una solicitud confirmatoria.

4 bis. Cada institución, órgano y organismo nombrará a una persona responsable de verificar el cumplimiento de todos los plazos establecidos en el presente artículo.

Artículo 8

Tramitación de las solicitudes confirmatoria

1. Las solicitudes confirmatorias se tramitarán con prontitud. En el plazo máximo de 15 días laborables a partir del registro de la solicitud, la institución, el órgano o el organismo de que se trate, o bien autorizará el acceso al documento solicitado y facilitará dicho acceso con arreglo al artículo 10 dentro de ese mismo plazo, o bien, mediante respuesta por escrito, expondrá los motivos para la denegación total o parcial. En caso de denegación total o parcial, la institución, el órgano o el organismo deberá informar al solicitante de los recursos de que dispone.

2. Con carácter excepcional, por ejemplo, en el caso de que la solicitud se refiera a un documento de gran extensión o a un gran número de documentos, el plazo previsto en el apartado 1 podrá ampliarse una sola vez en 15 días laborables como máximo, siempre y cuando se informe previamente de ello al solicitante y se expliquen debidamente los motivos por los que se ha decidido ampliar el plazo.

3. En caso de denegación total o parcial, el solicitante podrá recurrir ante el Tribunal General contra la institución, el órgano o el organismo y/o presentar una reclamación ante el Defensor del Pueblo Europeo, con arreglo a las condiciones previstas en los artículos 263 y 228 del TFUE, respectivamente.

4. La ausencia de respuesta de la institución, el órgano o el organismo en el plazo establecido se considerará una respuesta denegatoria definitiva y dará derecho al solicitante a interponer recurso judicial contra la institución, el órgano o el organismo y/o reclamar ante el Defensor del Pueblo Europeo, con arreglo a las disposiciones pertinentes de los Tratados.

Artículo 8 bis

Nueva solicitud

Si, después de que se le hayan transmitido los documentos, el solicitante solicita el acceso a otros documentos de una institución, órganos u organismo, esta petición se tratará como una nueva solicitud, de conformidad con lo dispuesto en los artículos 7 y 8.

Artículo 10

Acceso tras la presentación de una solicitud

1. El acceso a los documentos se efectuará, bien mediante consulta in situ, bien mediante entrega de una copia que, en caso de estar disponible, podrá ser una copia electrónica, según la preferencia del solicitante.

2. Si el documento está públicamente disponible y es de fácil acceso para el solicitante, la institución, órgano u organismo de que se trate, podrá cumplir su obligación de facilitar el acceso a los documentos informando al solicitante sobre la forma de obtenerlo.

3. Los documentos se proporcionarán en la versión y formato existentes (incluidos los formatos electrónicos y otros, como el Braille, la letra de gran tamaño o la cinta magnetofónica), tomando plenamente en consideración la preferencia del solicitante.

3 bis. El contenido de un documento estará disponible sin discriminación por motivo de deficiencias visuales, lengua de trabajo o plataforma del sistema operativo. Las instituciones, los órganos y los organismos garantizarán al solicitante el acceso real al contenido de los documentos sin discriminaciones de carácter técnico.

4. Podrá requerirse al solicitante que corra con los gastos de realización y envío de las copias. Estos gastos no excederán el coste real de la realización y del envío de las copias. La consulta in situ, las copias de menos de 50 páginas de formato DIN A4 y el acceso directo por medios electrónicos o a través del registro serán gratuitos.

5. El presente Reglamento no afectará a las modalidades específicas de acceso establecidas en el Derecho nacional o el Derecho de la Unión, como el pago de un canon.

Artículo 11

Registros

1. Para garantizar a los ciudadanos el ejercicio efectivo de los derechos reconocidos en el presente Reglamento, cada institución, órgano y organismo, pondrá a disposición del público un registro de documentos. El acceso al registro se debería facilitar por medios electrónicos. Las referencias de los documentos se incluirán en el registro sin dilación.

2. El registro especificará, para cada documento, un número de referencia (incluida, si procede, la referencia interinstitucional), el asunto a que se refiere y/o una breve descripción de su contenido, así como la fecha de recepción o elaboración del documento y de su inclusión en el registro. Las referencias se harán de manera que no supongan un perjuicio para la protección de los intereses mencionados en el artículo 4.

3. Las instituciones adoptarán con carácter inmediato las medidas necesarias para la creación de una interfaz común a los registros institucionales a fin de garantizar la coordinación entre los mismos.

Artículo 12
Acceso directo a los documentos

1. Las instituciones, los órganos y los organismos harán que los documentos estén directamente accesibles al público en formato electrónico o a través de registros, en particular, los documentos elaborados o recibidos en el marco de los procedimientos de adopción de actos legislativos de la Unión o de actos delegados y de ejecución de aplicación general.

2. Siempre que sea posible, se deberá facilitar el acceso directo de forma electrónica a otros documentos, en particular los relativos a la elaboración de políticas o estrategias.

3. En caso de que no se facilite el acceso directo a través del registro, dicho registro indicará, en la medida de lo posible, dónde están localizados los documentos de que se trate.

4. Cada institución, órgano y organismo definirá en sus normas de procedimiento las otras categorías de documentos que serán directamente accesibles al público de manera proactiva.

Artículo 13
Publicación en el Diario Oficial

1. Además de los actos contemplados en los apartados 1 y 2 del artículo 297 del TFUE y sin perjuicio del artículo 4 del presente Reglamento, se publicarán en el Diario Oficial de la Unión Europea los siguientes documentos:

(a) las propuestas de la Comisión y las iniciativas de un grupo de Estados miembros basados en el artículo 76 de TFUE;

(b) las posiciones comunes adoptadas por el Consejo conforme al procedimiento previsto en el artículo 294 del TFUE, así como sus exposiciones de motivos, y las posiciones del Parlamento Europeo en dichos procedimientos;

(c) los actos aprobados de conformidad con el artículo 25 del TEU;

(f) los acuerdos internacionales celebrados por la Unión Europea Comunidad o de conformidad con el artículo 37 del TUE y los artículos 207 y 218 del TFUE;

2. En la medida de lo posible, se publicarán en el Diario Oficial los siguientes documentos:

(a) las iniciativas que presente un Estado miembro o el Alto Representante de la Unión para Asuntos Exteriores y Política de Seguridad en virtud de lo dispuesto en el artículo 30 TUE;

(c) los actos distintos de los contemplados en los apartados 1 y 2 del artículo 297 del TFUE, las recomendaciones y los dictámenes.

3. Cada institución, órgano y organismo podrá establecer, en su Reglamento interno, los demás documentos que se publicarán en el Diario Oficial de la Unión Europea.

Artículo 14 Información

1. Cada institución, órgano y organismo tomará las medidas necesarias para informar al público de los derechos reconocidos en el presente Reglamento.

2. Los Estados miembros cooperarán con las instituciones, los órganos y los organismos para facilitar información a los ciudadanos.

Artículo 14 bis
Responsable de información

1. Cada unidad administrativa general dentro de cada institución, órgano u organismo designará a un funcionario encargado de la información que será responsable de garantizar el cumplimiento de las disposiciones del presente Reglamento y las buenas prácticas administrativas dentro de esa unidad administrativa.

2. El responsable de información determinará qué información es conveniente ofrecer al público en relación con:

a) la aplicación del presente Reglamento;

b) las buenas prácticas;

y asegurará que dicha información se difunda de forma adecuada.

3. El responsable de información evaluará si los servicios de su unidad administrativa general cumplen las buenas prácticas.

4. El responsable de información podrá remitir a la persona que solicita la información a otra unidad administrativa general, si la información en cuestión queda fuera del ámbito de competencia de esa unidad y entra en el ámbito de competencia de otra unidad dentro de la misma institución, del mismo órgano o del mismo organismo, siempre que dicha unidad disponga de esa información.

Artículo 14 ter
Principio de buena administración abierta

En el período de transición antes de la adopción de las normas contempladas en el artículo 298 del TFUE y sobre la base a los requisitos del artículo 41 de la Carta, las instituciones, los órganos y los organismos, sobre la base del Código de Buena Conducta Administrativa, adoptarán y publicarán directrices generales sobre el alcance de las obligaciones de confidencialidad y secreto profesional establecidas en el artículo 339 del TFUE, así como las obligaciones derivadas de una gestión eficaz y transparente y la protección de los datos personales de conformidad con el Reglamento (CE) no 45/2001 del Parlamento Europeo y del Consejo, de 18 de diciembre de 2000, relativo a la protección de las personas físicas en lo que respecta al tratamiento de datos personales por las instituciones y los organismos comunitarios y a la libre circulación de estos datos[478]. Esas directrices deberán definir igualmente las sanciones aplicables en caso de incumplimiento del presente Reglamento de conformidad con el Estatuto de los funcionarios de la Unión Europea, el Régimen aplicable a otros agentes de la Unión Europea y los reglamentos internos de las instituciones, los órganos y los organismos.

Artículo 15
Práctica de la transparencia administrativa en las instituciones, los órganos y los organismos

1. Las instituciones, los órganos y los organismos establecerán buenas prácticas administrativas para facilitar el ejercicio del derecho de acceso garantizado por el presente Reglamento.

1 bis. Las instituciones, los órganos y los organismos informarán a los ciudadanos, de manera equitativa y transparente, sobre su plantilla de personal, indicando las competencias de sus unidades internas, el flujo de trabajo interno y los plazos indicativos de los procedimientos de su competencia, y los servicios a los que los ciudadanos pueden acudir para obtener apoyo, información o reparación administrativa.

2. Las instituciones, los órganos y los organismos crearán un Comité interinstitucional encargado de examinar las mejores prácticas, tratar los posibles conflictos y examinar la evolución futura del acceso del público a los documentos.

---

[478] DO L 8 de 12.1.2001, p. 1.

2 bis. Los documentos relativos al presupuesto de la Unión Europea, a su aplicación y a los beneficiarios de fondos y subvenciones de la Unión serán públicos y accesibles a los ciudadanos.

Tales documentos estarán también accesibles a través de un sitio web y una base de datos específicos, así como en una base de datos relacionada con la transparencia financiera en la Unión.

Artículo 16
Reproducción de documentos

El presente Reglamento se aplicará sin perjuicio de las normas vigentes sobre los derechos de autor que puedan limitar el derecho de terceros a reproducir o hacer uso de los documentos que se les faciliten.

Artículo 17
Informes

Cada institución, órgano y organismo publicará anualmente un informe relativo al año precedente en el que figure el número de casos en los que denegó el acceso a los documentos, las razones de esas denegaciones y el número de documentos sensibles no incluidos en el registro.

1 bis. A más tardar el ...[479], la Comisión publicará un informe sobre la aplicación del presente Reglamento y formulará recomendaciones, incluyendo, si procede, las propuestas de revisión del presente Reglamento que sean necesarias debido a cambios en la situación actual, así como un programa de acción con las medidas que deberán adoptar las instituciones, los órganos y los organismos.

Artículo 18 Derogación

Queda derogado el Reglamento (CE) no 1049/2001 con efectos a partir del [...].

Las referencias hechas al Reglamento derogado se entenderán hechas al presente Reglamento y se leerán con arreglo a la tabla de correspondencias que figura en el Anexo.

Artículo 19
Entrada en vigor

El presente Reglamento entrará en vigor a los veinte días de su publicación en el Diario Oficial de la Unión Europea.

---

[479] Dos años después de la fecha de entrada en vigor del presente Reglamento.

El presente Reglamento será obligatorio en todos sus elementos y directamente aplicable en cada Estado miembro.

TABLA DE CORRESPONDENCIAS1

Reglamento (CE) no 1049/2001	El presente Reglamento
Artículo 1	Artículo 1
Artículo 2, apartado 1	Artículo 2, apartado 1
Artículo 2, apartado 2	—
Artículo 2, apartado 3	Artículo 2, apartado 2
Artículo 2, apartado 4	Artículo 2, apartado 3
Artículo 2, apartado 5	Artículo 2, apartado 4
—	Artículo 2, apartado 5
—	Artículo 2, apartado 6
Artículo 2, apartado 6	Artículo 2, apartado 7
Artículo 3	Artículo 3
Artículo 4, apartado 1, letra a)	Artículo 4, apartado 1
Artículo 4, apartado 1, letra b)	Artículo 4, apartado 5
Artículo 4, apartado 2	Artículo 4, apartado 2
Artículo 4, apartado 3	Artículo 4, apartado 3
Artículo 4, apartado 4	Artículo 5, apartado 1
Artículo 4, apartado 5	Artículo 5, apartado 2
—	Artículo 4, apartado 4
Artículo 4, apartado 6	Artículo 4, apartado 6
Artículo 4, apartado 7	Artículo 4, apartado 7
Artículo 5	Artículo 5, apartado 3
Artículo 6	Artículo 6
Artículo 7	Artículo 7
Artículo 8	Artículo 8

Artículo 9	Artículo 9
Artículo 10	Artículo 10
Artículo 11	Artículo 11
Artículo 12	Artículo 12
Artículo 13	Artículo 13
Artículo 14	Artículo 14
Reglamento (CE) no 1049/2001	El presente Reglamento
Artículo 15	Artículo 15
Artículo 16	Artículo 16
Artículo 17, apartado 1	Artículo 17
Artículo 17, apartado 2	
Artículo 18	
	Artículo 18
	Artículo 19
	Anexo
1 La tabla de correspondencias se actualizará en el momento de la revisión jurídico-lingüística del acto definitivo.	

II. JURISPRUDENCIA CITADA

1 Jurisprudencia del Convenio Europeo de Derechos Humanos (Tribunal Europeo de Derechos Humanos y Comisión Europea de Derechos Humanos)

Decisión de la Comisión de 31 de mayo de 1974
Decisión de la Comisión de 3 de octubre de 1979
Decisión de la Comisión de 14 de diciembre de 1979
STEDH de 26 de marzo de 1987, *Leander* contra Suecia
STEDH de 7 de julio de 1989, *Gaskin* contra Reino Unido
STEDH de 19 de febrero de 1998, *Guerra* y otros contra Italia
STEDH de 28 de septiembre de 2004, *Loiseau*
STEDH de 10 de julio de 2006, *Sdruzeni Jihoceské Matky* contra República Checa
STEDH de 14 de abril de 2009, *Társaság a Szabadságjogokért* contra Hungría
STEDH de 16 de agosto de 2009, *Kennedy* contra Hungría
STEDH de 3 de abril de 2012, *Gillberg* contra Suecia
STEDH de 31 de julio de 2012, *Shapovalov* contra Ucrania
STEDH de 25 de junio de 2013, *Youth Initiative for Human Rights* contra Serbia
STEDH de 28 de noviembre de 2013, *Österreichische Vereinigung zur Erhaltung, Stärkung und Schaffung* contra Austria
STEDH de 24 de junio de 2014, *Roşiianu* contra Rumanía
STEDH de 17 de febrero de 2015, *Guseva* contra Bulgaria
STEDH de 8 de noviembre de 2016, *Magyar Helsinki Bizottság* contra Hungría
STEDH de 7 de febrero de 2017, *Bubon* contra Rusia
STEDH de 30 de enero de 2020, *Studio Monitori* y otros contra Georgia
STEDH de 21 de enero de 2021, *Leshchenko* contra Ucrania
STEDH de 18 de marzo de 2021, *Yuriy Chumak* contra Ucrania
STEDH de 1 de julio de 2021, *Association Burestop 55* y otros contra Francia
STEDH de 9 de diciembre de 2021, *Rovshan Hajiyev* contra Azerbayán
STEDH de 3 de febrero de 2022, *Šeks* contra Croacia

2 Jurisprudencia de la Unión Europea (Tribunal General –hasta la entrada en vigor del Tratado de Lisboa denominado Tribunal de Primera Instancia– y Tribunal de Justicia de la Unión Europea, actuando en casación)

STG de 19 de octubre de 1995, T-194/94, *John Carvel* y *Guardian Newspapers Ltd* contra Consejo

STJUE de 30 de abril de 1996, C-58/94, Reino de los Países Bajos contra Consejo

STG de 5 de marzo de 1997, T-105/95, *WWF UK (World Wide Fund for Nature)*

STG de 6 de febrero de 1998, T-124/96, *Interporc* contra Comisión

ATG de 3 de marzo de 1998, T-610/97 R, *Hanne Norup Carlsen* y otros contra Consejo [medidas provisionales]

STG de 19 de marzo de 1998, T-83/96, *Gerard van der Wal* contra Comisión (casación, STJUE de 11 de enero de 2000, C-174/98 P y C-189/98 P, *Países Bajos* y *Gerald van der Wal* contra Comisión)

STG de 17 de junio de 1998, T-174/95, *Svenska Journalistförbundet* contra Consejo

STG de 19 de julio de 1999, T-14/98, *Heidi Hautala* contra Consejo (casación, STJUE de 6 de diciembre de 2001, C-353/99, Consejo contra *Heidi Hautala)*

STG de 19 de julio de 1999, T-188/97, *Rothmans International BV* contra Comisión

STG de 14 de octubre de 1999, T-309/9, *Bavarian Lager Company Ltd* (casación, STJUE de 29 de junio de 2010, Comisión contra *Bavarian Lager*, C-28/08 P)

ATG de 27 de octubre de 1999, T-106/99 R, *Karl L. Meyer* contra Comisión [medidas provisionales]

STG de 7 de diciembre de 1999, T-92/98, *Interporc* contra Comisión

ATG de 22 de mayo de 2000, T-103/99, *Associazione delle cantine sociali venete* contra Defensor del Pueblo y Parlamento

STG de 13 de septiembre de 2000, T-20/99, *Denkavit Nederland BV* contra Comisión

STG de 12 de octubre de 2000, T-123/99, *JT's Corporation* contra Comisión

ATG de 14 de febrero de 2001, T-3/00, *Athanasios Pitsiorlas* contra Consejo y Banco Central (casación, STJUE de 15 de mayo de 2003, C-193/01 P, *Athanasios Pitsiorlas* contra Consejo y Banco Central)

STG de 12 de julio de 2001, T-204/99, *Olli Mattila* contra Consejo y Comisión (casación, STJUE de 22 de enero de 2004, C-353/01 P, *Olli Mattila* contra Consejo y Comisión)

STG de 10 de octubre de 2001, T-111/00, *British American Tobacco International Investments Ltd* contra Comisión

STG de 11 de diciembre de 2001, T-191/99, *David Petrie* y otros contra Comisión

ATG de 20 de diciembre de 2001, T-213/01 R, *Österreichische Postsparkasse AG* contra Comisión [medidas provisionales]

ATG de 20 de diciembre de 2001, T-214/01 R, *Bank für Arbeit und Wirtschaft AG* contra Comisión [medidas provisionales]

STG de 7 de febrero de 2002, T-211/00, *Aldo Kuijer* contra Consejo (casación, ATJUE de 7 de febrero de 2002, C-239/00 P, Consejo contra *Kuijer*)

STG de 25 de junio de 2002, T-311/00, *British American Tobacco (Investments) Ltd.* contra Comisión

STG de 17 de septiembre de 2003, T-76/02, *Mara Messina* contra Comisión

STG de 16 de octubre de 2003, T-47/01, *Co-Frutta Soc. coop. Rl* contra Comisión

STG de 23 de noviembre de 2004, T-84/03, *Maurizio Turco* contra Consejo (casación, STJUE de 1 de julio de 2008, C-39/05 P y C-52/05 P, Reino de Suecia y *Maurizio Turco*)

STG de 30 de noviembre de 2004, T-168/02, *IFAW Internationales Tierschutz-Fonds gGmbH* contra Comisión (casación, STJUE de 18 de diciembre de 2007, C-64/05 P, Reino de Suecia contra Comisión)

STG de 17 de marzo de 2005, T-187/03, *Isabella Scippacercola* contra Comisión

STG de 13 de abril de 2005, T-2/03, *Verein für Konsumenteninformation* contra Comisión

STG de 26 de abril de 2005, T-110/03, T-150/03 y T-405/03, José María Sisón contra Consejo (casación, STJUE de 1 de febrero de 2007, C-266/05, José María Sisón contra Consejo)

STG de 6 de julio de 2006, T-391/03 y T-70/04, *Yves Franchet* y *Daniel Byk* contra Comisión

STG de 14 de diciembre de 2006, T-237/02, *Technische Glaswerke Ilmenau GMBH* contra Comisión (casación, STJUE de 29 de junio de 2010, C-139/07, Comisión contra *Technische Glaswerke Ilmenau*)

STG de 25 de abril de 2007, T-264/04, *WWF European Policy Programme* contra Consejo

STG de 12 de septiembre de 2007, T-36/04, *Association de la presse internationale ASBL* contra Comisión (casación, STJUE de 21 de septiembre de 2010, C-514/07 P, Reino de Suecia contra *Association de la presse internationale ASBL* y Comisión, C-528/07 P, *Association de la presse internationale ASBL* contra Comisión, C-532/07 P, Comisión contra *Association de la presse internationale ASBL*)

STG de 8 de noviembre de 2007, T-194/04, *Bavarian Lager* contra Comisión (casación, STJUE de 29 de junio de 2010, Comisión contra *Bavarian Lager*, C-28/08 P)

STG de 30 de enero de 2008, T-380/04, *Ioannis Terezakis* contra Comisión

STG de 5 de junio de 2008, T-141/05, *Internationaler Hilfsfonds eV* contra Comisión (casación, STJUE de 26 de enero de 2010, C-362/08, *Internationaler Hilfsfonds eV* contra Comisión)

STG de 9 de septiembre de 2008, T-403/05, *MyTravel Group pic* contra Comisión (casación, STJUE de 21 de julio de 2011, C-506/08 P, Reino de Suecia contra *MyTravel Group plc* y Comisión)

STG de 10 de septiembre de 2008, T-42/05, *Rhiannon Williams* contra Comisión

STG de 18 de diciembre de 2008, T-144/05, *Pablo Muñiz* contra Comisión

STG de 11 de marzo de 2009, T-121/05 y T-166/05, *Borax Europe Ltd* contra Comisión

STG de 9 de septiembre de 2009, T-437/05, *Brink's Security Luxemburgo SA* contra Comisión

STG de 19 de enero de 2010, T-355/04 y T-446/04, *Co-Frutta Soc. coop.* contra Comisión

STG de 9 de junio de 2010, T-237/05, *Éditions Odile Jacobs SAS* contra Comisión (casación, STJUE de 28 de junio de 2012, C-404/10 P, Comisión Europea contra *Éditions Odile Jacobs SAS*)

STG de 7 de julio de 2010, *Agrofert Holding* contra Comisión (casación, STJUE de 28 de junio de 2012, C-477/10 P, Comisión Europea contra *Agrofert Holding a. s.*)

STG de 21 de octubre de 2010, T-439/08, *Agapiou Joséphidès* contra Comisión y Agencia Ejecutiva en el ámbito Educativo, Audiovisual y Cultural (casación, ATJUE de 10 de noviembre de 2011, C-626/10 P, *Agapiou Joséphidès* contra Comisión y Agencia ejecutiva en el ámbito Educativo, Audiovisual y Cultural)

STG de 21 de octubre de 2010, T-474/08, *Dieter C. Umbach* contra Comisión (casación, ATJUE de 14 de abril de 2011, C-609/10 P, *Dieter C. Umbach* contra Comisión)

STG de 10 de diciembre de 2010, T-494/08 a T-500/08 y T-509/08, *Ryanair Ltd* contra Comisión

STG de 13 de enero de 2011, T-362/08, *IFAW Internationaler Tierschutz-Fonds g-GmbH* contra Comisión (casación, STJUE de 21 de junio de 2012, C-135/11 P, *IFAW Internationaler Tierschuitz-Fonds* contra Comisión)

STG de 22 de marzo de 2011, T-233/09, *Access Info Europe* contra Consejo (casación, STJUE de 17 de octubre de 2013, C-280/11 P, *Access Info Europe* contra Consejo)

STG de 24 de mayo de 2011, T-109/05 y T-444/05, *Navigazione Libera del Golfo Srl (NLG)*

STG de 24 de mayo de 2011, T-250/08, *Edward William Batchelor* contra Comisión

STG de 7 de junio de 2011, T-471/08, *Ciarán Toland* contra Comisión

STG de 7 de julio de 2011, T-161/04, Gregorio Valero Jordana contra Comisión

STG de 9 de septiembre de 2011, T-29/08, *Liga para a Protecção da Natureza (LPN)* contra Comisión (casación, STJUE de 14 de noviembre de 2013, C-514/11 P y C-605/11 P, *Liga para a Protecção da Natureza (LPN)* contra Comisión)

STG de 26 de octubre de 2011, T-436/09, *Dufour* contra Banco Central

STG de 23 de noviembre de 2011, T-82/09, *Gert-Jan Dennekamp* contra Parlamento

STG de 15 de diciembre de 2011, T-437/08, *CDC Hydrogene Peroxide Cartel Damage Claims* contra Comisión

STG de 14 de febrero de 2012, T-59/09, Alemania contra Comisión

STG de 4 de mayo de 2012, T-529/09, *Sophie in 't Veld* contra Comisión (casación, STJUE de 3 de julio de 2014, C-350/12 P, Consejo contra *Sophie in 't Veld*)

STG de 22 de mayo de 2012, T-6/10, *Sviluppo Globale GEIE* contra Comisión

STG de 22 de mayo de 2012, T-300/10, *Internationaler Hilfsfonds Ev* contra Comisión

STG de 22 de mayo de 2012, T-344/08, *EnBW Energie Baden-Württemberg AG* contra Comisión (casación, STJUE de 27 de febrero de 2014, C-365/12 P, Comisión Europea contra *EnBW Energie Baden-Württemberg AG*)

STG de 3 de octubre de 2012, T-465/09, *Ivan Jurasinovic* contra Consejo (casación, STJUE de 28 de noviembre de 2013, C-576/12 P, *Ivan Jurasinovic* contra Consejo)

ATG de 13 de noviembre de 2012, T-278/11, *ClientEarth, Friends of the Earth Europe, Stichting FERN* y *Stichting Corporate Europe Observatory* contra Comisión

ATG de 27 de noviembre de 2012, T-17/10, *Gerald Steinberg* contra Comisión

STG de 29 de noviembre de 2012, T-590/10, *Gabi Thesing* y *Bloomberg Finance LP* contra Banco Central

STG de 6 de diciembre de 2012, T-167/10, *Evropaiki Dynamiki-Proigmena Systimata Tilepiloinonion Pliroforikis kai Tilematikis AE* contra Comisión

STG de 15 de enero de 2013, T-392/07, *Guido Strack* contra Comisión (casación, STJUE de 2 de octubre de 2014, C-127/13 P, *Guido Strack* contra Comisión)

STG de 29 de enero de 2013, T-339/10 y T-532/10, *Cosepuri Soc. Coop. pA* contra Autoridad de Seguridad Alimentaria

STG de 19 de marzo de 2013, T-301/10, *Sophie in 't Veld* contra Comisión

ATG de 25 de abril de 2013, T-44/13 R, *AbbVie, Inc.* y *AbbVie Ltd* contra Agencia Europea de Medicamentos (casación, ATJUE de 28 de noviembre de 2013, C-389 P(R), Agencia Europea de Medicamentos contra *AbbVie, Inc.* y *AbbVie Ltd*) [medidas provisionales]

STG de 7 de junio de 2013, T-93/11, *Stichting Corporate Europe Observatory* contra Comisión (casación, STJUE de 4 de junio de 2015, C-399/13 P, *Stichting Corporate Europe Observatory* contra Comisión)

STG de 12 de septiembre de 2013, T-331/11, *Leonard Besselink* contra Consejo

STG de 13 de septiembre de 2013, T-111/11, *ClientEarth* contra Comisión (casación, STJUE de 16 de julio de 2015, C-612/13 P, *ClientEarth* contra Comisión)

STG de 13 de septiembre de 2013, T-214/11, *ClientEarth* y *PAN Europe* contra Autoridad europea de Seguridad Alimentaria (casación, STUE de 16 de julio de 2015, C-615/13 P, *ClientEarth* y *PAN Europe* contra Autoridad europea de Seguridad Alimentaria)

STG de 13 de septiembre de 2013, T-380/08, Reino de los Países Bajos contra Comisión

STG de 8 de octubre de 2013, T-545/11, *Stichting Greenpeace Nederland y Pesticide Action Network Europe (PAN Europe)* (casación, STJUE de 23 de noviembre de 2016, C-673/13 P, Comisión contra *Stichting Greenpeace Nederland y Pesticide Action Network Europe, PAN Europe*)

STG de 25 de octubre de 2013, T-561/12, *Jürgen Beninca* contra Comisión

ATG de 28 de noviembre de 2013, T-73/13 R, *InterMune UK Ltd, InterMune Inc.* y *InterMune International AG* contra Agencia Europea de Medicamentos (casación, ATJUE de 28 de noviembre de 2013, C-390/13 P(R), Agencia Europea de Medicamentos contra *InterMune UK Ltd, InterMune Inc.* y *InterMune International AG*) [medidas provisionales]

STG de 20 de marzo de 2014, T-181/10, *Reagens SpA* contra Comisión

ATG de 27 de marzo de 2014, T-603/11, Ecologistas en Acción contra Comisión

STG de 21 de mayo de 2014, T-447/11, *Lian Catini* contra Comisión

ATG de 25 de julio de 2014, T-189/14, *Deza* contra Agencia Europea de Sustancias y Preparados Químicos [medidas provisionales]

STG de 9 de septiembre de 2014, T-516/11, *Master Card, Inc.*, *MasterCard International, Inc.*, y *MasterCard Europe* contra Comisión

STG de 25 de septiembre de 2014, T-306/12, *Darius Nicolai Spirlea y Mihaela Spirlea* contra Comisión (casación, STJUE de 1 de mayo de 2017, C-562/14 P, Suecia contra Comisión)

STG de 7 de octubre de 2014, T-534/11, *Schenker AG* contra Comisión

STG de 11 de diciembre de 2014, T-476/12, *Saint-Gobain Glass Deutschland GmbH* contra Comisión (casación, STJUE de 13 de julio de 2017, C-60/15 P, *Saint-Gobain Glass Deutschland GmbH* contra Comisión)

STG de 27 de febrero de 2015, *Patrick Breyer* contra Comisión, T-188/12 (casación, STJUE de 8 de julio de 2017, C-213/15 P, Comisión contra *Patrick Breyer*)

STG de 25 de marzo de 2015, T-456/13, *Sea Handling SpA* contra Comisión (casación, STJUE de 14 de julio de 2016, C-271/15 P, *Sea Handling SpA* contra Comisión)

STG de 16 de abril de 2015, T-402/12, *Carl Schlyter* contra Comisión

STG de 12 de mayo de 2015, T-480/11; *Technion-Israel Institute of Technology, Technion Research & Development Foundation Ltd* contra Comisión

STG de 12 de mayo de 2015, T-623/13, Unión de Almacenistas de Hierros de España contra Comisión

STG de 4 de junio de 2015, T-376/13, *Versorgundswek der Zahnärztekammer Schlewig-Holstein* contra Banco Central

STG de 11 de junio de 2015, T-496/13, *Colin Boyd McCullough* contra Centro europeo para el desarrollo de la formación profesional

STG de 2 de julio de 2015, T-214/13, *Rainer Typke* contra Comisión (casación, STJUE de 11 de enero de 2017, C-491/15 P, *Rainer Typke* contra Comisión)

STG de 7 de julio de 2015, T-677/13, *Axa Versicherung AG* contra Comisión

STG de 15 de julio de 2015, T-115/13, *Gert-Jan Dennekamp* contra Parlamento Europeo

ATG de 1 de septiembre de 2015, T-235/15 R, *Pari Pharma GmbH* contra Agencia Europea de Medicamentos (casación, ATJUE de 17 de marzo de 2016, C-550/16 P (R), Agencia Europea de Medicamentos contra *Pari Pharma GmbH*) [medidas provisionales]

ATG de 1 de septiembre de 2015, T-344/15, Francia contra Comisión [medidas provisionales]

STG de 18 de septiembre de 2015, T-395/13, *Samuli Miettinen* contra Consejo

STG de 23 de septiembre de 2015, T-245/11, *ClientEarth, The International Chemical Secretariat* contra Agencia Europea de Sustancias y Mezclas Químicas

STG de 7 de octubre de 2015, T-658/14, *Ivan Jurasinovic* contra Consejo

STG de 12 de noviembre de 2015, T-515/14 P y T-516/14 P, *Alexandrou* contra Comisión

STG de 13 de noviembre de 2015, T-424/14 y T-425/14, *ClientEarth* contra Comisión (casación, STJUE de 4 de septiembre de 2018, C-57/16 P, *ClientEarth* contra Comisión)

STG de 25 de abril de 2016, T-221/08, *Guido Strack* contra Comisión

STG de 26 de mayo de 2016, T-110/15, *International Management Group* contra Comisión

ATG de 20 de julio de 2016, T-718/15 R, *PTC Therapeutics International Ltd* contra Agencia Europea de Medicamentos (casación, ATJUE de 1 de marzo de 2017, C-513/16 P (R), Agencia Europea de Medicamentos contra *PTC Therapeutics International Ltd*) [medidas provisionales]

ATG de 20 de julio de 2016, T-729/15 R, MSD Animal Health Innovation GmbH y Intervet international BV contra Agencia Europea de Medicamentos (casación, ATJUE de 1 de marzo de 2017, C-512/16 P(R), Agencia Europea de Medicamentos contra *MSD Animal Health Innovation GmbH y Intervet international BV*) [medidas provisionales]

STG de 15 de septiembre de 2016, T-18/15, T-796/14 y T-800/14, *Philip Morris Ltd* contra Comisión

STG de 15 de septiembre de 2016, T-710/14 y T-755/14, *Herbert Smith Freehills LLP* contra Consejo

STG de 20 de septiembre de 2016, T-51/15, *Pesticide Action Network Europe (PAN Europe)* contra Comisión

STG de 21 de septiembre de 2016, T-363/14, *Secolux, Association pour le contrôle de la sécurité de la construction* contra Comisión

STG de 23 de enero de 2017, T-727/15, *Association Justice & Environment, z. s.* contra Comisión

STG de 28 de marzo de 2017, T-210/15, *Deutsche Telekom AG* contra Comisión

STG de 5 de abril de 2017, T-344/15, República Francesa contra Comisión

STG de 27 de abril de 2017, T-375/15, *Germanwings GmbH* contra Oficina de Propiedad Intelectual de la Unión Europea

ATG de 25 de agosto de 2017, T-653/16 R, República de Malta contra Comisión [medidas provisionales]

STG de 7 de septiembre de 2017, T-451/15, *AlzChem AG* contra Comisión (casación, STJUE de 13 de marzo de 2019, C-666/17, AlzChem AG contra Comisión)

STG de 5 de febrero de 2018, T-235/15, *Pari Pharma GmbH* contra Agencia Europea de Medicamentos

STG de 5 de febrero de 2018, T-611/15; *Edeka-Handelsgesellschaft Hessenring mbH* contra Comisión

STG de 5 de febrero de 2018, T-718/15, *PTC Therapeutics Internatinal Ltd* contra Agencia Europea de Medicamentos (casación, STJUE de 22 de enero de 2020, C-175/18 P, *PTC Therapeutics International* contra Agencia Europea de Medicamentos)
STG de 5 de febrero de 2018, T-729/15, *MSD Animal Health Innovation GmbH* y *Intervet International BV* contra Agencia Europea de Medicamentos (casación, STJUE de 22 de enero de 2020, C-178/18 P, *MSD Animal Health Innovation GmbH* y *Intervet International BV*)
STG de 7 de febrero de 2018, T-851/16 y T-852/16, *Access Info Europe* contra Comisión
STG de 8 de febrero de 2018, T-74/16, *Pagkyprios organismos ageladotrofon (POA) Dimosia Ltd* contra Comisión
ATG de 20 de marzo de 2018, T-134/17 R, Hércules Club de Fútbol, S.A.D. contra Comisión [medidas provisionales]
STG de 22 de marzo de 2018, T-540/15, *Emilio De Capitani* contra Parlamento
STG de 23 de abril de 2018, T-468/16, *Verein Deutsche Sprache eV* contra Comisión (casación, ATJUE de 30 de enero de 2019, C-440/18 P, *Verein Deutsche Sprache eV* contra Comisión)
STG de 26 de abril de 2018, T-251/15, *Espírito Santo Financial (Portugal), SGPS, SA* (casación, STJUE de 19 de diciembre de 2019, C-442/18 P, Banco Central contra *Espírito Santo Financial (Portugal), SGPS*, SA
ATG de 10 de julio de 2018, T-514/15, *Izba Gospodarcza Producentów i Operatorów Urzadzen Rozrywkowych* contra Comisión (casación, STJUE de 30 de abril de 2020, C-560/18 P, *Izba Gospodarcza Producentów i Operatorów Urzadzen Rozrywkowych* contra Comisión)
STG de 11 de julio de 2018, T-643/13, *Rogesa Roheisengesellschaft Saar mbH* contra Comisión (casación, ATJUE de 17 de diciembre de 2019, C-568/18 P, *Rogesa Roheisengesellschaft Saar mbH* contra Comisión)
ATG de 12 de julio de 2018, T-250/18 R, *Régie autonome des transports parisiens (RATP)* contra Comisión [medidas provisionales]
STG de 11 de julio de 2018, T-644/16, *ClientEarth* contra Comisión (casación, STJUE de 19 de marzo de 2020, C-6112/18 P, *ClientEarth* contra Comisión)
STG de 19 de septiembre de 2018, T-39/17, *Chambre de commerce et d'industrie métropolitaine Bretagne-Ouest (port de Brest)* contra Comisión
ATG de 20 de septiembre de 2018, T-421/17, *Päivi Leino-Sandeberg* contra Parlamento Europeo (casación, STJUE de 21 de enero de 2021, C-761/18 P, *Päivi Leino-Sandeberg* contra Parlamento Europeo)
STG de 25 de septiembre de 2018, T-33/17, *Amicus Therapeutics UK Ltd* y *Amicus Therapeutics, Inc.* contra Agencia europea de Medicamentos

STG de 25 de septiembre de 2018, T-639/15 a T-666/15 y T-94/16, *Maria Psara* y otros contra Parlamento

STG de 27 de septiembre de 2018, T-116/17, *Spiegel-Verlag Rudolf Augstein GmbH & Co. KG* contra Banco Central

STG de 4 de octubre de 2018, T-128/14, *Daimler AG* contra Comisión

STG de 9 de octubre de 2018, T-632/17, *Eva Erdosi Galcsikné* contra Comisión

STG de 9 de octubre de 2018, T-633/17, *Robert Sárossy* contra Comisión

STG de 9 de octubre de 2018, T-634/17, *Anikó Pint* contra Comisión (casación, ATJUE de 21 de mayo de 2019, *Anikó Pint* contra Comisión, C-770/18 P)

STG de 21 de noviembre de 2018, T-545/11, RENV, *Stichting Greenpeace Nederland* y *Pesticide Action Network europe (PAN Europe)* contra Comisión

STG de 27 de noviembre de 2018, T-314/16 y T-435/16, *VG* contra Comisión

STG de 5 de diciembre de 2018, T-152/17, *Loreto Sumner* contra Comisión

STG de 5 de diciembre de 2018, T-312/17, *Liam Campbell* contra Comisión

STG de 5 de diciembre de 2018, T-875/16, *Falcon Technologies International* contra Comisión

STG de 11 de diciembre de 2018, T-440/17, y T-441/07, *Arca Capital bohemia a.s.* contra Comisión

STG de 12 de diciembre de 2018, T-498/14, *Deutsche Umwelthilfe Ev* contra Comisión

STG de 12 de febrero de 2019, T-134/17, Hércules Club de Fútbol, S.A.D. contra Comisión (casación, ATJUE de 6 de noviembre de 2019, C-332/19 P, Hércules Club de Fútbol, S.A.D. contra Comisión)

STG de 7 de marzo de 2019, T-329/17, *Heidi Hautala* y otros contra Autoridad Europea de Seguridad Alimentaria

STG de 7 de marzo de 2019, T-716/14, *Anthony C. Tweedale* contra Autoridad Europea de Seguridad Alimentaria

STG de 12 de marzo de 2019, *Fabio de Masi y Yanis Varoufakis* (casación, STJUE de 17 de diciembre de 2020, C-342/19 P, *Fabio de Masi y Yanis Varoufakis* contra Banco Central)

STG de 13 de marzo de 2019, T-730/16, *Espírito Santo Financial Group SA* (casación, STJUE de 21 de octubre de 2020, C-396/19 P, Banco Central contra *Espírito Santo Financial Group SA*)

STG de 14 de mayo de 2019, T-751/17, *Commune de Fessenheim, Communauté de comunes Pays Rhin-Brisach, Conseil departamental du Haut-Rhin* y *Conseil régional Grand Est Alsace Champagne-Ardenne Lorraine* contra Comisión

ATJUE de 21 de mayo de 2019, *Anikó Pint* contra Comisión, C-770/18 P.

STG de 28 de junio de 2019, T-377/18, *Intercept Pharma Ltd y Intercept Pharmaceuticals, Inc.* contra Agencia Europea de Medicamentos (casación, STJUE de 29 de octubre de 2020, C-576/19 P, *Intercept Pharma Ltd y Intercept Pharmaceuticals, Inc.* contra Agencia Europea de Medicamentos)

STG de 20 de septiembre de 2019, T-433/17, *Dehousse* contra Tribunal de Justicia

STG de 12 de diciembre de 2019, T-692/18, *Marco Montanari* contra Servicio europeo de acción exterior

STG de 30 de enero de 2020, T-168/17, *CBA Spielapparate- und Restaurantbetrieb* contra Comisión

STG de 26 de marzo de 2020, T-734/17, *ViaSat, Inc.* contra Comisión

STG de 28 de mayo de 2020, T-649/17, *ViaSat, Inc.* contra Comisión

STG de 23 de septiembre de 2020, T-596/18, ZL contra Oficina de la Propiedad Intelectual

STG de 23 de septiembre de 2020, T-727/19, *Giorgio Basaglia* contra Comisión

STG de 28 de octubre de 2020, T-857/19, *Dehousse* contra Tribunal de Justicia

STG de 28 de marzo de 2021, T-190/10, *Kathleen Egan y Margaret Hackett* contra Parlamento

STG de 21 de abril de 2021, T-252/19, *Laurent Pech* contra Consejo

STG de 1 de septiembre de 2021, T-517/19, *Andrea Homoki* contra Comisión

STG de 29 de septiembre de 2021, T-619/18, *TUI fly* contra Comisión (casación, ATJUE de 19 de mayo de 2022, C-764/21 P, *TUI fly GmbH* contra Comisión)

STG de 8 de diciembre de 2021, T-247/20, *JP* contra Comisión

STG de 26 de enero de 2022, T-570/20, *Kedrion SpA* contra Agencia Europea de Medicamentos

STG de 10 de febrero de 2022, T-488/18, XC contra Comisión

STJUE de 16 de febrero de 2022, C-156/21, Hungría contra Parlamento y Consejo

STJUE de 16 de febrero de 2022, C-157/21, Polonia contra Parlamento y Consejo

STG de 2 de marzo de 2022, T-134/20, *Huhtamaki Sàrl* contra Comisión

STG de 6 de abril de 2022, T-506/21, *Hans-Wilhelm Saure* contra Comisión

ATG de 8 de junio de 2022, T-104/22, Hungría contra Comisión [medidas provisionales]

III. BIBLIOGRAFÍA

ABAD ALCALÁ. L., Las libertades informativas en el ámbito internacional, Dykinson, Madrid, 2020

ADAMSKI, D., "Access to documents, accountability and the rule of law- Do private watchdogs matter?", *European Law Journal*, vol. 20, num. 4, 2014, pp. 520-543

ADAMSKI, D., "How wide is "the widest possible"? Judicial interpretation of the exceptions to the right of access to official documents revisited", *Common Market Law Review*, núm. 2, 2009, pp. 521-549;

ALEMANNO, A., "Unpacking the Principle of Openness in EU Law. Transparency, Participation and Democracy", *European Law Review*, núm. 1, 2014, pp. 72-90

APARICIO MEIRA, D. M. M., "A transparência administrativa nas instituiçôes da Uniâo Europeia", *Revista do Instituto Superior Politécnico Portucalense*, núm. 2, 1995, pp. 67-88

AUGUSTYN, M. y MONDA, C., *Transparency and Access to Documents in the EU: Ten years on from the Adoption of Regulation 1049/2001*, European Institute of Public Administration, Maastricht, 2011

BELAICH, F., "Les obligations de la Commission en matière de transparence. A propos de l'arrêt WWF UK (World Wide Fund for Nature) contre Commission des Communautés européennes", *Revue du Marché Commun et de l'Union Européenne*, núm. 423, 1998, pp. 710-714

BIGLINO CAMPOS, M. P., "Transparencia y ciudadanía en el Tratado de Lisboa", en MATÍA PORTILLA, F. J. (coord.), *Estudios sobre el Tratado de Lisboa*, 2009, Comares, Granada, pp. 1-16

BIONDI, A., "Access to Documents in the EU", *European Business Law Review*, núms. 7-8, 1998, pp. 221-226

BISCHOFF, P., "L'information du secteur public en Europe-Accès, diffusion et exploitation", *Revue du Marché Commun et de l'Union Européenne*, núm. 432, 1999, pp. 620-627

BRADLEY, K. St. C., "La transparence de l'Union européenne: une évidence ou un trompe l'oeil?", *Cahier de Droit Européen*, vol. 35, núm. 3-4, 1999, pp. 283-362

BROBERG, M. P., "Access to documents : a general principle of Community Law?", *European Law Review*, vol. 27, núm. 2, 2002, pp. 194-205

CABRAL, P., "Access to Member State documents in EC Law", *European Law Review*, núm. 3, 2006, pp. 378-389

CAMPBELL, K., "Access to European Community Official information", *International and Comparative Law Quarterly*, núm. 1, 1997, pp.174-180

CERRILLO I MARTÍNEZ, A., "Publicidad y transparencia en el Parlamento Europeo", *Revista de las Cortes Generales*, núm. 45, 1998, pp. 7-46

CHITI, E., "The Right of Access to Community Information Under the Code of Practice: the Implications for Administrative Development", *European Public Law*, núm. 3, 1996, pp. 363-374

COMISIÓN EUROPEA, *Comparative analysis of the Member States' and candidate countries' legislation concerning access to documents*, 1 de julio de 2003, SG/616/03, Directorate B

COMISIÓN EUROPEA, Estudio comparado de la regulación del derecho de acceso a la información en los Estados miembros, de 9 de octubre de 2000, www.europa.eu.int/comm/secretariat_general/sgc/acc_doc/index_fr.htm#.

COTINO HUESO, L., "El nuevo derecho fundamental europeo al acceso a los documentos, transparencia e información pública, en PEÑA GONZÁLEZ, J. (coord.), *Homenaje a D. Iñigo Cavero Lataillade*, Tirant lo Blanch, Valencia, 2005, pp. 725-754

COTINO HUESO, L., "Transparencia y derecho de acceso a los documentos en la Constitución Europea y en la realidad de su ejercicio", en CARRILLO LÓPEZ, M. y LÓPEZ BOFILL, H. (coords.), La Constitución Europea: actas del III Congreso Nacional de Constitucionalistas de España, Tirant lo Blanch, Valencia, 2006, pp. 285-308.

CURTIN, D., y LEINO-SANDBERG, P., *Openness, transparency and the right of access to documents in the EU: in-depth analysis*, Parlamento Europeo, Bruselas, 2016

DAVIS, R. W., "The Court of Justice and the right of access to Community-held documents", *European Law Review*, vol. 25, núm. 3, 200, pp. 303-309

DE LEEUW, M. E. de, "The regulation on public access to European Parliament, Council and Commission documents in the European Union: are citizens better off?", *European Law Review*, núm. 3, 2003, pp. 324-348

DEOP MADINALBEITIA, X. y GUTIÉRREZ CASTILLO, V. L., "El derecho de acceso a los documentos de la Unión Europea en el Tratado por el que se instituye una constitución para Europa", en CARRILLO LÓPEZ, M. y LÓPEZ BOFILL, H. (coords.), *La Constitución Europea: actas del III Congreso Nacional de Constitucionalistas de España*, Tirant lo Blanch, Valencia, 2006, pp. 309-324

DRIESSEN, B., "Access to Member State documents in EC law: a comment", *European Law Review*, vol. 31, núm. 6, 2006, pp. 906-911.

DRIESSEN, B., "The Council of the European Union and access to documents", *European Law Review*, 2005, núm. 30, pp. 675-696

DRIESSEN, B., *Transparency in EU Institutional Law: A practitioners handbook*, Londres, Cameron May, 2012, 2ª ed.

DYRBERG, P., "Current Issues in the Debate on Public Access to Documents", *European Law Review*, núm. 2, 1999, pp. 157-170

DYRBERG, P., "El acceso público a los documentos y las Autoridades comunitarias", *Revista de Derecho Comunitario europeo*, núm. 2, 1997, pp. 377-411

GONZÁLEZ ALONSO, L. N., "Derecho de acceso a los documentos", en MANGAS MARTÍN, A., y GONZÁLEZ ALONSO, N. (coords.), *Carta de los Derechos Fundamentales de la Unión Europea: comentario artículo por artículo*, Fundación BBVA, Bilbao, 2008, pp. 678-699

GONZÁLEZ ALONSO, L. N., *Transparencia y acceso a la información en la Unión Europea*, Colex, 2002

GUICHOT, E., "El nuevo Derecho europeo de acceso a la información pública", *Revista de Administración Pública*, núm. 160, 2003, pp. 283-316

GUICHOT, E., "Las relaciones entre transparencia y privacidad en el Derecho Comunitario ante la reforma de la normativa sobre acceso a los documentos públicos", *Revista Española de Derecho Europeo*, núm. 37, 2011, pp. 37-69.

GUICHOT, E., "Publicidad frente a privacidad de la información personal en Derecho canadiense: lecciones para el derecho europeo", *Revista Española de Protección de Datos*, núm. 3, 2007, pp. 65-94

GUICHOT, E., "Un paso decisivo en la clarificación de las relaciones entre derecho de acceso y derecho a la protección de datos: la Sentencia del TPI de 8 de noviembre de 2007, *Bavarian Lage*/Comisión, T-194/04, *Revista Española de Derecho Europeo*, núm. 27, 2008, pp. 329.345, núm. 3, 2007

GUICHOT, E., *Publicidad y privacidad de la información administrativa*, Civitas, Madrid, 2009

GUICHOT, E., Transparencia y acceso a la información en el Derecho europeo, Editorial Derecho Global/Global Law Press, Sevilla, 2011

HELISKOSKI, J., "Darkness at the break of noon: The case law on Regulation N°. 1049/2001 on access to documents", *Common Market Law Review*, 2006, p. 735-781

HEREMANS, T., *Public access to documents : jurisprudence between principle and practice (between jurisprudence and recast)*, Academia Press, Egmont Papers, Gante, 2011

HILLEBRANDT, M., "Twenty-five years of access to documnts in the Council of the EU: Ever greater transparency?", Politique européenne, vol. 61, núm. 3, 2018, pp. 142-173

HIX, J.-P., "Demokratie, Transparenz und Bürgerrechte in der Europäischen Gemeinschaft", *Neue Juristische Wochenschrift*, núm. 18, 1997, pp. 1217-1219

IZZO, S., "Segretezza dei documenti e diritto comunitario", *Diritto Comunitario e degli scambi internazionali*, núm. 3, 1997, pp. 397-436

KRANENBORG, H. R., "Is it time to revise the European Regulation on public access to documents?", European Public Law, vol. 12, núm. 2, 2006, pp. 251-274

KRANENBORG, H. y VOERMANS, W., Access to Information in the European Union. A comparative Analysis of EC and Member State Legislation, Europa Law Publishing, Groningen, 2005

KRANENBORG, H., "Access to documents and data protection in the European Union: On the public nature of personal data", Common Market Law Review, núm. 4, 2008, pp. 1079-1114

LABAYLE, H., Openness, transparency and access to documents and information in the European Union, Oficina de Publicaciones, Luxemburgo, 2013

LAFAY, F., "L'accès aux documents du Conseil de l'Union: contribution à une problématique de la transparence en droit communautaire", Revue Trimestrielle de Droit européen, núm. 1, 1997, pp. 37-68

LEINO-SANDBERG, P., "Just a little sunshine in the rain: the 2010 case law of the European Court of Justice on access to documents", Common Market Law Review, vol. 48, núm. 4, 2011, pp. 1215-1252.

LEVITT, M., "Commission Notice on Internal Rules of Procedure for Access to the File", European Competition Law Review, núm. 3, 1997, pp. 187-190

LEVITT, M., Access to the file: The Commission's administrative procedures in cases under Articles 85 and 86, Common Market Law Review, núm. 6, 1997, pp. 1413-1444;

LOZANO CUTANDA, B., PLAZA MARTÍN, C. y PÉREZ CARRILLO, E. F., "La transparencia en el funcionamiento de la Unión Europea: El acceso público a los documentos de sus instituciones y órganos", Revista Vasca de Administración Pública, núm. 56, 2000, pp. 349-385

MANGAS MARTÍN, A., "Transparencia y acceso a la información en la Unión Europea", en PASTOR RAMOS, G. (coord.), Retos de la sociedad de la información: estudios de comunicación en honor de María Teresa Aubach Guiu, Universidad Pontificia de Salamanca, Salamanca,1997, pp. 565-574

MARTÍN GONZÁLEZ, Y., "La transparencia informativa a examen: Evaluación de la puesta en práctica de la normativa sobre acceso público a los documentos de la UE", IX Jornadas Españolas de Documentación, Fesabid, Madrid, 2005, pp. 359-370

MARTÍN GONZÁLEZ, Y., La información en la Unión Europea: política, sistema y redes, Universidad de Salamanca, Salamanca, 2007

MARTINEZ CAPDEVILA, C., "El acceso a los documentos del consejo de la Unión europea: últimos desarrollos", Gaceta Jurídica de la UE, B-120, 1997, pp. 5-18;

MARTÍNEZ CAPDEVILA, C., "La transparencia en la Unión Europea", *Cuadernos de Derecho Público*, núm. 26, 2005, pp. 169-193

NIETO-GUERRERO LOZANO, A. N., "Luces y sombras del derecho de acceso a los documentos de las instituciones comunitarias", *Gaceta Jurídica de la CE y de la Competencia*, núm. 218, 2002, págs. 81-102

O'NEILL, M., "In search of a real right of access to E.C.-held documentation", *Public Law*, 1997, pp. 446-454

O'NEILL, M., "The Rights of Access to Community-Held Documentation as a General Principle of EC Law", *European Public Law*, núm. 3, 1998, pp. 403-432

ÖSTERDAHL, I., "Openness v. Secrecy : public access to documents in Sweden and the European Union", *European Law Review*, vol. .23, múm. 4, 1998, pp. 336-356

PEERS, S., "The new Regulation on Access to Documents: a Critical Analysis", *Yearbook of European Law*, 2002, núm. 21

PÉREZ CARRILLO, E. F., "Accesibilidad a los documentos en materia de seguridad en la Unión Europea", *Revista de Derecho Comunitario Europeo*, núm. 28, 2007, pp. 819-854

PÉREZ CARRILLO, E. F., "Acceso a los documentos internos, transparencia y derecho de defensa de la libre competencia en la Unión Europea", *Actas de derecho industrial y derechos de autor*, tomo 27, 2006-2007, pp. 309-330

PÉREZ CARRILLO, E. F., "El derecho de acceso a los documentos en la Carta de los Derechos Fundamentales de la Unión Europea", en RUIZ MIGUEL, C. (coord.), *Estudios sobre la Carta de los Derechos Fundamentales de la Unión Europea*, Universidad de Santiago de Compostela., Santiago de Compostela, 2004, pp. 117-158

PÉREZ CARRILLO, E. F., "La transparencia en el funcionamiento de la Unión Europea: El acceso público a los documentos de sus instituciones y órganos", *Revista Vasca de Administración Pública*, núm. 56, 2000, pp. 349-385

RIPOLL NAVARRO, R., "Treinta años de transparencia", *Unión Europea Aranzadi*, núm. 7, 2010, pp. 15-24

ROSSI, L., VINARE E SILVA, P., *Public access to documents in the EU*, Bloomsbury, Oxford, 2017

RUGGE, G., "Trilogues and access to documents: De Capitani v. Parliament", *Common Market Law Review*, vol. .56, núm. 1, 2019, pp. 237-258

SPAHIU, I., "Courts: An Effective Venue to Promote Government Transparency? The Case of the Court of Justice of the European Union", *Utrecht Journal of International and European Law*, vol. 80, núm. 31, 2015, pp. 5-24

Emilio Guichot

TOURNEPICHE, A.-M., "Vers de nouveaux champs d'application pour la transparence administrative en droit communautaire. Réflexions sur le Livre vert «Initiative européenne en matière de transparence»", *Cahiers de Droit Européen*, núm. 5-6, 2007, pp. 623-646

TROIANIELLO, P., "Limiti applicativi del diritto di accesso ai documenti della Commissione europea", *Diritto Comunitario e degli scambi internazionali*, núm. 3, 1997. pp. 377-392

VAN DER HOUT, R. y firmenich, m., "Access to documents containing business information¡: the application of Regulation (EC) 1049/2001 in cartel cases and the need for reform", *Zeitschrift für europarechtliche Studien*, vol. 14, núm. 4, 2011, pp. 647-661